# Premier Manuel

## GRAMMAIRE ET CIVILISATION FRANÇAISES

# Premier Manuel

## GRAMMAIRE ET CIVILISATION FRANÇAISES

BY

### Douglas W. Alden

PRINCETON UNIVERSITY

•

WITH AN INTRODUCTION TO FRENCH PRONUNCIATION,
PHONETIC TRANSCRIPTIONS AND EXERCISES

BY

**Pierre Delattre**

UNIVERSITY OF COLORADO

APPLETON-CENTURY-CROFTS, INC.

NEW YORK

*To the Memory of*
**CHRISTIAN GAUSS**
*Teacher, scholar, humanist,
friend of humanity*

# PREFACE

This beginning French text combines the postwar "oral" method with the traditional grammar approach to language study while focusing the student's attention continuously on the French way of life. It can best be described as a textbook "in depth"—that is to say, it is constructed on different levels which permit the teacher to penetrate as deeply as time allows and which enable the inquisitive student to continue deeper into the reference materials on his own time. Since class time is usually inadequate, it would seem desirable, in the light of the most recent pedagogy, to devote a maximum amount of time to the active use of the French language and a minimum amount of time to tedious explanations of linguistic usage. The function of this book is to present the tedious explanations so clearly and so systematically that the teacher need not waste valuable class time to duplicate the operation.

Every effort has been made to prepare narrative texts and dialogues which are concise and, at the same time, interesting and informative. Since it is assumed that the teacher will insist on something approximating memorization of these texts, at least in the first twenty lessons, there is perhaps greater vocabulary and grammatical density than is traditional in a first-year grammar. One obstacle to memorization in existing textbooks has been *non sequitur* material and extensive repetition of the same vocabulary. While avoiding these pitfalls, this book aims at presenting more material in a shorter space.

The traditional grammar has always arranged the so-called rules in the form of an inverted pyramid with the definite article at the bottom and the imperfect subjunctive at the top. This book offers the same material in two cycles. The first cycle of twenty lessons covers only the basic rules of grammar from the article to the simplest function of the present subjunctive. The second cycle, with the aid of a grammatical appendix, reviews and supplements all of this material, working from the verb back to the simpler forms. Contrary to what is usually the case, the teacher will sacrifice nothing essential if he stops before the end of the book.

Another basic assumption is that, having acquired the useful habit of memorization in the first twenty lessons, the student will continue to apply the same habits to the twenty lessons of the second cycle, even though they are manifestly too long for verbatim retention. The same teaching procedures are therefore recommended for the second part as for the first.

However, it is axiomatic that an enterprising teacher never uses a textbook in the exact manner in which it was intended to be used. With this in mind, we have attempted to arrange the materials in such a way that many combinations and—if necessary—omissions are possible. In the first twenty lessons, dialogues may be omitted altogether or in part (or used as "reading" selections) without detriment to the orderly presentation of vocabulary and grammar. Similarly, the entire second half of the book may be treated as "reading" material, again without detriment to fundamentals since they are adequately covered in the first cycle. Likewise, additional exercises and English-to-French translation passages have been relegated to a secondary position in the *Révisions* where they will be available to advocates of the more traditional study of language but will not, by their presence in the lessons, impede the procedure of a strictly oral method.

Many teachers will probably consider that the most original feature of this book is Professor Delattre's treatment of phonetics. Certainly, this is the first time that so much significant information has been offered in a beginning grammar. Without doubt, it will be a useful guide to the teacher who will be inspired to seek more accurate results in teaching the sounds of the French language. In accord with the principle of presenting the materials "in depth," Professor Delattre has prepared a thorough compendium of information on pronunciation as an introduction; for the student this is an appendix rather than an introduction and he will need guidance in using it, just as he will need some guidance in the pronunciation comments which accompany the first six lessons. Here again the oral principle should be paramount: that more language can be learned by use than by theory. To assist in this aspect of the learning process, Professor Delattre has prepared a long-playing record covering the reading texts in the first twenty lessons of this book.[1]

A brief description of each part of the book follows:

**PHONETICS.** (1) A phonetics introduction aimed primarily at the teacher in the beginning and to be used by the student only after he has learned by imitation to pronounce correctly. (2) Comments

[1] This 33⅓-rpm. record is published and distributed by Appleton-Century-Crofts, Inc., 35 West 32nd St., New York 1, N.Y.

on pronunciation in the first six lessons, useful to the student from the outset. (3) Model transcriptions of the first ten narrative texts and of the twenty dialogues. (4) Pronunciation of all words in lesson vocabularies.

**LA VIE QUOTIDIENNE,** consisting of twenty lessons, each divided into two parts:

A. *Narrative text, grammar and exercises.* (1) First comes the narrative text which subordinates grammatical considerations to subject matter since it is considered desirable that, as an aid to the learning process, the student should remember the content as much as the constructions. (2) A lengthy *questionnaire*, much longer than usual in a book of this type, intended to oblige the student to "give back" the narrative text to the teacher in conversation. (3) A systematic presentation of grammar conceived in terms of the English language, with extensive explanations but with essential rules highlighted in bold face type. (4) Fill-in exercises which emphasize the grammatical principles of the lesson more thoroughly than does the narrative text.

B. *Dialogue.* This reproduces in dramatic form the situation described in the narrative text. It is assumed that the student will be required to learn the passage accurately enough to engage in a conversation with another student in the supporting role. As far as possible, the same expressions and vocabulary recur. Additional words, as needed, figure in a *vocabulaire supplémentaire.* (At all times the dialogue may be omitted with impunity since all exercises and grammar are geared to the first half of the lesson and since words of the *vocabulaire supplémentaire* are repeated if they recur in subsequent lessons).

**RÉVISIONS,** situated throughout the book after each group of five lessons. (1) Abundant fill-in exercises (here the teacher may prefer to make a selection) which allow for a thorough review of grammar. (2) English-to-French translation exercises arranged to correspond to individual lessons so that they may be done in connection with the lesson or in review, or both.

**LA CIVILISATION FRANÇAISE,** consisting of twenty lessons arranged as before but without dialogues. The primary objective in writing these lessons has been to find interesting and discussable subject matter. Aside from imparting useful information (the need for which is obvious these days) about French civilization, these lessons contain facts which the student can remember so that conversation in the classroom becomes interesting and linguistically profitable.

**LECTURES SUPPLÉMENTAIRES.** Three essays on problems of contemporary French civilization which may be used for straight French to English translation or for "advanced" discussion at the end of the course.

**APPENDICE GRAMMATICAL.** A systematic classification of French grammar for reference purposes. The first twenty lessons presented the fundamental principles of the French language, including some simple uses of the subjunctive. Grammatical material in the second half of the book is geared to the *Appendice Grammatical*, which permits a review of simple grammar as new and more complex problems are simultaneously presented. (Because of this review feature of the second half, many teachers may prefer to omit the *révisions*).

Let me repeat that this book is not confined to one specific method. To show the possibilities, we shall describe two extreme approaches between which the average teacher will prefer to find a happy median.

**ORAL METHOD.** Emphasis on first half of book with stress on *questionnaires, dialogues* and fill-in exercises. Omit *révisions*. Continue with second half of book in same manner for whatever time remains, focusing attention on discussion rather than grammar and even combining lessons in one assignment if time is short.

**TRADITIONAL METHOD.** In first half of book, cover only first half of each lesson. Treat *dialogue* as French to English translation or omit altogether. Emphasis on English to French translation in *révisions*. Continue normally with second half of book, or, if class time is short, treat last ten lessons as straight French to English translation (any loss in grammar content will be minor).

This book should provide enough material for the "double" introductory course which is now common in many institutions. The flexible features are intended primarily for the teacher who still labors under the traditional three hour per week program. Although not foreseen in the original plan, it may be possible for some teachers to use this book over a period of two years and thus provide a much needed continuity between the first and second year courses.

❖         ❖         ❖

The author wishes to express his indebtedness to Professor Pierre Delattre, not only for the unusual phonetics material which he has contributed (he is the author of everything mentioned above under the heading of "phonetics") but also for his careful revisions of the entire manuscript. Thanks also go to my colleague, Professor Maurice-E. Coindreau, for a final reading of the French texts, to Professor Hazel J. Bullock of Syracuse University for helpful criticisms and suggestions, and to the late Dean Christian Gauss who first suggested this book and whose friendly advice and encouragement saw the manuscript through the initial stages.

D. W. A.

# TABLE DES MATIÈRES

## Première Partie
## LA VIE QUOTIDIENNE

*Deuxieme Partie*

## LA CIVILISATION FRANÇAISE

# TABLE DES ILLUSTRATIONS

# *Premier Manuel*
## GRAMMAIRE ET CIVILISATION FRANÇAISES

# The Sounds of the Phonetic Symbols

| | | | | |
|---|---|---|---|---|
| **p** | comme dans **petit** | **i** | comme dans **fille** |
| **b** | bonne | **e** | nez |
| **m** | maison | **ɛ** | belle |
| **t** | table | **y** | une |
| **d** | difficile | **ø** | deux |
| **n** | nouveau | **œ** | heure |
| **k** | comme | **u** | pour |
| **g** | garçon | **o** | beau |
| **ɲ** | peigne | **ɔ** | porte |
| **f** | fille | **a** | madame |
| **v** | vous | **ə** | le |
| **s** | sœur | **ɛ̃** | pain |
| **z** | zéro | **œ̃** | un |
| **ʃ** | chez | **ɔ̃** | bon |
| **ʒ** | jardin | **ɑ̃** | dans |
| **l** | livre | | |
| **r** | rue | | |
| **j** | hier | | |
| **w** | oui | | |
| **ɥ** | huit | | |

# PRINCIPLES OF FRENCH PRONUNCIATION

## I. Diction and Articulation

Under "diction" we shall study the phonetic characteristics of connected speech: rhythm, accent (stress), and intonation. Under "articulation" we shall study the phonetic characteristics of speech sounds (vowels and consonants) and syllables: tension, fronting, and vowel anticipation.

### Diction

**A. RHYTHM** (a recurrence at somewhat equal intervals). The main speech rhythm of English is due to the unevenness of its syllables. An English sentence is heard as a succession of strong (loud, intense) syllables separated by much weaker ones: *My HEART's in the HIGHlands, my HEART is not HERE. The AUthor's insinuAtions are inTOLerable.* These peaks of loudness recur at equal and frequent enough intervals to form a rhythm in which each strong syllable corresponds to one beat.

In French, the syllables are all of about equal strength (loudness). The main rhythm is heard as a succession of equal syllables, and each syllable corresponds to one beat: *Jacques est un garçon* [ʒa ke tœ̃ gar sɔ̃]. *Marie est une fille* [ma ri e tyn fij]. It recalls the rhythm heard in English when one counts: 1, 2, 3, 4, 5: *Ils sont frère et sœur* [il sɔ̃ frɛ re sœr].

The English rhythm of the above examples could be represented in this manner:

oO ooOo oO ooO    oOo oooOo ooOooo

and the French rhythm in this manner:

o o o o o

**B. ACCENT** (what makes a syllable stand out). Let us consider first the nature of accent. Three acoustic elements can cause a syllable to stand out: a higher pitch, a greater loudness (due to a stronger articulation), and a longer duration. The first applies to Chinese, where accented syllables are higher. The second to English, where accented syllables are louder (stronger). It is true that stronger

1

syllables are generally also higher (in pitch) but that is secondary, for it is not indispensable to raise the pitch in order to make a syllable stand out: *The AUthor's insinuAtions are inTOLerable:* oOo oooOo ooOooo.

The third applies to French. The accented syllables are longer—not stronger; on an average, the accented syllables are twice as long as the others.

*Ils sont frère et sœur* ___ ___ ___ ___ _____

Let us now consider the place of accent. In English, the accent can fall on any syllable of a word: *PHOtograph, phoTOGraphy, photoGRAPHic.* In French it always falls on the last syllable: *Jacques,* M*arie,* Dalem*bert,* appart*ement:* _____, ___ _____, ___ ___ _____, ___ ___ ___ _____. In English it is mostly a word accent: *acCENTed SYLlables apPEAR LOUDer.* In French it is more often a group accent: it falls on the last syllable of each sense-group: Jacques et M*arie*      sont frère et *sœur*

___ ___ _____          ___ ___ ___ _____

[ʒa  ke  ma  ri          sɔ̃  frɛ  re  sœr   ]

**Emphatic accent.** Not to be confused with the accent on the last syllable is the emphatic accent, which generally falls on the first syllable that begins with a consonant and serves to make a word stand out, either for emotive or intellectual reasons. The nature of this accent is similar to that of the English accent: the syllable is first of all stronger: *PARfaitement, imBEcile.*

**C. INTONATION (the inflections, or pitch variations, of the voice).** In their general aspect, the intonation patterns of French and English are alike:

Finality falls:

It is finished\   **C'est fini**\

Command falls:

Finish it\   **Finissez-le**\

Questions not to be answered by *yes* or *no* fall:

When will you finish?\   **Quand finirez-vous?**\

Questions to be answered by *yes* or *no* rise:

Will you finish?/   **Finirez-vous?**/

Continuation rises:

He will finish his book/   (in three weeks)
**Il finira son livre**/      **(dans trois semaines)**

Implication rises moderately:

If you believe that . . ./ (you are a fool)
**Si vous croyez cela** . . ./ (**vous êtes bien bête**)

The last group of a series of groups connected by meaning rises higher than the others. (The higher rise is marked here with two lines instead of one.)

The old friends// will arrive\
**Les vieux amis// vont arriver\**
The old friends/ we were expecting// will arrive\
**Les vieux amis/ qu'on attendait// vont arriver\**
The old friends/ we were expecting/ today// will arrive\
**Les vieux amis/ qu'on attendait/ aujourd'hui// vont arriver\**
The old friends/ we were expecting/ today/ for dinner// will arrive\
**Les vieux amis/ qu'on attendait/ aujourd'hui/ pour le dîner// vont arriver\**

However, English and French intonations differ sharply on two specific points:

1. One difference is due to the place of stress, which is variable in English and fixed in French (last syllable). Since the accented syllable is always the last one of a group, in French, the widest pitch interval is always between the last two syllables.

*vous?*
Fi ni rez-          C'est tout fi ni.

2. Another difference is related to muscular tension. With English laxness, the stressed syllable has a very changing pitch:

he goes, he comes

il va, il vient

3. Caution: do not raise the pitch on the syllable that would be stressed in the English cognate:

Not *TI* con nuez but con ti *nuez* or con ti nuez

Not *TRUC* ins tion but ins truc tion or ins truc tion

**Summary of Diction.** The sense-groups of a French sentence are heard as a series of tense syllables of equal force, the last one being longer and separated from the preceding one by a wide pitch interval (rising or falling, according to the intonation pattern). The

smooth impression given by this succession of equal syllables has
been compared to the pearls of a necklace.

## Articulation

All the phonetic features of French articulation—as compared with
English articulation—will be shown here to derive from three general features: A, Tension; B, Fronting; C, Vowel Anticipation. These
three features must be remembered throughout one's study of French.

**A. TENSION.** The English language is among the most lax in the
world. French, on the contrary, is the most tense. By this is meant
that the muscles of articulation (lips, cheeks, tongue, etc.) are constantly tense, by comparison with English. The result is that for
French, the organs are held in place more stably during sounds,
while the transitions are quicker between sounds.

1. **Vowels.** Tension prevents French from having either diph-
thongs or diphthongized vowels such as those illustrated by the following sentence: *My old house takes oil* [maɪ oʊld haʊs teɪks ɔɪl].
French vowels are said to be "pure." Their timbre (color) changes as
little as possible in the course of their syllable.

This must be kept in mind mainly for the two vowels [e] and [o],
which, for a French ear listening to an American articulation, are
diphthongized into approximately [ɛeɪ] and [ɔoʊ]. Compare *say
show* [sɛeɪ ʃoʊu] to *c'est chaud* [se ʃo].

In order to prevent diphthongizing [e] and [o]:

(a) tense all muscles of articulation;

(b) anticipate the position (for lip, tongue, etc.) of the vowel
even before starting the consonant, and keep it immobile;

(c) do not attack the vowel brusquely, but gradually, softly, and
increase your effort to the end of the vowel instead of reducing it
after the beginning, as in English;

(d) say the vowel on a single note, not on rising or falling pitch.

2. **Consonants.** Tension prevents French from having affricate
consonants, such as [tʃ] in *church* and [dʒ] in *judge,* and from affri-
cating such consonants as [p], [t], [k]. This means that no friction
noise is heard following the explosion noise of those consonants. To
avoid this friction noise, it is necessary to separate the organs, at the
time of the explosion, much faster than in English:

*Tu tires* [ty tir] and not [tsy tsir]

More generally, tension makes it possible for the opening movement of all syllables to be a very quick one. This gives French its clear-cut syllabication which results in a sort of staccato effect. Open your mouth sharply (but not too much) for each syllable, as you say:

*Pauline a capitulé*   [po li na ka pi ty le]

**B. FRONTING.** Tongue and lips are both involved in fronting.

**1. Tongue Fronting in Consonants.** All the consonants that use the tip of the tongue advance this tip farther forward in French than in English. For English [t], [d], [n], [1], the tongue tip usually curls up to contact the alveols or the hard palate, some distance back of the upper incisors. Feel it as you say: ra*t*e, rai*d*, rai*n*, rai*l*.

In French the tongue firmly contacts the upper incisors:

*ce*tte [sɛt], *cè*de [sɛd], *scè*ne [sɛn], *ce*lle [sɛl]
*te*s [te], *de*s [de], *ne*z [ne], *le*s [le]

For English [s], [z], [ʃ], [ʒ], the tongue tip is generally turned up: *case* [keɪs], *gaze* [geɪz], *cash* [kaʃ], *garage* [gəraʒ]. For those sounds in French, the tongue tip points down toward or against the lower incisors, and the groove through which the air is compressed out is formed by the blade of the tongue instead of the tip: *casse* [kas], *case* [kaz], *cache* [kaʃ], *cage* [kaʒ].

Tongue fronting of those eight consonants plays a major role in producing the frontal resonance so characteristic of French speech.

**2. Lip Fronting in Consonants.** The majority of French vowels are produced with rounded (fronted) lips; less than one fourth of English vowels are so produced. Since French tends to anticipate the articulatory position (tongue, lip, etc.) of a vowel while the preceding consonant is being uttered, more than half of all French syllables are articulated with the lips rounded (fronted) from the start of their initial consonant. Any consonant may acquire a frontal resonance by anticipation of a following fronted vowel.

In the following words, the lip position of the vowel should be taken before starting the preceding consonant.

*pur* [pyr], *peu* [pø], *peur* [pœr], *brun* [brœ̃]
*pour* [pur], *pot* [po], *port* [pɔr], *pont* [põ]
*dur* [dyr], *deux* [dø], *d'heure* [dœr], *d'un* [dœ̃]
*tour* [tur], *tôt* [to], *tort* [tɔr], *ton* [tõ]

**3. Tongue and Lip Fronting: the "Rounded Vowels."** The timbre (color) of vowels, including the French nasals, must be learned through direct imitation of the instructor, or the record (preferably in words and sentences), without any mention of so-called English equivalents for the oral vowels, or of so-called oral equivalents for the nasal vowels, and without instructions as to the positions of lips and tongue, etc. One's ear is a much more dependable guide than the best articulatory instructions.

However, an exception can be made for the three rounded vowels [y], [ø], [œ], which are completely new to an English speaker.

First, note that generally when vowels are fronted (tongue), they are unrounded (lips): [i], [e], [ɛ], and when they are backed (tongue), they are rounded (lips): [u], [o], [ɔ]. Any other behavior is exceptional in languages. French has an exceptional series which is fronted by both tongue and lips: the vowels [y], [ø], [œ] have the tongue fronted as for [i], [e], [ɛ], and the lips rounded as for [u], [o], [ɔ]. This gives the key to their articulation. Say [i], hold your tongue immobile while rounding your lips as for [u], and the result will be [y]; say [e], hold your tongue immobile while rounding your lips as for [o], and the result will be [ø]; say [ɛ], hold your tongue immobile while rounding your lips as for [ɔ], and the result will be [œ].

Another way to obtain these three vowels is to start from the whistling position of tongue and lips (tongue tip pointing down and pressed against the lower incisors, lips narrowly rounded). Whistle briefly, then hold exactly the tongue and lip position you had while whistling, and voice a vowel. The result should be [y]. Then to produce [ø], you open very slightly your rounded lips and draw back your tongue. And for [œ], the same but a little more.

4. **The French R.** Just as the Mid-Western "retroflex" *r* is characteristic of American articulation with the tip of the tongue raised and the back of the tongue lowered in somewhat concave shape, so the French "fricative" *r* is characteristic of French articulation with the tip of the tongue lowered and the back of the tongue raised in somewhat convex shape. Holding almost constantly the latter position— tip lowered and back raised—is the key to good French pronunciation. Since, in the articulation of the French *r*, the tip of the tongue is not used, keeping it down becomes possible—a position that favors the frontal resonance.

Experiments have shown that American students can easily pronounce the French *r* provided that they do not know how it is spelt. The minute they are aware that it is written with an *r*, their reflex of tongue retroflexion makes it difficult for them to lower their tongue tip. In teaching the *r*, therefore, a little psychology is needed. If the student has had no French at all, it is easy, by entirely oral means, to have him repeat the new sound (which he often calls "a hard h").

If he has had a little French before, make him substitute a Spanish *jota* for every *r*; when he visualizes a *jota*, his mind is freed from the *r* influence.

French *r* is a voiced (vocal cords vibrate, as for [z]) friction between the very back of the tongue and the very back of the soft palate. In order to produce it consciously, place yourself before a mirror, open your mouth wide, say [aaa] with tongue tip down, then slowly raise the very back of your tongue—keeping tongue tip down—until it is close enough to the back of the velum (soft palate) to sound a friction. You have said in French [ar]. Repeat this with all the vowels: [ir], [er], [ɛr], [ar], [ɔr], [or], [ur]; [iri], [ere], [ɛrɛ], [ara], [ɔrɔ], [oro], [uru].

Another method consists in starting from the voiceless fricative of Spanish *bajo, hoja,* or German *Bach,* whose friction is produced, as for French *r,* between the back of the tongue and the back of the velum. Then reduce the friction and add voicing to it as you add voicing to [s] in order to change it into a [z] ([asa] becomes [aza]). Spanish *bajo, hoja,* will become French *barreau, aura,* and German *Bach* will become French *barre.*

Note that graduating from the *jota* stage to the *r* stage is not a matter of minutes but often of weeks. The student should persevere in substituting a *jota* friction for every *r* until the friction articulation has become very easy. (Remember that tongue tip must be down all the time, while learning the French *r.*)

**C. VOWEL ANTICIPATION.** In the flow of syllables, English strongly tends to anticipate final consonants in words: *an aim* is different from *a name, tool eight* is different from *too late.* For a Frenchman, however, it is not. He would pronounce *an aim* like *a name,* and *tool eight* like *too late* because he is not accustomed to anticipate consonants. Rather, he anticipates the vowels. And this has a profound effect on several phases of French pronunciation.

1. It causes nearly all syllables to end with vowels and begin with consonants: *elle imite un autre accent* is pronounced very nearly [ɛ li mi tœ̃ no tra ksɑ̃]. This is called open syllabication (all syllables end with the mouth open). It provides one of the most effective types of exercises for one who wishes to acquire a really French articulation.

2. It causes the lips and tongue to take the position of a vowel already while articulating the preceding consonant. This is especially important for Americans in the pronunciation of labial consonants before rounded vowels. There, unless the vowel is well anticipated

for both tongue and lip position, a [j] is inserted between the consonant and the vowel. Practice is most necessary with the following syllables:

> *pu* [py], *bu* [by], *mû* [my], *fut* [fy], *vu* [vy]
> *peu* [pø], *bœufs* [bø], *meule* [møl], *feu* [fø], *veut* [vø]

3a. It causes the glottis (vocal cords) to vibrate much earlier than in English, in the sequence consonant-vowel (by anticipation of the vowel). This is important in pronouncing the voiced plosives [b], [d], [g]. In French, the vocal cords vibrate well before the explosion, and therefore those consonants sound much more clearly voiced than in English: *un bas dégoûtant* [ɶ̃ ba degutɑ̃]. It is also of some importance in pronouncing the voiced fricatives [v], [z], [ʒ]: they must sound well voiced: *un visage évasif* [ɶ̃ vizaʒ evazif].

3b. It causes the glottis to close much earlier than in English (by anticipation of the following vowel). This concerns the pronunciation of [p], [t], [k]. In English their explosion is generally followed by a puff of breath (called *aspiration*), because the glottis is still open at the time of the explosion. One hears:

> [t h m] for *tin*
> [p h m] for *pin*
> [k h m] for *kin*

(Note that this happens only if the consonant is syllabically initial. In *spin, sting, skin,* there is no aspiration.)

In French, the vocal cords are closed at the time of the explosion. Therefore no breath from the lungs can pass through, and there is no aspiration. As you say: *ta capitale est équipée* [ta ka pi ta le te ki pe], place the back of your hand before your lips and verify that no breath can be felt. To obtain this result, tense the muscles of the throat, as one does in English in an energetic pronunciation of words beginning with a vowel: *out* [ʔaʊt], having them begin with a "glottal stop" [ʔ].

4. It causes all final consonants to be clearly released. Usually, in English, the mouth does not reopen, after closing on a consonant. This is especially noticeable for [l], [m], and [n]:

> *dim* [dɪmm], *tin* [tɪnn], *pill* [pɪll]

In French, first of all the consonant is not anticipated (relatively). Secondly it ends with an embryo vowel which occurs when the mouth reopens in what is called a "release." We shall use a high dot [ˑ] as a symbol of release. To a certain extent, French final consonants are articulated as if they were initial consonants.

*cime* [si-m·], *fine* [fi-n·], *ville* [vi-l·]

**5.** It prevents spreading of nasality. The most striking cases of consonant anticipation by English speakers occur when a nasal vowel is followed by an oral (non-nasal) consonant: *tombe* [tɔ̃-b], and when an oral vowel comes before a nasal consonant: *Jeanne* [ʒa-n]. Until the English speaker has overcome his habit of consonant anticipation, in the first case he will say [tɔ̃mb] instead of [tɔ̃-b], adding an [m] (a nasal [b]) by anticipation of a part of the [b] while the nasality of the [ɔ̃] has not yet stopped; in the second case, he will say [ʒãn] instead of [ʒan], nasalizing the [a] by anticipation of the nasality of the [n]. By avoiding consonant anticipation (in other words, enforcing vowel anticipation), one will be able to articulate correctly:

*tombe* [tɔ̃-b·], not [tɔ̃mb]
*sainte* [sɛ̃-t·], not [sɛ̃nt]
*banque* [bã-k·], not [bãŋk]
*pense* [pã-s·], not [pãns]
*Jeanne* [ʒa-n·], not [ʒãnn]
*femme* [fa-m·], not [fãmm]

Comparing the [a] sounds in *Jeanne* and *Jacques, femme* and *face* will help one to notice this superfluous nasality. The [a] vowels of *Jeanne* and *femme* should sound as free from nasality as those of *Jacques* and *face*.

# II. French Spelling

French sounds have no English equivalents. By seeking analogies in English words to help understand the pronunciation of French sounds the student will form the bad habit of using as a starting point an incorrect sound. The best way to interpret French spelling is to use phonetic symbols, or French key-words, directly, avoiding all thought of what the closest English sound might be. The phonetic symbols or French key-words will be pronounced for you by your instructor or by a record of spoken French. Depend entirely on your instructor or the record for repeating the sounds to you until you are sure of them. Patient repetition, with correction, is the only method here, and this is not a matter of days but of weeks, sometimes of months. But once you have acquired the correct sound for each symbol or key-word, you become independent, you can solve for yourself the pronunciation of any French word without asking your instructor.

French spelling is not so illogical as it will appear at first. It can almost entirely be set into rules, with small exceptions; but the rules are somewhat intricate and it will take time to master them for fluent reading aloud. In the following pages, you will find, for each French spelling unit, a phonetic symbol, a key-word with additional practice words taken from your first texts, and a formulation of the rule governing that spelling.

## Consonants

**b, bb** [b], *bonne* [bɔn], *bien* [bjɛ̃], *beaucoup* [boku], *Dalembert* [dalãbɛr], *table* [tabl], *robe* [rɔb], *abbaye* [abei].

**c** [k], except before *e, i, y: comme* [kɔm], *particulier* [partikylje], *cours* [kur], *congé* [kɔ̃ʒe], *cuvette* [kyvɛt], *cahier* [kaje], *chacun* [ʃakœ̃], *classe* [klaːs], *avec* [avɛk], *donc* [dɔ̃k].

[s], before *e, i, y: cinq* [sɛ̃k], *cent* [sã], *merci* [mɛrsi], *certain* [sɛrtɛ̃], *place* [plas], *prononce* [prɔnɔ̃s], *cylindre* [silɛ̃dr].

**cc** [k], except before *e, i, y: occuliste* [ɔkylist], *accord* [akɔr].

[ks], before *e, i, y: accident* [aksidã], *accent* [aksã], *accepte* [aksɛpt].

**ç** [s], *garçon* [garsɔ̃], *français* [frãsɛ], *reçu* [rəsy], *ça* [sa]. Occurs only before *a, o, u.*

**ch** [ʃ], *chez* [ʃe], *cheveux* [ʃəvø], *acheter* [aʃte], *chercher* [ʃɛrʃe], *choisir* [ʃwazir], *gauche* [goʃ]. Exceptions: *orchestre* [ɔrkɛstr], *chrétien* [kretjɛ̃], *psychologie* [psikɔlɔʒi].

**d, dd** [d], *dans* [dã], *du* [dy], *demeure* [dəmœr], *donne* [dɔn], *attendre* [atãdr], *grande* [grãd], *addition* [adisjɔ̃].

10

**f, ff**    [f],    *français* [frãse], *fille* [fij], *frère* [frer], *café* [kafe], *massif* [masif], *difficile* [difisil], *différent* [diferã].

**g**    [g],    except before *e, i, y: garçon* [garsɔ̃], *gauche* [goʃ], *gomme* [gɔm], *légume* [legym], *grand* [grã], *glace* [glas].

      [ʒ],    before *e, i, y: manger* [mãʒe], *congé* [kɔ̃ʒe], *région* [reʒjɔ̃], *potage* [pɔtaʒ], *gymnase* [ʒimnaz].

**gg**    [g],    except before *e, i, y: aggrave* [agrav].

      [gʒ],    before *e, i, y: suggère* [sygʒer].

**gu**    [g],    before *e, i, y: guerre* [ger], *guichet* [giʃe], *Guy* [gi].

      Exceptions: *aiguille* [egɥij], *linguiste* [lɛ̃gɥist], *Guyane* [gɥijan], *Guadeloupe* [gwadlup].

**ge**    [ʒ],    before *a, o, u: mangea* [mãʒa], *mangeons* [mãʒɔ̃], *gageure* [gaʒyr].

**gn**    [ɲ],    *peigne* [pɛɲ], *gagner* [gaɲe], *montagne* [mɔ̃taɲ].

**h**    [–],    "mute h" is entirely silent and to be ignored: *l'homme* [lɔm], *l'heure* [lœr], *une heure* [ynœr], *un homme heureux* [œ̃nɔmørø].

      [–],    "aspirate h" is entirely silent, but prevents:
1. elision: *la hâte* [la aːt], *le haut* [lə o], *le héros* [lə ero].
2. liaison: *sans hâte* [sã aːt], *en haut* [ã o], *des héros* [de ero].
3. linking: *en grande hâte* [ã grãdə aːt], *il chante haut* [il ʃãtə o], *un jeune héros* [œ̃ ʒœnə ero].

**ill**    [j],    between vowels: *il travaille* [il travaj], *mouillé* [muje], *meilleur* [mejœr], *réveillé* [reveje].

**il**    [j],    final after a vowel: *travail* [travaj], *fauteuil* [fotœj], *soleil* [sɔlɛj].

**j**    [ʒ],    *jardin* [ʒardɛ̃], *bonjour* [bɔ̃ʒur], *jeune* [ʒœn], *jeudi* [ʒødi].

**k**    [k],    *kilomètre* [kilɔmetr], *képi* [kepi].

**l**    [l],    *livre* [livr], *voulez* [vule], *simplement* [sɛ̃pləmã], *huile* [ɥil].

**ll**    [l],    except after a sounded *i: aller* [ale], *belle* [bɛl], *folle* [fɔl].

      [j],    after a sounded *i: fille* [fij], *famille* [famij], *brille* [brij].

      Exceptions: *ville* [vil], *mille* [mil], *tranquille* [trãkil].

**m, mm**    [m],    except in a nasal vowel: *maison* [mezɔ̃], *demeure* [dəmœr], *ami* [ami], *permis* [permi], *immeuble* [imœbl], *comment* [kɔmã].

**n, nn**    [n],    except in a nasal vowel: *nouveau* [nuvo], *jeune* [ʒœn], *bonne* [bɔn], *année* [ane].

**p, pp**    [p],    *petit* [pəti], *simplement* [sɛ̃pləmã], *appartement* [apartəmã].

**ph**    [f],    *philosophie* [filɔzɔfi], *physique* [fizik].

**q**    [k],    *cinq* [sɛ̃k], *coq* [kɔk].

**qu**    [k],    *qui* [ki], *que* [kə], *quatre* [katr], *quoi* [kwa], *tranquille* [trãkil]. Exceptions: *équateur* [ekwatœr], *aquarelle* [akwarɛl], *requiem* [rekɥijɛm].

**r**    [r],    *rue* [ry], *appartement* [apartəmã], *particulière* [partikyljer].

**rr**    [r],    except as below: *arrive* [ariv], *verre* [ver], *beurre* [bœr].

      [rr],    in the future and conditional of *courir, mourir, quérir,* and their compounds: *courrai* [kurre], *mourrais* [murre], *acquerrait* [akerre]. This is the only case in French when a double consonant is pronounced doubly. It makes it possible to distinguish the conditional *courrais* [kurre] from the imperfect *courais* [kure].

**s**    [s],    except between written vowels: *sœur* [sœr], *salon* [salɔ̃], *monsieur* [məsjø], *installer* [ɛ̃stale], *traverser* [traverse].

      [z],    between written vowels: *maison* [mezɔ̃], *acquisition* [akizisjɔ̃], *désire* [dezir], *besoin* [bəzwɛ̃], *chose* [ʃoz].

**ss**    [s],    *aussi* [osi], *classe* [klaːs], *pressé* [prese], *brosse* [brɔs].

**t, tt**    [t],    except as below: *table* [tabl], *tranquille* [trãkil], *petit* [pəti], *vite* [vit], *attendre* [atãdr].

| t | [s], | before *i* plus vowel: *acquisition* [akizisjɔ̃], *patient* [pasjɑ̃], *location* [lɔkasjɔ̃], *portion* [pɔrsjɔ̃]. Unless root-word has [t]: *sortions* [sɔrtjɔ̃], *huitième* [ɥitjɛm], *laitier* [letje], *noisetier* [nwaztje]; and unless *t* is, or used to be, preceded by an *s: question* [kɛstjɔ̃], *bestial* [bɛstjal], *chrétien* [kretjɛ̃], *châtier* [ʃa:tje]. |
|---|---|---|
| th | [t], | *bibliothèque* [biblijɔtɛk], *thèse* [tɛz], *esthétique* [ɛstetik]. |
| v | [v], | *vous* [vu], *voulez* [vule], *avec* [avɛk], *ouvrir* [uvrir], *rêve* [rɛv]. |
| w | [v], | *wagon* [vagɔ̃], *Wagner* [vagnɛr]. |
| x | [ks], | except in "ex" before a consonant: *externe* [ɛkstɛrn], *excepté* [ɛksɛpte], *explique* [ɛksplik], *luxe* [lyks], *taxi* [taksi]. |
|  | [gz], | in "ex" before a vowel: *exercice* [ɛgzɛrsis], *exact* [ɛgza], *existe* [ɛgzist]. |
| z | [z], | *douze* [duz], *zéro* [zero]. |

## FINAL CONSONANTS

**General rule:** they are silent: *petit* [pəti], *français* [frɑ̃se].

**Exception A.** Of the consonants *c r f l* (to be remembered by the word *CaReFuL*), *c, f, l* are generally pronounced: *égal* [egal], *cheval* [ʃəval], *bal* [bal], *chef* [ʃɛf], *actif* [aktif], *naïf* [naif], *avec* [avɛk], *donc* [dɔ̃k], *sac* [sak], *lac* [lak]; and *r* is pronounced about half of the time, *i. e.,* mainly in infinitives in *ir* and *oir* and in one syllable words: *finir* [finir], *devoir* [dəvwar], *par* [par], *pour* [pur], *mer* [mɛr], *cher* [ʃɛr], *fleur* [flœr]; while it is silent mainly in all infinitives in *er* and in the suffixes *er* and *ier: parler* [parle], *cocher* [kɔʃe], *cahier* [kaje], *pommier* [pɔmje], *premier* [prəmje].

**Exception B.** Consonants other than *c r f l* are sounded in a few words: *fils* [fis], *sens* [sɑ̃s], *mars* [mars], *net* [nɛt], *direct* [dirɛkt], *correct* [kɔrɛkt], *Sud* [syd], *album* [albɔm].

**Exception C.** In all third person plural verb forms, *nt* is silent: *ils passent* [il pa:s], *ils voient* [il vwa].

## LIAISON

*Liaison* is not to be confused with *linking*. Linking is what takes place when the pronounced final consonant of a word is followed by a vowel that begins the next word: *petite amie* [pətit ami], *une amie* [yn ami]. Liaison is what takes place when the silent final consonant of a word that is followed by the initial vowel of another word is pronounced before that initial vowel: *petit ami* [pəti tami], *un ami* [œ̃ nami], *les amis* [le zami].

The results of the two phenomena differ in two ways:

Linking always occurs if the two words are in the same sense-group. The occurrence of liaison depends on many factors we shall list further on, and mainly on how closely related the two words are, logically: in *ils⏜arrivent* no pause is possible, therefore liaison is compulsory; in *les garçons* | *arrivent,* a slight pause is possible, therefore liaison is optional (pronouncing it is formal); in *le bonheur des garçons* | *est limité,* a sizable pause is possible, therefore liaison is forbidden (except in very formal style, such as poetry reading).

In linking, the consonant is not modified: *grande amie* [grãd ami], *j'en ai six à vendre* [ʒ ã ne sis a vãdr]. In liaison, the pronunciation of the consonant may differ from its spelling: *d* becomes [t]: *grand ami* [grã tami]; *s, x,* become [z]: *des amis* [de zami], *six heures* [si zœr]; and *f* becomes [v] in *neuf ans* [nœ vã] and *neuf heures* [nœ vœr].

Here is a set of practical rules for the classification of liaisons into compulsory, optional and forbidden ones. It represents the norm in the speech of the most cultivated class, but without affectation.

## Compulsory Liaison

1. A modifier with the following noun, pronoun, or adjective: *les enfants* [le zãfã], *mon enfant* [mɔ̃ nãfã], *leurs enfants* [lœr zãfã], *petit enfant* [pəti tãfã], *bon enfant* [bɔ nãfã], *petits enfants* [pəti zãfã], *bons enfants* [bɔ̃ zãfã], *cent ans* [sã tã], *un autre* [œ̃ notr], *quels aimables enfants* [kɛl zemablə zãfã].

2. A personal pronoun with following or preceding verb or personal pronoun: *nous arrivons* [nu zarivɔ̃], *ils arrivent* [il zariv], *j'en ai* [ʒ ã ne], *arrivent-ils* [ariv til], *allez-y* [ale zi], *vous en avez* [vu zã nave], *allez-vous-en* [ale vu zã].

3. A monosyllabic adverb or preposition with following related word: *très intéressant* [tre zɛ̃teresã], *bien amusant* [bjɛ̃ namyzã], *en automne* [ã notɔn], *chez eux* [ʃe zø].

## Optional Liaison

1. After a plural noun: *des murs énormes* [de myr enɔrm], [de myr zenɔrm], *mes paquets arrivent* [me pake ariv], [me pake zariv].

2. After a polysyllabic adverb or preposition: *pendant un jour* [pãdã œ̃ ʒur], [pãdã tœ̃ ʒur], *complètement idiot* [kɔ̃plɛtmã idjo], [kɔ̃plɛtmã tidjo].

3. After a verb: *vous pouvez entrer* [vu puve ãtre], [vu puve zãtre], *nous viendrons ensemble* [nu vjɛ̃drɔ̃ ãsãbl], [nu vjɛ̃drɔ̃ zãsãbl], *ils sont à Paris* [il sɔ̃ a pari], [il sɔ̃ ta pari].

Optional cases are decided by style: with the liaison, it is formal; without, it is informal.

### Forbidden Liaison

1. After a singular noun: *une maison immense* [yn mezɔ̃ imãs], *quel enfant intelligent* [kɛl ãfã ɛ̃teliʒã], *ce lit est grand* [sə li e grã].

2. After a nasal vowel: *chacun en veut* [ʃakœ̃ ã vø], *quelqu'un arrive* [kɛlkœ̃ ariv], *a-t-on écrit* [atɔ̃ ekri], *le mien est bon* [lə mjɛ̃ e bɔ̃].

Exception: the only words ending in nasal vowels that can have liaison are: *mon, ton, son, en, un, on, bien, rien: mon ami* [mɔ̃ nami].

Adjectives of quality ending in a nasal vowel have liaison, but the nasal vowel denasalizes: *bon élève* [bɔ nelɛv], *vilain habit* [vilɛ nabi], *ancien ami* [ãsjɛ nami], *certain effet* [sɛrtɛ nefe], *moyen âge* [mwajɛ naʒ], *plein hiver* [plɛ nivɛr], *vain effort* [vɛ nefɔr], *prochain arrêt* [prɔʃɛ nare], *divin enfant* [divi nãfã]. It comes to pronouncing the adjectives with their feminine form instead of their masculine one.

3. Before an "aspirate *h*": *en haut* [ã o], *les héros* [le ero] would be understood as *en eau, les zéros,* with the liaison. Here is a selective list of words with aspirate *h: les haches, sans haine, des haltes, des hamacs, des harengs, des harpes, les hasards, en hâte, en haut, les héros, un Hongrois, c'est honteux, des hors-d'œuvre, sans houille, des huttes.* (A dictionary lists about 300).

4. After *et;* before *oui, un* (numerical), *huit, onze, unième, huitième, onzième: aux huit maisons de la cent unième rue* [o ɥi mezɔ̃ d la sã ynjɛm ry].

5. After names: *Paris est grand* [pari e grã], *les Dalembert invitent Jacques à souper* [le dalãbɛr ɛ̃vit ʒaːk a supe].

## Vowels

**a** [a], *Marie* [mari], *appartement* [apartəmã], *Madame* [madam], *garçon* [garsɔ̃]. In a few words it is longer than normal: *Jacques* [ʒaːk], *Jeanne* [ʒaːn], *classe* [klaːs], *passe* [paːs], *basse* [baːs], *grasse* [graːs], *hélas* [elaːs], *lasse* [laːs], *las* [laː].

**â** [aː], *pâte* [paːt], *âme* [aːm], *gâte* [gaːt], *hâte* [aːt], *mâle* [maːl], *pâle* [paːl]. Note: when *a* is longer it is slightly backed, but not enough to justify using the back *a* symbol [ɑ]—which we will use only for the nasal vowel: [ã].

**ai** [ɛ], when the syllable ends in a sounded consonant: *j'aime* [ʒɛm], *française* [frãsɛz], *américaine* [amerikɛn], *plaire* [plɛr].

[e], when the syllable does not end in a sounded consonant: *j'ai* [ʒe], *vrai* [vre], *maison* [mezɔ̃], *français* [frãse], *mais* [me], *était* [ete]. Note: *ais, ait, aient* are often heard slightly open, but they still belong to the family of close *e* [e], not of open *e* [ɛ]. Here, we shall use the symbol [e] with the understanding that before *s* and *t* it can—not must—correspond to a slightly less close [e]. (Note that *ai* applies the "rule of open and close vowel.")

**ain** [ɛ̃], except before a vowel (*aîné* [ene], *certaine* [sɛrtɛn]): *pain* [pɛ̃], *main* [mɛ̃], *américain* [amerikɛ̃], *certain* [sɛrtɛ̃].

**aim** [ɛ̃], except before a vowel (*aimé* [eme], *j'aime* [ʒɛm]): *faim* [fɛ̃].

**an** [ɑ̃], except before a vowel or a second *n* (*banane* [banan], *panne* [pan]): *dans* [dɑ̃], *français* [frɑse], *tranquille* [trɑkil], *demande* [dəmɑ̃d].

**am** [ɑ̃], except before a vowel or a second *m* (*ami* [ami], *constamment* [kɔ̃stamɑ̃]): *chambre* [ʃɑbr], *tambour* [tɑbur], *campagne* [kɑpaɲ].

**au** [o], *aussi* [osi], *beaucoup* [boku], *fauteuil* [fotœj], *nouveau* [nuvo], *beau* [bo], *haut* [o], *gauche* [goʃ]. Exceptions: *aurai* [ɔre], *saurai* [sɔre], *restaurant* [rɛstɔrɑ̃], *auto* [ɔto], *automobile* [ɔtɔmɔbil], *augmente* [ɔgmɑ̃t], *Laure* [lɔr], *Maurice* [mɔris], *Paul* [pɔl]. (Note that *au* does not apply the "rule of open and close vowel.")

**è** [ɛ], in syllables ending with a sounded consonant: *frère* [frɛr], *célèbre* [selɛbr], *particulière* [partikyljɛr], *emmènera* [ɑ̃mɛnra]. But it can yield to the "rule of open and close vowel" so that when the syllable does not end with a sounded consonant, *è* tends to close: *très* [tre], *après* [apre], *après-midi* [apremidi].

**ê** [ɛ], in syllables ending with a sounded consonant: *même* [mɛm], *vêtement* [vɛtmɑ̃], *arrête* [arɛt], *peut-être* [pøtɛtr]. But it cannot escape the "rule of open and close vowel" so that when the syllable does not end in a consonant, *ê* tends to close: *arrêtez* [arete], *vêtu* [vety], *dépêchez-vous* [depeʃe vu].

**é** [e], in syllables not ending in a sounded consonant: *américain* [amerikɛ̃], *différent* [diferɑ̃], *déjà* [deʒa], *séparément* [separemɑ̃], *préféré* [prefere]. But it cannot escape the "rule of open and close vowel" so that when the syllable ends in a sounded consonant, *é* tends to open: *événement* [evɛnmɑ̃], *abrégement* [abrɛʒmɑ̃], *cédera* [sɛdra], *séchera* [sɛʃra], *accélérera* [akselɛrra].

**e** [ɛ], before a consonant, or double consonant, that ends the syllable:
  1. *merci* [mɛrsi], *traverser* [travɛrse], *certain* [sɛrtɛ̃], *chercher* [ʃɛrʃe], *rester* [rɛste], *excepté* [ɛksɛpte], *respire* [rɛspir].
  2. *avec* [avɛk], *couvert* [kuvɛr], *cuiller* [kɥijɛr], *cet* [sɛt], *quel* [kɛl], *cher* [ʃɛr], *mer* [mɛr], *hier* [jɛr], *net* [nɛt].
  3. *belle* [bɛl], *cuvette* [kyvɛt], *regrette* [rəgrɛt], *presse* [prɛs], *assiette* [asjɛt], *fourchette* [furʃɛt], *cette* [sɛt], *quelle* [kɛl].

[e], before a double consonant that does not end the syllable, or a silent final consonant:
  1. *dessert* [desɛr], *permettez* [pɛrmete], *regretter* [rəgrete], *pressé* [prese], *terrible* [teribl], *nécessaire* [nesesɛr].
  2. *buffet* [byfe], *chez* [ʃe], *apporter* [apɔrte], *donner* [dɔne], *billet* [bije], *allez* [ale], *nez* [ne], *pied* [pje]. (Note that the "rule of open and close vowel" applies above.)

[ə], before a single consonant that does not end the syllable, or an inseparable group (one in which the second consonant is *r* or *l*). The examples are grouped so as to show how the "rule of unstable *e*" works: [ə] is kept after two consonants and is dropped after one.
  1. *premier* [prəmje], *crevaison* [krəvezɔ̃], *simplement* [sɛ̃pləmɑ̃], *appartement* [apartəmɑ̃], *confortablement* [kɔ̃fɔrtabləmɑ̃], *obtenir* [ɔbtənir].
  2. *vêtement* [vɛtmɑ̃], *rapidement* [rapidmɑ̃], *uniquement* [ynikmɑ̃], *certainement* [sɛrtɛnmɑ̃], *médecin* [medsɛ̃], *promenade* [prɔmnad].
  3. *il demeure* [il dəmœr], *vous demeurez* [vu dmœre], *une petite* [yn pətit], *un petit* [œ̃ pti], *cette fenêtre* [sɛt fənɛtr], *la fenêtre* [la

fnɛtr], *pour venir* [pur vənir], *sans venir* [sã vnir], *pas de cheveux* [pa d ʃəvǿ], *longs cheveux* [lɔ̃ ʃvǿ].

**e**     [a],     before a double *m: femme* [fam], *évidemment* [evidamã].
**e**     [–]     (silent): when final (*s* and *nt* do not count) or before *a, o:*
            1. *fille*(s) [fij], *demeure*(nt) [dəmœr], *frère* [frɛr].
            2. *rue*(s) [ry], *voie*(nt) [vwa], *jolie* [ʒɔli], *préférée* [prefere].
            3. *mangeait* [mãʒe], *mangeons* [mãʒɔ̃], *s'asseoir* [saswar], *beau* [bo].
            Note: Final *e* is not always silent. Within a sense-group, and pre-
            ceded by two consonants, the rule of unstable *e* applies: *la chambre
            bleue* [la ʃãbrə blǿ], *la porte trois* [la pɔrtə trwa]; unless the word
            following final *e* is a monosyllable in [ə]: *la porte de Jacques* [la
            pɔrt də ʒa:k], *la chambre de Jacques* [la ʃãbr də ʒa:k] or [la ʃãb də
            ʒa:k].
**ei**    [ɛ],     when the syllable ends in a sounded consonant: *peigne* [pɛɲ], *pleine*
            [plɛn], *neige* [nɛʒ].
            [e],     when the syllable does not end in a sounded consonant: *peigner*
            [peɲe], *neiger* [neʒe], *enseigner* [ãseɲe]. (Note that the "rule of open
            and close vowel" applies.)
**ein**  [ɛ̃],     except before a vowel (*pleine* [plɛn]): *plein* [plɛ̃], *peintre* [pɛ̃tr],
            *ceinture* [sɛ̃tyr].
**eim**  [ɛ̃];    *Reims* [rɛ̃s].
**en**    [ã],     except before a vowel or a second *n* (*menace* [mənas], *ennemi*
            [ɛnmi]) and except after *i* in the same syllable (*bien* [bjɛ̃]): *entrer*
            [ãtre], *comment* [kɔmã], *attendre* [atãdr], *dent* [dã]. Special cases:
            *ennui* [ãnɥi], *solennel* [sɔlanɛl], *examen* [ɛgzamɛ̃], *appendicite*
            [apɛ̃disit].
            [ɛ̃],     preceded by *i* in the same syllable; except before a second *n* (*mienne*
            [mjɛn]): *bien* [bjɛ̃], *ancien* [ãsjɛ̃], *combien* [kɔ̃bjɛ̃], *mien* [mjɛ̃],
            *viens* [vjɛ̃], *tient* [tjɛ̃]. Exception: *patient* [pasjã].
**em**   [ã],     except before a vowel or second *m* (*demi* [dəmi], *femme* [fam]):
            *semble* [sãbl], *Dalembert* [dalãbɛr], *Luxembourg* [lyksãbur]. Special
            case: *emmener* [ãmne].
**eu**    [œ],     when the syllable ends in any consonant sound but [z]: *demeure*
            [dəmœr], *immeuble* [imœbl], *jeune* [ʒœn], *leur* [lœr], *heure* [œr].
            [ǿ],     when the syllable does not end in a consonant sound, or ends in [z]:
            *deux* [dǿ], *bleu* [blǿ], *jeudi* [ʒǿdi], *déjeuner* [deʒǿne], *cheveux*
            [ʃəvǿ], *monsieur* [məsjǿ], *deuxième* [dǿzjɛm], *vendeuse* [vãdǿz],
            *ouvreuse* [uvrǿz], *heureuse* [ǿrǿz]. (Note that the "rule of open and
            close vowel" applies, except before [z].)
**i**      [i],     except before a sounded vowel and after no more than one consonant
            in the same syllable: *qui* [ki], *fille* [fij], *Marie* [mari], *ils* [il], *petite*
            [pətit], *tranquille* [trãkil].
            [j],     before a vowel, and preceded by no more than one consonant in the
            same syllable: *bien* [bjɛ̃], *particulier* [partikylje], *ancien* [ãsjɛ̃], *ques-
            tion* [kɛstjɔ̃], *janvier* [ʒãvje].
            [ij],    before a vowel and preceded by two consonants in the same syllable:
            *client* [klijã], *bibliothèque* [biblijɔtɛk], *février* [fevrije], *entrions*
            [ãtrijɔ̃].
**in**     [ɛ̃],     except before a vowel or a second *n* (*fini* [fini], *innombrable*
            [inɔ̃brabl]): *jardin* [ʒardɛ̃], *installer* [ɛ̃stale], *vin* [vɛ̃], *enfin* [ãfɛ̃],
            *invité* [ɛ̃vite], *médecin* [medsɛ̃].
**im**    [ɛ̃],     except before a vowel or a second *m* (*diminue* [diminy], *immeuble*
            [imœbl]): *simplement* [sɛ̃pləmã], *impossible* [ɛ̃pɔsibl], *imbécile*
            [ɛ̃besil].

o    [ɔ],    1. in final syllables ending in a consonant sound other than [z]: bonne [bɔn], *porte* [pɔrt], *brosse* [brɔs], *idiote* [idjɔt].

             2. in all non-final (unaccented) syllables: *potage* [pɔtaʒ], *Robert* [rɔbɛr], *étonné* [etɔne], *obtenu* [ɔbtəny], *docteur* [dɔktœr].

     [o],    in final syllables not ending in a consonant sound, or ending in [z]: *stylo* [stilo], *idiot* [idjo], *chose* [ʃoz], *rose* [roz]. (Note that the "rule of open and close vowel" applies only to final syllables.)

ô    [o],    *ôter* [ote], *hôtel* [otɛl], *plutôt* [plyto], *tantôt* [tɑ̃to], *contrôle* [kɔ̃trol], *hôte* [ot]. Exception: *hôpital* [ɔpital]. (Note that the "rule of open and close vowel" does not apply.)

œ    [œ],    *œil* [œj], *œillet* [œje] (very limited occurrence).

œu    [œ],    when the syllable ends with a sounded consonant: *sœur* [sœr], *œuf* [œf], *bœuf* [bœf],

     [ø],    when the syllable does not end with a sounded consonant: *œufs* [ø], *bœufs* [bø], *vœu* [vø]. (The "rule of open and close vowel" applies.)

oi    [wa],    *moi* [mwa], *trois* [trwa], *armoire* [armwar], *bois* [bwa], *voir* [vwar].

oin    [wɛ̃],    except before a vowel (*moine* [mwan]): *loin* [lwɛ̃], *moins* [mwɛ̃].

on    [ɔ̃],    except before a vowel or another *n* (*résonance* [rezɔnɑ̃s], *étonné* [etɔne]): *garçon* [garsɔ̃], *maison* [mezɔ̃], *sont* [sɔ̃], *non* [nɔ̃], *bon* [bɔ̃], *répond* [repɔ̃], *salon* [salɔ̃], *monde* [mɔ̃d].

om    [ɔ̃],    except before a vowel or another *m* (*comédie* [kɔmedi], *comment* [kɔmɑ̃]); *nom* [nɔ̃], *nombre* [nɔ̃br], *tromper* [trɔ̃pe], *complet* [kɔ̃plɛ], *compliqué* [kɔ̃plike], *comprendre* [kɔ̃prɑ̃dr].

ou    [u],    1. except before a vowel and after no more than one consonant in the same syllable: *pour* [pur], *beaucoup* [boku], *nouveau* [nuvo], *jour* [ʒur], *tout* [tu], *trouve* [truv].

             2. before a vowel and after two consonants in the same syllable: *trouer* [true], *clouer* [klue], *ébloui* [eblui].

     [w],    before a vowel and preceded by no more than one consonant in the same syllable: *oui* [wi], *louer* [lwe], *jouer* [ʒwe].

u    [y],    1. except before a vowel and after no more than one consonant in the same syllable: *une* [yn], *rue* [ry], *Luxembourg* [lyksɑ̃bur], *cuvette* [kyvɛt], *buffet* [byfe], *étudier* [etydje].

             2. before a vowel and after two consonants in the same syllable: *cruel* [kryɛl], *monstrueux* [mɔ̃stryø].

     [ɥ],    before a vowel and after no more than one consonant in the same syllable: *huit* [ɥit], *depuis* [dəpɥi], *cuiller* [kɥijɛr], *cuivre* [kɥivr], *situé* [sitɥe], *nuage* [nɥaʒ]. Exception: it can be preceded by two consonants in the same syllable if following vowel is *i*: *pluie* [plɥi], *fruit* [frɥi], *bruit* [brɥi], *truite* [trɥit].

ue    [œ],    only after *c* or *g*: *cueillir* [kœjir], *orgueil* [ɔrgœj].

un    [œ̃],    except before a vowel (*une* [yn]): *un* [œ̃], *lundi* [lœ̃di], *chacun* [ʃakœ̃].

um    [œ̃],    except before a vowel (*fume* [fym]): *parfum* [parfœ̃], *humble* [œ̃bl].

y    [i],    between consonants: *stylo* [stilo], *lycée* [lise], *système* [sistɛm].

     [j],    followed by a vowel, preceded or not by one: *La Fayette* [lafajɛt], *bruyant* [brɥjɑ̃], *yeux* [jø], *polyèdre* [pɔljɛdr].

= i + i,    preceded by a vowel, followed or not by one: *voyage* [vwajaʒ] (voi + iage), *crayon* [krejɔ̃] (crai + ion), *ennuyeux* [ɑ̃nɥijø] (ennui + ieux), *pays* [pei] (pai + is).

yn    [ɛ̃],    except before a vowel (*synonyme* [sinɔnim]): *syncope* [sɛ̃kɔp].

ym    [ɛ̃],    except before a vowel (*synonyme* [sinɔnim]): *symbole* [sɛ̃bɔl].

## RULE OF THE SEMI-VOWELS

Vowels *i, u, ou,* have a common tendency to become consonantal (semi-vowels) when followed by another vowel. They join the following vowel to make a single syllable with it:

> In *bien,* [bi-ɛ̃] becomes [bjɛ̃], in one syllable.
> In *lui,* [ly-i] becomes [lɥi], in one syllable.
> In *oui,* [u-i] becomes [wi], in one syllable.

However it does not take place if two consonants precede:

> *trier* has two syllables: [tri-je],
> *cruel* has two syllables: [kry-ɛl],
> *troua* has two syllables: [tru-a],

except for *u* [y] followed by *i: fruit* [frɥi], *pluie* [plɥi], *bruit* [brɥi].

**Exercise:** Distinguish the vowels from the semi-vowels: Particulier. Depuis. Troua. Entrions. Cuiller. Janvier. Février. Louis. Mien. Bibliothèque. Oui. Ébloui. Client. Cloué. Fruit. Situé. Cruel. Bruit. Huit. Combien. Nuage. Trier.

## RULE OF OPEN AND CLOSE VOWEL

The vowels *ai, ei, é, è, ê,* stable *e, o, eu, œu,* have a common tendency to open before a consonant that ends their syllable and to close in the absence of such a consonant.

| | |
|---|---|
| *j'aime* [ʒɛm] | *j'ai* [ʒe] |
| *française* [frɑ̃sɛz] | *français* [frɑ̃se] |
| *neige* [nɛʒ] | *neiger* [ne-ʒe] |
| *collège* [kɔlɛʒ] | *collé* [kɔle] |
| *dépêche* [depɛʃ] | *dépêchez* [de-pe-ʃe] |
| *destin* [dɛs-tɛ̃] | *dessin* [de-sɛ̃] |
| *amer* [amɛr] | *aimer* [eme] |
| *sotte* [sɔt] | *sot* [so] |
| *un os* [œ̃ nɔs] | *des os* [de zo] |
| *leur* [lœr] | *deux* [dø] |
| *ils peuvent* [il pœv] | *il peut* [il pø] |
| *un œuf* [œ̃ nœf] | *des œufs* [de zø] |

There are three small exceptions to this general tendency:

1. *o* and *eu* close before [z]: *rose* [roz], *heureuse* [ørøz].
2. *o* in non-final syllables is always open: *bonnet* [bɔne].
3. *au, ô,* are generally close: *gauche* [goʃ], *hôte* [ot].

**Exercise:** Distinguish the open vowels from the close ones: Neiger. Leur. Collé. Un os. Dépêchez. Sotte. Amer. Des œufs. Destin. Il peut. J'ai. Collège. Des os. Ils peuvent. Français. Un œuf. J'aime. Dessin. Sot. Deux. Aimer. Dépêche. Neige. Française.

## RULE OF UNSTABLE *E* [ə]

[ə] occurs when *e* without an accent mark is followed by a single consonant (or a group the second consonant of which is *r* or *l*). [ə] has approximately the same vowel color (timbre) as [œ], but differs in that it falls when preceded by only one consonant: *samedi* [samdi], and remains when preceded by two consonants: *vendredi* [vãdrədi]. This does not happen exclusively within a word: *simplement* [sɛ̃plə-mã], *seulement* [sœlmã], but also anywhere in a chain of syllables. Here are a few contrasting pairs of examples:

| | |
|---|---|
| *une fenêtre* [yn fənɛtr] | *la fenêtre* [la fnɛtr] |
| *cette petite* [sɛt pətit] | *sa petite* [sa ptit] |
| *pauvre dame* [povrə dam] | *belle dame* [bɛl dam] |
| *une de trop* [yn də tro] | *un de trop* [œ̃ d tro] |
| *est-ce le tien* [ɛs lə tjɛ̃] | *c'est le mien* [se l mjɛ̃] |

Before [rj] and [lj], and before an aspirate *h*, [ə] always remains, no matter how many consonants precede:

| | |
|---|---|
| *entreriez* [ãtrərje] | *sauteriez* [sotərje] |
| *autre lieu* [otrə ljø] | *riche lieu* [rifə ljø] |
| *forte hache* [fɔrtə aʃ] | *grande hache* [grãdə aʃ] |

If a phrase begins with two or more consecutive [ə]'s, the first remains and the second falls: *Je ne sais pas* [ʒə n se pa], *ne le refais pas* [nə l rəfe pa], *que me dis-tu* [kə m di ty]. Only the groups *ce que* [s kə] and *je te* [ʒ tə] violate this rule: *Ce que tu désires* [s kə ty dezir], *je te le donnerai* [ʒ tə l dɔnre].

The groups *je ne* and *ce que* are pronounced in the same way everywhere: *mais je ne comprends pas* [me ʒə n kɔ̃prã pa], *j'écoute ce que tu dis* [ʒəkut s kə ty di].

**Exercise:** Distinguish the [ə]'s that drop from those that remain: Belle dame. Cette petite. Une de trop. Pauvre dame. Un de trop. Une fenêtre. Sa petite. C'est le mien. La fenêtre. Est-ce le tien?

## NASAL VOWELS

The spellings *an, am, en, em, on, om, un, um, in, im, yn, ym, ain, aim, ein, oin,* have in common the fact that, except when they are followed by a vowel or a second *n* or *m*, they stand for a nasal vowel. Like all other vowels, the nasal vowels end with the mouth open; the *n* or *m* are entirely silent.

Before a vowel, these spellings do not stand for a nasal vowel: *banane* [banan], *ami* [ami], *menace* [mənas], *demi* [dəmi], *réso-nance* [rezɔnãs], *comédie* [kɔmedi], *une* [yn], *fume* [fym], *fini* [fini], *diminue* [diminy], *synonyme* [sinɔnim], *aîné* [ene], *aimé* [eme], *pleine* [plɛn], *moine* [mwan].

Before a second *n* or *m*, they do not stand for a nasal vowel either: *panne* [pan], *constamment* [kɔ̃stamɑ̃], *ennemi* [ɛnmi], *femme* [fam], *étonné* [etɔne], *comment* [kɔmɑ̃], *innombrable* [inɔ̃brabl], *immeuble* [imœbl].

But they stand for a nasal vowel everywhere else (that is, final or before a consonant other than *n* or *m*): *tranquille* [trɑ̃kil], *chambre* [ʃɑ̃br], *entrer* [ɑ̃tre], *mien* [mjɛ̃], *semble* [sɑ̃bl], *garçon* [garsɔ̃], *nombre* [nɔ̃br], *lundi* [lœ̃di], *humble* [œ̃bl], *jardin* [ʒardɛ̃], *simplement* [sɛ̃pləmɑ̃], *syncope* [sɛ̃kɔp], *symbole* [sɛ̃bɔl], *pain* [pɛ̃], *faim* [fɛ̃], *plein* [plɛ̃], *moins* [mwɛ̃].

Note that generally *m* takes the place of *n* before a *p* or a *b*.

**Exercise.** Distinguish the nasal vowels from the oral vowels in the following words: immeuble, lundi, ami, moine, moins, banane, humble, comment, jardin, menace, étonné, plein, tranquille, demi, résonance, comédie, nombre, comment, garçon, étonné, plein, fini, syncope, fume, innombrable, chambre, femme, mien, semble, une, symbole, panne, ami, constamment, demi, entrer, aîné, ennemi, faim, aimé, diminue, pain, synonyme.

## ACCENT MARKS

There are three accent marks in French spelling: acute accent (*accent aigu* [aksɑ̃ tegy]), over *e* only: *é;* grave accent (*accent grave* [aksɑ̃ grav]), over *e, a, ou: è, à, où;* and circumflex accent (*accent circonflexe* [aksɑ̃ sirkɔ̃flɛks]), over any vowel: *ê, î, â, ô, û.*

**Accent over the *e*.** It never occurs before two separable consonants (*respecte*) or double consonants (*belle, dessin*), but only before single consonants (*répète*), inseparable groups (*écrit*) or final (*été*). There it serves first to indicate that the *e* is not the unstable [ə], as the following contrasts will show:

> *demi* [dəmi], BUT *démis* [demi], *règle* [rɛgl]
> *repris* [rəpri], BUT *épris* [epri], *être* [ɛtr]
> *rime* [rim], BUT *rimé* [rime]

Generally, "**accent aigu**" occurs only in syllables not ending in a sounded consonant: *été, déjà, séparément, américain;* "**accent grave**" in syllables ending in a consonant sound: *frère, collège, emmèn(e)ra;* "**accent circonflexe**" in either one: *dépêche, dépêchez, tête, têtu.* However, the rule of open and close vowel tends to overcome the written accent whenever there is a conflict. That is why *é* is normally heard as [ɛ] in such words as *événement* [evɛnmɑ̃], *cédera* [sɛdra], *parlé-je* [parlɛʒ]; and *è* as [e] in such words as *très* [tre], *après* [apre]. Therefore it is safer, for correct pronunciation, to depend on the rule of open and close vowel than on the type of accent mark.

**Accent marks over other vowels than *e*.** The only other use for the grave accent is over *a* and *ou: à, où.* It has no effect on the color (timbre) of those vowels, but serves to distinguish homophones: *à* (*at*) from *a* (*has*), *où* (*where*) from *ou* (*or*).

The circumflex accent may occur on all vowels: *âme, bête, île, hôte, coûte, dû.* It has no effect on the color of the vowel, but tends to lengthen it (in slow or careful speech only). Historically it replaces a letter that used to be pronounced (*anme, beste, isle, hoste, couste, deu*) and which has often remained in the English cognate.

# PREMIÈRE PARTIE

## La Vie Quotidienne

# PREMIÈRE LEÇON

## *Les Dalembert*

Jacques et Marie Dalembert sont français. Jacques est un garçon. Marie est une fille. Ils sont frère et sœur. Ils demeurent à Paris, rue Madame. La rue Madame est une petite rue tranquille, près du jardin du Luxembourg. Les Dalembert ont un appartement dans un immeuble. Ils ne demeurent pas dans une maison particulière.

### prəmjɛr ləsɔ̃

### le dalɑ̃bɛr [1]

ʒaːk [2] e mari dalɑ̃bɛr╱ sɔ̃ frɑ̃se╲ ʒaːk e tœ̃ garsɔ̃╲ mari e tyn fij╲ il sɔ̃ frɛr e sœr╲ il dəmœr a pari╱ ry madam╲ la ry madam╱ e tyn pətit ry trɑ̃kil╱ pre dy ʒardɛ̃╱ dy lyksɑ̃bur╲ le dalɑ̃bɛr╱ ɔ̃ tœ̃ napartəmɑ̃╱ dɑ̃ zœ̃ nimœbl╲ il nə dmœr pa╱ dɑ̃ zyn mezɔ̃╱ partikyljɛr╲

## *Questionnaire*

A. Répondez en français (*answer in French*): 1. *Est-ce que* Jacques Dalembert est français? 2. *Est-ce que* Marie Dalembert est française? 3. *Est-ce que* Jacques et Marie sont français? 4. *Est-ce que* les Dalembert sont français? 5. *Est-ce que* Jacques est un garçon? 6. *Est-ce que* Marie est une fille? 7. *Est-ce que* Jacques et Marie sont frère et sœur? 8. *Est-ce que* Jacques est le frère de Marie? 9. *Est-ce que* Marie est la sœur de Jacques?

1. Transcriptions are divided into sense-groups. (Naturally, this division is somewhat arbitrary since the more slowly one reads the more sense-group divisions one makes.) At the end of each sense-group, a rising ( ╱ ) or a falling ( ╲ ) intonation is suggested; it is not always the only possible intonation pattern.

2. Length marks ( ː ) after a vowel will be used in this book only in the few cases where the vowel is longer than is normal in French before a given consonant. For example, the vowel is longer in *Jacques* [ʒaːk] than in *sac* [sak], *craque* [krak], etc., in *maître* [mɛːtr] than in *mettre* [mɛtr], etc. We shall not use length marks in such words as *père, seize, neige, rêve:* although their vowels are rather long (by comparison with that of *sec, secte*), this is the normal length in French before these consonants, and it is automatic by influence of these consonants.

10. *Est-ce que* Jacques et Marie demeurent à Paris? 11. *Est-ce que* Jacques demeure à Paris? 12. *Est-ce que* Marie demeure rue Madame? 13. *Est-ce que* la rue Madame est une rue de Paris? 14. *Est-ce que* la rue Madame est petite? 15. *Est-ce que* la rue Madame est tranquille? 16. *Est-ce que* la rue Madame est près du jardin du Luxembourg? 17. *Est-ce que* les Dalembert ont un appartement? 18. *Est-ce que* les Dalembert demeurent dans un immeuble?

B. Répondez au négatif (*answer in the negative*): 1. *Est-ce que* les Dalembert demeurent dans une maison particulière? 2. *Est-ce que* Jacques et Marie sont américains? 3. *Est-ce que* Jacques et Marie sont cousins? 4. *Est-ce que* Jacques demeure à New-York? 5. *Est-ce que* Marie demeure rue du Luxembourg?

INTONATION PATTERN FOR ABOVE QUESTIONS AND ANSWERS

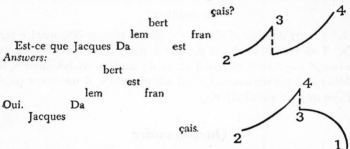

C. Répondez en français: 1. Qui est le frère de Marie? 2. Qui est la sœur de Jacques? 3. Qui est Jacques Dalembert? 4. Qui est Marie Dalembert? 5. Qui est un garçon? 6. Qui est une fille? 7. Que sont Jacques et Marie Dalembert? 8. Qui est français? 9. Où demeure Jacques? 10. Où demeure Marie? 11. Où demeurent Jacques et Marie? 12. Où est la rue Madame? 13. Où est le jardin du Luxembourg? 14. Où est l'appartement des Dalembert? 15. Qui demeure rue Madame? 16. Qui demeure près du jardin du Luxembourg? 17. Qui demeure dans un appartement?

INTONATION PATTERN FOR ABOVE QUESTIONS AND ANSWERS

*Questions* (not to be answered *yes* or *no*):

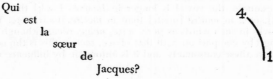

*Answers:*

Jacques
est
de Ma
La sœur
rie.

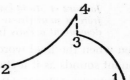

## Vocabulaire

à [a], *prep.* to, at
(un) appartement [apartəmɑ̃] apartment
avoir [avwar] to have  *ils ont* [il zɔ̃], they have
dans [dɑ̃], *prep.* in, into
de [də], *prep.* of
demeurer [dəmœre] to live  *ils demeurent* [il dəmœr], they live
du [dy] Contraction of de + le
et [e], *conj.* and
être [ɛtr] to be  *il est* [il e], he is  *ils sont* [il sɔ̃], they are
(la) fille [fij], girl
français, -e [frɑ̃se, -sez] French
(le) frère [frɛr] brother
(le) garçon [garsɔ̃] boy
ils [il], *pro.* they

(un) immeuble [imœbl] building
(le) jardin [ʒardɛ̃] garden
la [la] the (*feminine*)
le [lə] the (*masculine*)
les [le] the (*plural*)
(la) maison [mezɔ̃] house
ne . . . pas [nə pa], *adv.* not
où [u], *adv.* where
particulier, -ière [partikylje, -jɛr] private
petit, -e [pəti, pətit] little
près de [pre də], *prep.* near
qui [ki], *inter. pro.* who
(la) rue [ry] street
(la) sœur [sœr] sister
tranquille [trɑ̃kil] quiet
un [œ̃], une [yn] a, an

## Prononciation

**1. SYLLABLES.** French syllables, in the course of connected speech, have two outstanding features.

(a) They all have about equal force. (In English they are either strong or weak: *The AUthor's insinuAtions are inTOLerable:* oOo oooOo o oOooo). Thus the French stream of syllables is somewhat like the regular succession of numbers heard when one counts:

1, 2, 3, 4, 5  *Jacques est un garçon*  [ʒa ke tœ̃ gar sɔ̃]
1, 2, 3, 4, 5  *Marie est une fille*  [ma ri e tyn fij]
1, 2, 3, 4, 5  *Ils sont frère et sœur*  [il sɔ̃ frɛ re sœr]
1, 2, 3, 4, 5, 6, 7          1, 2, 3
*Jacques et Marie Dalembert*      *sont français*
[ʒa ke ma ri da lɑ̃ bɛr          sɔ̃ frɑ̃ se]

(b) They all tend to end in a vowel sound. (English syllables tend to end in a consonant sound: *We'll eat at eight* [wil it æt eit]. When a Frenchman tries to pronounce this sentence it sounds like this: [wii lii tæ tee:t] because he cannot help ending all syllables on a vowel, *i. e.*, with his mouth open.) Say in French:

*Jacques et Marie* [ʒa ke mari], not [ʒak e mari],
*frère et sœur* [frɛ re sœr], not [frɛr e sœr],
*demeurent à Paris* [dəmœ ra pari], not [dəmœr a pari]

Even when the final word of a group ends with a consonant, that consonant sounds as if it started a new syllable: it has a *release* (the mouth reopens, causing an embryo vowel to be heard) and is not tied to the preceding vowel (as final consonants are in English). We shall symbolize this release by a high dot: [ˈ].

*tranquille* [trɑ̃ ki lˈ],     *madame* [ma da mˈ]

In order to overcome the habit you have of anticipating consonants at the end of syllables, it will be helpful to articulate all French syllables as if they ended in a vowel (even though this might be a slight exaggeration in some instances). Here is the text of the first lesson transcribed in this manner.

[ʒa ke ma ri da lɑ̃ bɛ rˈ          sɔ̃ frɑ̃ se              ʒa ke tœ̃ ga rsɔ̃
ma ri e ty nfi jˈ                 i lsɔ̃ frɛ re sœ rˈ       i ldə mœ ra pa ri
ry ma da mˈ                       la ry ma da mˈ           e ty npə ti try trɑ̃ ki lˈ
pre dy ʒa rdɛ̃                     dy ly ksɑ̃ bu rˈ         le da lɑ̃ bɛ rˈ
ɔ̃ tœ̃ na pa rtə mɑ̃               dɑ̃ zɑ̃̃ ni mœ blˈ       i lnə dmœ rpa
dɑ̃ zy nme zɔ̃                     pa rti ky ljɛ rˈ]

## 2. ROUNDED FRONT VOWELS.
Two typically French vowels occur in this lesson. We call them "typically French" because they are fronted and rounded at the same time.

As you say the following words, curve the upper tip of your tongue down against your lower teeth, and round your lips very narrowly, as when you whistle. Also tense all muscles of articulation.

*une* [yn], *rue* [ry], *Luxembourg* [lyksɑ̃bur], *du* [dy], *particulière* [partikyljɛr]

As you say the following words, arch your tongue forward, with tip down, and round your lips (but not so narrowly as for [y]). This is the neutral sound of French, the one that French children utter when they hesitate. Note that it is much more fronted than the one American children utter when they hesitate.

*sœur* [sœr], *demeurent* [dəmœr] (ə and œ have about the same sound; two different symbols are necessary only because the first is unstable), *ne* [nə], *petite* [pətit], *appartement* [apartəmɑ̃], *jeune* (in Lesson II) [ʒœn].

## 3. UNSTABLE E.
We just mentioned that [ə] has about the same sound as [œ] (the two vowels of [dəmœr] sound alike). However [ə] differs from [œ]—and from all other vowels—in that it is unstable: it can remain or be dropped, depending on the number of consonants that precede it. Here is the general rule to be followed:

[ə] *before a consonant is dropped when only one consonant precedes it*. In the first lesson, this occurs only once:

ils ne demeurent pas [il nə dmœr pa]

All the other [ə]'s are kept, as they are preceded by two consonant sounds (one of which often belongs to the preceding word):

> *ils demeurent* [il dəmœr]; the two consonants are [ld]: [i ldə]
> *une petite* [yn pətit]; the two consonants are [np]: [y npə]
> *appartement* [apartəmã]; *ils ne* [il nə], [i lnə].

## *Grammaire*

### § I (a) GENDER OF NOUNS

**All nouns in French are either masculine or feminine. There is no neuter gender.**

In English, for example, a man is masculine, a woman is feminine, a thing is neuter, but we are conscious of this fact only when we substitute the pronouns *he, she* or *it* for the nouns in question.

In French, a man is masculine, a woman is feminine, but a thing is either masculine or feminine. When the French noun designates a thing, there is no practical way for a beginning student to recognize the gender in the form of the noun. He must therefore learn the gender with the noun and must remember that *rue* (street) is feminine but that *jardin* (garden) is masculine. To associate the correct gender with the noun it is best to learn an article with the noun as indicated by the vocabulary in this lesson.

### § I (b) AGREEMENT OF DEFINITE ARTICLE

**The definite article is *le* in the masculine, *la* in the feminine, *les* in the masculine and feminine plural.**

In English, the definite article is *the*. In French, *the* is a type of adjective and, like all French adjectives, changes its form to "agree" in gender and number ("number" means "singular or plural") with the noun which it modifies.

| | |
|---|---|
| *la* rue *the* street | *les* rues *the* streets |
| *le* jardin *the* garden | *les* jardins *the* gardens |

### § I (c) AGREEMENT OF INDEFINITE ARTICLE

**The indefinite article is *un* in the masculine singular and *une* in the feminine singular.**

The English indefinite article is *a* or *an*. The French indefinite arti-

cle is *un* if the noun modified is masculine, *une* if the noun modified
is feminine.

**un** frère *a* brother
**une** sœur *a* sister

There is no plural for the indefinite article in English but the
French has a plural described in § III, b.

## § I (d) AGREEMENT OF ADJECTIVE

The French adjective agrees in gender and number with the noun
which it modifies. To the masculine singular, add *-e* to make the
feminine, *-s* to make the masculine plural, *-es* to make the feminine
plural.

le *petit* jardin  the *little* garden
la *petite* rue  the *little* street
les *petits* jardins  the *little* gardens
les *petites* rues  the *little* streets

If the masculine singular already ends in *e*, no additional *e* is possible in the feminine.

le jardin *tranquille*  the *quiet* garden
la rue *tranquille*  the *quiet* street

Adjectives do not agree in English and therefore present no problem in learning that language. But the student of French must form
the habit of never using an adjective without considering possible
agreements, particularly when the adjective is separated from its
noun by intervening words.

Les jardins sont souvent *petits*.
The gardens are often *little*.

## § I (e) POSITION OF ADJECTIVE

Most adjectives follow the noun which they modify when they
are adjacent to it.

une rue *tranquille*  a *quiet* street
une maison *particulière*  a *private* house

Certain short adjectives (example: *petit*) precede the noun which
they modify when they are adjacent to it.

The position of the adjective is an intricate problem which will be
examined in greater detail later.

## Étude de verbes

### § I (f) THE INTERROGATIVE PHRASE *est-ce que*

To make a declarative sentence interrogative, insert the phrase *est-ce que* in the sentence in the same position which "is it that" would occupy if the English sentence were reorganized.

> Is James the brother of Mary?
> *Is it that* James is the brother of Mary?
> **Est-ce que Jacques est le frère de Marie?**
> Why does James live here?
> Why *is it that* James lives here?
> **Pourquoi est-ce que Jacques demeure ici?**

This type of interrogation is commonly used in conversation, especially when the more complicated rules of inversion (see § X, f) can be avoided.

### § I (g) NEGATION

A simple French verb is made negative by placing *ne* before it and *pas* after it.

> Ils *ne* sont *pas* frère et sœur. They are *not* brother and sister.
> Ils *ne* demeurent *pas* ici. They do *not* live here.

## Exercices

A. Remplacez les tirets par les articles définis convenables (*replace the dashes by the required definite articles*):

1. _____ fille.  2. _____ jardin.  3. _____ maison.
4. _____ garçon.  5. _____ frère.  6. _____ rue.
7. _____ sœur.  8. _____ jardins.  9. _____ maisons.
10. _____ frères.  11. _____ sœurs.  12. _____ rues.
13. _____ garçons.  14. _____ filles.

B. Remplacez les tirets par les articles indéfinis convenables:

1. _____ maison.  2. _____ rue.  3. _____ garçon.  4. _____ appartement.  5. _____ immeuble.
6. _____ frère.  7. _____ jardin.  8. _____ fille.

## Dialogue

(*Robert est américain*)

ROBERT: Bonjour, Jacques.

JACQUES: Bonjour, Robert.

ROBERT: Vous demeurez près d'ici?

Jacques: Oui, je demeure rue Madame, près du jardin du Luxembourg.

Robert: Est-ce que la rue Madame est tranquille?

Jacques: Oui, la rue Madame est une petite rue bien tranquille.

Robert: Est-ce que vous avez une maison particulière?

Jacques: Non, nous avons simplement un appartement dans un immeuble.

### djalɔg

Robert: bɔ̃ʒur⁄ ʒa:k⎯

Jacques: bɔ̃ʒur⁄ rɔbɛr⎯

Robert: vu dmœre pre d isi⁄

Jacques: wi⎯ ¹ ʒə dmœr⁄ ry madam⟍ pre dy ʒardɛ̃ dy lyksãbur⟍

Robert: ɛskə la ry madam e trãkil⁄

Jacques: wi⎯ la ry madam⁄ e tyn pətit ry⁄ bjɛ̃ trãkil⟍

Robert: ɛskə vu zave⁄ yn mezɔ̃ partikyljɛr⁄ ²

Jacques: nɔ̃⎯ nu zavɔ̃ sɛ̃pləmã⁄ œ̃ napartəmã⁄ dã zœ̃ nimœbl⟍

## *Vocabulaire Supplémentaire*

**américain, -e** [amerikɛ̃, -kɛn] American

**avoir** [avwar] *nous avons* [nu zavɔ̃], we have  *vous avez* [vu zave], you have

**bien** [bjɛ̃], *adv.* well, very

**(le) bonjour** [bɔ̃ʒur] good day, hello

**demeurer** [dəmœre] *je demeure* [ʒə dmœr], I live  *vous demeurez* [vu dmœre], you live

**être** [ɛtr] *est-ce que?* [ɛsk, ɛskə], is it that?

**ici** [isi], *adv.* here

**non** [nɔ̃], *adv.* no

**oui** [wi], *adv.* yes

**simplement** [sɛ̃pləmã], *adv.* simply

1. Besides rising and falling intonations, we indicate level intonations of three degrees: level low (⎯), level medium (—) and level high (─).
2. Degrees in the rise of rising intonations are not indicated in the transcriptions. The meaning of the sentence should be enough to guide the student since French and English follow the same general patterns. For instance, here, *Est-ce que vous avez* rises only moderately, while *une maison particulière* rises sharply.

# DEUXIÈME LEÇON

## *Une Visite*

L'appartement des Dalembert est au premier à gauche. Robert Martin, jeune Américain, sonne à la porte. La bonne ouvre. Robert demande si Jacques est à la maison. La bonne répond que oui et elle demande à Robert d'attendre dans le salon. Le salon a trois fenêtres qui donnent sur la rue et il communique avec la salle à manger par une grande porte. Quand Jacques arrive, il emmène son ami dans sa chambre.

### døzjɛm ləsɔ̃

#### yn vizit

1 apartəmɑ̃╱ de dalɑ̃bɛr╱ e to prəmje╱ a goʃ╲ rɔbɛr martɛ̃╱
ʒœn amerikɛ̃╱ sɔn a la pɔrt╲ la bɔn uvr╲ rɔbɛr dəmɑ̃d╱ si
ʒaːk╱ e ta la mezɔ̃╲ la bɔn repɔ̃ k wi╱ e ɛl dəmɑ̃d╱ a rɔbɛr╱
d atɑ̃dr╱ dɑ̃ l salɔ̃╲ lə salɔ̃╱ a trwa fnɛtr╱ ki dɔn╱ syr la
ry╱ e il kɔmynik╱ avɛk la sal a mɑ̃ʒe╱ par yn grɑ̃d pɔrt╲ kɑ̃
ʒaːk ariv╱ il ɑ̃mɛn╱ sɔ̃ nami╱ dɑ̃ sa ʃɑ̃br╲

## *Questionnaire*

1. Qui demeure dans l'appartement du premier à gauche? 2. Qui demeure au premier à gauche? 3. Où demeurent les Dalembert? (*For inversion here see* § X, f). 4. Où est l'appartement des Dalembert? 5. Qui sonne à la porte des Dalembert? 6. Est-ce que Robert Martin est américain? 7. Est-ce que Robert Martin est français? 8. A quelle porte sonne Robert Martin? 9. Qui ouvre la porte? 10. Est-ce que la bonne ouvre à Robert? 11. Est-ce que Jacques ouvre au jeune Américain? 12. Pourquoi est-ce que la bonne ouvre? 13. Pourquoi est-ce que Jacques n'ouvre pas? 14. Que demande Robert? 15. Est-ce que Jacques est à la maison? 16. A qui est-ce que Robert demande si Jacques est à la maison? 17. Qui répond à Robert? 18. Que répond la bonne à Robert? 19. Est-ce que la bonne répond que Jacques n'est pas à la maison? 20. Que demande la bonne à Robert? 21. A qui est-ce que la bonne demande d'at-

tendre? 22. Où est-ce que la bonne demande à Robert d'attendre?
23. Combien de (*how many*) fenêtres a le salon? 24. Où donnent
les fenêtres du salon? 25. Sur quelle rue donnent les fenêtres du
salon? 26. Avec quoi est-ce que le salon communique? 27. Par
quoi est-ce que le salon communique avec la salle à manger?
28. Est-ce que le salon communique avec la salle à manger par une
petite porte? 29. Où est-ce que Jacques arrive? 30. Est-ce que
Jacques arrive dans la salle à manger? 31. Où est-ce que Jacques
emmène son ami? 32. Est-ce que Jacques emmène son ami dans la
salle à manger? 33. Est-ce que Jacques emmène son ami dans la
rue? 34. Est-ce que Jacques emmène son ami dans le jardin du
Luxembourg? 35. Qui est l'ami de Jacques? 36. Quel est le nom
de l'ami de Jacques? 37. Comment s'appelle l'ami de Jacques?

## QUESTIONS PERSONNELLES

1. Est-ce que vous demeurez dans un appartement? 2. Est-ce que
vous demeurez dans un immeuble? 3. Est-ce que vous demeurez
dans une maison particulière? 4. Combien de fenêtres a le salon?
5. Combien de fenêtres a la salle à manger? 6. Est-ce que la salle
à manger communique avec le salon?

## *Vocabulaire*

**Américain, -e** [amerikɛ̃, amerikɛn] *m.*
  *& f.* American
(**un**) **ami** [ami] friend
**arriver** [arive] to arrive
**attendre** [atɑ̃dr] to wait, await
(**la**) **bonne** [bɔn] maid
(**la**) **chambre** [ʃɑ̃br] room
**communiquer** [kɔmynike] to communicate
**demander** [dəmɑ̃de] to ask
**donner** [dɔne] to give *donner sur,* to
  open onto
**emmener** [ɑ̃mne] to take (a person to
  a place)
(**la**) **fenêtre** [fənetr] window
(**la**) **gauche** [goʃ] left *à gauche,* on
  the left
**grand, -e** [grɑ̃, grɑ̃d] big
**il** [il], *pro.* he, it (masculine)
**jeune** [ʒœn] young
(**la**) **maison** [mezɔ̃] house *à la maison,* at home
**manger** [mɑ̃ʒe] to eat

**ouvrir** [uvrir] to open *il ouvre* [il uvr],
  he opens
**par** [par], *prep.* by
(**la**) **porte** [pɔrt] door
**premier** [prəmje], **première** [prəmjɛr]
  first *au premier* [o prəmje], on the
  second floor
**quand** [kɑ̃], *conj.* when
**que** [kə], *conj.* that *que, interrog. pro.,*
  what
**qui** [ki], *pro.* who, which (subject)
**répondre** [repɔ̃dr] to answer *il répond*
  [il repɔ̃], he answers *répondre que*
  *oui* [repɔ̃dr kə wi], to answer yes
**sa** [sa], *poss. adj. f.* his, her
(**la**) **salle** [sal] hall *salle à manger*
  [salamɑ̃ʒe] dining room
(**le**) **salon** [salɔ̃] living room
**si** [si], *conj.* if
**son** [sɔ̃], *poss. adj. m.* his, her
**sonner** [sɔne] to ring
**sur** [syr], *prep.* on
**trois** [trwa], *adj. invar.* three

## *Prononciation*

**1. ACCENT AND INTONATION.** The *place* of the accented syllable, in English, is variable from word to word. In *The AUthor's insinuAtions are inTOLerable,* we find accents on a first, on a fourth, and on a second syllable. And we notice that the highest pitch goes to those three accented syllables.

In French, the place of the accented syllable is fixed. The accented syllable is always the last one, either of a word or of a sense-group, and it always bears the highest pitch or the lowest pitch (depending on whether the meaning requires a rising or a falling intonation for the group). In a slow rate of speech, *L'appartement des Dalembert* would have accents on the syllables *-ment* and *-bert:*

$$\text{[la par}^{\text{tə}}\ \ {}_{\text{de da}}\ {}_{\text{lɑ̃}}\ {}^{\text{mɑ̃}}\quad\quad \text{bɛr]}$$

The *nature* of accent also differs. In English, accent is mainly a matter of force. The three accented (stressed) syllables of *The AUthor's insinuAtions are inTOLerable* are stronger (more intense) than the others. That is what makes them stand out (stresses them). In French, the final syllables are not a bit stronger, but longer— twice as long as the others, on the average. This gives a much more subdued stress than in English. Do not hit on the last syllables, but pull on them, stretch them softly.

$$\text{[la par}^{\text{tə}}\ \ {}_{\text{de da}}\ {}_{\text{lɑ̃}}\ {}^{\text{mɑ̃ɑ̃ɑ̃}}\quad\quad \text{bɛɛɛr]}$$

Finally, the pitch patterns of the accented syllables differ. In English, the note tends to change during the syllable, so that in extreme cases two notes can be heard:

he goes _____/‾    he comes ‾\\___

In French, the last syllable is said much more on a single note:

In other words, a pitch interval occurs during the accented syllable, in English, but between the last two syllables, in French.

**Practice.** In the following patterns, a) make all syllables of equal force, and have them end on vowels (with mouth open); b) make the last syllables longer, on a single note, and have them preceded by a wide pitch interval.

```
     [la par tə
              mãã]
 _____
             mãã
                  de da lã
   [la par tə
                         bɛɛr]
 _____
                         bɛɛr
            mãã                    e to prə
   [la par tə      de da lã
                                       mjee]
 _____
                         bɛɛr
            mãã                    mjee
   [la par tə      de da lã    e to prə     a
                                              gooʃ]
 _____
          tɛ̃ɛ̃           kɛ̃ɛ̃
                               sɔ na la        [la bɔ
   [rɔ bɛr mar    ʒœ na me ri
                                   pɔɔrt]           nuuvr]
 _____
            mã̃ãd
                  ʒaak                [la bɔn re põ
   [rɔ bɛr də      si      e ta la me
                                    zõõ]              kwii]
 _____
                   bɛɛr
         mã̃ãd                    tã̃ãdr
   [ɛl də       a rɔ       da        dã̃ lsa
                                            lõõ]
 _____
                                        ryy
           lõõ       fnɛɛtr   dɔɔn                niik
   [le sa    a trwa        ki    syr la    e il kɔ my
 _____
                   ʒee
                         par yn grãd
     a vɛk la sa la mã
                                pɔɔrt]
 _____
            riiv
                  mɛɛn       mii
   [kã̃ ʒa:k a    il ã̃    sõ na    dã̃ sa
                                     ʃã̃ãbr]
```

**2. ASPIRATION.** The explosive consonants [p], [t], [k], are numerous in this lesson. In English, when they begin a syllable, a puff of breath (somewhat like an [h]) is heard between the explosion (abrupt opening of the mouth) and the following vowel because the vocal cords are wide open and let the air through from the lungs at the time the mouth is opened for the explosion. This puff of air is called an "aspiration." You can feel it on the back of your hand as you say: *Pay for two keys* [phhei fɔr thhu khhiz].

In French, the vocal cords are closed well before the explosion so that no breath can get through from the lungs.

In order to close your vocal cords before the explosion, and avoid aspiration, tense your throat muscles as is done in English when words like *out, in, open,* start with a glottal stop. No puff of breath must be felt on the back of your hand as you say:

*petite rue tranquille* [pətit ry trãkil]

Also, in order that the sound of the explosion may be clear of all friction, open your mouth (separate the speech organs) much faster than in English (however, do not open too much).

*l'appartement* [lapartəmã], *la porte* [la pɔrt], *répond* [repɔ̃], *par* [par], *Martin* [martɛ̃], *attendre* [atãdr], *Américain* [amerikɛ̃]

**3. OPEN O.** The back rounded vowel [ɔ] recurs often in this lesson. Note that it is not quite like any English vowel. Make sure that you pronounce it like your instructor in the following words:

*Robert* [rɔbɛr], *sonne* [sɔn], *porte* [pɔrt], *bonne* [bɔn], *donnent* [dɔn], *communique* [kɔmynik]

**4. UNSTABLE E.** Remember that [ə] before a consonant is retained after two sounded consonants:

*l'appartement* [lapartəmã], *au premier* [o prəmje], *Robert demande* [rɔbɛr dəmãd], *elle demande* [ɛl dəmãd]

But [ə] before a consonant is dropped after one consonant:

*dans le salon* [dã l salɔ̃], *le salon a trois fenêtres* [lə salɔ̃ a trwa fnɛtr]

It is kept in the second "le" because of the initial position which makes the [ə] somewhat stronger.

## Grammaire

### § II (a) ELISION

**Elision is the suppression of the vowel in certain monosyllables when the next word begins with a vowel.**

The monosyllables *le, la, que, ne, je* elide as well as several others to be encountered later.

*le* + ami = *l'*ami  the friend
*la* + amie = *l'*amie  the friend (*feminine*)
Est-ce *qu'*il est ici? Is he here?
Il *n'*est pas ici. He is not here.
J'emmène mon ami dans ma chambre. I take my friend into my room.

## § II (b) CONTRACTION

**Whenever *à* or *de* occur before the articles *le* or *les*, contraction results.**

Note in the following examples how the preposition and the article have contracted into one word.

*à* + *le* jardin = *au* jardin to the garden
*à* + *les* jardins = *aux* jardins to the gardens
*de* + *le* jardin = *du* jardin of the garden
*de* + *les* jardins = *des* jardins of the gardens

**Elision takes precedence over contraction.**

In other words, if it is possible for the article to elide with a following word, the article will not contract with a preceding preposition. Never attempt to contract *de* + *l'*.

## § II (c) PRONOUN SUBJECTS

In the first person (the person speaking), the pronoun subjects are:

je I                    nous we

As noted in § II (a), *je* will elide if the next word begins with a vowel.

The second person (person spoken to) pronoun subjects are:

tu thou, you (*familiar*)          vous you (*singular or plural*)

**Like English *you*, *vous* has a singular and plural meaning. As in English, it also takes a plural verb whether the meaning is singular or plural.**

In other words, *vous* is the common form of address, *tu* being reserved for special meanings.

**The pronoun *tu* is the familiar form of address. It exists only in a singular meaning.**

In English, the familiar form of address *thou* is uncommon. In French, the form *tu* is used in speaking to a child, to a relative, to a close friend, to a schoolmate, and, by extension, in any situation where it is desired to express affection or equality (and hence also contempt). The plural of *tu*, however, is *vous*. Speaking to more than one child, for example, one must say *vous*.

In the third person (person spoken of), the pronoun subjects are:

| | |
|---|---|
| **il** he | **ils** they (*masculine*) |
| **elle** she | **elles** they (*feminine*) |

Since there is no neuter gender in French, these same pronouns also serve for things.

| | |
|---|---|
| **il** it (*masculine*) | **ils** they (*masculine*) |
| **elle** it (*feminine*) | **elles** they (*feminine*) |

**For things, the third person subject pronoun, both in the singular and the plural, must distinguish the gender of the antecedent.**

## *Étude de Verbes*

### § II (d) NATURE OF THE FRENCH VERB

In English, we are not particularly aware of the need to make the verb agree with the subject because the English verb is relatively simple. On closer examination, however, it is clear that certain verb forms must change to conform to the subject. We say *I do, you do, we do, they do*. But we also say *he does, thou doest*. The French verb is more complex since the form generally differs for each person. In English we say *we give* and *you give*, but in French we must say *nous donnons* and *vous donnez,* the verb forms being different because the subjects are different.

A large number of French verbs follow a regular pattern and are therefore known as regular verbs. Verbs which do not conform to the regular patterns are known as irregular verbs and must be studied individually. There are three classes of regular verbs, recognized by the ending of the infinitive which is the basic form from which all other forms are derived. The following are the infinitives of the three model conjugations:

        **donn***er* to give     **fin***ir* to finish     **vend***re* to sell

In conjugating the verb, the method is to remove the infinitive ending (*-er, -ir,* or *-re*) and add to the remaining stem certain endings which vary according to person and tense.

### § II (e) PRESENT TENSE, *-er* CONJUGATION

**The present tense indicates an action going on at the present time. There is only one present tense in French and it is expressed by one word only.**

In English, we say *John does* but also *John is doing*, or *John does do* (generally used in interrogative *Does John do?*). In French one can say only *John does*.

**In the first conjugation, the present tense is formed by removing the infinitive ending -er and replacing it with the proper endings corresponding to the pronoun subjects, as in the following illustrations:**

> *je* donn*e*  I give, am giving, do give
> *tu* donn*es*  thou givest, art giving, dost give
> *il* donn*e*  he gives, is giving, does give
> *elle* donn*e*  she gives, is giving, does give
> *nous* donn*ons*  we give, are giving, do give
> *vous* donn*ez*  you give, are giving, do give
> *ils* donn*ent*  they (*masculine*) give, are giving, do give
> *elles* donn*ent*  they (*feminine*) give, are giving, do give

It is advisable always to learn pronoun subjects with verb forms in French since they are used just as frequently as in English and are never omitted as in Spanish or Italian.

## § II (f) ORTHOGRAPHICAL CHANGING VERB (*e* + consonant + *er* type)

Certain verbs of the first (*-er*) conjugation vary slightly from the regular pattern in that minor changes in spelling and pronunciation occur consistently in the conjugation. The first class of such verbs is those ending "*e* + *consonant* + *er*" (example: *emmener*).

**Verbs ending *e* + *consonant* + *er* must write a grave accent over the first "e" every time the verb ending is unpronounced.**

The unpronounced endings are *-e, -es, -e,* and *-ent.*

> j'emm*è*n*e*  I take, am taking, do take
> tu emm*è*n*es*  thou takest, etc.
> il emm*è*n*e*
> nous emmenons
> vous emmenez
> ils emm*è*n*ent*

## § II (g) INTERROGATIVE WORD ORDER

In addition to the *est-ce que* method (see § I, f), interrogation may also be expressed by inverting the verb and a pronoun subject. Inversion with a noun subject is more complicated and will be considered later (see § X, f).

**When a verb is inverted with its pronoun subject, the pronoun subject is attached to the verb by a hyphen. In the first person singular, the subject and verb should not be inverted but *est-ce que* should**

be used instead, since such an inversion is archaic. If the third singular verb ends in a vowel, a *t* surrounded by hyphens (*-t-*) should be inserted between the verb and subject pronoun.

The interrogative of *donner* in the present tense is as follows:

| | |
|---|---|
| est-ce que je donne? | do I give? |
| donnes-tu? | dost thou give? |
| donne-t-il? | does he give? |
| donnons-nous? | do we give? |
| donnez-vous? | do you give? |
| donnent-ils | do they give? |

## Exercices

A. Remplacez les tirets par la forme voulue des articles composés (*contractions of the article*).

1. Robert répond _____ bonne. 2. Jacques arrive _____ salon. 3. Les garçons sonnent _____ portes. 4. La bonne répond _____ ami de Jacques. 5. Jacques ouvre _____ amies _____ bonne. 6. L'appartement _____ amis de Robert est _____ premier. 7. Où est la maison _____ ami de Jacques? 8. La bonne est _____ salle à manger. 9. Robert est _____ salon. 10. La porte _____ salon est grande. 11. La fenêtre _____ chambre est petite.

B. Conjuguez (*conjugate*) les verbes *donner* et *emmener* (1) à l'affirmatif, (2) au négatif, (3) à l'interrogatif.

## Dialogue

ROBERT (*à la concierge*): L'appartement des Dalembert, s'il vous plaît.

LA CONCIERGE: Au premier à gauche, Monsieur.

ROBERT: Merci, Madame. (*Il monte et sonne à la porte. La bonne paraît.*)

ROBERT: Les Dalembert, c'est bien ici?

LA BONNE: Oui, Monsieur.

ROBERT: Est-ce que Jacques est à la maison?

LA BONNE: Oui. Monsieur Jacques est dans sa chambre. Voulez-vous attendre au salon?

. . . . . . . . . . . .

JACQUES (*qui entre*): Ah! bonjour, Robert. Comment allez-vous?

ROBERT: Je vais très bien, merci.

JACQUES: Voulez-vous venir dans ma chambre?

## djalɔg

ROBERT (*à la concierge*): l apartəmã de dalãbɛr\ s il vu ple——

LA CONCIERGE: o prəmje⁄ a goʃ\ məsjø——

ROBERT: mɛrsi\ madam—— (*Il monte et sonne à la porte. La bonne paraît.*)

ROBERT: le dalãbɛr\ s e bjẽ nisi⁄

LA BONNE: wi—— msjø——

ROBERT: ɛskə ʒaːk⁄ e ta la mezɔ̃⁄

LA BONNE: wi—— məsjø ʒaːk⁄ e dã sa ʃãbr\   vule vu atãdr o salɔ̃⁄

.   .   .   .   .   .   .   .   .   .   .   .

JACQUES (*qui entre*): a—— bɔ̃ʒur\ rɔbɛr—— kɔmã tale vu\

ROBERT: ʒə ve tre bjẽ\ mɛrsi——

JACQUES: vule vu vnir⁄ dã ma ʃãbr⁄

## *Vocabulaire Supplémentaire*

aller [ale] to go   *Comment allez-vous* [kɔmã (t)ale vu]? How are you? *Je vais très bien* [ʒ ve tre bjẽ], I am very well

ce [sə], *pro.* it

comment [kɔmã], *adv.* how

(le & la) concierge [kɔ̃sjɛrʒ] janitor

entrer [ãtre] to enter

ma [ma], *poss. adj. f.* my

(la) madame [madam] madam, Mrs.

merci [mɛrsi], *interj.* thank you

(le) monsieur [məsjø] mister, sir

monter [mɔ̃te] to go up

paraître [parɛtr] to appear   *il paraît* [il pare], he appears

plaire [plɛr] to please   *s'il vous plaît* [sil vu ple], if you please

très [tre], *adv.* very

venir [vənir] to come

vouloir [vulwar] to wish   *voulez-vous* [vule vu]? will you?

# TROISIÈME LEÇON
~~~~~~~~~~~~~~~~~~~~~~~~~

# *La Chambre de Jacques*

La chambre de Jacques n'est pas grande, ou plutôt elle ne semble pas grande parce que toute la place est prise par un grand lit de bois. En face de la fenêtre, il y a une armoire à glace pour les vêtements et une table de toilette avec des articles de toilette: du savon, de la pâte dentifrice, une brosse à dents, une brosse à cheveux, un peigne, une cuvette et un pot à eau (car Jacques n'a pas l'eau courante dans sa chambre). Près du lit, il y a une table de travail et une chaise. Comme Jacques aime beaucoup les livres, il a aussi une bibliothèque pleine de livres. Jacques demande à Robert de prendre le fauteuil près de la fenêtre.

**trwazjɛm ləsɔ̃**

**la ʃɑ̃br də ʒaːk**

la ʃɑ̃br də ʒaːk╱ n e pa grɑ̃d╲ u plyto╱ ɛl nə sɑ̃blə pa grɑ̃d╱ parskə tut la plas╱ e priz╱ par œ̃ grɑ̃ li d bwa╲ ɑ̃ fas də la fnɛtr╱ ilja yn armwar a glas╱ pur le vɛtmɑ̃╱ e yn tabl də twalɛt╱ avɛk de zartikl də twalɛt╲ dy savɔ̃╱ d la paːt dɑ̃tifris╱ yn brɔs a dɑ̃╱ yn brɔs a ʃvø╱ œ̃ pɛɲ╱ yn kyvɛt╱ e œ̃ pɔ ta o╲ kar ʒaːk╱ n a pa l o kurɑ̃t╱ dɑ̃ sa ʃɑ̃br╲ pre dy li╱ ilja yn tabl də travaj╱ e yn ʃez╲ kɔm ʒaːk ɛm boku le livr╱ il a osi╱ yn biblijɔtɛk╱ plɛn də livr╲ ʒaːk dəmɑ̃d a rɔbɛr╱ də prɑ̃dr lə fotœj╱ pre d la fnɛtr╲

## *Questionnaire*

1. Est-ce que la chambre de Jacques est grande? 2. Est-ce que la chambre de Jacques semble grande? 3. Est-ce qu'il y a un lit de bois dans la chambre de Jacques? 4. Par quoi est-ce que la place est prise dans la chambre de Jacques? 5. Pourquoi est-ce qu'elle ne semble pas grande? 6. Combien de fenêtres est-ce qu'il y a dans la chambre de Jacques? 7. Où est l'armoire à glace? 8. Où est la table de toilette? 9. Qu'est-ce qu'il y a dans l'armoire à glace? 10. Qu'est-ce qu'il y a sur la table de toilette? 11. Où sont les articles de toilette? 12. Où est le savon? 13. Où est-ce qu'il y a du savon? 14. Où est-ce qu'il y a de la pâte dentifrice? 15. Où est la brosse à dents de Jacques? 16. Où est sa brosse à cheveux? 17. Est-ce que Jacques a un peigne? 18. Où est l'eau? 19. Où est-ce qu'il y a de l'eau? 20. Où est le pot à eau? 21. Est-ce qu'il y a une cuvette sur la table de toilette? 22. Est-ce que Robert a l'eau courante dans sa chambre à New-York? 23. Où sont la table de travail et la chaise? 24. Qu'est-ce qu'il y a près du lit? 25. Combien de chaises est-ce qu'il y a dans la chambre? 26. Est-ce que Jacques aime les livres? 27. Pourquoi est-ce que sa bibliothèque est pleine de livres? 28. Où est le fauteuil? 29. Qu'est-ce que Jacques demande à Robert? 30. Qu'est-ce que la bonne demande à Robert? 31. Qu'est-ce qu'il y a près de la fenêtre?

QUESTIONS PERSONNELLES

1. Ma chambre est petite. Est-ce que votre chambre est petite?
2. J'ai un lit de bois. Est-ce que vous avez un lit de bois? 3. Est-ce
qu'il y a une armoire à glace dans votre chambre? 4. Est-ce qu'il y
a une table de toilette dans votre chambre? 5. Est-ce qu'il y a l'eau
courante dans votre chambre? 6. Est-ce que vous avez une chaise
dans votre chambre? 7. Où est la chaise? 8. Est-ce que vous aimez
les livres? 9. Est-ce que vous avez une bibliothèque dans votre
chambre? 10. Est-ce que vous êtes un garçon? 11. Est-ce que vous
êtes une fille? 12. Est-ce que vous êtes Robert Martin? 13. Qui
est-ce que vous êtes? (Qui êtes-vous?)

## *Vocabulaire*

aimer [eme] to like
(une) armoire [armwar] clothespress
 *armoire à glace* [armwar a glas],
 mirror wardrobe
(un) article [artikl] article *article de
 toilette* [artikl də twalɛt], toilet article
aussi [osi], *adv.* also
avec [avɛk], *prep.* with
avoir [avwar] *il y a* [ilja], there is
 (are)
beaucoup [boku], *adv.* much, very
 much
(la) bibliothèque [biblijɔtɛk] bookcase
(le) bois [bwa] wood
(la) brosse [brɔs] brush *brosse à
 dents* [brɔs a dɑ̃], toothbrush
 *brosse à cheveux* [brɔs a ʃvø], hairbrush
car [kar], *conj.* for
(la) chaise [ʃɛz] chair
(les) cheveux [ʃəvø], *m. pl.* hair
comme [kɔm], *conj.* as, since
courir [kurir] to run *courant* [kurɑ̃],
 *pres. part.*, running
(la) cuvette [kyvɛt] washbasin
(la) dent [dɑ̃] tooth
(une) eau [o] water
elle [ɛl], *pro. f.* she, it

(la) face [fas] *en face de* [ɑ̃ fas də]
 opposite
(le) fauteuil [fotœj] armchair
(la) glace [glas] mirror
(le) lit [li] bed
(le) livre [livr] book
ou [u], *conj.* or
parce que [parskə], *conj.* because
(la) pâte [paːt] paste *pâte dentifrice*
 [paːt dɑ̃tifris], tooth paste
(le) peigne [pɛɲ] comb
(la) place [plas] place, space
plein, -e [plɛ̃, plɛn] full
plutôt [plyto], *adv.* rather
(le) pot [po] pot *pot à eau* [pɔ ta o],
 water pitcher
pour [pur], *prep.* for
prendre [prɑ̃dr] to take *pris* [pri],
 *past part.*, taken
(le) savon [savɔ̃] soap
sembler [sɑ̃ble] to seem
la table [tabl] table *table de toilette*
 [tabl də twalɛt], wash stand *table
 de travail* [tabl də travaj], work
 table
tout, -e, tous, toutes [tu, tut, tu, tut] all
(le) travail [travaj] work
(le) vêtement [vɛtmɑ̃] article of clothing *les vêtements,* clothing

## *Prononciation*

**1. SPREADING OF NASALITY.** The nasal vowels of French are not any more difficult in themselves than the oral ones. Simply imitate your instructor (while avoiding all reference to English sounds that might be called "equivalent," or to French oral vowels that are to be nasalized). The real difficulty lies,

(a) in joining a nasal vowel to an oral consonant, as in *chambre, grande, banque,* [ʃɑ̃br], [grɑ̃d], [bɑ̃k], without inserting an unwanted nasal consonant between the nasal vowel and the oral consonant [ʃɑ̃mbr], [grɑ̃nd], [bɑ̃ŋk]; or

(b) in joining an oral vowel to a nasal consonant that follows, as in *donne, madame, peigne,* [ɔn], [am], [ɛɲ], without nasalizing the oral vowel by anticipating the nasality in the nasal consonant. (It is misleading to say that French is a nasal language. On the contrary it is a very oral language; apart from its four nasal vowels, all French vowels must be absolutely free from nasality—which is not the case in American-English.)

In both a) and b), the difficulty consists in not spreading the nasality of one sound to the next, in either direction.

The solution is to avoid very thoroughly consonant anticipation, in other words, to separate strictly a vowel from the following consonant. This was already mentioned in the first lesson with the study of French syllables; it is now even more important because when a nasal sound and an oral sound are adjacent to each other, their poor separation has a more audible effect than in the case of two oral sounds.

Let us review the words of the first three lessons in which oral and nasal sounds come in contact.

(a) Tense all articulation muscles, and keep your mouth open until the nasal vowel is entirely over, as you say:

> *chambre* [ʃɑ̃-br], not [ʃɑ̃mbr]
> *grande* [grɑ̃-d], not [grɑ̃nd]
> *semble* [sɑ̃-bl], not [sɑ̃mbl]
> *dentifrice* [dɑ̃-tifris], not [dɑ̃ntifris]
> *l'eau courante* [lokurɑ̃-t], not [lokurɑ̃nt]
> *demande* [dəmɑ̃-d], not [dəmɑ̃nd]
> *prendre* [prɑ̃-dr], not [prɑ̃ndr]
> *Dalembert* [dalɑ̃-bɛr], not [dalɑ̃mbɛr]
> *français* [frɑ̃-se], not [frɑ̃nse]
> *attendre* [atɑ̃-dr], not [atɑ̃ndr]
> *manger* [mɑ̃-ʒe], not [mɑ̃nʒe]

*tranquille* [trɑ̃-kil], not [trɑ̃ŋkil]
*Luxembourg* [lyksɑ̃-bur], not [lyksɑ̃mbur]

(b) Compare your [a] sounds in *Jeanne* and *Jacques*. They should be exactly alike, the first one just as free from nasality as the second. Let your instructor judge whether they are alike. If he says that they are not, learn to hear the difference yourself. If you cannot hear it easily, you can feel it by touching your nostrils with your finger tips. If you nasalize unduly, the nostrils will vibrate during the [a] of *Jeanne*, while they do not during the [a] of *Jacques*.

In the following words from Lessons I, II and III, separate the vowel from the nasal consonant that follows:

*peigne*, not [pɛ̃ɲ] but [pɛ-ɲ], as in *père* [pɛr]
*aime*, not [ɛ̃m] but [ɛ-m], as in *aide* [ɛd]
*pleine*, not [plɛ̃n] but [plɛ-n], as in *plaide* [plɛd]
*jeune*, not [ʒœ̃n] but [ʒœ-n], as in *sœur* [sœr]
*sonne*, not [sɔ̃n] but [sɔ-n], as in *sotte* [sɔt]
*bonne*, not [bɔ̃n] but [bɔ-n], as in *bosse* [bɔs]
*ami*, not [ãmi] but [a-mi], as in *habit* [abi]
*madame*, not [madãm], but [mada-m], as in *ma date* [madat]

**2. UNSTABLE E.** In lesson III, the [ə] is maintained in: *elle ne semble pas* [ɛl nə sɑ̃blə pa], *parce que* [parskə] (here, exceptionally after three consonants), *en face de* [ɑ̃ fas də], *pleine de livres* [plɛn də livr], *Jacques demande* [ʒa:k dəmɑ̃d], *à Robert de prendre* [a rɔbɛr də prɑ̃dr].

But [ə] is dropped in: *la fenêtre* [la fnɛtr], *les vêtements* [le vɛtmɑ̃], *brosse à cheveux* [brɔs a ʃvø], *près de la fenêtre* [pre d la fnɛtr].

In lesson III, we also meet five times the special French pattern of *la chambre de Jacques*, which we note as [la ʃɑ̃br də ʒa:k] in the transcription of the text (slow speech), but which is really pronounced without the [r] in the fluent speech of the most cultivated French people today. The rule to remember here is: When a word, ending in a consonant-group whose last consonant is a liquid (*l* or *r*), is followed by a word whose first syllable has an [ə], the liquid consonant itself tends to drop.

*la chambre de Jacques* [la ʃɑ̃b də ʒa:k], *une table de toilette* [yn tab də twalɛt], *des articles de toilette* [de zartik də twalɛt], *une table de travail* [yn tab də travaj], *prendre le fauteuil* [prɑ̃d lə fotœj].

Another pronunciation is common, in French:

[la ʃɑ̃brə d ʒa:k], [yn tablə d twalɛt], [de zartiklə d twalɛt], [yn tablə d travaj], [prɑ̃drə l fotœj].

## *Grammaire*

### § III (a) NOUN IN A GENERAL SENSE

**Any noun used in a general sense in French requires a definite article.**

In English such nouns usually take no definite article. On rare occasions, they may take a definite article or an indefinite article.

> **Jacques n'aime pas *la* pâte dentifrice.**
> James does not like [. . . .] tooth paste (*generally speaking*).
> ***La* liberté est un principe essentiel.**
> [. . . .] liberty (*generally speaking*) is an essential principle.
> ***Le* fauteuil est une sorte de chaise.**
> *An* armchair (*generally speaking*) is a kind of chair.

### § III (b) NOUN IN A PARTITIVE SENSE

**The complete partitive article consists of *de* + *the definite article* normally going with the noun in question. It is translated by the English adjectives *some* or *any*.**

That is to say that the so-called partitive article is used whenever the English has the adjective *some* or *any*. The normal rules of contraction apply to the partitive article (see § II, b). Note the following examples:

> ***de la* pâte dentifrice**   *some* tooth paste
> ***du* savon**   *some* soap
> **Avez-vous *de l'*eau?**   Have you *any* water?
> **Jacques a *des* livres.** James has *some* books.

Frequently English omits the adjectives *some* or *any*. If an English noun stands alone without a definite or indefinite article (or without a number which can replace an article in this function), the following test will generally furnish the key to the equivalent French: (1) if the phrase *in general, generally speaking* can be inserted to clarify the meaning, it is a noun in a general sense (see § III, a); (2) if the adjectives *some* or *any* can be inserted to clarify the meaning, it is a noun in a partitive sense and requires the partitive article.

NOUN IN A GENERAL SENSE

> **Jacques aime *les* livres.**
> James likes [. . . .] books (*generally speaking*).

NOUN IN A PARTITIVE SENSE

> **Il y a *des* livres dans la bibliothèque.**
> There are [. . . .] books in the bookcase.
> There are *some* books in the bookcase.

Another way to look at the partitive article is to consider it as the plural of the indefinite article. Compare the following:

> SINGULAR: I have *an* apple.
> PLURAL: I have *some* apples.

In a sentence such as

[. . . .] *Tooth paste and* [. . . .] *toothbrushes are* [. . . .] *toilet articles,* the first two nouns are distinctly used in a general sense but there may be doubt as to the function of the third noun. This doubt will be removed if the sentence is reduced to a singular.

> Tooth paste (*in general*) is *a* toilet article.
> **La** pâte dentifrice est **un** article de toilette.
> A toothbrush (*generally speaking*) is *a* toilet article.
> **La** brosse à dents est **un** article de toilette.

Clearly the third noun is not being used in a general sense but is modified by a normal indefinite article. Putting this expression back into the plural, one therefore gets:

> **La** pâte dentifrice et **les** brosses à dents sont **des** articles de toilette.

## § III (c) PRONOUN *ce*

As subject of the verb *to be* (*être*), the pronoun *it* translates as *ce:* 1) when *it* refers to a previous idea and not to a specific antecedent having number and gender; 2) when *it* is used loosely and has no specific antecedent to refer to although logically it might have had one; 3) in colloquial repetitions.

### PREVIOUS IDEA

> **Jacques a perdu son chapeau. C'est dommage.**
> James has lost his hat. *It* is a pity.

LOOSE USAGE (antecedent possible but not mentioned)

> **C'est très moderne ici.** *It* is very modern here.

### COLLOQUIAL REPETITION

> **Les Dalembert, c'est bien ici?**
> The Dalemberts, *it* is really here,
> *meaning:* The Dalemberts really live here?

## § III (d) DIRECT AND INDIRECT NOUN OBJECTS

**An indirect noun object is always introduced by the preposition *à*.**
In English the preposition *to* is frequently omitted before the indirect object, for example:

> I give John the book.

This really means:

> I give the book *to* John. **Je donne le livre *à* Jean.**

No French verb (with the exception of *payer* to be seen later) will have two direct objects. If the verb has two objects, one must of necessity be an indirect object.

## *Étude de Verbes*

### § III (e) PRESENT TENSE, *-ir* CONJUGATION

The *-ir* conjugation verbs have the characteristic endings shown in the illustration below.

**All *-ir* (second) conjugation verbs add *iss* to the stem before attaching the plural endings.**

| | |
|---|---|
| **je finis** I finish, am finishing, do finish | **nous finISSons** |
| **tu finis** thou finishest, etc. | **vous finISSez** |
| **il finit** | **ils finISSent** |

### § III (f) THE IRREGULAR VERB *avoir*, PRESENT TENSE

| | |
|---|---|
| **j'ai** [ʒe] I have | **nous avons** [nu zavɔ̃] we have |
| **tu as** [ty a] thou hast | **vous avez** [vu zave] you have |
| **il a** [il a] he has | **ils ont** [il zɔ̃] they have |

### § III (g) THE IRREGULAR VERB *être*, PRESENT TENSE

| | |
|---|---|
| **je suis** [ʒə sɥi] I am | **nous sommes** [nu sɔm] we are |
| **tu es** [ty e] thou art | **vous êtes** [vu zɛt] you are |
| **il est** [il e] he is | **ils sont** [il sɔ̃] they are |

### § III (h) INFINITIVES DEPENDING ON VERBS

**When an infinitive depends on another verb, there are three possibilities: (1) it will be introduced by the preposition *à*; (2) it will be introduced by the preposition *de*; (3) it will be without an introductory preposition. The verb on which the infinitive depends and not the infinitive determines the presence or absence of a preposition before the infinitive.**

Verbs can be classified according to the manner in which they introduce dependent infinitives. A list of such verbs will be found in the Grammatical Appendix, § 24, C. Since it is neither desirable nor practical to memorize this list, the student must form the habit of always observing the construction in which an infinitive occurs and try to learn correct usage by observation.

In the first three lessons, the following infinitive constructions have
occurred:

> **Elle demande à Robert** *d'attendre.*
> She asks Robert *to wait.*
> **Voulez-vous** *attendre* **au salon?**
> Will you *wait* (i.e. are you willing *to wait*) in the living room?
> **Je viens** *d'acheter* **un roman.**
> I have just bought a novel.

The first example shows the verb *demander* which requires the
preposition *de* to introduce an infinitive. The second example shows
the verb *vouloir* which takes no preposition to introduce the infinitive. The third illustration shows the verb *venir* taking *de* to introduce the infinitive in a special idiom meaning, in the present tense,
*to have just done something.*

## *Exercices*

A. Remplacez les tirets par l'article convenable: 1. Sur la table,
il y a _____ articles de toilette, _____ savon, _____ pâte
dentifrice. 2. Dans le pot à eau, il y a _____ eau. 3. Jacques
a _____ livres. 4. Robert aime _____ livres, _____
eau, _____ littérature, _____ français. 5. Robert demande
_____ eau à Jacques. 6. Jacques aime _____ grandes fenêtres.

B. Conjuguez les verbes *finir, avoir* et *être* (1) à l'affirmatif, (2) au
négatif, (3) à l'interrogatif.

## *Dialogue*

JACQUES: Voulez-vous entrer dans ma chambre?
ROBERT: Comme vous êtes confortablement installé!
JACQUES: Oui, mais ce n'est pas trop moderne, hélas!
ROBERT: C'est vrai. Je vois que vous avez une cuvette et un pot à
eau comme ma grand'mère.
JACQUES: Prenez donc ce fauteuil près de la fenêtre. Il est vieux
mais très confortable.
ROBERT: Vous aimez les livres, à ce que je vois. Votre bibliothèque
est pleine.
JACQUES: Oui, je les aime beaucoup. Je viens justement d'acheter
un nouveau roman. Voulez-vous le voir?

## djalɔg

Jacques: vule vu ¹ ɑ̃tre dɑ̃ ma ʃɑ̃br ╱
Robert: kɔm vu zɛt kɔ̃fɔrtabləmɑ̃ ² ɛ̃stale ╲
Jacques: wi── me s ne pa trɔ ³ mɔdɛrn ╲ elaːs ──
Robert: s e vre ╲ ʒ vwa k vu zave ╱ yn kyvɛt ╱ e œ̃ pɔ ta o ╲
kɔm ma grɑ̃mɛr ╲
Jacques: prəne dɔ̃k ⁴ sə fotœj ╲ pre d la fnɛtr ── il e vjø ╱ me
tre kɔ̃fɔrtabl ╲
Robert: vu zeme le livr ╱ a s kə ʒ vwa ── vɔtrə biblijɔtɛk ╱
e plɛn ╱ ⁵
Jacques: wi── ʒ le zɛm boku ╲ ʒ vjɛ̃ ʒystəmɑ̃ ╱ d aʃte ╱ œ̃
nuvo rɔmɑ̃ ╲ vule vu l vwar ╱

## Vocabulaire Supplémentaire

à, prep. *à ce que je vois* [a s kə ʒ vwa],
so I see
acheter [aʃte] to buy
comme [kɔm], *adv.* how (in exclamations)
confortable [kɔ̃fɔrtabl], *adj.* comfortable
confortablement [kɔ̃fɔrtabləmɑ̃], *adv.* comfortably
donc [dɔ̃k, dɔ̃], *adv.* just (with imperative)
(la) grand'mère [grɑ̃mɛr] grandmother
hélas [elaːs], *interj.* alas
installer [ɛ̃stale] to install
justement [ʒystəmɑ̃], *adv.* precisely

mais [me], *adv.* but
moderne [mɔdɛrn], *adj.* modern
nouveau [nuvo], *adj. masc. sing.* new
prendre [prɑ̃dr] *prenez* [prəne], take (imperative)
(le) roman [rɔmɑ̃] novel
trop [tro, trɔ (*when not final*)], *adv.* too, too much
venir [vənir] *je viens d'acheter* [ʒə vjɛ̃ daʃte], I have just bought
vieux [vjø], *adj. masc.* old
voir [vwar] to see *je vois* [ʒə vwa], I see
votre [vɔtr], *poss. adj.* your
vrai, -e [vre] true

1. A liaison (*voulez-vous‿entrer* [vule vu zɑ̃tre]) would frequently be heard here. However in a conversation between Jacques and Robert it would sound much too formal. We try to have the transcriptions conform to the tone, the style of the text, both for liaisons and for unstable [ə]. (Liaison is reviewed with Lesson V.)

2. *Confortablement‿installé* [kɔ̃fɔrtabləmɑ̃ tɛ̃stale] would be too formal here.

3. *Trop* has the close o [o] only when it is final: *pas trop* [pa tro]. When not final it is generally pronounced with open o [ɔ]: *trop bon* [trɔ bɔ̃].

4. *Donc* [dɔ̃k] can also be pronounced [dɔ̃] before a consonant. Then the phrase would become: [prəne dɔ̃ s fotœj].

5. This rising intonation to end a sentence is what we call an intonation of implication: one may imply an additional phrase such as "I notice," here. The implication rise is not sharp but quite moderate. Wherever the transcription has a rising intonation at the end of a sentence which is not a question, it is a suggestion for an intonation of implication. This applies to the following lessons as well.

# QUATRIÈME LEÇON

## *Le Lycée*

Jacques et Marie vont tous les jours au lycée, excepté le jeudi qui est jour de congé en France. Jacques va au lycée Henri IV, qui est un lycée de garçons, et Marie va au lycée Fénelon, qui est un lycée de filles. Ils sont externes, c'est-à-dire qu'ils habitent avec leurs parents. Les internes habitent au lycée même. Jacques et Marie ne sont pas réveillés au son du tambour comme les internes du lycée; c'est Madame Dalembert qui les réveille. Après le petit déjeuner, ils traversent rapidement le jardin du Luxembourg pour arriver à leurs cours à huit heures. A midi ils rentrent pour le déjeuner et ils retournent au lycée à deux heures. Les cours finissent à cinq heures.

### katrijɛm ləsɔ̃
### lə lise

ʒaːk e mari╱ vɔ̃ tu le ʒur╱ o lise╱ ɛksɛpte l ʒødi╱ kj e ʒur də
kɔ̃ʒe╱ ɑ̃ frɑ̃s╲ ʒaːk va o lise ɑ̃ri katr╱ kj e tœ̃ lise d garsɔ̃╱ e
mari╱ va o lise fenlɔ̃╱ kj e tœ̃ lise d fij╲ il sɔ̃ tɛkstɛrn╲
setadir╱ k il zabit╱ avɛk lœr parɑ̃╲ le zɛ̃tɛrn╱ abit╱ o lise
mɛm╲ ʒaːk e mari╱ n sɔ̃ pa reveje╱ o sɔ̃ dy tɑ̃bur╱ kɔm le
zɛ̃tɛrnə dy lise⎯⎯ s e madam dalɑ̃bɛr╲ ki le revɛj⎯⎯ apre l pəti
deʒøne╱ il travɛrsə rapidmɑ̃╱ l ʒardɛ̃ dy lyksɑ̃bur╱ pur arive
a lœr kur╱ a ɥit œr╲ a midi╱ il rɑ̃trə pur lə deʒøne╱ e il rəturn
o lise╱ a dø zœr╲ le kur╱ finis╱ a sɛ̃k œr╲

## *Questionnaire*

1. Est-ce que Jacques va au lycée tous les jours? 2. Quels jours est-ce qu'il ne va pas au lycée? 3. Pourquoi est-ce que les garçons français ne vont pas au lycée le jeudi? 4. Quel est le jour de congé en France? 5. Quel est le jour de congé en Amérique? 6. A quel lycée va Jacques? 7. A quel lycée va Marie? 8. Est-ce que Jacques et Marie vont au même lycée? 9. Pourquoi est-ce que Jacques et Marie ne vont pas au même lycée? 10. Est-ce qu'ils habitent au lycée? 11. Où est-ce qu'ils habitent? 12. Où habitent les externes?

13. Où habitent les internes?   14. Est-ce que Madame Dalembert réveille les internes du lycée?   15. Qui est-ce que Madame Dalembert réveille?   16. Par qui est-ce que Marie est réveillée?   17. Comment est-ce que les internes du lycée sont réveillés?   18. Est-ce que Jacques a son petit déjeuner au lycée?   19. Quel jardin est-ce que Jacques et Marie traversent pour aller au lycée?   20. A quelle heure est-ce qu'ils arrivent à leurs cours?   21. A quelle heure est-ce que leurs cours commencent?   22. A quelle heure est-ce qu'ils rentrent déjeuner?   23. A quelle heure est-ce qu'ils retournent au lycée?   24. A quelle heure est-ce que les cours du lycée finissent?

QUESTIONS PERSONNELLES

1. Quels jours allez-vous à l'université?   2. Quels jours n'allez-vous pas à l'université?   3. Quel est le jour de congé en Amérique?   4. Est-ce que vous avez des cours le samedi?   5. Est-ce que vous avez des cours le jeudi?   6. Est-ce que vous êtes interne?   7. Est-ce que vous habitez avec vos parents?   8. Où est-ce que vous habitez?   9. Qui vous réveille le matin?   10. Est-ce que votre mère vous réveille?   11. Par quelle rue passez-vous pour aller à l'université?   12. Est-ce que vous traversez un jardin?   13. Est-ce que vous traversez un parc?   14. A quelle heure commencent vos cours?   15. A quelle heure est-ce que vos cours finissent?   16. Est-ce que vous rentrez déjeuner à la maison?

## *Vocabulaire*

**aller** [ale] *il va* [il va], he goes   *ils vont* [il vɔ̃], they go
**comme** [kɔm], *adv.* like
(**le**) **congé** [kɔ̃ʒe] leave of absence   *jour de congé* [ʒur də kɔ̃ʒe], holiday
(**le**) **cours** [kur] course, class
(**le**) **déjeuner** [deʒøne] lunch   *le petit déjeuner* [lə pti deʒøne], breakfast
**dire** [dir] to say   *c'est-à-dire* [setadir], that is to say
**en** [ɑ̃], *prep.* in, into
**excepté** [ɛksɛpte], *prep.* except
(**un**) **externe** [ɛkstɛrn] day pupil
**finir** [finir] to finish
**habiter** [abite] to live, live in
(**une**) **heure** [œr] hour   *deux heures* [dø zœr], two o'clock
(**un**) **interne** [ɛ̃tɛrn] boarder (in school)

(**le**) **jeudi** [ʒødi] Thursday
(**le**) **jour** [ʒur] *tous les jours* [tu le ʒur], every day
**leur** [lœr], *poss. adj.* their
(**le**) **lycée** [lise] Lyceum (secondary school)
**même** [mɛm], *adj.* same *adv.* even   *à l'endroit même,* at the very place   *au lycée même,* at the lycée itself
(**le**) **midi** [midi] noon
(**le**) **parent** [parɑ̃] parent
**pour** [pur], *prep.* for, in order to
**rapidement** [rapidmɑ̃], *adv.* rapidly
**rentrer** [rɑ̃tre] to return, go home
**retourner** [rəturne] to return, go back
**réveiller** [reveje] to awaken
(**le**) **son** [sɔ̃] sound
(**le**) **tambour** [tɑ̃bur] drum
**traverser** [travɛrse] to cross

## *Prononciation*

**1. FRENCH R.** The articulation of the French *r* and that of the American *r* are so much opposed that merely thinking about one prevents producing the other. (For the American *r* the tongue-tip is raised and the back is lowered; for the French *r* the tongue-tip is lowered and the back is raised.) The first condition for learning the French *r* is therefore to forget that it is an *r*, and thus avoid the reflexes of tongue-tip raising and tongue-back lowering that would result from the mental image of the American *r*. To help us forget that we are learning a sound that is spelled with an *r*, let us temporarily use the symbol [x] which stands for a posterior friction such as that of the Spanish *jota* in a word like *hoja* [ɔxa] or that of the German *ach* in *Bach* [bax]. The French *r* actually uses the same place of articulation as those Spanish and German friction sounds, but the French friction is voiced and softer. If you know Spanish or German, just soften and voice the [x] friction; *hoja* [ɔxa] will become French *aura* [ɔxa], *Bach* [bax] will become French *barre* [bax]. If you know neither Spanish nor German, the following indications will help you.

While keeping all the time your tongue-tip pointing down (even pressing against your lower teeth if possible), slowly raise the very back of your tongue toward the very back of your velum until the slit between tongue-back and velum is narrow enough to make it possible for you to produce a soft voiced friction noise. Exaggerate the friction for the first days or weeks. It will be easy to soften it later when muscular habits at the proper place have been acquired. Let us try this with the words of Lesson IV.

*Marie* [maxi], *jours* [ʒux], *France* [fxɑ̃s], *Henri* [ɑ̃xi], *garçon* [gaxsɔ̃], *externes* [ɛkstɛxn], *leurs* [lœx], *parents* [paxɑ̃], *réveillés* [xeveje], *tambour* [tɑ̃bux], *Dalembert* [dalɑ̃bɛx], *après* [apxe], *traversent* [txavɛxs], *rapidement* [xapidmɑ̃], *jardin* [ʒaxdɛ̃], *Luxembourg* [lyksɑ̃bux], *pour* [pux], *arriver* [axive], *cours* [kux], *huit heures* [ɥit œx], *rentrent* [xɑ̃tx], *retournent* [xətuxn].

**2. VOWEL TENSION.** In this lesson, we find many words like *lycée*, ending in [e]. Take care not to pronounce this [e] like the vowel of English *say* which generally is strongly diphthongized into approximately [sɛɪ]. The French [e] is called "pure" to indicate that its timbre changes much less than in English.

In order to obtain an [e] as pure as possible:

(a) Tense your lips and tongue.

(b) Anticipate the [e] position of lips and tongue even before you start the preceding consonant, and keep that position immobile until the vowel is finished.

(c) Start softly and increase your effort until the end of the vowel. (English starts strongly and relaxes immediately.)

(d) Say the vowel on a single note.

> *lycée* [lise], not [liseeɪ]
> *excepté* [ɛksɛpte], not [ɛksepteeɪ]
> *déjeuner* [deʒøne], not [deeɪʒøneeɪ]
> *réveillés* [reveje], not [reeɪveeɪjeeɪ]

**3. CLOSE *EU*.** The [ø] sound—considered the most difficult vowel in French—occurs several times in this lesson. It is the sound of the digraph *eu* in a syllable that does not end in a consonant. A front rounded vowel, its articulation is midway between those of [y] and [œ] (*pur* and *peur*), studied in the first lesson.

In order to produce a sound that is "close" enough to distinguish clearly the *eu* of *deux* [dø] from that of *heures* [œr], the *eu* of *bleue* [blø] from that of *fleur* [flœr], start from the articulatory position of *du* [dy] (said with tongue-tip against lower incisors for *d*), and say *deux* [dø] while almost keeping the *du* [dy] position.

> *deux* [dø], *jeudi* [ʒødi], *déjeuner* [deʒøne], *brosse à cheveux* [brɔs a ʃvø] (Lesson III), *monsieur* [məsjø] (Lesson II, dialogue), *vendeuse* [vãdøz] (Lesson V). (This is an example of the exception which states that *o* and *eu* are close before [z]).

**4. A FRENCH SEMI-VOWEL.** The semi-vowel [ɥ] of *huit* [ɥit] occurs for the first time in this lesson. While the two other semi-vowels, [j], as in *yes* [jɛs], and [w], as in *we* [wi], are used also in English, [ɥ] is not. It is typically French because it is fronted and rounded at the same time—like [y].

To produce it, take the tongue and lip positions of [y]. Then abruptly abandon this position for that of the following vowel while firmly keeping your tongue-tip pressed against your lower incisors.

If you obtain [wit] instead of [ɥit], for *huit*, it is certainly because you have not kept your tongue-tip against your teeth absolutely all the time.

> *huit* [ɥit], *puisque* [pɥisk] (in dialogue), *je suis* [ʒə sɥi] (in dialogue), *lui* [lɥi] (in Lesson V), *cuiller* [kɥijɛr] (in Lesson VI).

**5. UNSTABLE *E*.** [ə] is maintained in: *jour de congé* [ʒur də kɔ̃ʒe], *les internes du lycée* [le zɛ̃tɛrnə dy lise], *ils traversent rapidement* [il travɛrsə rapidmã], *ils rentrent pour le déjeuner* [il rãtrə pur lə deʒøne], *ils retournent* [il rəturn].

[ə] is dropped in: *excepté le jeudi* [ɛksɛpte l ʒø̃di], *un lycée de garçons* [œ̃ lise d garsɔ̃], *un lycée de filles* [œ̃ lise d fij], *Jacques et Marie ne sont pas réveillés* [ʒaːk e mari n sɔ̃ pa reveje], *après le petit déjeuner* [apre l pəti deʒøne], *rapidement le jardin* [rapidmɑ̃ l ʒardɛ̃].

## *Grammaire*

### § IV (a) CARDINAL NUMBERS (1 to 30)

| | | | |
|---|---|---|---|
| 1 | un, une [œ̃, yn] | 16 | seize [sɛz] |
| 2 | deux [dø] | 17 | dix-sept [dissɛt] |
| 3 | trois [trwa] | 18 | dix-huit [dizɥit] |
| 4 | quatre [katr] | 19 | dix-neuf [diznœf] |
| 5 | cinq [sɛ̃k] | 20 | vingt [vɛ̃] |
| 6 | six [sis] | 21 | vingt et un [vɛ̃te œ̃] |
| 7 | sept [sɛt] | 22 | vingt-deux [vɛ̃t dø] |
| 8 | huit [ɥit] | 23 | vingt-trois [vɛ̃t trwa] |
| 9 | neuf [nœf] | 24 | vingt-quatre [vɛ̃t katr] |
| 10 | dix [dis] | 25 | vingt-cinq [vɛ̃t sɛ̃k] |
| 11 | onze [ɔ̃z] | 26 | vingt-six [vɛ̃t sis] |
| 12 | douze [duz] | 27 | vingt-sept [vɛ̃t sɛt] |
| 13 | treize [trɛz] | 28 | vingt-huit [vɛ̃t ɥit] |
| 14 | quatorze [katɔrz] | 29 | vingt-neuf [vɛ̃t nœf] |
| 15 | quinze [kɛ̃z] | 30 | trente [trɑ̃t] |

Since there are many irregularities in pronunciation, careful note should be taken of the pronunciation as indicated in the phonetics above.

The normal rules of *liaison* apply for *deux* and *trois*. In two expressions only, the *f* of *neuf* becomes [v].

> **neuf ans** [nœ vɑ̃] nine years
> **neuf heures** [nœ vœr] nine hours, nine o'clock

Certain other numbers are pronounced one way in isolation, another way in *liaison* and a third way before a word beginning with a consonant. The following table indicates these variations:

| | In Isolation | Before a Vowel (Same as in isolation except 6, 10, 20) | Before a Consonant (Final consonant drops) |
|---|---|---|---|
| 5 | sɛ̃k | | sɛ̃ tabl |
| 6 | sis | siz ami | si tabl |
| 7 | sɛt | | sɛ tabl |
| 8 | ɥit | | ɥi tabl |
| 9 | nœf | | nœ tabl |
| 10 | dis | diz ami | di tabl |
| 20 | vɛ̃ | vɛ̃t ami | vɛ̃ tabl |

### § IV (b) ASPIRATE *h* AND MUTE *h*

Although the consonant *h* is never pronounced in French, the terms *aspirate* and *mute* are used to describe the two types of *h*. With an aspirate *h*, *liaison* and *elision* do not take place. With a mute *h*, *liaison* and *elision* take place just as though the word began with a vowel. Unfortunately there is no rule to distinguish between the two types of *h*. Therefore the student must form the habit of observing the manner in which *h* is used so that he may know when to make the *liaison* or to elide. In case of doubt, he may refer to the vocabulary at the back of the book.

ASPIRATE: **le huit septembre** [lə ɥit sɛptɑ̃br] the eighth of September
MUTE   : **ils habitent** [il zabit] they live
         **j'habite** [ʒabit] I live
         **deux heures** [dø zœr] two hours

### § IV (c) CLOCK TIME

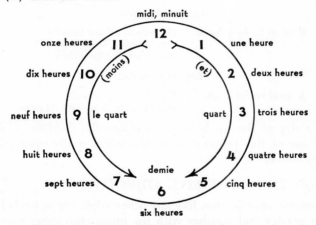

The hours are indicated on the diagram above.

one o'clock  **une heure**
ten o'clock  **dix heures**
twelve o'clock $\begin{cases} \text{noon } \textbf{midi} \\ \text{midnight } \textbf{minuit} \end{cases}$

In a clockwise direction, fractions of the hour are added to the hour by use of the conjunction *et*. Minutes are added in a similar manner but without the conjunction.

a quarter past two      **deux heures *et quart*** [dø zœr e kar]
half past two           **deux heures *et demie*** [dø zœr e dmi]

two ten, ten minutes
   past two                          **deux heures *dix*** [dø zœr dis]
two fifty-five, fifty-
   five minutes past two     **deux heures *cinquante-cinq***

In a counterclockwise direction fractions of the hour or minutes are subtracted from the hour by using *moins*.

a quarter to two              **deux heures *moins le quart*** [dø zœr mwɛ̃ l kar]
twenty-five minutes        **deux heures *moins vingt-cinq*** [dø zœr mwɛ̃ vɛ̃tsɛ̃k]
   to two

## § IV (d) DAYS OF THE WEEK

**lundi** [lœ̃di] Monday
**mardi** [mardi] Tuesday
**mercredi** [mɛrkrədi] Wednesday
**jeudi** [ʒødi] Thursday

**vendredi** [vɑ̃drədi] Friday
**samedi** [samdi] Saturday
**dimanche** [dimɑ̃ʃ] Sunday

In a general sense, the day of the week requires an article. In a specific sense, it has no article.

### GENERAL SENSE

**Il va au lycée *le* lundi.**   He goes to school Monday
   (on Monday, on Mondays, Mon-
   day generally speaking).

### SPECIFIC SENSE

**Je vous verrai lundi.**   I shall see you Monday
   (on Monday, a specific Monday).

With a day of the week, never translate the English preposition *on*. The use of this preposition in English is really optional. Note examples above.

## § IV (e) THE POSSESSIVE ADJECTIVE

**The possessive adjective, like any other adjective in French, must agree in gender and number with the noun (the thing possessed) which it modifies.** It does not agree with the possessor as is partly the case in English.

In the following illustrations note how there are three forms when the following word begins with a consonant or aspirate *h:* a masculine singular, a feminine singular, and a plural which is both masculine and feminine. However, if the following word is feminine singular beginning with a vowel or mute *h*, the possessive adjective will have the same form as in the masculine.

### FIRST PERSON SINGULAR

*mon* livre (*masculine*) my book
*ma* maison (*feminine*) my house
*mon* armoire (*feminine*) my wardrobe [mɔ̃ narmwar]
*mes* livres (*masculine*) my books
*mes* maisons (*feminine*) my houses

### SECOND PERSON SINGULAR

*ton* livre (*masculine*) thy book
*ta* maison (*feminine*) thy house
*ton* armoire (*feminine*) thy wardrobe [tɔ̃ narmwar]
*tes* livres (*masculine*) thy books
*tes* maisons (*feminine*) thy houses

These forms are used only in situations requiring the *tu* form of address (see § II, c).

### THIRD PERSON SINGULAR

*son* livre (*masculine*) his book, her book
*sa* maison (*feminine*) his house, her house
*son* armoire (*feminine*) his wardrobe, her wardrobe [sɔ̃ narmwar]
*ses* livres (*masculine*) his books, her books
*ses* maisons (*feminine*) his houses, her houses

It is clear from the translations above that the French cannot distinguish the gender of the possessor, only the gender of the thing possessed. Normally the possessive adjective refers to the nearest possible antecedent. *Marie parle à son père* means *Mary speaks to her father,* not to *his father.* In such a sentence, as will be seen later (see Grammatical Appendix, § 41, B, 3, b), additional words are necessary to convey the meaning *to his father.*

Not infrequently the possessor will also be a thing, in which case *son, sa, ses* will have the meaning of *its.*

> **La rose a perdu *ses* pétales.** The rose has lost *its* petals.

### FIRST PERSON PLURAL

*notre* livre (*masculine*) our book
*notre* maison (*feminine*) our house
*nos* livres (*masculine*) our books
*nos* maisons (*feminine*) our houses

This possessive adjective distinguishes only number, not gender.

### SECOND PERSON PLURAL

*votre* livre (*masculine*) your book
*votre* maison (*feminine*) your house

*vos* **livres** (*masculine*) your books
*vos* **maisons** (*feminine*) your houses

This possessive adjective likewise distinguishes number but not gender. It is used in every case requiring the *vous* form of address and should not be confused with *ton, ta, tes* discussed above.

### THIRD PERSON PLURAL

*leur* **livre** (*masculine*) their book
*leur* **maison** (*feminine*) their house
*leurs* **livres** (*masculine*) their books
*leurs* **maisons** (*feminine*) their houses

Note that there is no *e* in the feminine singular. Hence this form likewise distinguishes number but not gender. Particularly it should not be confused with *ses,* which means *his, her, its* when the noun modified is plural but not *their* which is plural in terms of the antecedent (possessor).

## *Étude de Verbes*

### § IV (f) PRESENT TENSE, *-re* CONJUGATION

**je vends** [vã] I sell, do sell, am selling
**tu vends** [vã] thou sellest, etc.
**il vend** [vã]

**nous vendons** [vãdɔ̃]
**vous vendez** [vãde]
**ils vendent** [vãd]

The absence of an ending in the third singular is the striking peculiarity of all *-re* conjugation verbs except *rompre* (to break) whose third singular is *rompt.*

## *Exercices*

A. Remplacez les tirets par des adjectifs possessifs: 1. (*her*) _____ frère. 2. (*his*) _____ sœur. 3. (*my*) _____ lycée. 4. (*my*) _____ parents. 5. (*our*) _____ cours. 6. (*his*) _____ amis. 7. (*our*) _____ petit déjeuner. 8. (*their*) _____ peignes. 9. (*your*) _____ amis. 10. (*their*) _____ jour de congé. 11. (*her*) _____ table. 12. (*his*) _____ table. 13. (*his*) _____ tables. 14. (*her*) _____ tables. 15. (*their*) _____ table. 16. (*their*) _____ tables. 17. (*your*) _____ chaise. 18. (*my*) _____ fenêtres. 19. (*my*) _____ appartement. 20. (*thy*) _____ ami. 21. (*his*) _____ amie. 22. (*my*) _____ armoire à glace. 23. (*thy*) _____ eau.

B. Conjuguez le verbe *vendre* (1) à l'affirmatif, (2) au négatif, (3) à l'interrogatif.

C. Lisez ou écrivez les chiffres (*figures*) suivants: 29, 16, 15, 9, 7, 5, 13, 21, 16, 28, 6, 22, 17, 19; 6 livres, 2 cahiers, 8 amis, 22 amis, 5 cahiers, 3 amis, 27 cahiers, 8 sœurs, 9 garçons, 26 amis.

D. Quels sont les jours de la semaine?

## *Dialogue*

ROBERT: Est-ce que vous allez tous les jours en classe?

JACQUES: Oui, je vais tous les jours au lycée excepté le jeudi, qui est un jour de congé en France.

ROBERT: Vous allez au même lycée que votre sœur?

JACQUES: Mais pas du tout. Elle va à Fénelon qui est uniquement un lycée de filles.

ROBERT: Vous voulez dire qu'il n'y a pas de lycées mixtes en France?

JACQUES: Si, certains lycées nouveaux sont mixtes, mais Henri IV et Fénelon sont très anciens. A Henri IV on réveille encore les internes au son du tambour, comme du temps de Napoléon.

ROBERT: Que veut dire «interne?»

JACQUES: Eh bien, un interne habite au lycée et y prend tous ses repas. Moi, puisque j'habite à la maison, je suis externe.

### djalɔg

ROBERT: ɛskə vu zale tu le ʒur ɑ̃ klaːs⁄

JACQUES: wi— ʒ ve tu le ʒur o lise⁄ ɛksɛpte l ʒødi⁄ kj e tœ̃ ʒur də kɔ̃ʒe ɑ̃ frɑ̃s⟍

ROBERT: vu zale⁄ o mɛm lise⁄ k vɔtrə sœr⁄

JACQUES: me pa dy tu⁄ ¹ ɛl va a fenlɔ̃⁄ ¹ kj e tynikmɑ̃ œ̃ lise d fij⁄ ¹

ROBERT: vu vule dir⁄ k ilnja pa d lise mikst⁄ ɑ̃ frɑ̃s⁄

JACQUES: si— sɛrtɛ̃ lise nuvo⁄ sɔ̃ mikst⁄ me ɑ̃ri katr⁄ e fenlɔ̃⁄ sɔ̃ tre zɑ̃sjɛ̃⟍ a ɑ̃ri katr⁄ ɔ̃ revɛj ɑ̃kɔr le zɛ̃tɛrn⁄ o sɔ̃ dy tɑ̃bur⟍ kɔm dy tɑ̃ d napɔleɔ̃

ROBERT: kə vø dir ɛ̃tɛrn⟍

JACQUES: e bjɛ̃⁄ œ̃ nɛ̃tɛrn⁄ abit o lise⁄ e i prɑ̃⁄ tu se rpa⟍ mwa— pɥiskə ʒ abit a la mezɔ̃⁄ ʒə sɥi zɛkstɛrn⟍

---

1. Here are three good examples of moderately rising intonations to express implication. The implication, in each case, might be "espèce d'ignorant."

## Vocabulaire Supplémentaire

ancien [ɑ̃sjɛ̃], ancienne [ɑ̃sjɛn] ancient,
  old
bien [bjɛ̃], *adv. eh bien* [e bjɛ̃]! well!
certain [sɛrtɛ̃], certaine [sɛrtɛn] certain
(la) classe [klaːs] class *aller en classe*
  [ale ɑ̃ klaːs], to go to school
encore [ɑ̃kɔr], *adv.* still
mixte [mikst], *adj.* mixed, coeducational
moi [mwa], *pro. disj.* me, I
pas [pa], *adv.* not *pas du tout,* [pa dy
  tu], not at all

puisque [pɥisk], *conj.* since
(le) repas [rəpa] meal
ses [se], *poss. adj. pl.* his, her, its
si [si], *interj.* yes (*contradicting negative statement*)
(le) temps [tɑ̃] time
uniquement [ynikmɑ̃], *adv.* exclusively
vouloir [vulwar] to wish *vouloir dire*
  [vulwar dir], to mean *il veut* [il vø],
  he wishes
y [i], *adv. & pro.* there

# CINQUIÈME LEÇON
••••••••••••••••••••••

# *A la Papeterie*

Dans l'après-midi Jacques et Marie cherchent une papeterie parce
qu'ils ont besoin de beaucoup de choses pour faire leurs devoirs. Ils
en trouvent une dans la rue où ils habitent. Trois clients sont déjà là
quand ils entrent dans la boutique. Une fois que les clients sont servis, la vendeuse demande à Jacques: «Vous désirez, Monsieur?»
Jacques demande à voir des cahiers. Il en choisit six, un pour chaque
cours, puis il achète une gomme, un buvard, cinq crayons et une
bouteille d'encre. La vendeuse veut aussi lui vendre un stylo, mais
il en a déjà un. Il donne un billet de cent francs à la vendeuse et elle
lui rend vingt francs. Cela veut dire que Jacques vient de dépenser
quatre-vingts francs pour ses achats. La vendeuse fait le paquet et le
donne à Jacques.

### sɛ̃kjɛm ləsɔ̃

### a la papɛtri

dɑ̃ l apremidi／ ʒaːk e mari／ ʃɛrʃ yn papɛtri／ parsk il zɔ̃ bzwɛ̃
d boku d ʃoz／ pur fɛr lœr dəvwar＼ il zɑ̃ truv yn／ dɑ̃ la ry／ u il
zabit＼ trwa klijɑ̃／ sɔ̃ deʒa la／ kɑ̃ til zɑ̃trə dɑ̃ la butik＼ yn fwa

k le klijã sɔ̃ sɛrvi/ la vãdøz/ dəmãd a ʒaːk\ vu dezire/
məsjø— ʒaːk dəmãd/ a vwar de kaje\ il ã ʃwazi sis/ œ̃ pur
ʃak kur/ pɥi il aʃɛt yn gɔm/ œ̃ byvar/ sɛ̃ krejɔ̃/ e yn butɛj
d ãkr\ la vãdøz/ vø osi lɥi vãdr œ̃ stilo/ me il ã na deʒa œ̃\
il dɔn œ̃ bije d sã frã/ a la vãdøz/ e ɛl lɥi rã/ vɛ̃ frã\ səla
vø dir/ kə ʒaːk vjɛ̃ d depãse katrəvɛ̃ frã/ pur se zaʃa\ la
vãdøz fe l pake/ e l dɔn a ʒaːk\

## *Questionnaire*

1. Qu'est-ce que Jacques et Marie cherchent dans l'après-midi?
2. Quand cherchent-ils une papeterie? 3. De quoi ont-ils besoin?
4. Pourquoi ont-ils besoin de beaucoup de choses? 5. Où trouvent-ils une papeterie? 6. Dans quelle rue trouvent-ils une papeterie?
7. Combien de clients sont déjà là? 8. Où sont les trois clients?
9. Est-ce que la vendeuse sert Jacques avant ou après les trois clients? 10. Que demande la vendeuse à Jacques? 11. Qu'est-ce que Jacques demande à voir? 12. Pourquoi demande-t-il à voir des cahiers? 13. Combien en choisit-il? 14. Pourquoi en choisit-il six?
15. Qu'est-ce qu'il achète après? 16. Achète-t-il une bouteille d'encre? 17. Qu'est-ce que la vendeuse veut aussi lui vendre? 18. Pourquoi Jacques n'achète-t-il pas le stylo? 19. Combien d'argent (*money*) donne-t-il à la vendeuse? 20. Combien d'argent la vendeuse lui rend-elle? 21. Qu'est-ce que cela veut dire? 22. Combien vient-il de dépenser pour ses achats? 23. Qui fait le paquet? 24. A qui la vendeuse donne-t-elle le paquet?

### QUESTIONS PERSONNELLES

1. De quoi avez-vous besoin pour faire vos devoirs? 2. Où achetez-vous ces choses? 3. Combien de cahiers avez-vous?
4. Préférez-vous écrire vos devoirs à l'encre ou au crayon? 5. Combien avez-vous dépensé pour vos derniers (*last*) achats à la papeterie? 6. Y a-t-il une papeterie près de votre maison? 7. Y a-t-il beaucoup de papeteries en Amérique? 8. Est-ce qu'on (*one*) achète des gommes dans une pharmacie en France? 9. Avez-vous un bon stylo? Quelle marque (*make*)? 10. Quelle marque d'encre préférez-vous? 11. Emploie-t-on un buvard avec un stylo ou avec un crayon?
12. Achetez-vous toujours ce que (*what*) la vendeuse vous propose?

## Vocabulaire

(un) achat [aʃa] purchase
acheter [aʃte] to buy
après [apre], prep. after
(un) après-midi [apremidi] afternoon
beaucoup [boku], adv. of quantity
  many
(le) besoin [bəzwɛ̃] need  avoir besoin, to need
(le) billet [bije] bill, banknote
(la) bouteille [butɛj] bottle
(la) boutique [butik] shop
(le) buvard [byvar] blotter
(le) cahier [kaje] notebook
cela [səla], pro. that
chaque [ʃak], adj. each
chercher [ʃerʃe] to look for
choisir [ʃwazir] to choose
(la) chose [ʃoz] thing
(le) client [klijã] customer
(le) crayon [krejɔ̃] pencil
déjà [deʒa], adv. already
dépenser [depãse] to spend
désirer [dezire] to desire, wish
(le) devoir [dəvwar] duty, exercise
  les devoirs, homework
en [ã], pro. some, any, of it, of them

(une) encre [ãkr] ink
entrer [ãtre] to enter
faire [fer] to make, do
(la) fois [fwa] time  une fois, once
  une fois que, once
(le) franc [frã] franc
(la) gomme [gɔm] eraser
là [la], adv. there
lui [lɥi], pro. to him, to her
(le) monsieur [məsjø] mister, sir
(la) papeterie [papɛtri] stationery
  shop
(le) paquet [pake] package  faire le
  paquet, to wrap up the package
puis [pɥi], adv. then
rendre [rãdr] to give back
servir [servir] to serve, wait on
(le) stylo [stilo] fountain pen
trouver [truve] to find
(la) vendeuse [vãdøz] salesgirl
vendre [vãdr] to sell
venir [vənir] to come  il vient [il vjɛ̃],
  he comes
vouloir [vulwar] to wish  vouloir dire
  [vulwar dir], to mean  il veut [il vø],
  he wishes

## Prononciation

**1. LIAISON.** In the phonetic transcriptions, often, a *silent* final consonant has been transcribed as sounded at the beginning of the next word starting with a vowel: *Jacques est un garçon* [e tœ̃], (Lesson I), *ils ont besoin* [il zɔ̃] (Lesson V). This is what is called "liaison." Note that it involves a consonant which would otherwise be silent.

In normally spoken French, liaison is compulsory only in three cases:

(a) Between a modifier and the following noun: *les amis* [le zami], *bons amis* [bɔ̃ zami], *un ami* [œ̃ nami], *son ami* [sɔ̃ nami].

(b) Between a personal pronoun and a verb; or vice-versa: *ils ont* [il zɔ̃], *ont-ils* [ɔ̃ til].

(c) Between a monosyllabic preposition or adverb and the word it determines: *dans une maison* [dã zyn mezɔ̃], *très important* [tre zɛ̃pɔrtã].

# CINQUIÈME LEÇON 65

These three cases can be summarized by a general principle: *the main condition for a liaison is that the two words be very closely connected.* In all other cases, either liaison can be omitted (optional), or it must be omitted (forbidden). The more optional liaisons you pronounce, the more formal is your speech.

In order to understand the working of liaisons, let us now review, in the first five lessons, all cases in which a question of liaison arises, and distinguish the compulsory from the optional or forbidden liaisons.

### Lesson I.

*Jacques | et Marie* . . . No liaison after proper names.

*Jacques est‿un garçon. Marie est‿une fille.* Liaison is optional after verbs (except with personal pronoun) but is almost always heard after *est, sont, ont.* It does not sound too formal.

*Ils demeurent | à Paris.* Optional after verbs. Omitted here: it would be too formal.

*La rue Madame est‿une* . . . After *est, sont, ont.*

*Les Dalembert ont‿un* . . . After *est, sont, ont.*

*Un‿appartement* . . . Compulsory, between modifier and noun.

*Dans‿une maison* . . . [dã zyn] Compulsory, after monosyllabic preposition (*s* is pronounced [z] in liaison).

### Lesson II.

*Est‿au premier* . . . After *est, sont, ont.*

*Jacques est‿à la maison.* After *est, sont, ont.*

*Son‿ami* [sɔ̃ nami]. Compulsory, between modifier and noun.

### Lesson III.

*Ou plutôt | elle ne semble* . . . Forbidden, between sense-groups. If the least pause is possible, make no liaison.

*Pour les vêtements | et* . . . Forbidden, between sense-groups.

*Et | une table* . . . Forbidden, after *et.*

*Une brosse à dents, | une brosse à cheveux* . . . Forbidden, between sense-groups.

*Et | un pot à eau* . . . Forbidden, no liaison after *et.*

*Pot‿à eau* . . . [pɔ ta o] Exception, a frozen group. Otherwise, after a singular noun, liaison is forbidden.

### Lesson IV.

*Tous les jours | au lycée* . . . Optional, after a plural noun. Omitted here, would be too formal. Also, a pause is possible.

*Qui est‿un jour* . . . After *est, sont, ont.*

*Qui est‿un lycée* . . . After *est, sont, ont.*

*Ils sont‿externes* . . . After *est, sont, ont.*

*Ils‿habitent* . . . Compulsory, between personal pronoun and verb.

*Ils habitent | avec leurs parents* . . . Optional, after verb. Omitted here. Would be extremely formal. Used in poetry.

*Les‿internes* . . . Compulsory, modifier and noun.

*Les internes* | *habitent* . . . Optional, after plural noun. Omitted. Too formal.
*Habitent* | *au lycée* . . . Optional, after verb. Omitted. Very formal.
*Réveillés* | *au son* . . . Optional, after verb. Omitted. Too formal and slight pause.
*Les‿internes* . . . Compulsory, determinative with noun.
*Pour arriver* | *à leurs cours.* Optional, after verb. Omitted here. Would be too formal.
*Ils retournent* | *au lycée* . . . Optional, after verb. Too formal.
*A deux‿heures* . . . [dø zœr]. Compulsory, between modifier and noun (*x* is pronounced [z] in liaison). (Note that *à huit heures* [a ɥit œr] and *à cinq heures* [a sɛ̃k œr] are not cases of "liaison" but of "word linking" because the *q* and the *t* are not silent in the isolated word.)
*Les cours finissent* | *à cinq heures.* Optional, after verb. Omitted here. Would be too formal.

## Lesson V.

*Cherchent* | *une papeterie* . . . Optional, after verb. Too formal.
*Ils‿ont besoin* . . . Compulsory, between personal pronoun and verb.
*Ils‿en trouvent* . . . Compulsory, between personal pronoun and verb. This rule extends to "personal pronoun with personal pronoun" before and after verb: *allez-vous‿en* [ale vu zɑ̃].
*Ils‿habitent* . . . Compulsory, personal pronoun with verb.
*Quand‿ils* . . . [kɑ̃ til] Compulsory, monosyllabic adverb with modified word (*d* is pronounced [t] in liaison).
*Ils‿entrent* . . . Compulsory, personal pronoun with verb.
*Puis* | *il achète* . . . Optional, after conjunction. Omitted, would be a little formal.
*Cinq crayons* | *et* . . . Optional, after plural noun. Omitted, quite formal and a little pause.
*Et* | *une bouteille* . . . Forbidden, after *et*.
*La vendeuse veut* | *aussi* . . . Optional, after verb. Omitted: Would be slightly too formal for this text.
*Mais* | *il en‿a déjà une* . . . 1. Optional after conjunction. Too formal.
                            2. Compulsory. Personal pronoun with verb.
*Et* | *elle lui rend* . . . Forbidden, after *et*.
*Pour ses‿achats* . . . Compulsory, modifier with noun.

These samples should enable you to solve all the liaison cases that you will meet in further lessons. For more information you may refer to the *Principles of French Pronunciation* (pp. 12–14).

2. **VOWEL TENSION.** Two vowels tend to be diphthongized by American speakers: [e] and [o]. We studied [e] in the preceding lesson. Exactly the same principles will apply to [o]. Keep from pronouncing it like the *o* of *go*, which is approximately [gɔou].

In order to produce a "pure" vowel,

(a)  tense the organs of articulation;

(b)  anticipate the vowel position (lips and tongue) even before starting the preceding consonant, and keep lips and tongue immobile until the end of the vowel;

(c)  start softly, and increase your effort to the end of the vowel;

(d) say the vowel on a single note (no change of pitch during the vowel).

> *stylo* [stilo], not [stilʊou]
> *choses* [ʃoz], not [ʃɔouz]
> *beaucoup* [boku], not [bɔouku]
> *gauche* [goʃ], not [gɔouʃ] (Lesson II)
> *plutôt* [plyto], not [plytɔou] (Lesson III)

**3. THE SEMI-VOWEL [j].** The letter *i* before a vowel in the same syllable does not always change to a semi-vowel [j], as in *bien* [bjɛ̃], *monsieur* [məsjø], *cahier* [kaje]. When two consonants precede the *i*, it remains [i] (and generally that [i] generates a [j] between it and the next vowel). Examples:

> *clients* [kli-jã] (Lesson V)    *bibliothèque* [bibli-jɔtɛk] (Lesson III)

## *Grammaire*

### § V (a) SHORT PARTITIVE (continues § III, b)

**When a noun in the partitive is the direct object of a negative verb, the partitive is expressed by *de* alone.**

> **Il n'y a pas *de* lycées.** [ilnjapa d lise]
> There are not *any* lycées. There are *no* lycées.
> **Elle n'a pas *de* pain.** [ɛl n a pa d pɛ̃]
> She has not *any* bread. She has *no* bread.

**If an adjective precedes a plural noun modified by a partitive, the partitive is expressed by *de* alone.**

> **La maison a *de* grandes fenêtres.**
> The house has [. . . .] big windows.
> The house has [*some*] big windows.
> ***D'*autres maisons sont petites.**
> [. . . .] Other houses are small.
> [*Some*] other houses are small.

### § V (b) ADVERBS OF QUANTITY

Certain English adjectives such as *many, too many, enough, how much*, etc., have as their French equivalents not adjectives but so-called adverbs of quantity.

**All adverbs of quantity used with nouns automatically require the preposition *de* after them.**

> **beaucoup *de* cahiers** *many* notebooks
> **trop *de* choses** *too many* things
> **assez *de* paquets** *enough* packages
> **combien *de* clients** *how many* customers
> **autant *de* vendeuses** *as many* salesgirls

peu *de* papeteries *few* stationery shops
un peu *de* beurre *a little* butter
plus *de* beurre *more* butter

## § V (c) DIRECT AND INDIRECT PRONOUN OBJECTS, THIRD PERSON

These pronoun objects are as follows:

**le** him, it (*masculine*)
**la** her, it (*feminine*)
**les** them (*persons or things*)

**lui** to him, to her
**leur** to them

## § V (d) THE ADVERBIAL PRONOUN *y*

**The adverbial pronoun *y* takes the place of a preposition of location ( *à, dans, sur* ) plus a pronoun referring to a thing.**

**Il *y* prend ses repas.**
He takes his meals *in it* (*there*).
**Il *y* cherche son livre.**
He looks for his book *on it* (*there*).
**Il *y* ajoute deux bouteilles.**
He adds two bottles *to it*.
**Je vais à Paris. Elle *y* va aussi.**
I am going to Paris. She is going *there* (*to it*) also.

From the above illustrations it is clear that the English adverb *there* will translate as *y* if the place has previously been mentioned.

## § V (e) THE PRONOUN *en*

**The pronoun *en* is equivalent to *de* plus a pronoun referring to a thing.**

**Il *en* parle.** He is speaking *of it*.
**Il *en* a trois.** He has three *of them*.
**Il *en* a beaucoup.** He has many *of them*.

**Whenever a number or an adverb of quantity stands alone in the predicate of the sentence, the pronoun *en* will occur automatically before the verb.**

The second and third illustrations above demonstrate this principle. Even if *of them* is omitted from the English, *en* is required before the French verb.

Since a partitive construction is really a prepositional phrase beginning with *de, en* is the pronoun to be substituted for a noun modified by a partitive article.

**Hence the pronoun *en* translates the words *some* or *any* as pronouns.**

J'*en* ai. I have *some*.
Il *en* choisit. He chooses *some*.
Je n'*en* ai pas. I haven't *any*. I have *none*.

## § V (f) POSITION AND ORDER OF PRONOUN OBJECTS

The pronoun objects *le, la, les, lui, leur, y* and *en* occur before the verb (except in the affirmative imperative; see Grammatical Appendix, § 46, B, 2).

Il *les* vend. He sells *them*.
Il *leur* parle. He speaks *to them*.
Il *y* va. He goes *to it* (*there*).
Il *en* veut. He wants *some*.
Ils vont *la* voir. They are going to see *her*.

Since there are two verbs in the last illustration above, it is necessary to decide whether *her* is the object of *are going* or of *to see*. The obvious decision is that it is the object of *to see* and therefore *la* precedes the infinitive *voir*.

It is possible for two pronoun objects to occur before the verb. If this is the case:

In the third person, the direct object will precede the indirect object.

Il *le lui* vend. He sells *it to him*.
Il *la leur* donne. He gives *it* (*feminine*) *to them*.

If there is another pronoun object before the verb, *y* or *en* will come second. In case the two pronoun objects are *y* and *en, y* will precede *en*.

Il *l'y* cherche. He looks for *it there*.
Elle *lui en* donne. She gives *him some*.
Je *les y* trouve. I find *them there*.
Il *y en* a ici. There is *some* here.

The pronoun objects *le* and *la*, like the corresponding articles, will elide when they occur before a word beginning with a vowel or mute *h*. Note the illustration above: *Il l'y cherche.*

## § V (g) CARDINAL NUMBERS, 31 to 100 (continues § IV, a).

31 trente et un [trãt e ᾶ]
32 trente-deux [trãt dø]
40 quarante [karãt]
41 quarante et un [karãt e ᾶ]
42 quarante-deux [karãt dø]
50 cinquante [sɛ̃kãt]
51 cinquante et un [sɛ̃kãt e ᾶ]
52 cinquante-deux [sɛ̃kãt dø]
60 soixante [swasãt]
61 soixante et un [swasãt e ᾶ]
62 soixante-deux [swasãt dø]
70 soixante-dix [swasãt dis]
71 soixante et onze [swasãt e ɔ̃z]
72 soixante-douze [swasãt duz]
80 quatre-vingts [katrəvɛ̃]
81 quatre-vingt-un [katrəvɛ̃ ᾶ]

82 **quatre-vingt-deux** [katrəvɛ̃ dø]   92 **quatre-vingt-douze** [katrəvɛ̃ duz]
90 **quatre-vingt-dix** [katrəvɛ̃ dis]   100 **cent** [sɑ̃]
91 **quatre-vingt-onze** [katrəvɛ̃ ɔ̃z]

**trente et un, trente-deux** Here the system is the same as 21 to 30 (see § IV, a).

**soixante-dix** Except in some dialects, French lacks a separate word for *seventy*. Literal translation: *sixty-ten*. Note pronunciation [swasɑ̃t].

**soixante et onze** Literally *sixty-and-eleven*.

**soixante-douze** Literally *sixty-twelve*.

**quatre-vingts** There is likewise no separate word for *eighty*, except in dialects. The French therefore say *fourscore*. Note that this form ends in *s*.

**quatre-vingt-un** In this number, note that *s* is missing from *vingt* and that the conjunction *et*, found from 21 to 71, is not present. From 80 to 99 the *t* of *vingt* is not pronounced (compare with 20 to 29).

**quatre-vingt-dix** Literally: *four-twenties-ten*.

**quatre-vingt-onze** Note here likewise the absence of the conjunction *et*.

**cent** Note that *un* does not precede this number in the sense of *one hundred*.

## Étude de Verbes

### § V (h) IMPERATIVE

The imperative form of the verb gives a command. For example, the imperative of *to give* in English is *Give!* In English and in French the imperative has an implied subject but no subject is expressed. In the second person the French has two imperatives according to whether the implied subject is *tu* or *vous*. There is also in French a first person plural imperative, corresponding to the implied subject *nous*. This form has no English equivalent and must be translated by the phrase *let us*.

**donne** give (*tu* form)    **finis** finish (*tu* form)
**donnez** give (*vous* form)    **finissez** finish (*vous* form)
**donnons** let us give    **finissons** let us finish

**vends** sell (*tu* form)
**vendez** sell (*vous* form)
**vendons** let us sell

**The imperative forms of all regular verbs and of most irregular verbs are the same as the forms of the present tense, except that the second singular -er conjugation imperative lacks an s.**

## Exercices

**A.** Traduisez les mots entre parenthèses (*translate the words in parentheses*). 1. Jacques a _____ (*some*) cahiers. 2. Jacques n'a pas _____ (*any*) cahiers. 3. Jacques a _____ (*many*) cahiers. 4. Il y a _____ (*some big*) lycées dans cette ville.

5. Cette boutique a _____ (*as many*) clients que l'autre.
6. Nous _____ avons trois. 7. Elle _____ a _____ (*too many*). 8. Je l'aime _____ (*very much*).

B. Donnez la forme convenable (*suitable*) du pronom complément (*object pronoun*): 1. Elle _____ (*them*) achète. 2. Nous _____ (*him*) donnons le livre. 3. Ils _____ (*her*) donnent le livre. 4. J'_____ (*of it*) parle souvent. 5. Elle veut _____ (*them to her*) donner. 6. Nous _____ (*there*) allons. 7. Nous ne _____ (*them some*) donnons pas. 8. _____ (*some*) voulez-vous? 9. Elle _____ (*in it*) trouve un billet de cent francs. 10. Nous _____ (*of them*) avons besoin. 11. Nous _____ (*in it*) entrons. 12. Nous _____ (*them to them*) donnons.

C. Comptez (*count*) de 1 à 100.

D. Donnez l'impératif de *donner, finir* et *vendre*.

## *Dialogue*

JACQUES: S'il vous plaît, Mademoiselle. J'ai besoin de différentes choses.

LA VENDEUSE: Bien, Monsieur. Je suis à vous dans un instant.

JACQUES: Mais nous sommes pressés, Mademoiselle.

LA VENDEUSE: Soyez patient, Monsieur. Attendez un petit instant. Il y a trois clients avant vous.

JACQUES: Oh là là! Je vais manquer le cours d'histoire.

LA VENDEUSE: Je regrette, Monsieur . . . Enfin, si vous êtes si pressé . . . Vous désirez?

JACQUES: Une bouteille d'encre, un stylo, cinq crayons, un buvard, une gomme et six cahiers.

LA VENDEUSE: Bien, Monsieur. Voici le tout.

JACQUES: Merci, Mademoiselle. Combien est-ce?

LA VENDEUSE: Attendez. Je vais faire le compte . . . C'est quatre-vingts francs, Monsieur.

JACQUES: Voilà cent francs. Vous avez la monnaie?

LA VENDEUSE: Oh! certainement, Monsieur. Voilà, Monsieur. Et merci, Monsieur.

### djalɔg

JACQUES: s il vu ple\ madmwazɛl___ ӡ e bzwɛ̃∕ d diferãt ʃoz\

LA VENDEUSE: bjɛ̃—— məsjø___ ӡə sɥi za vu∕ dã zœ̃ nɛstã\

JACQUES: me nu sɔm prese∕ madmwazɛl___

La Vendeuse: swaje pasjɑ̃\ məsjø— atɑ̃de œ̃ pti tɛ̃stɑ̃\ ilja trwa klijɑ̃ avɑ̃ vu\

Jacques: ɔ la la∕ ¹ ʒ ve mɑ̃ke l kur d istwar∕ ¹

La Vendeuse: ʒə rgrɛt∕ ² məsjø∕ ² ɑ̃fɛ̃∕ ² si vu zɛt si prese∕ ² vu dezire∕

Jacques: yn butɛj d ɑ̃kr∕ œ̃ stilo∕ sɛ̃ krejɔ̃∕ œ̃ byvar∕ yn gɔm∕ e si kaje\

La Vendeuse: bjɛ̃— məsjø— vwasi l tu\

Jacques: mɛrsi\ madmwazɛl— kɔ̃bjɛ̃ ɛ s\

La Vendeuse: atɑ̃de\ ʒ ve fɛr lə kɔ̃t\ s e katrəvɛ̃ frɑ̃\ məsjø—

Jacques: vwala sɑ̃ frɑ̃\ vu zave la mɔne∕

La Vendeuse: o sɛrtɛnmɑ̃∕ məsjø ³— vwala\ məsjø ³— e mɛrsi∕ məsjø ³—

## Vocabulaire Supplémentaire

aller [ale] *je vais* [ʒə ve], I am going
avant [avɑ̃], *prep.* before
bien [bjɛ̃], *adv. bien, Monsieur,* very good, sir
certainement [sɛrtɛnmɑ̃], *adv.* certainly
combien [kɔ̃bjɛ̃], *adv.* how much
(le) compte [kɔ̃t] account *faire le compte,* to add (it) up
différent, -e [diferɑ̃, diferɑ̃t] different, various
enfin [ɑ̃fɛ̃], *adv.* at last, after all
être [ɛtr] *soyez* [swaje], be (*imperative*) *je suis à vous,* I am with you, I'll be with you

(une) histoire [istwar] history
(un) instant [ɛ̃stɑ̃] instant, moment
mademoiselle [madmwazɛl], *f.* miss
manquer [mɑ̃ke] to miss
(la) monnaie [mɔne] change
patient, -e [pasjɑ̃, pasjɑ̃t] patient
presser [prese] to press *pressé, adj.,* in a hurry
regretter [rəgrete] to regret, be sorry
(le) tout [tu] everything
voici [vwasi] here is (are)
voilà [vwala] there is (are)

# Première Révision

*Exercises A to G combine the materials of Lesson I to V, but exercises H to L correspond to individual lessons and may therefore be used in conjunction with those lessons.*

A. Révision de vocabulaire. Donnez l'équivalent français des mots (*words*) suivants: 1. The bookcase.   2. The armchair.   3. The

1. The implication might be: "Quelle catastrophe."
2. The implication might be: "Vraiment . . ."
3. All these [məsjø], pronounced in two syllables instead of one: [mɛrsi msjø], make the salesgirl appear extremely courteous.

tooth. 4. The water pitcher. 5. A building. 6. The dining room.
7. To answer. 8. To open. 9. The window. 10. The comb.
11. The clothing. 12. Full. 13. The hair brush. 14. To live.
15. To return (home). 16. The girl. 17. The homework. 18. To
buy. 19. Private. 20. The bottle. 21. The salesgirl. 22. The
need. 23. To see. 24. To wait for. 25. To communicate. 26. The
blotter. 27. The banknote. 28. To choose. 29. The breakfast.
30. To awaken. 31. The drum. 32. To run. 33. The washbasin.
34. To seem. 35. Opposite.

B. Traduisez (*translate*) les verbes suivants: 1. We finish. 2. Let
us sell. 3. He takes (a person to a place). 4. Does he give?
5. Does he sell? 6. Finish (familiar, then formal style). 7. Don't
they sell? 8. Don't I finish? 9. Are we? 10. I do not finish.
11. Doesn't he have? 12. You are. 13. Is she not? 14. Don't I
take? 15. Do I sell?

C. Faites les contractions ou élisions nécessaires: 1. *de + le* jardin.
2. *à + la* maison. 3. *de + les* filles. 4. *à + les* maisons. 5. *à + le*
premier. 6. *à + les* internes. 7. *de + la* heure. 8. *de + le* externe. 9. *à + la* hâte (aspirate *h*).

D. Mettez l'article défini ou l'article partitif selon le sens (*according to the sense*): 1. _____ brosses à dent sont _____ articles
de toilette. 2. Marie n'a pas _____ gomme pour effacer les fautes
(*mistakes*). 3. Cette papeterie vend _____ très bons cahiers.
4. Robert n'aime pas _____ stylos. 5. Il y a assez _____ livres
dans sa bibliothèque. 6. _____ histoire est un sujet très intéressant. 7. Cette chambre n'a pas _____ fauteuil. 8. Il y a
_____ eau dans son pot à eau. 9. Il y a aussi une table de toilette avec _____ articles de toilette. 10. Combien _____ argent avez-vous?

E. Lisez les chiffres suivants: 9, 27, 63, 54, 18, 33, 11, 77, 99, 71, 21,
81, 100, 44, 87; 3 h. 53; 8 h. moins 10; 23 h. 44; 1 h. et $\frac{1}{4}$; 7 h. et $\frac{1}{2}$;
12 h. 5.

F. Donnez les jours de la semaine.

G. Donnez la forme convenable (*suitable*) des pronoms ou des
adjectifs possessifs: 1. La vendeuse vend _____ (*her*) stylo.
2. Il achète une gomme mais _____ (*it*) n'est pas très bonne.
3. Les lycéens désirent faire _____ (*their*) devoirs. 4. Jacques
fait _____ (*his*) devoirs. 5. Elle veut _____ (*him*) vendre
un bon stylo. 6. Elle _____ (*them*) demande d'attendre dans
le salon. 7. Elle emmène _____ (*her*) amie dans _____
(*her*) chambre. 8. Elle _____ (*her*) emmène dans _____

(*her*) maison. 9. _____ (*your*) livres sont très intéressants. 10. Elle a acheté beaucoup de savon mais _____ (*it*) n'est pas bon. _____ (*it*) est dommage. 11. Nous _____ avons trente-deux. 12. Marie a un nouveau livre. Qui _____ (*it to her*) a donné? 13. Paris _____ (*me*) intéresse beaucoup. Je désire _____ (*there*) aller. 14. Elle _____ (*to them*) parle souvent. 15. _____ (*it*) est Marie qui va _____ (*it*) faire.

H. Traduisez (*Corresponds to Lesson I*): 1. The Dalemberts live in a private house. 2. James and Mary live in a private house. 3. The brother and sister do not live in a building. 4. Mary is a little girl. 5. John lives (*demeure*) in a little house. 6. They have an apartment on (*dans*) Madame Street. 7. The Dalemberts have a quiet little house. 8. Mary is French and James is French. 9. They are not brother and sister. 10. The boy lives near the Luxembourg garden in a building.

I. (*Corresponds to Lesson II*): 1. The Dalembert apartment has three windows which open onto the street. 2. The maid opens the living room door. 3. Who rings at the door of the apartment? 4. Jacques asks Robert to wait in his room. 5. The maid takes Robert into Jacques' room. 6. The dining room communicates with the living room by a big door. 7. The apartments are big and they are situated on Madame Street. 8. They wait for Robert in the private garden of the Dalemberts. 9. Is Robert the young American who rings at the door? 10. The maid answers yes and opens the door of the second floor apartment.

J. (*Corresponds to Lesson III*): 1. Does Jacques have running water in his room? 2. Opposite the window there is a wardrobe with a mirror. 3. Jacques likes tooth paste very much. 4. All the space near the washbasin is taken by the toilet articles. 5. As Jacques' bookcase is full, he seems to like books. 6. Toothbrushes are toilet articles. 7. He asks Robert to take the big wooden armchair. 8. Jacques' hair is full of soap. 9. Opposite the window there is a work table. 10. There is tooth paste on the toothbrush near the washbasin.

K. (*Corresponds to Lesson IV*): 1. Sunday is a holiday in France. 2. It is the sound of a drum which awakens them. 3. They rapidly cross the Luxembourg garden after breakfast. 4. Every day at noon the day pupils, who live with their parents, return home. 5. Jacques and Marie are not awakened by the drum because they are not boarding pupils. 6. Mary gives Jacques her book. 7. Twenty-four of the boys are boarders, that is to say they live at the lycée itself.

8. Boarding pupils have water pitchers in their rooms.    9. Their work finishes at five o'clock.    10. My bookcases are full of your books.

L. (*Corresponds to Lesson V*): 1. I need many things to do my homework.    2. Are there any stationery shops on their street? 3. Once he looks he finds three.    4. That means that they need to make many acquisitions.    5. The salesgirl does not want to sell them to her.    6. Jacques gives her a hundred franc bill.    7. She has just spent seventy-five francs for a blotter, a fountain pen and a bottle of ink.    8. The salesgirl makes a package for the customer.    9. You already have many things in it.    10. Jacques asks to see some note-books because he needs them.

# SIXIÈME LEÇON

## *Un Repas en Famille*

Les Dalembert ont invité Robert Martin à dîner. C'est la première fois qu'il est invité à prendre un repas chez des Français. Quand il arrive, le couvert est déjà mis. A chaque place, il y a une assiette, un couteau, une fourchette, une cuiller et un verre. Bientôt Rosalie, la bonne, vient annoncer que le dîner est servi. Tout le monde se met à table, sauf Monsieur Dalembert qui est en train de couper le pain près du buffet. Quand il a fini, il fait passer les morceaux de pain dans une corbeille et chacun se sert. Rosalie apporte le potage. Madame Dalembert le sert. On se met à manger. Robert est étonné de voir que les Français mangent du pain pendant tout le repas. Il remarque aussi que dans cette famille on sert des légumes séparément, avant la viande.

### sizjɛm ləsɔ̃

### œ̃ rpa ɑ̃ famij

le dalɑ̃bɛr⁄ 5 tɛ̃vite⁄ rɔbɛr martɛ̃⁄ a dine＼ s e la prəmjɛr fwa⁄ k il e tɛ̃vite⁄ a prɑ̃dr œ̃ rpa⁄ ʃe de frɑ̃se＼ kɑ̃ til ariv⁄ lə kuvɛr⁄ e deʒa mi＼ a ʃak plas⁄ ilja yn asjɛt⁄ œ̃ kuto⁄ yn furʃɛt⁄ yn kɥijɛr⁄ e œ̃ vɛr＼ bjɛ̃to⁄ rɔzali⁄ la bɔn⁄ vjɛ̃

tanɔse／ kə l dine／ e sɛrvi＼ tu l mɔ̃d sə me a tabl／ sɔf məsjø
dalɑ̃bɛr／ kj e tɑ̃ trɛ̃ d kupe l pɛ̃／ pre dy byfe＼ kɑ̃ til a fini／
il fe pase／ le mɔrso d pɛ̃／ dɑ̃ zyn kɔrbɛj／ e ʃakœ̃ s sɛr＼
rɔzali／ apɔrt lə pɔtaʒ＼ madam dalɑ̃bɛr／ lə sɛr＼ ɔ̃ s me a
mɑ̃ʒe＼ rɔbɛr e tetɔne／ d vwar kə le frɑ̃se mɑ̃ʒ dy pɛ̃／ pɑ̃dɑ̃
tu l rəpa＼ il rəmark osi／ k dɑ̃ sɛt famij／ ɔ̃ sɛr de legym／
separemɑ̃＼ avɑ̃ la vjɑ̃d＼

## Questionnaire

1. Qui a invité Robert Martin à dîner? 2. Qui est-ce que les Dalembert ont invité à dîner? 3. Est-ce la deuxième fois que Robert
est invité chez des Français? 4. Est-il invité chez des Américains?
5. Qu'est-ce qu'il est invité à prendre? 6. Est-ce que le couvert est
déjà mis? 7. Qu'est-ce qu'il y a à chaque place? 8. Est-ce que
chaque place a deux cuillers? 9. Qui vient annoncer le dîner?
10. Qu'est-ce que Rosalie vient annoncer? 11. Qu'est-ce qui (*what:*
see § XII, b) est servi? 12. Est-ce que tout le monde se met à table?
13. Qui ne se met pas à table? 14. Pourquoi est-ce que Monsieur
Dalembert ne se met pas à table? 15. Qu'est-ce que Monsieur Dalembert est en train de faire? 16. Où est-ce qu'il coupe le pain?
17. Qu'est-ce que Monsieur Dalembert fait quand il a fini? 18. Dans
quoi est-ce qu'il fait passer les morceaux de pain? 19. Quand la corbeille passe, qu'est-ce que chacun fait? 20. Qui apporte le potage?
21. Qui sert le potage? 22. Qui se met à manger? 23. Pourquoi
est-ce que Robert est étonné? 24. Qu'est-ce que les Français mangent pendant tout le repas? 25. Qu'est-ce que Robert remarque
aussi? 26. Dans cette famille est-ce qu'on mange les légumes avec la
viande?

### QUESTIONS PERSONNELLES

1. Prenez-vous souvent des repas chez des Français? 2. Est-ce
que toutes les familles américaines ont une bonne? 3. Quand vous
mettez le couvert, où est-ce que vous placez l'argenterie (*silver-
ware*)? 4. Mettez-vous le couteau à gauche ou à droite? 5. Man-
gez-vous le potage avec une fourchette? 6. Est-ce que les Français
mangent plus de pain pendant les repas que les Américains?
7. Chez vous est-ce qu'on sert du pain pendant le repas? 8. Mangez-
vous les légumes séparément?

L'Ile de la Cité et, plus loin, l'Ile Saint-Louis.
On voit Notre-Dame, la Sainte-Chapelle, l'Hôtel de Ville
et, en bas, la flèche de Saint-Germain-des-Prés
(les Dalembert habitent près d'ici).

rcée Henri IV
es Dalembert
it ses études.

Le Jardin du Luxembou
qui est à deux pas
de la rue Madame.

La Place du
Saint-Pierre
de Montmar
et le dôme
du Sacré-Cœ

La Cour des Adieux au Palais de Fontainebleau.

Deux étudiants sur le
Boulevard Saint-Michel.
Seraient-ce Jacques et
Marie Dalembert?

La station de métro Place d'Italie.

## *Vocabulaire*

**annoncer** [anɔ̃se] to announce
**apporter** [apɔrte] to bring
**(une) assiette** [asjɛt] plate
**avant** [avɑ̃], *prep.* before
**bientôt** [bjɛ̃to], *adv.* soon
**(le) buffet** [byfe] sideboard
**ce** [sə], **cet** [sɛt], **cette** [sɛt], **ces** [se], *adj.* this, that, these, those
**chacun, -e** [ʃakœ̃, ʃakyn], *pro.* each one
**chez** [ʃe], *prep.* to, at, in (followed by possessor of place)
**(la) corbeille** [kɔrbɛj] basket
**couper** [kupe] to cut
**(le) couteau** [kuto] knife
**(le) couvert** [kuvɛr] cover *le couvert est mis,* the table is set
**(la) cuiller** [kɥijɛr] spoon
**dîner** [dine] to dine
**étonner** [etɔne] to astonish
**(la) famille** [famij] family
**(la) fourchette** [furʃɛt] fork
**inviter** [ɛ̃vite] to invite
**(le) légume** [legym] vegetable
**mettre** [mɛtr] to put *il met* [il me], he puts *mis* [mi], *past part.,* put, placed, set *se mettre à* [sə mɛtr a],
to begin *se mettre à table* [sə mɛtr a tabl], to sit down to table
**(le) monde** [mɔ̃d] world *tout le monde* [tu l mɔ̃d], everybody
**(le) morceau** (*pl.:* **morceaux**) [mɔrso] piece
**passer** [pase] to pass *faire passer le pain* [fɛr pase l pɛ̃], to pass the bread
**pendant** [pɑ̃dɑ̃], *prep.* during
**(le) potage** [pɔtaʒ] soup
**remarquer** [rəmarke] to notice
**(le) repas** [rəpa] meal
**sauf** [sof], *prep.* save, except
**se** [sə], *pro.* himself, herself, itself, themselves, to himself, to herself, to itself, to themselves
**séparément** [separemɑ̃], *adv.* separately
**servir** [sɛrvir] to serve, wait on *il sert* [il sɛr], he serves
**(le) train** [trɛ̃] *être en train de* [ɛtr ɑ̃ trɛ̃ də], to be engaged in
**(le) verre** [vɛr] glass
**(la) viande** [vjɑ̃d] meat
**voir** [vwar] to see

## *Prononciation*

**1. THE RULE OF OPEN AND CLOSE VOWELS.** According to this rule, the vowels spelled *ai, ei, é, è, ê, o, eu,* and *e* (whenever it is not an unstable *e*), tend to open when their syllable ends in a sounded consonant: *j'aime* [ʒɛm], *neige* [nɛʒ], *collège* [kɔlɛʒ], *idiote* [idjɔt], *fleur* [flœr], and to close when the syllable does not end in a sounded consonant: *j'ai* [ʒe], *neiger* [ne-ʒe], *collé* [kɔle], *idiot* [idjo], *bleue* [blø]. Let us contrast them and make the difference of timbre (open/close) very clear.

| | |
|---|---|
| *j'aime* [ʒɛm] | *j'ai* [ʒe] |
| *neige* [nɛʒ] | *nei-ger* [ne-ʒe] |
| *collège* [kɔlɛʒ] | *collé* [kɔle] |
| *idiote* [idjɔt] | *idiot* [idjo] |
| *fleur* [flœr] | *bleue* [blø] |

Lesson VI is full of examples of this rule. Let us list them and add a few from previous lessons.

| [ε] | [e] |
|---|---|
| *Dalembert* [dalãbεr] | *invité* [ẽvite] |
| *Robert* [rɔbεr] | *diner* [dine] |
| *première* [prəmjεr] | *chez* [ʃe] |
| *couvert* [kuvεr] | *Français* [frãse] |
| *assiette* [asjεt] | *déjà* [de-ʒa] |
| *fourchette* [furʃεt] | *met* [me] |
| *cuiller* [kɥijεr] | *est* [e] |
| *verre* [vεr] | *couper* [kupe] |
| *ser-vi* [sεr-vi] | *buffet* [byfe] |

| [ɔ] | [o] |
|---|---|
| *bonne* [bɔn] | *bientôt* [bjẽto] |
| *sonne* [sɔn] | *stylo* [stilo] |
| *porte* [pɔrt] | *plutôt* [plyto] |

| [œ] | [ø] |
|---|---|
| *demeure* [dəmœr] | *cheveux* [ʃəvø] |
| *heure* [œr] | *deux* [dø] |
| *meuble* [mœbl] | *monsieur* [məsjø] |
| *jeune* [ʒœn] | *jeudi* [ʒø-di] |
| *leurs* [lœr] | *déjeuner* [deʒøne] |

There are three small exceptions to this rule. Examples from our texts will illustrate them.

A. In the final syllable, *o* and *eu* close before [z]: *chose* [ʃoz], *rose* [roz], *vendeuse* [vãdøz], *heureuse* [ørøz].

B. Every *o* that is unaccented (not in the final syllable) is open, even if the syllable does not end in a consonant: *Robert* [rɔbεr], *Rosalie* [rɔzali], *potage* [pɔtaʒ], *étonné* [etɔne], *communique* [kɔmynik], *morceau* [mɔrso], *corbeille* [kɔrbεj].

C. Spellings *au* and *ô* generally represent the close *o* [o], regardless of whether the syllable ends in a consonant or not: *sauce* (dialogue 6) [sos], *beaucoup* (text 5) [boku], *gauche* (text 2) [goʃ], *au* (text 2) [o], *aussi* (text 3) [osi], *fauteuil* (text 7) [fotœj], *faudra* (dialogue 8) [fodra], *contrôleur* (text 10) [kõtrolœr].

## *Grammaire*

### § VI (a) DEMONSTRATIVE ADJECTIVE

The English demonstrative adjective has the forms *this, that* (singular); *these, those* (plural). English makes a distinction between *this book* or *that book*, even when there is only one book. In a similar situation, French has only one set of demonstrative adjectives, which eliminates the necessity of making a choice.

Note the forms and translation of the French demonstrative adjective in the following illustrations:

*ce* garçon (*m. sing.*) *this, that* boy

*cet* appartement (*m. sing.*) *this, that* apartment

*cette* maison (*f. sing.*) *this, that* house

*ces* garçons (*m. pl.*) *these, those* boys

*ces* appartements (*m. pl.*) *these, those* apartments

*ces* maisons (*f. pl.*) *these, those* houses

Before a masculine singular word beginning with a vowel or mute *h*, the demonstrative adjective is *cet* instead of *ce*. Observe that the demonstrative adjective has only the form *ces* in the plural.

**To distinguish between two things or groups of things, add *-ci* or *-là* to the nouns modified by a demonstrative adjective.**

> J'aime *ce* livre-*ci* mais je n'aime pas *ce* livre-*là*.
> I like *this* book but I don't like *that* book.
> J'aime *ces* maisons-*ci* mais je n'aime pas *ces* maisons-*là*.
> I like *these* houses but I don't like *those* houses.

## § VI (b) INDEFINITE SUBJECT PRONOUN *on*

This pronoun corresponds in meaning to the English indefinite pronoun "one."

> *On* se sert d'une cuiller pour manger le potage.
> *One* uses a spoon to eat soup.

There is a tendency in English to use loosely the pronouns *we*, *they*, or *you* in the sense of *one*. If it clarifies the meaning of the English sentence to substitute *one* in these cases, the French will require *on*.

> A Paris *on* parle français.
> In Paris *we, you, they* speak French (i.e., *one* speaks French).

The indefinite pronoun *someone* or the word *people*, used indefinitely, also translate as *on*.

> *On* frappe à la porte. *Someone* knocks at the door.
> There is a knock at the door.
> *On* dit que c'est vrai. *People* say that it is true.

In French, in cases where a precise pronoun might be expected, there is a tendency to substitute the pronoun *on* when there is no immediate antecedent.

> Madame Dalembert sert le potage. *On* se met à manger.
> Mrs. Dalembert serves the soup. *They* begin to eat.
> Jacques et Robert se mettent à table. *Ils* commencent à manger.
> James and Robert sit down at the table. *They* begin to eat.

For the use of *on* to avoid a passive, see § VI (i) below.

## § VI (c) FIRST AND SECOND PERSON PRONOUN OBJECTS

In the first and second person, the direct and indirect pronoun objects are identical. They occur before the verb.

| | |
|---|---|
| **me** me, to me | **nous** us, to us |
| **te** thee, to thee | **vous** you, to you |

DIRECT OBJECT: **Marie *me* voit.** Mary sees *me*.
INDIRECT OBJECT: **Marie *me* parle.** Mary speaks *to me*.

*Me* and *te* will elide before any word beginning with a vowel.

**Elle *m'*aime.** She loves *me*.

**If a direct object pronoun in the third person (*le, la, les*) or *y* or *en* also occur before the verb, the first or second person object pronoun will precede the other object pronoun.**

**Il *me les* donne.** He gives *them to me*.
**Elle *m'en* donne.** She gives *me some*.

A special construction described in the Grammatical Appendix, § 46, B, 1, is necessary if the verb has a direct object in the first or second person and an indirect in the third person.

## § VI (d) REFLEXIVE PRONOUN OBJECTS

A reflexive pronoun is one which refers back to the subject of the sentence.

I see *myself*. She speaks to *herself*.

The reflexive pronoun objects in French are:

| | |
|---|---|
| **me** myself, to myself | **nous** ourselves, to ourselves |
| **te** thyself, to thyself | **vous** yourself, to yourself |
| | yourselves, to yourselves |
| **se** himself, to himself | **se** themselves, to themselves |
| herself, to herself | |
| itself, to itself | |

The reflexive pronoun objects occur before the verb.

If a third person direct object pronoun also occurs before the verb, the reflexive pronoun object will come first.

**Elle *se les* donne.** She gives *them to herself*.

Combining the information in § VI (c) and § VI (d), we may make the following chart of possible meanings and combinations of these pronoun objects:

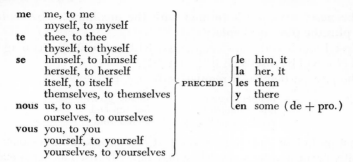

| | | | | |
|---|---|---|---|---|
| **me** | me, to me | | | |
| | myself, to myself | | | |
| **te** | thee, to thee | | | |
| | thyself, to thyself | | | |
| **se** | himself, to himself | | **le** | him, it |
| | herself, to herself | | **la** | her, it |
| | itself, to itself | PRECEDE | **les** | them |
| | themselves, to themselves | | **y** | there |
| **nous** | us, to us | | **en** | some (de + pro.) |
| | ourselves, to ourselves | | | |
| **vous** | you, to you | | | |
| | yourself, to yourself | | | |
| | yourselves, to yourselves | | | |

For the use of first person, second person or reflexive pronoun objects with a third person indirect pronoun object, see the Grammatical Appendix, § 46, B, 1.

### § VI (e) PREPOSITION *chez*

*Chez* means *to, at* or *in* a place, the nature of the place not being specified. It is always followed by the possessor of the place expressed either as a noun or as a pronoun.

> *chez* **Monsieur Dalembert** *to, at* or *in* Mr. Dalembert's [place]
> **Je vais** *chez* **Rosalie.** I am going *to* Rosalie's [place].

If the nature of the place is clear from the remainder of the text, it is customary to give a more precise translation when turning such a phrase into English.

> **chez Rosalie**    to Rosalie's place
> to Rosalie's house
> to Rosalie's room
> to Rosalie's shop, etc.

## *Étude de Verbes*

### § VI (f) THE PASSÉ COMPOSÉ

Since this French tense corresponds in usage to several English tenses, we shall designate it always by its French name to avoid ambiguity.

In conversational style, the *passé composé* indicates a completed action in the near past.

In English such an action is indicated in several ways. One says, for example, *I gave, I did give, I have given.* French uses only one form for all three English meanings.

The *passé composé* is formed with the auxiliary verbs *avoir* or *être* plus the past participle.

Most French verbs are conjugated with *avoir*. Those conjugated with *être* will be discussed in § VIII (d).

The past participles of regular verbs are as follows:

| | | | |
|---|---|---|---|
| **donner** to give | **donné** given |
| **finir** to finish | **fini** finished |
| **vendre** to sell | **vendu** sold |

Past participles, as noted in the text of the preceding lessons, frequently occur as adjectives. They may never be used as verbs except with an auxiliary. (Confusion sometimes arises in English because the English past is often identical with the past participle. One says *I finished* and *I have finished* or the *finished product*. In the first case, *finished* is the main verb; in the other two cases it is a past participle).

The *passé composé* of the three regular conjugations and *avoir* and *être* is as follows:

**j'ai donné** I have given, gave, did give

**tu as donné** thou hast given, gavest, didst give

**il a donné** he has given, gave, did give

**nous avons donné** we have given, gave, did give

**vous avez donné** you have given, gave, did give

**ils ont donné** they have given, gave, did give

**j'ai fini, etc.** I have finished, finished, did finish

**j'ai vendu, etc.** I have sold, sold, did sell

**j'ai eu, etc.** I have had, I had

**j'ai été, etc.** I have been, I was

## § VI (g) THE PASSIVE

In English, a verb is said to be passive when the subject does not act but is acted upon.

ACTIVE: John reads the book.   PASSIVE: The book is read by John.

The structure of the French passive is the same as that of the English passive which is formed with the verb *to be* plus the past participle.

**After the verb *to be* (*être*), the past participle is in reality an adjective and in French will have to agree like any adjective with the subject.**

In the previous lessons the following examples of the passive have occurred:

**La place est *prise*.** The place is *taken*.
**Les élèves sont *réveillés*.** The pupils are *awakened*.

The complete conjugation of *donner* in the present passive would be:

je suis donné (donnée) I am given

tu es donné (donnée) thou art given

il est donné he (it) is given
elle est donnée she (it) is given

nous sommes donnés (données) we are given

vous êtes donné (donnée, donnés, données) you are given

ils sont donnés they are given
elles sont données they are given

All tenses of the French verb may become passive. The *passé composé* of *donner* in the passive would be:

j'ai été donné (donnée) I have been given, was given

tu as été donné (donnée) thou hast been given, wert given

il a été donné he has been given, was given

elle a été donnée she has been given, was given

nous avons été donnés (données) we have been given, were given

vous avez été donné (donnée, donnés, données) you have been given, were given

ils ont été donnés they have been given, were given

elles ont été données they have been given, were given

English also has what might be called a false passive which results from the English tendency to omit prepositions (see § III, d).

> FALSE PASSIVE: John is given a book by his friend.
> TRUE PASSIVE: A book is given to John by his friend.

**In French an indirect object cannot become the subject of a passive.**

The false passive must always be converted into a true passive before translation into French.

**Un livre est donné à Jean par son ami.**

## § VI (h) THE REFLEXIVE VERB

**A reflexive verb is any verb having a reflexive pronoun as its direct or indirect object.**

A verb is said to be "made reflexive" when the equivalent English verb has a reflexive pronoun as its object. Thus the normal transitive verb *inviter* may be made reflexive by using a reflexive pronoun object before it.

je m'invite I invite myself
tu t'invites thou invitest thyself

il s'invite he invites himself
elle s'invite she invites herself

nous nous invitons we invite ourselves

vous vous invitez you invite yourself (-selves)

ils (elles) s'invitent they invite themselves

Other French verbs are said to be reflexive "by nature" when, in certain idioms, they have a reflexive pronoun object which is not present in the equivalent English. The following examples from the text illustrate such usage:

> **Il se met à table.** He sits down at the table.
> **On se met à manger.** They begin to eat.

### § VI (i) AVOIDANCE OF PASSIVE BY USE OF *on*

In principle, French avoids a passive whenever possible (see § VI, g). This cannot be done if the agent (the "doer" of the action) is expressed.

> The girl is invited *by her friend.*
> **La jeune fille est invitée *par son amie.***

**If the agent is not expressed and if the action can be performed by "someone", rearrange the sentence with *on* (one, someone) as the subject of an active verb.**

> Vegetables are served separately.
> One serves vegetables separately.
> **On sert les légumes séparément.**
> Friends are often invited.
> One often invites friends.
> **On invite souvent des amis.**

In the following cases, however, *on* cannot be used:

> The table is set. **La table est mise.**

(Action completed. "Someone" is not now setting it.)

> The man was wounded. **L'homme a été blessé.**

(The man may have been wounded by a thing, not a person. Hence "someone" as the subject may not make sense.)

### § VI (j) ORTHOGRAPHICAL CHANGING VERB, *-ger* TYPE

**Whenever *g* occurs before *a* or *o* in the conjugation of a *-ger* type verb, an *e* must be inserted after the *g* to record in the spelling the fact that the *g* is pronounced [ʒ] throughout the entire conjugation.**

This means that in the present tense an *e* must be inserted in the first person plural to keep the *g* "soft."

> **nous mangeons** [nu mɑ̃ʒɔ̃] we eat, are eating, do eat

Compare with § II (f).

### § VI (k) NEGATION (continued from § I, g)

**If one or two pronoun objects are to precede a verb in the negative, the pronoun objects will go between *ne* and the verb.**

> **Elle *ne* les invite *pas*.** She does not invite them.

If a verb in the negative is inverted, *pas* will follow the pronoun
subject.

> *Ne* finit-elle *pas?* Doesn't she finish?
> *Ne* les invite-t-elle *pas?* Doesn't she invite them?

In a compound tense negation, inversion and placing of pronoun
objects are performed in relation to the auxiliary; the past participle
then follows all of this.

> Il *n'a pas* donné. He has not given.
> Il *ne* les a *pas* donnés. He has not given them.
> *N'*a-t-il *pas* donné? Hasn't he given?
> *Ne* les a-t-il *pas* donnés? Hasn't he given them?

## Exercices

A. Remplacez le tiret par l'article démonstratif (*demonstrative
adjective*): 1. _____ corbeille. 2. _____ verre. 3. _____
dîners. 4. _____ potage. 5. _____ encre. 6. _____ interne. 7. _____ externes.

B. Traduisez chacune des phrases suivantes de deux (et si possible
de trois) manières différentes: 1. Dinner is served. 2. The meal is
prepared. 3. Butter is put on the bread. 4. The meal is eaten.
5. Dinner was served. 6. The meal was prepared. 7. French was
spoken. 8. Butter was put on bread. 9. The meal was eaten.

C. Donnez le passé composé de *donner, finir, vendre, être, avoir*
et *manger* à l'affirmatif, au négatif et à l'interrogatif.

D. Mettez dans les phrases suivantes les pronoms compléments indiqués: 1. Il est étonné de voir (*them*). 2. Il n'invite pas (*us*).
3. N'avez-vous pas parlé (*to him*)? 4. Il donne (*them to himself*).
5. Nous vendons (*them some*). 6. Ils n'habitent pas (*there*).
7. Nous vendons (*it to ourselves*).

## Dialogue

MADAME DALEMBERT: Il y a encore du potage, si vous en voulez,
Monsieur.

ROBERT: Non, merci, Madame, vous êtes bien aimable.

MADAME DALEMBERT: Vous avez du pain?

ROBERT: Mais oui, Madame.

MADAME DALEMBERT: Ah! Rosalie. Il faut du beurre pour Monsieur Martin. Les Américains mettent toujours du beurre sur leur
pain.

ROSALIE: Bien, Madame.

MADAME DALEMBERT: Prenez-vous du vin, Monsieur?

ROBERT: Oh! mais oui, Madame.

MADAME DALEMBERT: Voulez-vous de l'eau dans votre vin? A table nous mettons tous de l'eau dans notre vin. Nous disons que nous le «baptisons.»

ROBERT: Merci, pas moi, si vous permettez, Madame. Je préfère le vin pur.

MADAME DALEMBERT: Comme vous voudrez.

. . . . . . . . . . . . . .

MADAME DALEMBERT: Voulez-vous reprendre de la viande, Monsieur? Et de la sauce. Servez-vous bien. C'est tout ce que nous avons. Il n'y a que des fruits et du fromage pour le dessert. Nous mangeons très simplement.

### djalɔg

MADAME DALEMBERT: ilja ᾶkɔr dy pɔtaʒ╱ si vu zᾶ vule ——— məsjø——

ROBERT: nɔ̃ mɛrsi⟍ madam—— vu zɛt bjɛ̃ nemabl⟍

MADAME DALEMBERT: vu zave dy pɛ̃╱

ROBERT: me wi⟍ madam——

MADAME DALEMBERT: a—— rɔzali╱ il fo dy bœr╱ pur məsjø martɛ̃╱ ¹ le zamerikɛ̃╱mɛt tuʒur dy bœr╱ syr lœr pɛ̃╱ ¹

ROSALIE: bjɛ̃—— madam——

MADAME DALEMBERT: prəne vu dy vɛ̃╱ məsjø——

ROBERT: o—— me wi╱ madam——

MADAME DALEMBERT: vule vu d l o╱ dᾶ vɔtrə vɛ̃╱    a tabl╱ nu metɔ̃ tus də l o⟍ dᾶ nɔtrə vɛ̃—— nu dizɔ̃╱ k nu l batizɔ̃⟍

ROBERT: mɛrsi⟍ pa mwa⟍ si vu pɛrmete—— madam—— ʒə prefɛr╱ lə vɛ̃ pyr⟍

MADAME DALEMBERT: kɔm vu vudre⟍

. . . . . . . . . . . .

MADAME DALEMBERT: vule vu prᾶdr də la vjᾶd╱ məsjø—— e d la sos╱ sɛrve vu bjɛ̃⟍ s e tu s kə nu zavɔ̃⟍ ilnja k de frɥi╱ e dy frɔmaʒ⟍ pur lə desɛr—— nu mᾶʒɔ̃╱ tre sɛ̃pləmᾶ⟍

1. Implication: "Vous devriez le savoir."

## Vocabulaire Supplémentaire

**aimable** [emabl], *adj.* kind
**baptiser** [batize] to baptize
(**le**) **beurre** [bœr] butter
(**le**) **dessert** [deser] dessert
**dire** [dir] to say *nous disons* [nu dizɔ̃], we say
**falloir** [falwar] to be necessary *il faut du beurre* [il fo dy bœr], butter is necessary
(**le**) **fromage** [frɔmaʒ] cheese
(**un**) **fruit** [frɥi] a fruit *des fruits,* some fruit
**mettre** [mɛtr] to put *ils mettent* [il mɛt], they put

**notre** [nɔtr], *poss. adj. sing.* our
**permettre** [pɛrmɛtr] to permit *vous permettez* [vu pɛrmete], you permit
**préférer** [prefere] to prefer
**pur, -e** [pyr] pure
**reprendre** [rəprɑ̃dr] to take again *reprendre de la viande* [rəprɑ̃dr də la vjɑ̃d], to take some more meat
(**la**) **sauce** [sos] gravy
**toujours** [tuʒur], *adv.* always
(**le**) **vin** [vɛ̃] wine
**vouloir** [vulwar] to wish *vous voulez* [vu vule], you wish *comme vous voudrez* [kɔm vu vudre], as you wish

# SEPTIÈME LEÇON
●●●●●●●●●●●●●●●●●●●●●●

## On Loue des Places

La semaine prochaine Jacques et Marie iront à la Comédie-Française. On jouera *Phèdre*, la célèbre tragédie de Racine qu'ils ont étudiée au lycée. Pour avoir de bonnes places, ils les loueront d'avance. Jacques prendra l'autobus jusqu'à la Place du Théâtre-Français. Au bureau de location du théâtre, il demandera des fauteuils d'orchestre ou des places de loge, ce qui sera le moins cher. Une fois qu'il aura obtenu des billets, il se présentera à un autre guichet où on retient les places. Quand il ira au théâtre, il n'oubliera pas de donner un pourboire à l'ouvreuse, puisque c'est la coutume en France. Même au cinéma le pourboire est obligatoire, ce qui étonne souvent les Américains.

### sɛtjɛm ləsɔ̃

### ɔ̃ lu de plas

la smɛn prɔʃɛn/ ʒaːk e mari/ irɔ̃/a la kɔmedi frɑ̃sɛz\ ɔ̃ ʒura fɛdr/ la selɛbrə traʒedi d rasin/ k il zɔ̃ tetydje/ o lise\ pur avwar də bɔn plas/ il le lurɔ̃ d avɑ̃s\ ʒaːk prɑ̃dra l ɔtɔbys/ ʒyska la plas/ dy teatrə frɑ̃se\ o byro d lɔkasjɔ̃ dy teatr/ il də- mɑ̃dra/ de fotœj d ɔrkɛstr/ u de plas də lɔʒ\ s ki sra l mwɛ̃

ʃɛr\ yn fwa k il ɔra ɔbtəny de bije∕ il sə prezɑ̃tra a œ̃ notrə
giʃe∕ u ɔ̃ rtjɛ̃ le plas\ kɑ̃ til ira o teatr∕ il n ublira pa∕ d dɔne
œ̃ purbwar a l uvrøz\ pɥiskə s e la kutym ɑ̃ frɑ̃s__ mɛm o
sinema\ l purbwar e tɔbligatwar__ s ki etɔn suvɑ̃∕ le zame-
rikɛ̃\

## Questionnaire

1. Où iront Jacques et Marie la semaine prochaine?   2. Qui ira à
la Comédie-Française la semaine prochaine?   3. Qu'est-ce qu'on
jouera?   4. Jouera-t-on une comédie?   5. De qui jouera-t-on une
tragédie?   6. Qu'est-ce que Jacques et Marie ont étudié au lycée?
7. Pour avoir de bonnes places faut-il les louer d'avance?   8. Que
faut-il faire pour avoir de bonnes places?   9. Qu'est-ce que Jacques
prendra pour aller jusqu'à la Place du Théâtre-Français?   10. Où
demandera-t-il des places?   11. Demandera-t-il des fauteuils d'orchestre ou des places de loge?   12. Prendra-t-il les places les plus
chères?   13. Une fois qu'il aura obtenu les billets, que fera-t-il (*will
he do*)?   14. Que fait-on à cet autre guichet?   15. Quand on va au
théâtre, qu'est-ce qu'il ne faut pas oublier?   16. Quand Jacques ira
au théâtre, que n'oubliera-t-il pas de faire?   17. A qui donne-t-on un
pourboire au théâtre?   18. Pourquoi donne-t-on un pourboire à l'ouvreuse?   19. Quelle est la coutume en France au théâtre?   20. Est-ce
que le pourboire est obligatoire au cinéma aussi?   21. Quelle coutume étonne souvent les Américains en France?

### QUESTIONS PERSONNELLES

1. Allez-vous souvent au théâtre?   2. Avez-vous jamais vu (*ever
seen*) une tragédie de Racine?   3. Quand vous allez au théâtre, est-
ce que vous louez les places d'avance?   4. Quand vous irez au théâtre la prochaine fois, louerez-vous les places d'avance?   5. Pourquoi
louerez-vous les places d'avance?   6. En Amérique, pour retenir les
places, faut-il se présenter à un autre guichet?   7. Préférez-vous les
fauteuils d'orchestre ou les places de loge?   8. Y a-t-il réellement
(*really*) des places de loge dans un théâtre américain?   9. En Amérique, donne-t-on un pourboire à l'ouvreuse?   10. Savez-vous (*do
you know*) pourquoi on dit *ouvreuse* en français? Qu'est-ce qu'elle
ouvre?   11. Est-ce que le pourboire est obligatoire au cinéma américain aussi?   12. Est-ce qu'on montre (*show*) des films dans un théâtre?   13. Savez-vous pourquoi on dit «Comédie-Française» quand
on y joue aussi des tragédies?

## Vocabulaire

**aller** *il ira* [il ira], he will go **ils iront**
[il zirɔ̃], they will go

**(un) autobus** [ɔtɔbys] bus

**autre** [otr], *adj.* other

**(une) avance** [avɑ̃s] advance **d'a-
vance** [davɑ̃s], ahead of time

**(le) billet** [bije] banknote, ticket

**bon** [bɔ̃], **bonne** [bɔn] good

**(le) bureau** [byro] office **bureau de
location** [byro d lɔkasjɔ̃], box office

**célèbre** [selɛbr], *adj.* famous

**cher** [ʃɛr], **chère** [ʃɛr] expensive

**(le) cinéma** [sinema] cinema, moving
picture house

**(la) comédie** [kɔmedi] comedy, play
(Old French)

**(la) coutume** [kutym] custom

**demander** [dəmɑ̃de] to ask, ask for

**étudier** [etydje] to study

**(le) fauteuil** [fotœj] armchair **fauteuil d'orchestre** [fotœj d ɔrkɛstr],
orchestra seat

**(le) guichet** [giʃe] ticket window

**jouer** [ʒue] to play

**jusqu'à** [ʒyska], *prep.* as far as

**(la) location** [lɔkasjɔ̃] renting

**(la) loge** [lɔʒ] box (in a theatre)

**louer** [lue] to rent **louer une place**
[lue yn plas], to book a seat, to buy
a ticket

**moins** [mwɛ̃], *adv.* less, least

**obligatoire** [ɔbligatwar], *adj.* obligatory, compulsory

**obtenir** [ɔbtənir] to obtain **obtenu**
[ɔbtəny], *past part.,* obtained

**on** [ɔ̃], *pro.* one

**(un) orchestre** [ɔrkɛstr] orchestra

**oublier** [ublije] to forget

**(une) ouvreuse** [uvrøz] usher (female)

**(la) place** [plas] place, space, seat,
square

**(le) pourboire** [purbwar] tip

**présenter** [prezɑ̃te] to present

**prochain, -e** [prɔʃɛ̃, prɔʃɛn] next

**retenir** [rətənir] to retain **retenir des
places** [rətnir de plas], to reserve
seats

**(la) semaine** [səmɛn] week

**souvent** [suvɑ̃], *adv.* often

**(le) théâtre** [teatr] theatre

**(la) tragédie** [traʒedi] tragedy

## Grammaire

### § VII (a) RELATIVE PRONOUN

A relative pronoun is a pronoun having an antecedent and introducing a clause which modifies that antecedent. English distinguishes
between a person or thing as antecedent when it uses the relative pronouns *who* (subject for persons), *whom* (object for persons), and
*which* (subject or object for things), but it may also substitute *that*
in all these cases, thereby losing this distinction.

For persons or things the simple relative pronoun in French is *qui*
as subject of the relative clause and *que* as object.

    SUBJECT: **L'homme** *qui* **est ici.** The man *who* (*that*) is here.
              **Le livre** *qui* **est sur la table.** The book *which* (*that*) is on the table.
    OBJECT: **L'homme** *que* **j'ai vu.** The man *whom* (*that*) I saw.
              **Le livre** *que* **j'ai trouvé.** The book *which* (*that*) I found.

If the antecedent of *which* in English is not a specific word but an
idea expressed in several words, French requires a compound relative, *ce qui* (subject) and *ce que* (object).

Au cinéma le pourboire est obligatoire, *ce qui* étonne les Américains.
At movies tipping is compulsory, *which* astonishes Americans.

## § VII (b) PRONOUN *ce* (continues § III, c).

In the formula *pronoun subject + être + modified noun, a proper noun, a superlative, or a pronoun* the subject will always be *ce*, no matter whether the English says *it, he, she,* or *they.*

To apply this rule, a definite or indefinite article or a possessive adjective are sufficient modifiers.

> *C'est un livre intéressant. It* is an interesting book.
> *C'est mon amie. She* is my friend.
> *Qui est-ce? C'est Jean de la Tour.* Who is *he? He* is Jean de la Tour.
> *C'est nous qui allons le faire. It* is we who are going to do it.

When the subject is *ce* and *être* is followed by a third plural pronoun or by a modified plural noun, *être* may be third plural or third singular.

> *Ce sont* elles, or *C'est* elles.
> It is they (*feminine*).
> *Ce sont* mes amis, or *C'est* mes amis.
> They are my friends.
> *Ce sont* de très bonnes places, or *C'est* de très bonnes places.
> They are very good seats.

## § VII (c) COMPARISON OF ADJECTIVES

In English there are three systems for comparing adjectives:

| POSITIVE | COMPARATIVE | SUPERLATIVE |
|---|---|---|
| big | bigger | biggest |
| beautiful | more beautiful | most beautiful |
| beautiful | less beautiful | least beautiful |

The French language has only the second and third of these systems.

| POSITIVE | COMPARATIVE | SUPERLATIVE |
|---|---|---|
| grand big | plus grand more big | le plus grand most big |
| beau beautiful | plus beau more beautiful | le plus beau most beautiful |
| beau beautiful | moins beau less beautiful | le moins beau least beautiful |

The superlative of a French adjective is formed by the definite article (having the same number and gender as the adjective) and the adverb *plus.*

> COMPARATIVE
> **Cette maison est *plus grande.* This house is *bigger.***
> SUPERLATIVE
> **Cette maison est *la plus grande.* This house is (*the*) *biggest.***

When an adjective in the superlative is adjacent to the noun which it modifies, the entire superlative will precede or follow the noun according to whether the adjective is one which normally follows or which normally precedes. If the adjective in the superlative precedes, there will be only one definite article. If the adjective in the superlative follows, there will be a second definite article as the sign of the superlative.

> la plus grande maison the biggest house
> la leçon la plus difficile the most difficult lesson

**The French superlative may be used only with a definite article. If *most* in English really means *very*, use *très* (*very*) instead of a superlative.**

> une leçon *très* intéressante *a most* (*very*) interesting lesson
> C'est *très* difficile. It is *most* (*very*) difficult.

Since the comparative may also occur with a definite article, it is possible to have a comparative which looks like a superlative. Generally the context will adequately distinguish the meaning.

> Voici deux maisons. Celle-ci est *la plus grande.*
> Here are two houses. This one is *the bigger.*
> Voici trois maisons. Celle-ci est *la plus grande.*
> Here are three houses. This one is *the biggest.*

## § VII (d) CARDINAL NUMBERS (continues § V, g).

100 cent
101 cent un [sɑ̃ œ̃] (no liaison before the numeral *un.*)
102 cent deux
200 deux cents
999 neuf cent quatre-vingt-dix-neuf
1000 mille
1356 mille trois cent cinquante-six (treize cent cinquante-six)
2000 deux mille
500.000 cinq cent mille
1.000.000 un million
1.300.000 un million trois cent mille

OBSERVATIONS

Although *deux cents* has an *s*, *cent* loses the *s* when the number continues as in *deux cent deux* (202).

In the plural, *mille* never adds an *s*.

From 1100 to 1900, as in English, one may say *one thousand one hundred* (mille cent) or *eleven hundred* (onze cents), etc.

The number *million* is a collective number (see Grammatical Appendix, § 49, C) and takes *de* to introduce a noun. Example: *deux millions de francs.* If the number continues beyond the word *million*, the *de* disappears. Example: *deux millions trois cent mille francs.*

## § VII (e) DATES

The months of the year are as follows:

| | |
|---|---|
| janvier [ʒɑ̃vje] January | juillet [ʒyje] or [ʒɥije] July |
| février [fevrije] February | août [u] or [ut] August |
| mars [mars] March | septembre [septɑ̃br] September |
| avril [avril] April | octobre [ɔktɔbr] October |
| mai [me] May | novembre [nɔvɑ̃br] November |
| juin [ʒɥɛ̃] June | décembre [desɑ̃br] December |

Note that the months are not capitalized in French.

**In dates, the day of the month is expressed by an article and a cardinal number, except that the first day of the month is always an ordinal number.**

| | |
|---|---|
| le 17 juillet | le dix-sept juillet July 17th |
| le 1ᵉʳ mai | le premier mai May 1st |

**To express the year in dates, use the normal cardinal number from 1 to 1099 and after 2000. From 1100 to 1999, one may choose between the normal cardinal number in which *mil* is substituted for *mille* or the system of counting by hundreds in which the word *cent* may never be omitted and is never spelled with an *s*.**

| | | |
|---|---|---|
| l'an 302 | l'an trois cent deux | the year 302 |
| l'an 1066 | l'an mille soixante-six | the year 1066 |
| l'an 1815 | l'an mil huit cent quinze | the year 1815 |
| l'an 1952 | l'an dix-neuf cent cinquante-deux | the year 1952 |
| l'an 1500 | l'an quinze cent | the year 1500 |

## Étude de Verbes

### § VII (f) FUTURE TENSE

The future tense expresses an action which will happen. The English future is rendered by using the auxiliaries *shall* or *will* with the verb. The French future is always in one piece.

**The future of regular French verbs is formed by adding to the entire infinitive the endings illustrated below. In the *-re* conjugation the *e* is omitted before the future endings are added.**

je donner**ai** [ʒə dɔnre] I shall give
tu donner**as** [ty dɔnra] thou wilt give
il donner**a** [il dɔnra] he will give
nous donner**ons** [nu dɔnrɔ̃] we shall give
vous donner**ez** [vu dɔnre] you will give
ils donner**ont** [il dɔnrɔ̃] they will give

je finir**ai**, etc. I shall finish, etc.
je vendr**ai**, etc. I shall sell, etc.
j'aur**ai** [ʒɔre], etc. I shall have, etc.
je ser**ai** [ʒə sre], etc. I shall be, etc.

**Whenever the main verb of the sentence is in the future or imperative and there is also a clause beginning with *when* (*quand, lors-***

*que*), *as soon as* (*aussitôt que, dès que*), or *as long as* (*tant que*), the verb of the clause is likewise in the future.

> **Il demandera des billets quand il *sera* au théâtre.**
> He will ask for some tickets when he *gets* (*is*) to the theatre.
> **Donnez le livre à Jean quand il *sera* ici.**
> Give the book to John when he *gets* (*is*) here.

### § VII (g) FUTURE PERFECT TENSE

In English this tense is rendered by the auxiliaries *shall have* or *will have* plus the verb. In French it is formed by the auxiliaries *avoir* or *être* (for verbs conjugated with *être*, see § VIII, d) plus the past participle.

> **j'aurai donné** I shall have given
> **tu auras donné** thou wilt have given
> **il aura donné** he will have given
> **nous aurons donné** we shall have given
> **vous aurez donné** you will have given
> **ils auront donné** they will have given

## *Exercices*

A. Mettez les expressions suivantes au comparatif: 1. Cette tragédie est célèbre. 2. Une coutume étrange. 3. Une grande chambre. 4. Une rue tranquille.

B. Mettez les expressions suivantes au superlatif: 1. Cette tragédie est célèbre. 2. La coutume étrange. 3. La grande chambre. 4. La rue tranquille.

C. Traduisez les mots entre parenthèses: 1. Merci de ces places. _____ (*they*) sont très bonnes. 2. _____ (*he*) est plus grand que Marie. 3. Voici de très bonnes places _____ (*which*) je viens de louer. 4. _____ (*she*) est bonne pour ma sœur. 5. Alors on s'est présenté à un autre guichet, _____ (*which*) m'a beaucoup étonné. 6. Le garçon _____ (*whom*) j'ai emmené voir cette pièce est l'ami de Marie. 7. _____ (*it*) est nous qui allons le faire.

D. Lisez les chiffres et les dates suivantes: 379; 462; 3799; 500.003; 1.300.000; le I$^{er}$ mai 1492; le 6 juillet 1066; le 26 août 1999.

E. Conjuguez au futur et au futur antérieur les verbes *donner, finir, vendre, avoir* et *être*.

### *Dialogue*

JACQUES: Je voudrais deux places pour la matinée classique de jeudi prochain.

L'EMPLOYÉ: Alors deux places pour *Phèdre* pour l'après-midi du 15 mai. C'est bien cela? Quelles places voulez-vous?

JACQUES: Cela dépend. Fauteuils d'orchestre ou loges, ce qui sera le moins cher.

L'EMPLOYÉ: Les loges sont plus chères que les fauteuils d'orchestre, mais il y a encore les balcons qui sont meilleur marché.

JACQUES: Non, cette fois-ci je me paierai des fauteuils d'orchestre.

L'EMPLOYÉ: Très bien. Ce sera 1200 francs. Vous passerez au guichet d'à côté pour retenir les places.

JACQUES (*au guichet d'à côté*): Je voudrais retenir deux places pour la matinée du 15 mai.

L'EMPLOYÉ: Bien, Monsieur. Je pourrai vous donner deux places au dixième rang.

JACQUES: Est-ce que je peux voir où elles sont?

L'EMPLOYÉ: Là. Vous les voyez sur le plan, le 14 et le 15.

JACQUES: C'est parfait.

L'EMPLOYÉ (*après avoir écrit les numéros*): Voilà, Monsieur. Ce sont de très bonnes places.

### djalɔg

JACQUES: ʒ vudre dø plas ╱ pur la matine klasik ╱ də ʒødi prɔʃɛ̃ ╲

L'EMPLOYÉ: alɔr dø plas pur fɛdr ╱ pur l apremidi dy kɛz me ╲ s e bjɛ̃ sla ╱ [1] kɛl plas vule vu ╲

JACQUES: səla [1] depɑ̃ ╱ fotœj d ɔrkestr u lɔʒ ╱ s ki sra l mwɛ̃ ʃɛr ╱

L'EMPLOYÉ: le lɔʒ ╱ sɔ̃ ply ʃɛr ╱ kə le fotœj d ɔrkɛstr ╲ me ilja ɑ̃kɔr le balkɔ̃ ╱ ki sɔ̃ mejœr marʃe ╱ [2]

JACQUES: nɔ̃—— sɛt fwa si ╱ ʒə m pere ╱ de fotœj d ɔrkɛstr ╲

L'EMPLOYÉ: tre bjɛ̃ ╲ sə sra duz sɑ̃ frɑ̃ ╲ vu pasre ╱ o giʃe d a kote ╱ pur rətnir le plas ╲

JACQUES (*au guichet d'à côté*): ʒ vudre rtənir dø plas ╱ pur la matine dy kɛz me ╲

---

1. Note the two pronunciations of the word *cela*. In line 4, [sla], the [ə] is dropped as the preceding word ends in a vowel; in line 5, [səla], the [ə] is kept in initial position of the phrase.

2. Implication: "Si vous voulez économiser."

L'Employé: bjɛ̃—— məsjø__ ʒ pure vu dɔne∕ dø plas o
dizjɛm rɑ̃\

Jacques: ɛskə ʒ pø vwar u ɛl sɔ̃∕

L'Employé: la—— vu le vwaje∕ syr lə plɑ̃\ lə katɔrz∕ e l
kɛz\

Jacques: s e parfe\

L'Employé (*après avoir écrit les numéros*): vwala\
məsjø__ sə sɔ̃ d tre bɔn plas\

## Vocabulaire Supplémentaire

alors [alɔr], *adv.* then
(le) balcon [balkɔ̃] balcony
bien, *adv.* *C'est bien cela* [se bjɛ̃ sla]?
Is that right?
classique [klasik], *adj.* classical
(le) côté [kote] side *le guichet d'à
côté* [lə giʃe d a kɔte], the next
window
dépendre [depɑ̃dr] to depend
dixième [dizjɛm], *adj.* tenth
écrire [ekrir] to write
employé, -e [ɑ̃plwaje], *m. & f.* employee, clerk, etc.
(le) marché [marʃe] market *bon
marché* [bɔ̃ marʃe], cheap *meilleur
marché* [mejœr marʃe], cheaper
(la) matinée [matine] morning, matinee
meilleur, -e [mejœr] better

(le) numéro [nymero] number
parfait, -e [parfe, parfɛt] perfect *c'est
parfait,* that's fine
passer [pase] *passer à,* to go to
payer [peje] to pay *se payer quelque
chose* [sə peje kɛlkə ʃoz], to treat
oneself to something
(le) plan [plɑ̃] diagram
plus [ply, plys], *adv.* more, most
pouvoir [puvwar] to be able *je peux*
[ʒə pø], I can *je pourrai,* [ʒə pure],
I shall be able
quel, quelle, quels, quelles [kɛl], *adj.*
what
(le) rang [rɑ̃] rank, row
voir *vous voyez* [vu vwaje], you see
vouloir *je voudrais* [ʒə vudre], I
should like

# HUITIÈME LEÇON

## Chez le Médecin

On a dit à Jacques que le cabinet du docteur Bellanger était situé
rue des Saints-Pères. Jacques l'a facilement trouvé, car il y avait une
plaque de cuivre à la porte. Il est entré sans sonner, comme il était
indiqué à la porte. Une secrétaire-infirmière l'a reçu, a inscrit son
nom sur une fiche, et l'a prié de s'asseoir dans la salle d'attente, où un
certain nombre de personnes attendaient déjà. Son tour venu, il est

entré dans le cabinet du docteur qui lui a demandé de quoi il souffrait. Il a répondu qu'il avait de fortes migraines. Le médecin lui a fait tirer la langue, l'a ausculté, lui a tâté le ventre pour voir s'il n'avait pas l'appendicite, et a fini par déclarer que le mal provenait de la vue. Il fallait consulter un oculiste.

ɥitjɛm ləsɔ̃

ʃe l mɛdsɛ̃

ɔ̃ na di a ʒaːk╱ kə l kabine dy dɔktœr belɑ̃ʒe╱ ete sitɥe╱ [1] ry de sɛ̃ pɛr╲ ʒaːk la fasilmɑ̃ truve╱ kar iljave yn plak də kɥivr╱ [1] a la pɔrt╲ il e tɑ̃tre╱sɑ̃ sɔne╲ kɔm il ete tɛ̃dike a la pɔrt╲ yn səkretɛr ɛ̃firmjɛr l a rsy╱ a ɛ̃skri sɔ̃ nɔ̃ syr yn fiʃ╱ e l a prije d s aswar╱ dɑ̃ la saldatɑ̃t╱ u œ̃ sɛrtɛ̃ nɔ̃br də pɛrsɔn╱ atɑ̃de deʒa╲ sɔ̃ tur vəny╱ il e tɑ̃tre╱dɑ̃ l kabine dy dɔktœr╱ ki lɥi [1] a dmɑ̃de╱ d kwa il sufre╲ il a repɔ̃dy╱ k il ave d fɔrtə migrɛn╲ lə mɛdsɛ̃ lɥi [1] a fe tire la lɑ̃g╱ l a ɔskylte╱ lɥi [1] a taːte l vɑ̃tr╱ pur vwar s il n ave pa l apɛ̃disit╱ e a fini par deklare╱ kə l mal prɔvne d la vy╲ il fale kɔ̃sylte╱ œ̃ nɔkylist╲

## *Questionnaire*

1. Qu'est-ce qu'on a dit à Jacques? 2. Où est-ce que le cabinet du docteur Bellanger est situé? 3. Qu'est-ce qui est situé rue des Saints-Pères? 4. Est-ce que Jacques l'a trouvé difficilement? 5. Pourquoi l'a-t-il trouvé facilement? 6. Qu'est-ce qu'il y avait à la porte? 7. Où était la plaque de cuivre? 8. A-t-il sonné pour entrer? 9. Pourquoi est-il entré sans sonner? 10. Où était-il indiqué qu'il fallait entrer sans sonner? 11. Qui a reçu Jacques? 12. Qu'est-ce que l'infirmière a inscrit sur une fiche? 13. Où l'a-t-elle prié de s'asseoir? 14. Est-ce que beaucoup de personnes attendaient déjà? 15. Son tour venu, où est-ce que Jacques est entré? 16. Qu'est-ce que le docteur lui a demandé? 17. Qu'est-ce que Jacques lui a répondu? 18. De quoi est-ce que Jacques souffrait? 19. Qu'est-ce que le médecin lui a fait tirer? 20. Qu'est-ce qu'il a fait après? 21. Pourquoi le docteur lui a-t-il tâté le ventre? 22. Est-ce qu'il avait l'appendicite? 23. Qu'est-ce que le docteur a fini par déclarer? 24. D'où provenait le mal? 25. Pourquoi fallait-il consulter un oculiste?

1. Pay special attention to the articulation of the sound [ɥ] which occurs five times in this text: *situé* [sitɥe], *cuivre* [kɥivr], and *lui* [lɥi] three times. Its articulation was explained in Lesson V.

## QUESTIONS PERSONNELLES

1. Où est-ce que le cabinet de votre docteur est situé? 2. Est-ce qu'il y a une plaque de cuivre à la porte? 3. Qu'est-ce que l'infirmière a fait la dernière fois que vous êtes allé chez le docteur? 4. Souffrez-vous jamais de la migraine? 5. Avez-vous été opéré de l'appendicite? 6. Consultez-vous souvent votre oculiste? 7. De quelle maladie est-ce que les migraines sont les symptômes? 8. Que faites-vous quand vous êtes dans la salle d'attente du docteur? 9. Aimez-vous aller chez le docteur? 10. Avez-vous jamais eu une pneumonie?

## *Vocabulaire*

(une) **appendicite** [apɛ̃disit] appendicitis

**asseoir** (s') [saswar] to sit down

(une) **attente** [atɑ̃t] wait, waiting
*salle d'attente* [sal d atɑ̃t], waiting room

**ausculter** [ɔskylte] to examine by auscultation

(le) **cabinet** [kabine] office (of a doctor)

**certain, -e** [sɛrtɛ̃, sɛrtɛn] certain

**consulter** [kɔ̃sylte] to consult

(le) **cuivre** [kɥivr] copper, brass

**déclarer** [deklare] to declare

**dire** *dit* [di], *past part.*, said

(le) **docteur** [dɔktœr] doctor

**facilement** [fasilmɑ̃], *adv.* easily

**falloir** [falwar] to be necessary *il fallait* [il fale], it was necessary

(une) **fiche** [fiʃ] slip, filing card

**finir** *finir par* [finir par], to do something finally

**fort, -e** [fɔr, fɔrt] strong, bad

**indiquer** [ɛ̃dike] to indicate *comme il était indiqué* [kɔm il ete tɛ̃dike], as the sign said

(une) **infirmière** [ɛ̃firmjɛr] nurse

**inscrire** *inscrire un nom sur une fiche* [ɛ̃skrir œ̃ nɔ̃ syr yn fiʃ], to write a name on a slip

**la langue** [lɑ̃g] tongue, language

(le) **mal** (*pl.:* **maux**) [mal, mo] evil, hurt

(le) **médecin** [mɛdsɛ̃] doctor

(la) **migraine** [migrɛn] headache

(le) **nom** [nɔ̃] name

(le) **nombre** [nɔ̃br] number

(un) **oculiste** [ɔkylist] oculist

(le) **père** [pɛr] father

(la) **personne** [pɛrsɔn] person, (*pl.*) people

(la) **plaque** [plak] plate, tablet

**prier** [prije] to ask, beg, request

**provenir** [prɔvnir] to come (from) *il provenait* [il prɔvne], it came (from)

**quoi** [kwa], *pro. disj.* what

**recevoir** [rəsvwar] to receive *reçu* [rəsy], *past part.*, received

**saint, -e** [sɛ̃, sɛt] holy

**sans** [sɑ̃], *prep.* without

(le & la) **secrétaire** [səkretɛr] secretary

**situer** [sitɥe] to situate

**souffrir** [sufrir] to suffer *il souffrait* [il sufre], he was suffering *souffrir de quelque chose* [sufrir də kɛlkə ʃoz], to have something wrong with one

**tâter** [taːte] to touch, feel

**tirer** [tire] to pull, draw *tirer la langue* [tire la lɑ̃g], to stick out one's tongue

(le) **tour** [tur] turn

**venir** [vənir] to come *venu* [vəny], *past part.*, come

(le) **ventre** [vɑ̃tr] belly

(la) **vue** [vy] view, eyesight

## *Grammaire*

### § VIII (a) SPECIAL CONSTRUCTIONS WITH PARTS OF BODY

Generally speaking, when the possessor of a part of the body is clearly indicated by the remainder of the context, French will use a definite article before the part of the body instead of a possessive adjective. This is not a rule, and, in reality, most of these expressions are idiomatic and must be noted individually.

> **Il tire** *la* **langue.** He sticks out *his* tongue.
> **Il a** *les* **yeux bleus.** He has blue eyes. *His* eyes are blue.
> **Il a** *la* **tête très grande.** *His* head is very big.

But one may also say:

> *Ses* **yeux sont bleus.** *His* eyes are blue.
> *Sa* **tête est très grande.** *His* head is very big.

If an action is performed on a part of the body, the possessor of the part of the body is generally indicated by an indirect pronoun before the verb.

> **Elle** *lui* **brosse** *les* **dents.** She brushes *his* teeth.
> **Le docteur** *lui* **tâte le ventre.** The doctor feels *his* stomach.

Should the possessor of the part of the body in this case be the same as the subject of the verb, an indirect reflexive pronoun object will be used.

> **Marie** *se* **brosse** *les* **dents.** Mary brushes *her* (own) teeth.

The idiom *avoir mal à* is followed by the part of the body with a definite article. It translates both as *to have a pain in* and *my* (etc.) *part of the body hurts.*

> **Il a mal à la tête.** { He has a pain in his head.
>                          { His head hurts.

### § VIII (b) PRONOUN OBJECTS WITH THE AFFIRMATIVE IMPERATIVE

With the affirmative imperative (but not the negative imperative), pronoun objects follow the verb and are attached to it by hyphens. The forms of the pronoun objects are the same as those which occur before the verb except that *me* becomes *moi* and *te* becomes *toi.*

> **Donnez-lui un livre.** Give him a book.
> **Donnons-leur un livre.** Let us give them a book.

**Donnez-moi un livre.** Give me a book.
**Étendez-vous ici.** Stretch (yourself) out here.
**Asseyez-vous.** Sit down (seat yourself).

If there is more than one pronoun object, the direct object will precede the indirect object. However, if one of the pronoun objects is *y* or *en*, these will always come second. If *moi* and *toi* have occasion to precede *y* or *en*, they revert to *me* and *te* and elision takes place.

**Donnez-les-leur.** Give them to them.
**Donnez-le-moi.** Give it to me.
**Donnez-m'en.** Give me some.
**Envoyez-nous-y.** Send us there.

For the additional rule concerning first person, second person or reflexive pronouns as direct objects, see § 46, B, 2, b in Grammatical Appendix.

## § VIII (c) THE ALPHABET

The French alphabet is pronounced as follows:

| | | | | | |
|---|---|---|---|---|---|
| a | [a] | j | [ʒi] | s | [ɛs] |
| b | [be] | k | [ka] | t | [te] |
| c | [se] | l | [ɛl] | u | [y] |
| d | [de] | m | [ɛm] | v | [ve] |
| e | [ə], [e] | n | [ɛn] | w | [dublə ve] |
| f | [ɛf] | o | [o] | x | [iks] |
| g | [ʒe] | p | [pe] | y | [i grɛk] |
| h | [aʃ] | q | [ky] | z | [zɛd] |
| i | [i] | r | [ɛr] | | |

## *Étude de Verbes*

### § VIII (d) VERBS CONJUGATED WITH *être*

Certain verbs of motion or change of condition, but not all, are conjugated in their compound tenses with *être* instead of *avoir*. Some of these verbs are *aller* (to go), *arriver* (to arrive), *entrer* (to enter), *partir* (to leave), *venir* (to come).

**je suis entré** I entered, have entered, did enter
**je suis venu** I came, have come, did come

### § VIII (e) AGREEMENT OF PAST PARTICIPLE IN COMPOUND TENSE

When the past participle is conjugated with *avoir* in a compound tense it will agree like an adjective with the preceding direct object. Although the preceding direct object is generally a pronoun object standing before the verb, it may also be a relative pronoun, an interrogative pronoun (see § XII, b and § XVIII, a) or even a noun in an interrogative sentence. If there is no preceding direct object, there is no agreement of the past participle.

> **Je les ai choisis.** I chose them.
> **Les livres que j'ai choisis.** The books which I chose.
> **Quels livres avez-vous choisis?** What books did you choose?

**Verbs conjugated with *être* in compound tenses, with the exception of reflexive verbs (see § IX, f), have the past participle agreeing with the subject.**

This rule applies to the passive (see § VI, g) and to the special intransitive verbs mentioned in § VIII (d).

> **Les livres ont été donnés à Jean.** The books were given to John.
> **Elle est entrée.** She entered.
> **Nous sommes arrivés.** We arrived.

## § VIII (f) IMPERFECT TENSE

**Generally speaking, the imperfect tense indicates an action which was continuous in the past and did not come to a precise end.**

English expresses this tense with the auxiliaries *was* or *were*. The French tense is in one piece and, in the case of regular verbs, is formed by attaching to the stem (see § II, d) the endings of the imperfect. In *-ir* type verbs the *-iss-*, found also in the plural of the present tense, is inserted between the stem and the imperfect endings.

**je donnais** [ʒə dɔne] I was giving
**tu donnais** [ty dɔne] thou wert giving
**il donnait** [il dɔne] he was giving
**nous donnions** [nu dɔnjɔ̃] we were giving
**vous donniez** [vu dɔnje] you were giving
**ils donnaient** [il dɔne] they were giving

**je finISSais** I was finishing, etc.
**tu finISSais**
**il finISSait**
**nous finISSions**
**vous finISSiez**
**ils finISSaient**

**je vendais** I was selling, etc.
**tu vendais**
**il vendait**
**nous vendions**
**vous vendiez**
**ils vendaient**

**j'étais** I was
**tu étais** thou wert
**il était** he was
**nous étions** we were
**vous étiez** you were
**ils étaient** they were.

**j'avais** I had
**tu avais** thou hadst
**il avait** he had
**nous avions** we had
**vous aviez** you had
**ils avaient** they had

When English requires an imperfect tense, French will also require an imperfect tense. The following illustrations from Lesson

VIII are examples of French imperfects corresponding clearly to English imperfects.

> **Un certain nombre de personnes attendaient déjà.**
> A certain number of people were already waiting.
> **Il souffrait d'une migraine.**
> He was suffering from a headache.

In many cases where the action was continuous and did not come to a precise end, English fails to use an imperfect tense but French must use it. Hence it is necessary to scrutinize all verbs in the English past tense to decide whether the action was really complete, in which case the *passé composé* would be necessary, or whether it was "imperfect." Study the following illustrations based on Lesson VIII.

> **Le cabinet du docteur Bellanger était situé rue des Saints-Pères.**
> Doctor Bellanger's office was situated on the rue des Saints-Pères.

There is no action. The verb expresses a continuous situation.

> **Il y avait une plaque à la porte.**
> There was a plate on the door.

No action. The verb merely describes.

> **Comme il était indiqué à la porte.**
> As it said on the door.

No action. Another continuous situation.

> **Il avait de fortes migraines. Il avait l'appendicite.**
> He had bad headaches. He had appendicitis.

This was a continuous state of affairs, still going on when the other actions took place.

> **Le mal provenait de la vue.**
> The trouble came from the eyesight.

No action. A description or continuous situation.

> **Il fallait consulter un oculiste.**
> It was necessary to consult an oculist.

The necessity for consulting the oculist was not limited in time.

## *Exercices*

A. Mettez dans les phrases suivantes les pronoms compléments indiqués: 1. Inscrivez sur la fiche (*it*). 2. Faites tirer la langue (*him*). 3. Priez de s'asseoir (*him*). 4. N'entrez pas maintenant (*there*). 5. Donnez quand vous voudrez (*them to us*). 6. Donnez-en soixante-six (*me*). 7. Demandez quand il viendra (*him*).

**B.** Conjuguez *entrer* au passé composé et *donner, finir, vendre, être* et *avoir* à l'imparfait.

**C.** Mettez les verbes suivants à l'imparfait ou au passé composé selon le sens: 1. Les Dalembert _____ (*inviter*) Robert Martin à dîner. 2. C'_____ (*être*) la première fois qu'il avait été invité à prendre un repas chez des Français. 3. Quand il _____ (*arriver*), le couvert _____ (*être*) déjà mis. 4. A chaque place, il y _____ (*avoir*) une assiette, un couteau, une fourchette, une cuiller et un verre. 5. Bientôt Rosalie, la bonne, _____ (*venir*) annoncer que le dîner _____ (*être*) servi. 6. Tout le monde _____ (*se mettre*) à table, sauf Monsieur Dalembert qui _____ (*être*) en train de couper le pain près du buffet. 7. Quand il a eu fini, il _____ (*faire*) passer les morceaux de pain dans une corbeille et chacun _____ (*se servir*). 8. Robert _____ (*être*) étonné de voir que les Français _____ (*manger*) du pain pendant tout le repas. 9. Il _____ (*remarquer*) aussi que dans cette famille on _____ (*servir*) des légumes séparément, avant la viande.

## *Dialogue*

JACQUES: Je voudrais voir le docteur, s'il vous plaît.

L'INFIRMIÈRE: Vos nom et adresse?

JACQUES: Jacques Dalembert, 58, rue Madame.

L'INFIRMIÈRE: Bien! Veuillez attendre votre tour.

. . . . . . . . . . . .

(*Jacques entre dans le cabinet du médecin*).

LE DOCTEUR: Bonjour, Monsieur. Asseyez-vous. De quoi souffrez-vous?

JACQUES: J'ai des migraines terribles.

LE DOCTEUR: Ah? Voyons un peu. Enlevez votre chemise. (*Il l'ausculte.*) Toussez. Maintenant respirez fort. Vous n'êtes pas sujet aux maladies respiratoires?

JACQUES: Pas du tout. Et même je ne m'enrhume pas souvent.

LE DOCTEUR: Étendez-vous sur cette table. Vous n'avez jamais de maux de ventre?

JACQUES: Non, jamais d'indigestion.

LE DOCTEUR: Alors voyons les yeux. Pouvez-vous lire les lettres, là-bas?

JACQUES: F, G, B, J, V, L, C, K, X, N, D, H, P, R, T, Z, S . . . mais je ne distingue pas celles d'en bas.

LE DOCTEUR: Tiens, tiens! Alors vos migraines proviennent de la vue. Il faudra consulter un oculiste. Vous étudiez trop.

### djalɔg

JACQUES: ʒ vudre vwar lə dɔktœr\ s il vu ple——
L'INFIRMIÈRE: vo nɔ̃ e adrɛs⁄
JACQUES: ʒaːk dalɑ̃bɛr\ sɛ̃kɑ̃tчit ry madam\
L'INFIRMIÈRE: bjɛ̃—— vœje zatɑ̃drə vɔtrə tur\ ¹

.   .   .   .   .   .   .   .   .   .   .   .   .   .   .

(*Jacques entre dans le cabinet du médecin.*)
LE DOCTEUR: bɔ̃ʒur məsjø\ aseje vu\ ¹ də kwa sufre vu\
JACQUES: ʒ e de migrɛn⁄ teribl\
LE DOCTEUR: a⁄ vwajɔ̃ zœ̃ pø\ ɑ̃lve vɔtrə ʃmiz\ ¹ (*Il l'aus-culte.*) tuse\ ¹ mɛ̃tnɑ̃⁄ rɛspire fɔr\ ¹ vu n ɛt pa syʒe o maladi rɛspiratwar⁄
JACQUES: pa dy tu\ e mɛm⁄ ʒə n m ɑ̃rym pa suvɑ̃\
LE DOCTEUR: etɑ̃de vu syr sɛt tabl\ ¹ vu n ave ʒame d mo d vɑ̃tr⁄
JACQUES: nɔ̃—— ʒame d ɛ̃diʒɛstjɔ̃\
LE DOCTEUR: alɔr⁄ vwajɔ̃ le zjø\ puve vu lir le lɛtr⁄ la ba⁄
JACQUES: ɛf ʒe be ʒi ve ɛl se ka iks ɛn de aʃ pe ɛr te zɛd ɛs me ʒə n distɛ̃g pa⁄ sɛl d ɑ̃ ba\
LE DOCTEUR: tjɛ̃ tjɛ̃⁄ alɔr⁄ vo migrɛn⁄ prɔvjɛn də la vy⁄ ²
il fodra kɔ̃sylte⁄ œ̃ nɔkylist⁄ ² vu zetydje tro⁄ ²

## *Vocabulaire Supplémentaire*

(une) **adresse** [adrɛs] address
**asseoir** *asseyez-vous* [aseje vu], sit down
(le) **bas** [ba] lower part *celui d'en bas* [səlчi d ɑ̃ ba], the bottom one
(la) **chemise** [ʃəmiz] shirt
**distinguer** [distɛ̃ge] to distinguish
**enlever** [ɑ̃lve] to take off
**enrhumer** [ɑ̃ryme] to give someone a cold *s'enrhumer* [s ɑ̃ryme], to get a cold
**étendre** [etɑ̃dr] to stretch
**falloir** *il faudra* [il fodra], it will be necessary
**fort** [fɔr], *adv.* hard
(une) **indigestion** [ɛ̃diʒɛstjɔ̃] indigestion
**jamais** [ʒame], *adv.* ever *ne . . . jamais*, never
**là-bas** [la ba], *adv.* yonder, over there
(la) **lettre** [lɛtr] letter
**lire** [lir] to read
**maintenant** [mɛ̃tnɑ̃], *adv.* now
(la) **maladie** [maladi] illness
(un) **œil** (*pl.*: **yeux**) [œj, jø] eye
(un) **peu** [œ̃ pø], *adv.* a little
**pouvoir** [puvwar] to be able *vous pouvez* [vu puve], you can

1. The command intonation is sharply falling.
2. Implication: "*Mon cher Monsieur!*"

**provenir** [prɔvnir]   *ils proviennent* [il prɔvjɛn], they come from

**respiratoire** [rɛspiratwar], *adj.* respiratory

**respirer** [rɛspire] to breathe

**souffrir** [sufrir]   *vous souffrez* [vu sufre], you suffer

**sujet, -ette** [syʒe, syʒɛt] subject

**tenir** [tənir] to hold   *tiens* [tjɛ̃]! well!

**terrible** [teribl], *adj.* terrible

**tousser** [tuse] to cough

**voir**   *nous voyons* [nu vwajɔ̃], we see

**vouloir**   *veuillez* [vœje], *imperative,* please

# NEUVIÈME LEÇON

## *Un Voyage en Automobile*

Tous les dimanches, pendant la belle saison, Jacques et Marie font des excursions à la campagne avec leurs parents ou leurs amis. Tantôt ils prennent un train de banlieue pour une forêt de la région parisienne où ils se promènent à pied; tantôt ils partent à bicyclette, leurs sacoches pleines de provisions, pour faire un pique-nique.

Une fois les Aubrey ont invité Jacques et sa sœur à faire une promenade en voiture jusqu'à la forêt de Fontainebleau, pensant que cela leur ferait plaisir. Les jeunes Dalembert ont trouvé que ce serait une bonne idée, car, comme beaucoup de Parisiens, leurs parents n'avaient pas d'auto. Jean Aubrey a dit que, s'il faisait beau, ils partiraient dès le matin. Le temps étant favorable, ils se sont mis en route. Jean conduisait. Les jeunes filles étaient assises à l'arrière. En route, ils se sont arrêtés à un poste d'essence pour faire le plein et pour vérifier le niveau d'huile. Près de Fontainebleau, ils ont eu une panne de moteur et, plus loin, une crevaison. Ce n'était pas de chance.

### nœvjɛm ləsɔ̃

#### œ̃ vwajaʒ ɑ̃ nɔtɔmɔbil [1]

tu le dimɑ̃ʃ╱ pɑ̃dɑ̃ la bɛl sezɔ̃╱ ʒaːk e mari╱ fɔ̃ de zɛkskyrsjɔ̃ a la kɑ̃paɲ╱ avɛk lœr parɑ̃╱ u lœr zami╲ tɑ̃to╱ il prɛn œ̃ trɛ̃ d bɑ̃ljø╱ pur yn fɔre d la reʒjɔ̃ parizjɛn╱ u il sə prɔmɛn a pje╱ tɑ̃to╱ il part a bisiklɛt╱ lœr sakɔʃ plɛn də prɔvizjɔ̃╱ pur fɛr œ̃ piknik╲

1. Note that the sense-groups are longer now than in the first lessons. This corresponds to somewhat faster reading. The student is free to subdivide the groups if he reads slowly enough.

yn fwa╱ le zobre╱ ɔ̃ tẽvite ʒaːk e sa sœr╱ a fɛr yn prɔmnad
ɑ̃ vwatyr╱ ʒyska la fɔre d fɔ̃tɛnblo╱ pɑ̃sɑ̃ k sǝla lœr fǝre
plezir╲ le ʒœn dalɑ̃bɛr╱ ɔ̃ truve╱ k sǝ sre tyn bɔn ide╱ kar╱
kɔm boku d parizjɛ̃╱ lœr parɑ̃╱ n ave pa d ɔto╲ ʒɑ̃ obre╱ a di
k s il fǝze bo╱ il partire╱ de l matɛ̃╲ lǝ tɑ̃ etɑ̃ favɔrabl╱
il sǝ sɔ̃ mi zɑ̃ rut╲ ʒɑ̃ kɔ̃dɥize╲ le ʒœn fij╱ ete tasiz a l arjɛr╲
ɑ̃ rut╱ il sǝ sɔ̃ tarete╱ a œ̃ pɔstǝ d esɑ̃s╱ pur fɛr lǝ plɛ̃╱ e pur
verifje l nivo d ɥil╲ pre d fɔ̃tɛnblo╱ il zɔ̃ ty yn pan dǝ mɔtœr╱
e╱ ply lwɛ̃╱ yn krǝvezɔ̃╲ s nete pa d ʃɑ̃s╲

## *Questionnaire*

1. Que font Jacques et Marie tous les dimanches? 2. En quelle
saison vont-ils à la campagne? 3. Avec qui font-ils des excursions
à la campagne? 4. Quel train prennent-ils? 5. Où vont-ils dans ce
train? 6. Une fois arrivés, qu'est-ce qu'ils font? 7. Est-ce qu'ils
partent toujours à pied? 8. De quoi est-ce que leurs sacoches sont
pleines? 9. Pourquoi ont-ils des provisions? 10. Qui a invité
Jacques et sa sœur à faire une promenade? 11. Jusqu'où iront-ils?
12. Est-ce qu'ils y iront à bicyclette? 13. Que pensent les jeunes
Dalembert de cette idée? 14. Est-ce que les Dalembert ont une
auto? 15. Qu'est-ce que Jean Aubrey a dit? 16. Quand partiront-
ils? 17. Est-ce que le temps était favorable? 18. Qui conduisait?
19. Où est-ce que les jeunes filles étaient assises? 20. Où se sont-
ils arrêtés en route? 21. Pourquoi se sont-ils arrêtés à un poste
d'essence? 22. Après qu'on a fait le plein, que faut-il vérifier?
23. Qu'est-ce qu'ils ont eu près de Fontainebleau? 24. Qu'est-ce
qu'ils ont eu plus loin? 25. Est-ce que c'était de la chance?

### QUESTIONS PERSONNELLES

1. Faites-vous jamais des excursions à la campagne? Quand et
avec qui? 2. Est-ce que les Américains prennent généralement les
trains de banlieue pour faire des excursions? 3. Quand vous vous
promenez à bicyclette, prenez-vous une sacoche? 4. Est-ce que vos
parents ont une automobile? 5. Quel temps préférez-vous pour les
promenades en automobile? 6. Est-ce qu'on met toujours les jeunes
filles à l'arrière d'une automobile? 7. Chaque fois que vous faites
le plein, est-ce que vous demandez qu'on vérifie le niveau d'huile?
8. Avez-vous jamais eu une panne de moteur? 9. Avez-vous trouvé
un garage? 10. Si vous avez une crevaison, changez-vous le pneu

vous-même? 11. Savez-vous réparer un pneu? 12. Savez-vous réparer un moteur en panne?

## *Vocabulaire*

**arrêter** [arete] to stop  *s'arrêter* [s arete], to stop

**(un) arrière** [arjɛr] rear  *à l'arrière* [a l arjɛr], in the rear, in the back seat

**asseoir**  *asseyez-vous* [aseje vu], sit down  *assis* [asi], *past part.*, seated

**(une) auto** [ɔto] auto

**(la) banlieue** [bɑ̃ljø] suburbs

**beau** [bo], **bel** [bɛl], **belle** [bɛl], **beaux** [bo], **belles** [bɛl] beautiful

**(la) bicyclette** [bisiklɛt] bicycle  *à bicyclette*, on a bicycle, on bicycles

**(la) campagne** [kɑ̃paɲ] country  *à la campagne* [a la kɑ̃paɲ], in the country

**(la) chance** [ʃɑ̃s] luck  *ce n'est pas de chance* [s ne pa d ʃɑ̃s], it is hard luck

**conduire** [kɔ̃dɥir] to conduct, take, drive  *il conduisait* [il kɔ̃dɥize], he was driving

**(la) crevaison** [krəvezɔ̃] puncture

**dès** [de], *prep.* as early as  *dès le matin* [de l matɛ̃], as soon as it is morning

**(une) essence** [esɑ̃s] essence, gasoline

**(une) excursion** [ɛkskyrsjɔ̃] excursion

**faire** [fɛr]  *il fait beau* [il fe bo], the weather is fine

**favorable** [favɔrabl], *adj.* favorable

**(la) fille** [fij] girl  *jeune fille* [ʒœn fij], girl

**(la) forêt** [fɔre] forest

**(une) huile** [ɥil] oil

**(une) idée** [ide] idea

**loin** [lwɛ̃], *adv.* far  *plus loin* [ply lwɛ̃], farther (on)

**(le) matin** [matɛ̃] morning

**mettre**  *se mettre en route* [sə mɛtr ɑ̃ rut], to set out

**(le) moteur** [mɔtœr] motor

**(le) niveau** [nivo] level

**(la) panne**  *panne de moteur* [pan də mɔtœr], engine trouble

**parisien, -ne** [parizjɛ̃, parizjɛn] Parisian

**partir** [partir] to leave, go off

**penser** [pɑ̃se] to think

**(le) pied** [pje] foot  *à pied* [a pje], on foot

**(le) pique-nique** [piknik] picnic  *faire un pique-nique*, to picnic

**(le) plaisir** [plezir] pleasure  *faire plaisir à quelqu'un* [fɛr plezir a kɛlkœ̃], to please someone

**plein, -e** [plɛ̃, plɛn] full  *faire le plein*, to fill up

**(le) poste** [pɔst]  *poste d'essence* [pɔst d esɑ̃s], gasoline station

**prendre** [prɑ̃dr]  *ils prennent* [il prɛn], they take

**(la) promenade** [prɔmnad] walking  *faire une promenade*, to go for a walk  *faire une promenade en voiture* [fɛr yn prɔmnad ɑ̃ vwatyr], to go for a drive

**promener** [prɔmne] to take for a walk, drive, etc.  *se promener à pied* [sə prɔmne a pje], to go for a walk

**(la) provision** [prɔvizjɔ̃] provision

**(la) région** [reʒjɔ̃] region

**(la) route** [rut] route, road  *en route* [ɑ̃ rut], on the way

**(la) sacoche** [sakɔʃ] saddlebag

**(la) saison** [sezɔ̃] season  *la belle saison* [la bɛl sezɔ̃], the summer months

**tantôt** [tɑ̃to], *adv.* soon, presently  *tantôt . . . tantôt*, sometimes . . . sometimes

**(le) temps** [tɑ̃] time, weather

**tout**, *adj.*  *tous les jours* [tu le ʒur], every day

**(le) train** [trɛ̃] train

**trouver** [truve] to find, think

**vérifier** [verifje] to verify, check

**(la) voiture** [vwatyr] carriage, car

## *Grammaire*

### § IX (a) THE ADJECTIVE *tout*

Corresponding to the English adjective *all*, French has the forms *tout* (masculine singular), *toute* (feminine singular), *tous* (masculine plural), *toutes* (feminine plural). In this sense, the adjective *tout* (etc.) will be followed by a definite article or a possessive adjective, whereas English usage varies. Note the translations below:

**tout le livre** [tu lə livr] all the book, all of the book, the whole book
**toute la leçon** [tut la lsɔ̃] all the lesson, all of the lesson, the whole lesson
**tous les hommes** [tu le zɔm] all men, all the men, all of the men
**toutes les leçons** [tut le lsɔ̃] all lessons, all the lessons, all of the lessons
**tous ses amis** [tu se zami] all his friends, all of his friends

### § IX (b) THE PRONOUN *tout*

The forms *tout, toute, tous,* and *toutes* also function as pronouns, the gender being determined, of course, by the antecedent.

Sometimes, although less frequently than in English, this pronoun may be the subject of the verb.

**Tout paraît difficile.** [tu parɛ difisil] All (everything) appears difficult.
**Tous sont ici.** [tus sɔ̃ tisi] All (*masculine*) are here.
**Toutes sont ici.** [tut sɔ̃ tisi] All (*feminine*) are here.

More commonly, both in English and French, *all* occurs in apposition to a noun or pronoun subject. It may likewise occur in apposition to a pronoun object (but not a noun object).

In simple tenses the pronoun *tout* (*etc.*) will always follow the verb when used in apposition to the subject or the object.

**Mes amis viennent *tous*** [tus] **le jeudi.** My friends *all* come on Thursday.
**Je les aime *tous*** [tus]. I like them *all*.

In compound tenses the pronoun *tout* (*etc.*) will always stand between the auxiliary verb and the past participle when used in apposition to the subject or the object.

**Ils sont *tous*** [tus] **venus.** They *all* came.
**Je les ai *tous*** [tus] **vus.** I saw them *all*.

### § IX (c) SPECIAL NOTE ON THE PHRASE *all of*

When the phrase *all of* in English precedes a noun, suppress the preposition *of* and translate by an adjective, as noted in § IX (a) above.

*All* (*of*) my friends are here. ***Tous*** [tu] **mes amis sont ici.**
I saw *all* (*of*) my friends. **J'ai vu *tous*** [tu] **mes amis.**

When *all of* precedes a pronoun, rearrange the sentence so that *all* becomes an apposition to the pronoun, and translate as in § IX (b) above.

> *All of them* are here.  ⎱ Ils sont *tous* [tus] ici.
> *They* are *all* here.   ⎰
>
> I see *all of them*.     ⎱ Je *les* vois *tous* [tus].
> I see *them all*.        ⎰

## *Étude de Verbes*

### § IX (d) CONDITIONAL TENSE

The sign of the conditional tense in English is the auxiliary *would*. In correct English *would* becomes *should* in the first person.

**The French conditional is formed by the stem of the future (see § VII, f) and the endings of the imperfect tense (see § VIII, f).**

**je donnerais** [ʒə dɔnre] I should give
**tu donnerais** [ty dɔnre] thou wouldst give
**il donnerait** [il dɔnre] he would give
**nous donnerions** [nu dɔnərjɔ̃] we should give
**vous donneriez** [vu dɔnərje] you would give
**ils donneraient** [il dɔnre] they would give

**je serais** [ʒə sre] I should be ( etc. )
**j'aurais** [ʒ ɔre] I should have ( etc. )

There is no problem in determining when to use the conditional tense in French because it always corresponds to a conditional tense in English.

> **Ils ont trouvé que ce *serait* une bonne idée.**
>  They were of the opinion that it *would be* a good idea.
> **Ils pensaient que cela leur *ferait* plaisir.**
>  They thought that it *would* please them.

**If the main verb is conditional, the verb in a *si* (*if*) clause will always be imperfect in French, no matter what the English says.**

Note the possible English equivalents in the following illustrations:

> **S'il *faisait* beau, ils partiraient.**
>  If the weather was ( were, were to be, should be ) beautiful, they would leave.

In other words, the conditional tense will never occur after *si* when *si* means *if*, but it may occur after *si* when *si* means *whether* or *if* in the sense of *whether*.

> **Je lui ai demandé s'il le *ferait*.**
>  I asked him whether he *would do* it.
> **S'il *venait*, je le lui demanderais.**
>  If he *came*, I would ask him.

### § IX (e) PRESENT PARTICIPLE

The present participle ends in *-ing* in English. It is used both in a participial phrase or with an auxiliary to form a tense.

The French present participle ends in *-ant* which, in the case of regular verbs, is added to the stem of the verb. In the second conjugation (*ir* verb) the regular verb inserts *iss* between the stem and the participial ending as it does in the plural of the present tense and in the imperfect tense.

| | | |
|---|---|---|
| donn*er* | donn*ant* | giving |
| fin*ir* | fin*issant* | finishing |
| vend*re* | vend*ant* | selling |
| avoir | ay*ant* [ejã] | having |
| être | ét*ant* | being |

The French present participle may function as an adjective, in which case it normally follows the noun modified when adjacent to it and always agrees with it like an adjective.

> une leçon *intéressante* an *interesting* lesson

As a verb (more correctly as a *gerund*), the French present participle occurs only in a participial phrase. It is never used to form a tense. In a participial phrase the present participle is invariable; it never agrees with anything.

> Marie a invité Jean, *pensant* que cela lui ferait plaisir.
> Mary invited John, *thinking* that it would please him.
> Le temps *étant* favorable, ils se sont mis en route.
> The weather *being* favorable, they set out.

### § IX (f) AGREEMENT OF PAST PARTICIPLE IN COMPOUND TENSE: REFLEXIVE VERB

All reflexive verbs are conjugated with *être* but the past participle in this case agrees with the preceding direct object.

In applying this rule, it must be remembered that any verb having as its object a reflexive pronoun is a reflexive verb. Likewise it should be noted that, although the pronoun object is reflexive, making thereby a reflexive verb, the pronoun may be an indirect object, in which case the past participle cannot agree.

AGREEMENT

> Elle *s'*est enrhum*ée*. She got a cold.

Verb by nature reflexive, in which case the pronoun object is always direct and therefore agrees in this case.

> Elle *s'*est vu*e* dans la glace. She saw herself in the mirror.

Verb made reflexive but pronoun object is clearly direct.

**NO AGREEMENT**

**Elle s'est fait mal au pied.** She hurt her foot.

*Mal* being the direct object, *se* is of necessity an indirect object.

**Elle s'est dit qu'elle ne le ferait pas.** She told herself that she would not do it.

The *que* clause being the direct object, *se* is necessarily indirect object.

## *Exercices*

A. Mettez dans les phrases les expressions entre parenthèses:
1. Il a conduit (*all*) marques d'automobiles.  2. (*All of the*) jeunes filles sont parties ce matin.  3. (*These*) forêts de banlieue sont très bonnes pour les excursions.  4. (*They all*) ont eu une panne de moteur.  5. Il y a beaucoup de forêts dans la région. J'ai visité (*them all*).  6. Il a dit bonjour (*to all of them*).

B. Faites l'accord (*agreement*) du participe passé: 1. Elle est _____ (*parti*).  2. Ils se sont _____ (*arrêté*).  3. Je le leur ai _____ (*demandé*).  4. Voici trois leçons que j'ai _____ (*fait*).  5. Combien de voitures avez-vous _____ (*réparé*)? 6. Elle s'est _____ (*fait*) mal à la tête.  7. Les deux amis de Robert sont _____ (*venu*).  8. La secrétaire a _____ (*inscrit*) son nom sur la fiche.  9. Elle n'a jamais _____ (*souffert*) d'une maladie respiratoire.  10. La porte qu'on lui a _____ (*indiqué*) communiquait avec le salon.  11. Il a inscrit le nom de Marie et l'a _____ (*prié*) de s'asseoir.  12. Toutes les portes ont été _____ (*fermé*).

C. Mettez le verbe entre parenthèses au temps qui convient (*in the proper tense*): 1. Si on lui _____ (*dire*) qu'il faisait beau, elle partirait.  2. S'ils trouvaient l'idée bonne, ils _____ (*prendre*) immédiatement le train pour la forêt.  3. Si elle _____ (*s'arrêter*) à un poste d'essence, elle ferait le plein.  4. S'ils avaient une panne de moteur, ils _____ (*s'arrêter*) à un garage.

## Dialogue

JEAN (*au garagiste*): Voulez-vous faire le plein d'essence et voir si le radiateur a besoin d'eau?

LE GARAGISTE: Bien, Monsieur. Faut-il aussi vérifier le niveau d'huile?

JEAN: S'il vous plaît.

LE GARAGISTE: Ça fait dix litres d'essence. Le radiateur est plein et vous avez assez d'huile. Y a-t-il autre chose?

JEAN: Oui, j'ai eu une crevaison. Le pneu crevé est dans la malle-arrière. Je l'ai remplacé par le pneu de rechange. Pourriez-vous le réparer si nous attendions?

LE GARAGISTE: Oui, ce sera vite fait.

JEAN: Le moteur a calé plusieurs fois en route. C'est peut-être que les bougies n'ont pas été nettoyées depuis longtemps.

LE GARAGISTE: Voulez-vous mettre le moteur en marche? Je vois ce qu'il y a. C'est le carburateur qui n'est pas bien réglé. C'est facile à arranger.

## djalɔg

JEAN (*au garagiste*): vule vu fɛr lə plɛ̃ d esɑ̃s╱ e vwar si l radjatœr a bzwɛ̃ d o╱

LE GARAGISTE: bjɛ̃—— msjø__ fo til osi verifje l nivo d ɥil╱

JEAN: s il vu ple╲

LE GARAGISTE: sa fe di litrə desɑ̃s╲ lə radjatœr e plɛ̃╱ e vu zave ase d ɥil╲ jatil otrə ʃoz╱

JEAN: wi—— ʒ e y yn krəvezɔ̃╲ lə pnø krəve╱ e dɑ̃ la mal arjɛr╲ ʒ l e rɑ̃plase╱ par lə pnø d rəʃɑ̃ʒ╲ purje vu l repare╱ si nu zatɑ̃djɔ̃╱

LE GARAGISTE: wi—— sə sra vit fe╲

JEAN: lə mɔtœr╱ a kale plyzjœr fwa ɑ̃ rut╲ s e pøtɛtr kə le buʒi╱ n ɔ̃ pa zete netwaje╱ dpɥi lɔ̃tɑ̃╱

LE GARAGISTE: vule vu mɛtr lə mɔtœr ɑ̃ marʃ╱ ʒə vwa s k ilja╲ s e l karbyratœr╱ ki n e pa bjɛ̃ regle╲ s e fasil a arɑ̃ʒe╲

## Vocabulaire Supplémentaire

**arranger** [arɑ̃ʒe] to arrange, set in order, repair

**assez** [ase], *adv.* enough

(**la**) **bougie** [buʒi] candle, spark plug

**caler** [kale] to stall

(**le**) **carburateur** [karbyratœr] carburetor

**crever** [krəve] to burst  **pneu crevé** [pnø krəve], flat tire

**depuis** [dəpɥi], *prep.* since  *depuis*

*longtemps* [dəpɥi lɔ̃tɑ̃], for a long time

**facile** [fasil], *adj.* easy

**faire** [fɛr] *fait* [fe], *past part.*, done

(**le**) **garagiste** [garaʒist] garage man

(**le**) **litre** [litr] litre (1.0567 quarts)

(**la**) **malle** [mal] trunk *malle-arrière* [malarjɛr], luggage compartment, trunk (of car)

(**la**) **marche** [marʃ] *mettre en marche* [mɛtr ɑ̃ marʃ], to start

**nettoyer** [netwaje] to clean

**peut-être** [pøtɛtr], *adv.* perhaps

**plusieurs** [plyzjœr], *adj. invar.* several

(**le**) **pneu** [pnø] tire

**pouvoir** *vous pourriez* [vu purje], you could

(**le**) **radiateur** [radjatœr] radiator

(**le**) **rechange** [rəʃɑ̃ʒ] replacement *pneu de rechange* [pnø d rəʃɑ̃ʒ], spare tire

**régler** [regle] to regulate, adjust

**remplacer** [rɑ̃plase] to replace

**réparer** [repare] to repair

**vite** [vit], *adv.* quickly

# DIXIÈME LEÇON
▼▼▼▼▼▼▼▼▼▼▼▼▼▼▼▼

## *En Autobus*

Pour mieux connaître Paris, Robert Martin a décidé d'aller jusqu'à Montmartre en autobus. Malheureusement, il s'est avisé de partir aux heures d'affluence. Sur le Boulevard Saint-Michel un certain nombre de gens attendaient déjà à l'arrêt de l'autobus. Robert ne savait pas qu'il devait prendre un des tickets numérotés attachés au poteau de l'arrêt. En regardant faire les autres voyageurs, il a finalement compris. Une fois monté, il s'est encore trompé. Le contrôleur, voulant savoir s'il désirait un carnet, lui a dit, comme à tout le monde: «Carnet, Monsieur?» Robert a répondu «Montmartre,» croyant qu'on lui demandait sa destination. Le contrôleur lui a expliqué qu'on pouvait acheter un carnet de tickets et qu'il fallait donner un ticket par section. Jusqu'à Montmartre, il fallait cinq tickets. Robert a fini par prendre un carnet; c'était plus facile. Le contrôleur a tamponné les tickets avec sa petite boîte mécanique et les lui a rendus.

### dizjɛm ləsɔ̃

### ɑ̃ nɔtɔbys

pur mjø kɔnɛtrə pari╱ rɔbɛr martɛ̃ a deside╱ d ale ʒyska mɔ̃martr ɑ̃ nɔtɔbys╲ malørøzmɑ̃╱ il s e tavize d partir╱ o zœr d aflyɑ̃s╲ syr lə bulvar sɛ̃ miʃɛl╱ ɛ̃ sɛrtɛ̃ nɔ̃br də ʒɑ̃╱ atɑ̃de deʒa╱ a l are d l ɔtɔbys╲ rɔbɛr nə save pa╱ k il dəve prɑ̃dr ɛ̃

de tike nymerɔte╱ ataʃe o pɔto d l are╲ ɑ̃ rgardɑ̃ fɛr le zotrə
vwajaʒœr╱ il a finalmɑ̃ kɔpri╲ yn fwa mɔte╱ il s e tɑ̃kɔr
trɔpe╲ lə kɔtrolœr╱ vulɑ̃ savwar s il dezire œ̃ karne╱ lɥi a
di╱ kɔm a tu l mɔd╱ karne╱ məsjø⁻ rɔbɛr a repɔdy╱
mɔmartr╲ krwajɑ̃ k ɔ lɥi dmɑ̃de sa dɛstinasjɔ╲ lə kɔtrolœr╱
lɥi a ɛksplike╱ k ɔ puve taʃte╱ œ̃ karne d tike╱ e k il fale
dɔne╱ œ̃ tike par sɛksjɔ╲ ʒyska mɔmartr╱ il fale sɛ̃ tike╲
rɔbɛr a fini╱ par prɑ̃dr œ̃ karne╲ sete ply fasil╲ lə kɔtrolœr╱
a tɑ̃pɔne le tike╱ avɛk sa ptit bwat mekanik╱ e le lɥi a rɑ̃dy╲

## *Questionnaire*

1. Qui désire mieux connaître Paris? 2. Pour mieux connaître
Paris, qu'a-t-il décidé de faire? 3. Comment Robert ira-t-il à Montmartre? 4. A quelle heure s'est-il avisé de partir? 5. Où Robert
a-t-il attendu l'autobus? 6. Était-il seul (*alone*) à l'arrêt de l'autobus? 7. Qu'est-ce que Robert ne savait pas? 8. Que devait-il prendre? 9. Où les tickets numérotés étaient-ils attachés? 10. Comment Robert a-t-il finalement compris? 11. Que faisaient les autres
voyageurs que Robert a regardés? 12. Quand Robert s'est-il trompé
une deuxième fois? 13. Qu'est-ce que le contrôleur désirait savoir?
14. Que disait le contrôleur à tout le monde? 15. Qu'a-t-il dit à
Robert? 16. Qu'est-ce que Robert lui a répondu? 17. Pourquoi
Robert lui a-t-il répondu «Montmartre?» 18. Qu'est-ce que le contrôleur lui a expliqué? 19. Un carnet de quoi pouvait-on acheter?
20. Combien de tickets fallait-il donner par section? 21. Combien
de tickets fallait-il donner jusqu'à Montmartre? 22. A qui fallait-il
donner ces tickets? 23. Qu'est-ce que Robert a fini par prendre?
24. Pourquoi a-t-il fini par prendre un carnet? 25. Qu'est-ce que
le contrôleur a tamponné? 26. Avec quoi a-t-il tamponné les tickets?
27. Après avoir tamponné les tickets, qu'est-ce que le contrôleur en
a fait?

### QUESTIONS PERSONNELLES

1. A-t-on en Amérique des tickets qui indiquent la priorité pour
monter dans les autobus? 2. Est-ce un bon système? 3. Qui monte
le premier dans un autobus américain? 4. A-t-on des sections sur
les lignes d'autobus ou de tramway en Amérique? 5. A-t-on des
carnets de tickets? 6. Savez-vous s'il y a tarif unique (*single fare*)
dans le métro (*subway*) parisien ou si on paie par sections? 7. Y

a-t-il tarif unique dans le métro à New-York, à Boston, à Philadelphie?  8. Est-ce qu'on vous donne un reçu (*receipt*) dans un autobus américain?  9. Quel est votre reçu dans un autobus parisien? 10. Peut-on prendre un autobus qui porte l'indication «complet?»

## Vocabulaire

(une) **affluence**   *heures d'affluence* [œr d aflyɑ̃s], rush hour
(un) **arrêt** [arɛ] stop
**attacher** [ataʃe] to attach
**aviser** [avize] to inform   *s'aviser de* [s avize də], to take it into one's head to
(la) **boîte** [bwat] box
(le) **boulevard** [bulvar] boulevard
(le) **carnet** [karne] notebook, book of tickets
**comprendre** [kɔ̃prɑ̃dr] to understand   *compris* [kɔ̃pri], *past part.*, understood
**connaître** [kɔnɛtr] to know, be acquainted with
(le) **contrôleur** [kɔ̃trolœr] conductor, ticket-collector
**croire** [krwar] to believe, think   *croyant* [krwajɑ̃], *pres. part.*, believing
**décider** [deside] to decide
(la) **destination** [dɛstinasjɔ̃] destination
**devoir** [dəvwar] to be obliged to   *il devait* [il dəve], he had to

**expliquer** [ɛksplike] to explain
**finalement** [finalmɑ̃], *adv.* finally
**gens** [ʒɑ̃], *m. pl.* people
**malheureusement** [malœrøzmɑ̃], *adv.* unfortunately
**mécanique** [mekanik], *adj.* mechanical
**mieux** [mjø], *adv.* better
**monter** [mɔ̃te] to go up, get on   *monter dans*, to get on
**numéroter** [nymerɔte] to number
(le) **poteau** [pɔto] post
**pouvoir**   *il pouvait* [il puve], he could
**regarder** [rəgarde] to look at, watch
**savoir** [savwar] to know   *il savait* [il save], he knew
(la) **section** [sɛksjɔ̃] section, zone
**tamponner** [tɑ̃pɔne] to stamp
(le) **ticket** [tike] ticket, check
**tromper** [trɔ̃pe] to deceive   *se tromper*, to make a mistake
**vouloir**   *voulant* [vulɑ̃], *pres. part.*, wishing
(le) **voyageur** [vwajaʒœr] traveler, passenger

## Grammaire

### § X (a) ADJECTIVES (continues § I, d and § I, e)

The formation of regular adjectives has already been discussed. In recapitulation, the following adjectives should be studied closely both from the point of view of spelling change and of pronunciation change. Each illustration presents a slightly different problem.

| M. SING. | F. SING. | M. PLUR. | F. PLUR. |
|---|---|---|---|
| autre [otr] | autre [otr] | autres [otr] | autres [otr] |
| vrai [vre] | vraie [vre] | vrais [vre] | vraies [vre] |
| donné [dɔne] | donnée [dɔne] | donnés [dɔne] | données [dɔne] |
| petit [pəti] | petite [pətit] | petits [pəti] | petites [pətit] |
| français [frɑ̃se] | française [frɑ̃sɛz] | français [frɑ̃se] | françaises [frɑ̃sɛz] |
| mis [mi] | mise [miz] | mis [mi] | mises [miz] |
| prochain [prɔʃɛ̃] | prochaine [prɔʃɛn] | prochains [prɔʃɛ̃] | prochaines [prɔʃɛn] |

In the first ten lessons we have also encountered the following classes of irregular adjectives:

(*a*) Adjectives ending in *en* [ɛ̃] in the masculine singular. These adjectives double the *n* in the feminine before adding *e* or *es*. This destroys nasalization.

> ancien [ɑ̃sjɛ̃], ancienne [ɑ̃sjɛn].
> parisien [parizjɛ̃], parisienne [parizjɛn].

(*b*) Adjectives ending in *er*, whether the *r* is pronounced or not, require a grave accent over the first *e* when a second *e* is added to make the feminine. (Compare also § II, f). If the *r* is pronounced in the masculine, there is no change of pronunciation in the feminine, but, if the *r* is not pronounced, the feminine will differ noticeably.

> cher [ʃɛr], chère [ʃɛr], chers [ʃɛr], chères [ʃɛr].
> particulier [partikylje], particulière [partikyljɛr], particuliers [partikylje], particulières [partikyljɛr].

(*c*) Adjectives ending in *eux* in the masculine singular are the same in the masculine plural but change the *x* to *s* before adding the feminine endings *e* or *es*.

> avantageux [avɑ̃taʒø], avantageuse [avɑ̃taʒøz], avantageux [avɑ̃taʒø], avantageuses [avɑ̃taʒøz].

(*d*) Certain other adjectives are completely irregular:

| MASC. SING. | MASC. SING. (before vowel or mute *h*) | FEM. SING. | MASC. PL. | FEM. PL. |
| --- | --- | --- | --- | --- |
| nouveau [nuvo] | nouvel [nuvɛl] | nouvelle [nuvɛl] | nouveaux [nuvo] | nouvelles [nuvɛl] |
| beau [bo] | bel [bɛl] | belle [bɛl] | beaux [bo] | belles [bɛl] |
| vieux [vjø] | vieil [vjɛj] | vieille [vjɛj] | vieux [vjø] | vieilles [vjɛj] |
| bon [bɔ̃] | bon [bɔn] | bonne [bɔn] | bons [bɔ̃] | bonnes [bɔn] |

## § X (b) POSITION OF ADJECTIVES (continues § I, c).

PRECEDING ADJECTIVE

> autre, beau, bon, chaque, grand, jeune, même, petit, premier

It should not be forgotten that *liaison* will always occur with a preceding adjective if the adjacent noun begins with a vowel or mute *h*.

> un grand ami [œ̃ grɑ̃ tami]
> mes bons amis [me bɔ̃ zami]
> ses vieux amis [se vjø zami]

FOLLOWING ADJECTIVES

(a) Adjectives of nationality always follow.

français, américain, parisien

(b) Descriptive adjectives follow.

avantageux, classique, confortable, dentifrice, favorable, mécanique, mixte, moderne, obligatoire, particulier, patient, pur, respiratoire, tranquille

(c) Past and present participles used as adjectives normally follow.

pressé, élevé, assis, mis, courant

(d) Proper nouns (which never agree) always follow.

le lycée Montaigne, une voiture Ford

CHANGE OF MEANING WITH POSITION

(a) Some adjectives have different meanings according to their position.

une maison *ancienne* an ancient house
une *ancienne* amie a former friend
une *certaine* dame a certain lady
une chose *certaine* a sure thing
un *cher* ami a dear friend
un stylo très *cher* a very expensive pen
des choses *différentes* some different things
*différentes* choses various things
une bibliothèque *pleine* a full bookcase
en *pleine* ville in the center of the city
la *prochaine* rue the next (nearest) street
la semaine *prochaine* next week (in time expressions)

(b) Some adjectives follow in a descriptive sense but precede in a figurative sense. In many cases the differences are so slight as to be imperceptible to the beginner.

une histoire *vraie* a true story
un *vrai* malheur a true misfortune
une femme *aimable* a pleasant woman
une *aimable* histoire a pleasant story
une migraine *terrible* a terrible headache
un *terrible* bavard a terrible talker
un homme *fort* a strong man
une *forte* migraine a bad headache

## § X (c) FORMATION OF ADVERBS

Some adverbs are known as simple adverbs, since they are not derived from other parts of speech.

bien, déjà, maintenant, mieux, moins, très, trop

A few rare adverbs are the same in form as masculine singular adjectives.

> **parler haut** to speak audibly
> **parler bas** to speak in a low voice
> **respirer fort** to breathe hard

Most adverbs, however, are formed by adding *ment* to the masculine singular adjective if it ends in a vowel, otherwise to the feminine singular adjective.

| | |
|---|---|
| **vrai** true | **vraiment** truly |
| **rapide** rapid | **rapidement** rapidly |
| **autre** other | **autrement** otherwise |
| **séparé** separate | **séparément** separately |
| **prochain, prochaine** next | **prochainement** very soon |
| **malheureux, malheureuse** unhappy | **malheureusement** unfortunately |
| **cher, chère** dear | **chèrement** dearly |

### § X (d) POSITION OF ADVERB

When the adverb modifies a simple verb, it normally follows the verb. For emphasis it may precede the subject but, as a verb modifier, it will never occur between subject and verb.

> I *often* go to Paris. Je vais *souvent* à Paris.
> *Often* I go to Paris. *Souvent* je vais à Paris.

In a compound tense, the adverb, especially a short adverb, tends to go between the auxiliary and the past participle.

To this rule there are notable exceptions. Certain time adverbs such as *aujourd'hui* (today), *hier* (yesterday), *demain* (tomorrow) follow the past participle. Among the adverbs encountered so far, *séparément* is the only one which cannot be placed between the parts of a compound tense.

> Elle a *déjà* compris. She has *already* understood.
> Elle a *malheureusement* compris. She has *unfortunately* understood.

BUT:

> Elle est partie *aujourd'hui*. She left *today*.
> Elle les a regardés *séparément*. She looked at them *separately*.

## *Étude de Verbes*

### § X (e) *Devoir* AND *Falloir* COMPARED

Both *devoir* and *falloir* express necessity or obligation.

*Devoir* takes a personal subject and, except in the sense *to owe*, is followed by an infinitive. It has various translations discussed in detail in § XVII (d). For present purposes we shall note only the basic meanings of *must* and *has* (*have*) *to*.

> **Robert *doit* trois dollars.** Robert *owes* three dollars.
> **Robert *doit* prendre un billet.** Robert $\begin{cases} must \\ has\ to \end{cases}$ get a ticket.

*Falloir* never has any subject but the impersonal pronoun *il*. Basically, *il faut* means *it is necessary* in the present tense, but various translations are possible in English to convey the same idea.

> ***Il faut* prendre un billet.** $\begin{cases} \text{It is necessary to} \\ \text{One has to} \\ \text{One must} \end{cases}$ get a ticket.

*Falloir* has a second meaning of *need*, in which case it is followed by the thing needed.

> **Il faut un billet.** A ticket is needed.
> A ticket is necessary.
> **Il faut quatre billets.** Four tickets are needed.
> Four tickets are necessary.

## § X (f) INTERROGATIVE WORD ORDER (continues § II, g).

Although conversational style usually avoids inversion with a noun subject by using *est-ce que* (see § I, f), literary style and more elegant conversational style require inversion of the noun subject according to the following rule:

**To invert with a noun subject, place the noun subject first, then introduce a pronoun subject repeating the noun subject and invert this pronoun subject with the verb.**

> **Jean va-t-il à Paris?** Is John going to Paris?
> *Literally:* John goes he to Paris?
> **Pourquoi Marie est-elle allée à Paris?** Why did Mary go to Paris?

After the interrogative words *où, combien, quand, comment, que,* and *quel* (see § XII, a), the noun subject follows a verb which has no object (except *que* or *combien* themselves).

> **Où demeure Robert?** Where does Robert live?
> **Combien de fenêtres a le salon?** How many windows does the living room have?
> **Que répond Robert?** What does Robert answer?
> BUT: **Où Robert trouve-t-il le livre?** Where does Robert find the book?

However, in this case, the "long rule" of inversion is also common with a compound verb having no object except *que* or *combien*.

> **Combien a coûté ce livre?** $\Big\}$ How much did this book cost?
> **Combien ce livre a-t-il coûté?**

## Exercices

A. Mettez dans les expressions suivantes les adjectifs indiqués entre parenthèses: 1. Un carnet (*new*). 2. Un contrôleur (*old*). 3. Des amis (*patient*). 4. Des chambres (*comfortable*). 5. Une jeune fille (*seated*). 6. Les maisons (*private*). 7. Une maison (*certain*). 8. Un ami (*American*). 9. Une salle à manger (*big*). 10. Un travail (*obligatory*). 11. Des amis (*old*). 12. Un immeuble (*old*). 13. Un peigne (*other*). 14. Mes amis (*old*). 15. Une bibliothèque (*different*). 16. Un fauteuil (*expensive*). 17. La fois (*next*). 18. L'eau (*running*). 19. La dame (*good*).

B. Formez des adverbes avec les adjectifs suivants: 1. Certain. 2. Cher. 3. Vrai. 4. Plein. 5. Nouveau. 6. Avantageux. 7. Obligatoire. 8. Malheureux. 9. Particulier. 10. Prochain.

C. Dans les phrases suivantes remplacez *est-ce que* par une inversion: 1. Est-ce que Robert a fini par prendre un carnet? 2. Est-ce qu'il lui fallait quatre tickets? 3. Où est-ce que les voyageurs attendaient? 4. Qu'est-ce que les voyageurs attendaient? 5. Quand est-ce que Robert partira? 6. Qu'est-ce que le contrôleur demandait? 7. Quand est-ce que Robert est parti? 8. Comment est-ce que Robert s'est trompé?

## Dialogue

ROBERT: Pardon, Monsieur. Est-ce qu'il faut un de ces numéros pour monter dans l'autobus?

LE MONSIEUR: Oui. Vous n'avez qu'à tirer le bouton de cette petite machine pour en avoir un. Celui qui aura le numéro le moins élevé montera le premier.

LE CONTRÔLEUR (*criant*): Quarante-sept . . . quarante-huit . . . quarante-neuf . . . cinquante.

ROBERT: C'est moi, le cinquante.

LE CONTRÔLEUR: Eh bien! montez. Complet. (*A ceux qui restent*). Attendez le suivant.

.     .     .     .     .     .     .     .     .     .     .

LE CONTRÔLEUR: Carnet, Monsieur?

ROBERT: Non, Montmartre.

LE CONTRÔLEUR: Très bien, Monsieur. Mais voulez-vous un carnet de tickets?

ROBERT: Ah, ça! Je ne sais pas. Faut-il acheter tout un carnet?

Le Contrôleur: Pas nécessairement, mais c'est plus avantageux. Montmartre, ça fait cinq tickets, c'est-à-dire soixante-quinze francs.

Robert: Je prendrai tout de même un carnet. C'est moins compliqué. C'est combien, un carnet?

Le Contrôleur: Deux cents francs.

Robert: Voilà les cinq tickets.

Le Contrôleur (*après les avoir tamponnés*): Voilà, Monsieur.

Robert: Merci. Faut-il les garder?

Le Contrôleur: Oui. On a le droit de les contrôler en cours de route.

## djalɔg

Robert: pardɔ̃ msjø—— ɛ s k il fo œ̃ d se nymero╱ pur mɔ̃te dɑ̃ l ɔtɔbys╱

Le Monsieur: wi—— vu n ave k a tire l butɔ̃ d sɛt pətit maʃin╱ pur ɑ̃ navwar œ̃╲ səlyi kj ɔra l nymero l mwɛ̃ zɛlve╱ mɔ̃tra l prəmje╲

Le Contrôleur (*criant*): karɑ̃tsɛt╱ karɑ̃tyit╱ karɑ̃tnœf╱ sɛ̃kɑ̃t╱

Robert: s e mwa╱ l sɛ̃kɑ̃t╲

Le Contrôleur: e bjɛ̃╱ mɔ̃te╲ kɔ̃ple╲ (*A ceux qui restent.*) atɑ̃de l syivɑ̃╲

. . . . . . . . . . .

Le Contrôleur: karne╱ məsjø——

Robert: nɔ̃—— mɔ̃martr╲

Le Contrôleur: tre bjɛ̃╲ msjø [1]—— me vule vu œ̃ karne d tike╱

Robert: a—— sa—— ʒə n se pa╱ fo til aʃte tu tœ̃ karne╱

Le Contrôleur: pa nesesɛrmɑ̃╱ me s e ply zavɑ̃taʒø╱ mɔ̃martr╱ sa fe sɛ̃ tike╲ setadir╱ swasɑ̃t kɛz frɑ̃╲

Robert: ʒ prɑ̃dre tu d mɛm œ̃ karne╲ s e mwɛ̃ kɔ̃plike╲ s e kɔ̃bjɛ̃╲ œ̃ karne——

Le Contrôleur: dø sɑ̃ frɑ̃╲

Robert: vwala le sɛ̃ tike╲

Le Contrôleur (*après les avoir tamponnés*): vwala╲ məsjø——

1. To have the pronunciation [msjø] after a vowel, it is necessary that the preceding word be closely connected with *Monsieur*, as in *Bien, Monsieur* [bjɛ̃ msjø], *Oui, Monsieur* [wi msjø] said informally. Two lines above, in *Carnet, Monsieur?* [karne╱ məsjø╱], the [ə] is not dropped as the connection between the two words is not close enough.

Robert: mɛrsi\ fo til le garde/
Le Contrôleur: wi—— ɔ̃ na l drwa/ d le kɔ̃trole/ ɑ̃ kur də rut/

## Vocabulaire Supplémentaire

avantageux, -se [avɑ̃taʒø, avɑ̃taʒøz] advantageous
(le) bouton [butɔ̃] button
ça [sa], pro. that
complet, -ète [kɔ̃ple, kɔ̃plɛt] complete, full
compliquer [kɔ̃plike] to complicate
contrôler [kɔ̃trole] to inspect
(le) cours [kur] en cours de route [ɑ̃ kur də rut], on the way
crier [krije] to shout
(le) droit [drwa] right

élever [ɛlve] to raise    élevé [ɛlve], past part., elevated, high
garder [garde] to keep
(la) machine [maʃin] machine
même [mɛm], adv. tout de même [tudmɛm], just the same
nécessairement [nesesɛrmɑ̃], adv. necessarily
(le) pardon [pardɔ̃] pardon
rester [rɛste] to remain
suivre [sɥivr] to follow    suivant [sɥivɑ̃], pres. part., following    le suivant, the next one

# Deuxième Révision

*Exercises A to K combine the materials of Lessons VI to X, but exercises L to P correspond to individual lessons and may therefore be used in conjunction with those lessons.*

A. Révision de vocabulaire: Donnez l'équivalent français des mots suivants: 1. The spoon. 2. Everybody. 3. The custom. 4. To rent. 5. To stretch. 6. To come from. 7. A gasoline. 8. In the country. 9. To be acquainted with. 10. To astonish. 11. The glass. 12. The movies. 13. The orchestra seat. 14. Ahead of time. 15. The waiting room. 16. To touch. 17. The puncture. 18. The suburbs. 19. To stamp. 20. Mechanical. 21. The basket. 22. The fork. 23. To forget. 24. The ticket window. 25. The copper. 26. The eyesight. 27. To drive. 28. An oil. 29. To be obliged to. 30. To take it into one's head. 31. A stop. 32. The summer months. 33. A nurse. 34. As far as. 35. The meat.

B. Mettez dans les expressions suivantes les adverbes indiqués entre parenthèses: 1. Il les a donnés (*not*). 2. Il s'est avisé de partir (*unfortunately*). 3. Robert n'a pas répondu, pouvant comprendre la question (*not*). 4. Tamponnez-les tout de suite (*not*). 5. Il s'est trompé (*again*). 6. Il a pris un carnet (*certainly*). 7. Nous lui avons souvent parlé (*today*). 8. Pour comprendre ce que vous dites (*better*). 9. Les a-t-elle annoncés (*not*)? 10. Elle nous l'a annoncé (*already*). 11. Il l'a aimée (*really*). 12. Elle les a compris (*fully*).

C. Mettez dans les expressions suivantes les adjectifs indiqués entre parenthèses: 1. Ancien ami (*this*). 2. Les tickets (*attached*) au poteau de l'arrêt. 3. J'ai acheté (*this*) assiette. 4. Une boîte (*little, mechanical*). 5. Je les ai vues (*all*). 6. La rue (*next*). 7. Carnet de tickets (*this other*). 8. Des amis (*true*). 9. Une église (*ancient*). 10. Un appartement (*Parisian*). 11. Vieux livres (*her*). 12. Anciens amis (*our*). 13. Ses amis (*most famous*). 14. Ses amis (*more famous*). 15. Les livres (*most interesting*).

D. Traduisez les verbes entre parenthèses: 1. S'il (*finished*) à temps, il ferait passer la corbeille de pain. 2. La bonne (*came*) annoncer le dîner. 3. Elle (*sat down*) à table. 4. Je les (*served*) séparément. 5. Quand vous (*are*) au théâtre, n'oubliez pas de prendre des billets. 6. Je vous le dirai aussitôt que vous me l' (*have explained*). 7. S'il n'avait plus d'argent, il (*would sell*) sa maison. 8. Ces livres (*were given*) à Jean par sa sœur. 9. Quand (*did she arrive*) dans cette ville?

E. Remplacez le passif par une expression avec *on:* 1. L'oculiste a été consulté. 2. Elle est reçue à la porte. 3. Vous êtes prié de vous asseoir. 4. Les noms sont inscrits sur les fiches. 5. Des excursions se font souvent en banlieue. 6. L'essence ne s'achète pas seulement dans les garages.

F. Remplacez les expressions suivantes par le passif: 1. On a attaché une plaque de cuivre à la porte. 2. Cette chose se dit partout. 3. On a rempli les sacoches de provisions. 4. On considérait la saison comme très belle.

G. Mettez les verbes au passé composé ou à l'imparfait selon le sens: 1. Dans l'après-midi Jacques et Marie _____ (*chercher*) une papeterie parce qu'ils _____ (*avoir*) besoin de beaucoup de choses pour faire leurs devoirs. 2. Ils en _____ (*trouver*) une dans la rue où ils _____ (*habiter*). 3. Trois clients _____ (*être*) déjà là quand ils _____ (*entrer*) dans la boutique. 4. Une fois que les clients _____ (*être*) servis, la vendeuse _____ (*demander*) à Jacques: «Vous désirez, Monsieur?» 5. Jacques _____ (*demander*) à voir des cahiers. 6. Il en _____ (*choisir*) six, un pour chaque cours, puis il _____ (*acheter*) une gomme, un buvard, cinq crayons et une bouteille d'encre. 7. La vendeuse _____ (*vouloir*) aussi lui vendre un stylo, mais il en _____ (*avoir*) déjà un. 8. Il _____ (*donner*) un billet de cent francs à la vendeuse et elle lui _____ (rendre) vingt francs. 9. Cela _____ (vouloir) dire que Jacques venait de dépenser quatre-vingts francs pour ses achats. 10. La vendeuse _____ (faire) le paquet et l'_____ (donner) à Jacques.

H. Traduisez les pronoms compléments: 1. Il a demandé (him) de quoi il souffrait. 2. Nous avons prié (them) de s'asseoir. 3. Faisons (him) tirer la langue. 4. Elle dit très souvent (it to herself). 5. Donnez (them to me) avant votre départ. 6. Un certain nombre de personnes avaient attendu (for them). 7. Il a tâté le ventre (his). 8. Jean conduisait (them there) dans son auto. 9. Elle a oublié de donner (them to me). 10. Marie est-elle allée (there)? 11. Nous en donnons beaucoup (to him). 12. Dites tout ce que vous savez (to them).

I. Traduisez les pronoms suivants: 1. (She) a parlé à Robert. 2. (She) est la sœur de Robert. 3. (It) est Robert qui est son frère. 4. Voici trois hommes. _____ (they) sont des amis de Robert.

J. Lisez les chiffres et dates suivants: 342; 999; 10.439; le 1er mai 1846; le 27 juillet 1937.

K. Épelez (spell out) les mots suivants: 1. G-I-G-A-N-T-E-S-Q-U-E. 2. J-U-R-Y. 3. P-U-D-E-U-R.

L. Traduisez (corresponds to Lesson VI): 1. Someone announces that dinner is served. 2. It is in a basket that bread is served. 3. He puts a fork, a spoon, a knife and a plate at each place. 4. He notices that pieces of bread are served during the meal. 5. The Dalemberts are invited to eat a meal at the home of some friends. 6. Do you want some vegetables with your meat? 7. Didn't the maid bring them the soup? 8. She is astonished to see that the table is already set. 9. Rosalie is in the act of cutting the meat when the two boys arrive. 10. Has she often been invited to dine there?

M. (Corresponds to Lesson VII): 1. When you rent them ahead of time you will have good seats. 2. When will you go to the theatre to see Phaedra, the most famous of Racine's tragedies? 3. The seats which Robert asked for are not very good. 4. Where will Jack and Mary go next week? 5. Don't forget to give a tip to the usher because she needs one. 6. Is it the custom in France to tip the usher in the movies? 7. Orchestra seats are more comfortable than box seats. 8. You will ask for whatever is less expensive. 9. At the box office ask whether (si) Phaedra will be played. 10. James always takes the bus, which astonishes his friends.

N. (Corresponds to Lesson VIII): 1. He answered that Dr. Bellanger's office was situated on the Street of the Holy Fathers. 2. The nurse entered without ringing because it was the custom. 3. She asked her to sit down and wrote her name on a slip. 4. The doctor made him declare what he was suffering from. 5. A certain number of people found it easily because there was a brass plate at the door. 6. He finally answered that he had headaches. 7. In the waiting room there was a secretary who asked you your name. 8. Why did the doctor feel his belly? 9. When her turn had come, she entered the doctor's office. 10. It was necessary to consult the doctor to see whether she had appendicitis.

O. (*Corresponds to Lesson IX*): 1. All of the young Aubreys stopped on the way to have a picnic. 2. If we wanted to walk every Sunday, we would take a suburban train for the Forest of Fontainebleau. 3. The girls thought it would be a good idea to fill up with gas at a service station of the Paris region. 4. Having often walked, they were going to go this time by bicycle. 5. Their saddlebags full of provisions, the girls set out as soon as it was morning. 6. If they had engine trouble, it was because they did not check the oil. 7. It would please me if you invited Jack and his sister to take an automobile trip with us. 8. If the weather were fine, they would take a trip in the country. 9. During the summer months, Parisians with autos often take excursions in the country. 10. They had a flat tire and that was bad luck.

P. (*Corresponds to Lesson X*): 1. Robert finally left during rush hour, which was an unfortunate idea. 2. By watching the other passengers take the numbered tickets, he understood what (*ce que*) he had to do. 3. The conductor asked him, as he did everyone, whether he wanted a booklet. 4. Thinking they were asking him where he wanted to go, Robert announced that his destination was Montmartre. 5. Robert was supposed to give a ticket per zone. 6. Having stamped the tickets with his mechanical box, the conductor gave them back to him. 7. At other hours, it was not necessary to take one of the numbered tickets attached to the post. 8. If you did not have a booklet of tickets, you could buy it from (*à*) the conductor. 9. Did she make another mistake? 10. When did she take it into her head to buy that old thing?

# ONZIÈME LEÇON

## *Invitation de la Comtesse*

Acceptera-t-elle? N'acceptera-t-elle pas? Voilà ce que Marie se demande en regardant la petite carte de visite de la comtesse de Chantepie sur laquelle se trouvent ces simples mots: «Thé en l'honneur des étudiants étrangers, le mardi 25 octobre à 4 heures 30. Comtesse Anne de Chantepie, Château de Chantepie, Longjumeau (Seine et Oise).» Aura-t-elle une robe habillée? Faudra-t-il mettre des gants? Et les chaussures de daim n'iront pas très bien avec la robe de taffetas. Avec la robe de soie bleue non plus. Quant au chapeau, elle empruntera celui de Jeanne Delbos qui vient d'en acheter un très joli au Bon Marché.—Au Bon Marché! se dit-elle en réfléchissant. Comment oserai-je porter un chapeau du Bon Marché à une réception si distinguée? Non, décidément, je n'irai pas, moi, petite bourgeoise, me fourvoyer dans un endroit pareil.

Mais Marie a bientôt changé d'avis, puisque c'est le privilège des personnes de son sexe. Non seulement elle a décidé d'aller au thé de la comtesse, mais elle a accepté d'y conduire une jeune Américaine qu'elle avait rencontrée chez Jacqueline Davray.

### *Questionnaire*

1. Qui acceptera ou n'acceptera pas? 2. Qu'est-ce qu'elle acceptera ou n'acceptera pas? 3. Que regarde-t-elle en se demandant si elle acceptera? 4. De qui est cette carte de visite? 5. Quels mots se trouvent sur la carte de visite? 6. En l'honneur de qui est-ce que le thé sera donné? 7. Quand est-ce que le thé sera donné? 8. Qui le donnera? 9. Où sera-t-il donné? 10. Est-ce que les femmes y porteront des robes de ville? 11. Que faudra-t-il porter en plus de la robe habillée? 12. Est-ce que les chaussures de daim iront avec la robe de taffetas? 13. Iront-elles avec la robe de soie bleue? 14. Qu'est-ce que Marie fera pour avoir un chapeau? 15. Où est-ce que Jeanne Delbos a acheté son chapeau? 16. Les chapeaux du Bon Marché sont-ils très distingués? 17. Qu'est-ce que Marie n'osera pas porter à une réception si distinguée? 18. Pourquoi est-ce que Marie n'ira pas se fourvoyer dans un endroit pareil? 19. Est-ce que

Marie est une aristocrate? 20. Est-ce que finalement Marie va au thé? 21. Pourquoi a-t-elle changé d'avis? 22. Quel est le privilège des personnes de son sexe? 23. Après avoir changé d'avis, qu'a-t-elle accepté de faire en plus? 24. Où avait-elle rencontré cette jeune Américaine? 25. Qui avait-elle rencontré chez Jacqueline Davray?

### QUESTIONS PERSONNELLES

1. Avez-vous jamais reçu une invitation sur une carte de visite? 2. Avez-vous jamais pris le thé chez une comtesse? 3. Quelle est la signification de l'expression «Seine et Oise» qui suit le nom de la petite ville où se trouve le château de Chantepie? 4. Que portez-vous quand vous allez à un thé distingué? 5. Est-ce que les dames ôtent (*take off*) leur chapeau à un thé? 6. Où achetez-vous vos chapeaux? 7. Est-ce que vous considérez que les femmes ont le privilège de changer d'avis? 8. Citez un exemple dans votre expérience personnelle d'une femme qui a changé d'avis. 9. Est-ce que l'Amérique connaît la distinction entre *aristocratie* et *bourgeoisie?* 10. Savez-vous pourquoi Marie se considère une *petite* bourgeoise?

## Vocabulaire

**accepter** [aksɛpte] to accept
**(un) avis** [avi] opinion **changer d'avis** [ʃãʒe d avi], to change one's mind
**bleu, -e** [blø] blue
**bourgeois, -e** [burʒwa, burʒwaz], *m. & f.* commoner, middle-class person
**(la) carte** [kart] card *carte de visite* [kart də vizit], calling card
**changer** [ʃãʒe] to change
**(le) chapeau** (*pl.:* chapeaux) [ʃapo] hat
**(le) château** (*pl.:* châteaux) [ʃato] castle
**(la) chaussure** [ʃosyr] footwear, shoe
**comment** [kɔmã], *adv.* how
**(la) comtesse** [kɔ̃tɛs] countess
**(le) daim** [dɛ̃] deer, suede
**décidément** [desidemã], *adv.* positively
**demander** [dəmãde] *se demander,* to ask oneself, to wonder
**distinguer** [distɛ̃ge] to distinguish
**emprunter** [ãprœ̃te] to borrow
**(un) endroit** [ãdrwa] place
**étranger** [etrãʒe], **étrangère** [etrãʒɛr] foreign

**étudiant, -e** [etydjã, etydjãt], *m. & f.* student
**falloir** *il faudra* [il fodra], it will be necessary
**fourvoyer** [furvwaje] to mislead *se fourvoyer,* to "stick one's nose" (into)
**(le) gant** [gã] glove
**habiller** [abije] to dress *habillé, past part. & adj.,* smart *une robe habillée* [yn rɔb abije], a party dress
**(un) honneur** [ɔnœr] honor *en l'honneur de* [ã l ɔnœr də], in honor of
**joli, -e** [ʒɔli] pretty
**mettre** [mɛtr] to put, put on
**(le) mot** [mo] word
**oser** [oze] to dare
**pareil, pareille** [parɛj] like, such a
**plus,** *adv.* *non plus* [nɔ̃ ply], either, neither
**porter** [pɔrte] to carry, wear
**(le) privilège** [privilɛʒ] privilege
**quant à** [kã ta], *prep.* as for
**(la) réception** [resɛpsjɔ̃] reception
**réfléchir** [refleʃir] to reflect
**rencontrer** [rãkɔ̃tre] to meet

(la) robe [rɔb] dress
seulement [sœlmɑ̃], *adv.* only
(le) sexe [sɛks] sex
simple [sɛ̃pl], *adj.* simple
(la) soie [swa] silk

(le) taffetas [tafta] taffeta
(le) thé [te] tea
trouver [truve] *se trouver,* to be located, to be
(la) visite [vizit] visit

## *Grammaire*

### § XI (a) DEMONSTRATIVE PRONOUN

Review demonstrative adjective § VI (a).

For the English speaking student the first problem is to distinguish the demonstrative pronoun from the demonstrative adjective. The adjective form is never used except to modify a noun. If the demonstratives *this, that, these, those* do not modify nouns, they are pronouns.

ADJECTIVE: *This* man is my father. PRONOUN: *These* are found everywhere.

Sometimes English inserts *one* or *ones* after the demonstrative. In translating into French, remove *one* or *ones* and use demonstrative pronoun.

The French demonstrative pronoun is *celui* (masculine singular), *celle* (feminine singular), *ceux* (masculine plural), *celles* (feminine plural). These forms always take the suffix *-ci* or *-là* except when followed by:

1. a relative pronoun (*qui* or *que*)
2. a prepositional phrase

In other words, except in the two cases just mentioned, French makes the distinction between *this* and *that, these* and *those* as pronouns although it usually fails to do so with adjectives. Note carefully the translation in the following illustrations:

Il y a trois livres sur la table. *Celui-ci* / *Celui-là* } est à Marie.

There are three books on the table. *This one* / *That one* } is Mary's.

Regardez ces deux robes. *Celle-ci* / *Celle-là* } est belle.

Look at these two dresses. *This one* / *That one* } is beautiful.

Il y a beaucoup de livres sur la table. *Ceux-ci* / *Ceux-là* } sont à Marie.

There are many books on the table. *These* / *Those* } are Mary's.

Regardez toutes ces robes. *Celles-ci* / *Celles-là* } sont belles.

Look at all these dresses. *These* / *Those* } are beautiful.

If the English demonstrative pronoun is followed by a relative pronoun or a preposition, the only problem is to remember to omit the suffix -*ci* or -*là* unless it is desired to give very special emphasis to the relative.

> ***Ceux* de mes chapeaux que je préfère viennent du Bon Marché.**
> *Those* of my hats which I prefer come from the Bon Marché.
> ***Ceux* qui sont sur la table sont intéressants.**
> *Those* which are on the table are interesting.

On the other hand, the French demonstrative plus a relative pronoun or a preposition frequently has two other translations in English which do not involve demonstratives. Special attention must therefore be paid to the following situations:

**1. Without a specific antecedent, a third person singular or plural pronoun, subject or object, when followed by a relative pronoun or a preposition, will translate as a demonstrative.**

**2. Also use a demonstrative to translate *the one* or *the ones* followed by a relative pronoun or a preposition.**

> ***Celle* qui a des gants troués ne doit pas aller à une réception.**
> *She* who has gloves with holes must not go to a reception.
> ***Celles* que j'ai invitées sont les amies de Jacqueline.**
> *The ones* whom I invited are the friends of Jacqueline.
> ***Celle* de gauche est la maison de Jean.**
> *The one* on the left is John's house.

**If an English noun in the possessive modifies another noun which is understood but not expressed, a demonstrative pronoun will be substituted for the omitted noun.**

> **De toutes ces robes *celle de Jeanne* est la plus belle.**
> Of all these dresses *Jane's* is the most beautiful.

The English demonstrative *this* or *that* also exists in the singular with no antecedent or without a precise antecedent. In that case French has another set of demonstratives: *ceci* (this), *cela* (that) and *ça* (familiar contraction for *cela*).

> *Ceci* ⎱ **vous donnera l'occasion de les voir.**
> *Cela* ⎰
>
> *This* ⎱ will give you the occasion to see them.
> *That* ⎰

As subject of the verb *to be*, *this* or *that* without a precise antecedent will translate as *ce* (see § VII, b) unless special emphasis is desired.

>        *It*
> **C'est un chapeau du Bon Marché.** *This* ⎰ is a hat from the Bon Marché.
>        *That*

## Étude de Verbes

### § XI (b) Voilà, voici AND il y a COMPARED

Both *voilà* and *voici* are survivals of old French expressions and are really verbs in the imperative meaning literally *see there* and *see here*. They generally have objects either as nouns (and noun clauses) or pronouns.

Object pronouns always precede *voilà* and *voici*, contrary to normal use with affirmative imperative (see § VIII, b).

| | |
|---|---|
| **Voilà Jean.** | See John there. |
| **Le voilà.** | See him there. |
| **Voici Marie.** | See Mary here. |
| **La voici.** | See her here. |

The English equivalents of the above expressions are, of course, *there is (are)* and *here is (are)*.

**Voilà Jean et Marie.** $\begin{cases} \text{See there John and Mary.} \\ \text{Here are John and Mary.} \end{cases}$

*Il y a* cannot be translated literally. The expression means *the fact is that there is (are)*. In this sense likewise, English says *there is (are)*.

**Il y a un livre sur la table.** $\begin{cases} \textit{The fact is that there is a book on the table.} \\ \textit{There is a book on the table.} \end{cases}$

To determine how to translate English *there is (are)*, the following rule is most practical:

**If a gesture is implied, say voilà. If there is (are) means the fact is that there is (are), say il y a.**

## Exercices

A. Donnez la forme convenable du pronom démonstratif: 1. Elle n'a pas beaucoup de robes et par conséquent elle porte toujours _____ de soie bleue.  2. Il y a beaucoup de chapeaux qui lui vont très bien mais _____ du Bon Marché ne lui va pas du tout. 3. _____ qu'elle vient d'acheter est très jolie.  4. _____ que j'y ai conduits se sont amusés.  5. _____ au chapeau vert est l'amie de Marie.  6. Voilà toutes _____ que j'ai regardées. 7. Voici trois livres. Dans _____ vous trouverez tout ce que vous voulez savoir.  8. _____ de Jeanne Delbos vient du Bon Marché. 9. _____ qui empruntent les chapeaux des autres ne craignent (*fear*) pas les microbes.　10. _____ qui le dit n'est qu'une petite bourgeoise.　11. Il a dit _____ pour les faire enrager.　12. Elle a dit exactement _____ : qu'elle ne veut absolument pas vous voir.

B. Remplacez les blancs par *voilà, il y a* ou *voici* selon le sens: 1. _____ trois personnes à qui je voudrais vous présenter.　2. Je ne sais pas si _____ au monde un autre chapeau comme celui de Jeanne Delbos.　3. _____ un vrai aristocrate. Regardez-le bien. 4. Combien de jeunes filles _____ à la réception?　5. _____ la jeune fille que j'ai rencontrée au thé de la comtesse.

## *Dialogue*

Madame Dalembert: Voici une toute petite lettre pour toi. Ce doit être une invitation.

Marie (*après avoir ouvert l'enveloppe*): En effet, c'est une invitation pour un thé chez la comtesse de Chantepie. Tu sais, c'est la dame qui a organisé ce comité d'accueil pour les étudiants étrangers. Jacqueline Davray lui aura donné mon nom.

Madame Dalembert: Mais c'est très bien. D'abord, c'est gentil de recevoir des étudiants étrangers—ils auront une meilleure impression de la France. Et ensuite cela te donnera l'occasion de fréquenter la haute société et de voir l'intérieur d'un château Renaissance encore habité.

Marie: Mais, maman, qu'est-ce que je vais porter? Ma robe de taffetas n'ira pas avec mes chaussures de daim.

Madame Dalembert: Alors, mets ta nouvelle robe de soie.

Marie: C'est que je n'ai pas de chapeau pour aller avec cette robe. Ah! j'y pense. J'emprunterai celui de Jeanne Delbos. Il ira très bien.

Madame Dalembert: Alors, c'est tout arrangé?

Marie: Oh! mais le chapeau de Jeanne vient du Bon Marché. Et puis mes gants bleus sont troués. Ah non! Décidément, je ne vais pas me fourvoyer dans un endroit pareil avec mes gants troués et mon chapeau emprunté. Ah non!

## djalɔg

Madame Dalembert: vwasi ⁄ yn tut pətit lɛtr ⁄ pur twa ⧹ sə dwa tɛtr ⁄ yn ɛ̃vitasjɔ̃ ⁄

Marie (*après avoir ouvert l'enveloppe*): ɑ̃ nefe ⧹ s e tyn ɛ̃vitasjɔ̃ ⁄ pur œ̃ te ⁄ ʃe la kɔ̃tɛs də ʃɑ̃tpi ⧹ ty se ⁄ s e la dam ⁄ kj a ɔrganize ⁄ s kɔmite d akœj ⁄ pur le zetydjɑ̃ etrɑ̃ʒe ⧹ ʒaklin davre ⁄ lɥi ɔra dɔne mɔ̃ nɔ̃ ⧹

MADAME DALEMBERT: me s e tre bjɛ̃∕ dabɔr∕ s e ʒɑ̃ti∕ də
rsəvwar de zetydjɑ̃ etrɑ̃ʒe∕ il zɔrɔ̃ yn mejœr ɛpresjɔ̃ d la frɑ̃s∕
e ɑ̃sɥit∕ səla t dɔnra lɔkazjɔ̃∕ d frekɑ̃te la ot sɔsjete∕ e d vwar
l ɛterjœr d œ̃ ʃato rnesɑ̃s∕ ɑ̃kɔr abite\

MARIE: me mamɑ̃∕ kɛskə ʒ ve pɔrte\ ma rɔb də tafta∕ n
ira pa∕ avɛk me ʃosyr də dɛ̃∕

MADAME DALEMBERT: alɔr∕ me ta nuvɛl rɔb də swa∕

MARIE: s e kə ʒ ne pa d ʃapo∕ pur ale avɛk sɛt rɔb___ a ʒ i
pɑ̃s\ ʒ ɑ̃prœ̃tre səlɥi d ʒaːn dɛlbɔs\ il ira tre bjɛ̃\

MADAME DALEMBERT: alɔr∕ s e tu tarɑ̃ʒe∕

MARIE: o me l ʃapo d ʒaːn vjɛ̃ dy bɔ̃ marʃe\ e pɥi me gɑ̃ blø
sɔ̃ true\ a nɔ̃∕ desidemɑ̃∕ ʒə n ve pa m furvwaje∕ dɑ̃ zœ̃
nɑ̃drwa parɛj∕ avɛk me gɑ̃ true∕ e mɔ̃ ʃapo ɑ̃prœ̃te∕ a nɔ̃∕

## Vocabulaire Supplémentaire

(un) **abord** [abɔr] access  *d'abord*
[dabɔr], first
(un) **accueil** [akœj] welcome
(le) **comité** [kɔmite] committee
(la) **dame** [dam] lady
**devoir** [dəvwar]  *il doit* [il dwa], he
must
(un) **effet** [efe] effect  *en effet* [ɑ̃
nefe], as a matter of fact
**ensuite** [ɑ̃sɥit], *adv.* next, then
(une) **enveloppe** [ɑ̃vlɔp] envelope
**fréquenter** [frekɑ̃te] to frequent
**gentil** [ʒɑ̃ti], **gentille** [ʒɑ̃tij] nice
**habiter** [abite] to live, inhabit
**haut, -e** [o, ot] (aspirate *h*) high
(une) **impression** [ɛ̃presjɔ̃] impression
(un) **intérieur** [ɛ̃terjœr] interior
(une) **invitation** [ɛ̃vitasjɔ̃] invitation
(la) **maman** [mamɑ̃] mother, mama

**mettre** [mɛtr]  *mets* [me], *fam. imper.,*
put
**nouveau** [nuvo], **nouvel** [nuvɛl], **nouvelle** [nuvɛl], **nouveaux** [nuvo], **nouvelles** [nuvɛl] new
(une) **occasion** [ɔkazjɔ̃] occasion, opportunity
**organiser** [ɔrganize] to organize
**ouvrir** [uvrir]  *ouvert* [uvɛr], *past
part.,* opened
(la) **Renaissance** [rənesɑ̃s] Renaissance
**savoir**  *tu sais* [ty se], thou knowest,
you know
(la) **société** [sɔsjete] society
**trouer** [true] to make a hole in  *troué,
past part.*  *des gants troués,* gloves
with holes in them

# DOUZIÈME LEÇON

## Dans le Métro

L'Américaine attendait Marie Place Maubert. Elles se sont dit bonjour et elles ont tout de suite pris le métro. Comme c'était le premier voyage de l'Américaine en métro, elle s'étonnait de tout, du carnet de billets qu'on achetait au guichet, de l'employé qui poinçonnait les billets à l'entrée du quai et qui vous empêchait de passer à l'arrivée du train, des wagons rouges de première classe et des wagons verts de deuxième classe, et surtout des énormes vitres qui vous donnaient l'impression de voyager dans un aquarium. «Dubo-, Dubon-, Dubonnet,» lisait-elle à tout moment, car le train éclairait en passant les panneaux de publicité placés sur les parois du tunnel.

Avant de descendre sur le quai, Marie lui avait montré comment déchiffrer le plan du métro affiché à l'entrée. D'abord on trouvait la station où on était (Maubert). Puis on cherchait le terminus de la ligne (Porte d'Auteuil), ce qui voulait dire qu'une fois dans le métro, il fallait suivre les indications «Direction Porte d'Auteuil.» Mais ce n'était pas tout. A Odéon il fallait changer et continuer sur une autre ligne dans la direction «Porte d'Orléans.» L'autobus allant vers Longjumeau partait de la Porte d'Orléans.

## Questionnaire

1. Qui attendait Marie Place Maubert? 2. Où l'Américaine attendait-elle Marie? 3. Que se sont-elles dit? 4. Qu'ont-elles pris tout de suite? 5. Est-ce que l'Américaine avait souvent voyagé en métro? 6. De quoi l'Américaine s'étonnait-elle? 7. Où achète-t-on les carnets de billets? 8. Qui poinçonne les billets? 9. Où l'employé poinçonne-t-il les billets? 10. Qui empêche les voyageurs de passer à l'arrivée du train? 11. De quelle couleur sont les wagons de première classe? 12. De quelle couleur sont ceux de deuxième classe? 13. Pourquoi a-t-on l'impression de voyager dans un aquarium? 14. Que lisait-elle à tout moment? 15. Qu'est-ce que le train éclairait en passant? 16. Qu'est-ce qui était placé sur les parois du tunnel? 17. Avant de descendre sur le quai, qu'est-ce que Marie

avait montré à son invitée? 18. Où était affiché le plan du métro?
19. En déchiffrant le plan que fallait-il trouver d'abord? 20. Que
fallait-il trouver ensuite? 21. Pourquoi fallait-il trouver le nom du
terminus du métro? 22. Une fois dans le métro quelles indications
fallait-il suivre? 23. Où fallait-il changer? 24. Pourquoi fallait-il
changer à Odéon? 25. Sur quelle autre ligne fallait-il continuer?
26. D'où partait l'autobus allant vers Longjumeau?

QUESTIONS PERSONNELLES

1. Qu'est-ce que c'est qu'un métro? 2. Avez-vous jamais voyagé
en métro? 3. Emploie-t-on des tickets dans le métro de New-York?
4. Pourquoi y a-t-il des wagons de couleur différente dans le métro
parisien? 5. Pourquoi est-ce que l'employé empêche les voyageurs
d'entrer sur le quai quand le train arrive? 6. En suivant les indications «Direction X» dans le métro parisien, peut-on se tromper?
7. Est-il aussi facile de trouver son chemin dans le métro de New-
York? 8. Savez-vous pourquoi le métro de New-York est beaucoup
plus compliqué? 9. Si, en descendant sur le quai de la station
Odéon, vous voyez un écriteau jaune (*yellow*) qui dit «Correspondance Porte d'Orléans,» qu'est-ce que cela veut dire? 10. Quels sont
les avantages et les désavantages du système des classes dans le
métro?

## *Vocabulaire*

**afficher** [afiʃe] to stick up, display
(**un**) **aquarium** [akwarjɔm] aquarium
(**une**) **arrivée** [arive] arrival
(**le**) **bonjour** [bɔ͂ʒur] good day, hello
**continuer** [kɔ͂tinɥe] to continue
**déchiffrer** [deʃifre] to decipher
**descendre** [desɑ͂dr] to descend, go
   down, get off
**deuxième** [døzjɛm], *adj.* second
(**la**) **direction** [dirɛksjɔ͂] direction
**éclairer** [eklere] to light, illuminate
**empêcher** [ɑ͂peʃe] to prevent
**énorme** [enɔrm], *adj.* enormous
(**une**) **entrée** [ɑ͂tre] entrance
**étonner** [etɔne]   *s'étonner de*, to be
   astonished at
(**une**) **indication** [ɛ͂dikasjɔ͂] indication
(**la**) **ligne** [liɲ] line
**lire** *il lisait* [il lize], he was reading
(**le**) **métro** [metro] subway
(**le**) **moment** [mɔmɑ͂] moment

**montrer** [mɔ͂tre] to show
(**le**) **panneau** (*pl.:* **panneaux**) [pano]
   panel
(**la**) **paroi** [parwa] wall
**partir** *il part* [il par], he leaves   *il
   partait* [il parte], he was leaving
**placer** [plase] to place
(**le**) **plan** [plɑ͂] diagram, map
**poinçonner** [pwɛ͂sɔne] to punch
(**la**) **porte** [pɔrt] door, gate
(**la**) **publicité** [pyblisite] publicity, advertising
(**le**) **quai** [ke] platform
**rouge** [ruʒ], *adj.* red
(**la**) **station** [stasjɔ͂] stop
(**la**) **suite** [sɥit]   *tout de suite*
   [tudsɥit], immediately
**surtout** [syrtu], *adv.* especially
(**le**) **terminus** [tɛrminys] terminus, end
   of the line
(**le**) **tunnel** [tynɛl] tunnel

vers [vɛr], *prep.* towards
vert, -e [vɛr, vɛrt] green
(la) vitre [vitr] pane of glass
vouloir *je veux* [ʒə vø], I wish  *il vou-*
  *lait* [il vule], he wished

(le) voyage [vwajaʒ] trip
voyager [vwajaʒe] to travel
(le) wagon [vagɔ̃] car (of train)

## *Grammaire*

### § XII (a) INTERROGATIVE ADJECTIVE

When the words *what* or *which* modify a noun they are adjectives
and have in French the forms *quel* (masc. sing.), *quelle* (fem. sing.),
*quels* (masc. plur.), *quelles* (fem. plur.).

> *Quels* livres lisez-vous? *What* (*which*) books are you reading?
> *Quelle* ligne prenons-nous maintenant? *What* (*which*) line do we take now?

If *what* is the subject of the verb *to be* followed by a noun which
is modified by a definite article or a possessive adjective, French requires the interrogative adjective rather than the interrogative pronoun.

> *Quelle* est la leçon?          *What* is the lesson?
> *Quel* est votre avis?          *What* is your opinion?

### § XII (b) INTERROGATIVE PRONOUN WITHOUT ANTE-CEDENT

For interrogative pronoun with antecedent, see § XVIII (a).

In English the interrogative pronoun for persons is *who* or *whom*.
In French it is in all cases *qui*.

> *Qui* est ici?               *Who* is here?
> *Qui* avez-vous vu?          *Whom* did you see?
> Avec *qui* partez-vous?      With *whom* are you leaving?

In English the indefinite interrogative pronoun for things is *what*.
In French it has the following forms:

| | | |
|---|---|---|
| SUBJECT: | qu'est-ce qui | what |
| OBJECT: | que | what |
| OBJECT OF PREPOSITION: | quoi | what |

Special note should be taken of the form *qu'est-ce qui*. Observe
that it ends in *qui* and not *que*. It can readily be confused with *qu'est-
ce que* which is nothing more than *que* with *est-ce que* added to
avoid inverted order.

> *Qu'est-ce qui* indique la direction dans le métro?
>   *What* indicates the direction in the subway?

*Que* **cherchez-vous?** (**Qu'est-ce que vous cherchez?**)
*What* are you looking for?
**Avec** *quoi* **poinçonne-t-on les billets?**
With *what* does one punch tickets?

## § XII (c) THE INTERROGATIVE EXPRESSION *qu'est-ce que c'est que.*

This expression corresponds to the English *what is* (*are*) when the expected answer is a definition. Unless a definition is expected, the rules in § XII (a) and § XII (b) apply. The expression means literally *what is it that it is namely.*

*Qu'est-ce que c'est que* **le métro?** [kɛskə se kə l metro?]
*What is* the métro?
*Qu'est que c'est qu'*un wagon? [kɛskə se kœ̃ vagɔ̃?]
*What is* a wagon?

## *Étude de Verbes*

### § XII (d) IMPERFECT TENSE (continues § VIII, f).

The imperfect tense also expresses habitual or repetitious action in the past. Note particularly the various translations in English.

**Son amie l'***attendait* **tous les matins à l'entrée du métro.**

Her friend $\left\{\begin{array}{l}\textit{waited}\\\textit{would wait}\\\textit{used to wait}\end{array}\right\}$ for her every morning at the entrance to the subway.

**The English phrase *used to* [+ *verb*] is therefore always equivalent to the imperfect tense of the French verb in question. Likewise any verb which may be construed as meaning *used to* [+ *verb*] will be in the imperfect tense.**

In the illustration above *would* has the meaning of *used to*. If *would* means *wanted,* it is the imperfect or *passé composé* of *vouloir.* In other cases, of course, *would* is the sign of the conditional tense (see § IX, d).

**If the same action is repeated an indefinite number of times, the verb will likewise be in the imperfect.**

**Elle** *s'étonnait* **de tout.**

She $\left\{\begin{array}{l}\textit{was surprised}\\\textit{kept being surprised}\end{array}\right\}$ at everything.

**Elle** *lisait* **«Dubonnet» à tout moment.**

She $\left\{\begin{array}{l}\textit{read}\\\textit{kept on reading}\end{array}\right\}$ "Dubonnet" every moment.

BUT: **Elle les** *a regardés* **trois fois.**
She *looked at* them three times.

The verbs *avoir*, *être*, *devoir*, *falloir*, *pouvoir*, and also verbs expressing a mental state tend to occur in the imperfect unless the action in the past had very definite limits.

> C'*était* le premier voyage.
> It *was* the first trip.
> Elle ne *voulait* pas partir.
> She *did* not *wish* to leave.
> MORE VIVID: Elle n'*a* pas *voulu* partir.
> She did not want (*at a precise time*) to leave.

In indirect discourse French uses the imperfect tense to correspond to English imperfect or to English past when the action of the verb in indirect discourse did not occur previous to the action of the main verb.

To understand the meaning of the term *indirect discourse* compare these examples:

> DIRECT DISCOURSE: Are you going to Paris?
> INDIRECT DISCOURSE: John says that you are going to Paris.

In indirect discourse, English tense sequence frequently follows the same pattern as French.

> Mary said that John *was coming*.
> **Marie a dit que Jean *venait*.**

On the other hand, English also has a simple past in this situation.

> Mary said that first one *found* the stop.
> **Marie a dit qu'on *trouvait* d'abord la station.**
> She asked whether one *looked for* the terminus.
> **Elle a demandé si on *cherchait* le terminus.**

Of course, other tenses are possible in indirect discourse, but then English immediately provides the key.

> She says John *saw* him.
> **Elle dit que Jean l'*a vu*.**
> She said that she *would leave*.
> **Elle a dit qu'elle *partirait*.**
> She asked him whether he *had seen* her.
> **Elle lui a demandé s'il l'*avait vue*.**

## § XII (e) PLUPERFECT TENSE

This tense exists in English and uses the auxiliary *had*. French pluperfect consists of the imperfect tense of *avoir* or *être* plus the past participle.

> **Elle avait donné.**  She had given.
> **Nous avions vendu.**  We had sold.

§ **XII (f) FUTURE PERFECT TENSE** (repeats § VII, g).

In English the auxiliaries of the future perfect tense are *will have* or *shall have*. French uses the future of *avoir* or *être* plus the past participle.

| | |
|---|---|
| **Elle aura donné.** | She will have given. |
| **Nous aurons vendu.** | We shall have sold. |

§ **XII (g) CONDITIONAL PERFECT TENSE**

In English the auxiliaries of the conditional perfect are *should have* or *would have*. French uses the conditional of the auxiliary plus the past participle.

| | |
|---|---|
| **Elle aurait donné.** | She would have given. |
| **Nous aurions vendu.** | We should have sold. |

### *Exercices*

A. Remplacez les blancs par la forme convenable du mot entre parenthèses: 1. _____ (*whom*) l'Américaine attendait-elle Place Maubert? 2. Avec _____ (*what*) l'employé poinçonnait-il les billets? 3. A _____ (*what*) station allez-vous descendre? 4. _____ (*what is*) un aquarium? 5. _____ (*what*) est le terminus de la ligne qui passe par la Place Maubert? 6. _____ (*what*) indique la direction à prendre? 7. _____ (*what*) veut dire cela? 8. _____ (*whom*) voulez-vous voir maintenant? 9. _____ (*whom*) voulait-il voir? 10. Voilà l'homme _____ (*whom*) il a consulté.

B. Mettez les verbes suivants à l'imparfait ou au passé composé selon le sens: 1. En regardant la petite carte de visite de la comtesse de Chantepie sur laquelle _____ (*were*) ces simples mots: «Thé en l'honneur des étudiants étrangers, le mercredi 25 octobre à 16 heures 30,» Marie _____ (*wondered*) si elle accepterait. 2. Après tout _____ (*it was necessary*) mettre une robe habillée et peut-être aussi des gants. 3. Naturellement les chaussures de daim _____ (*did not go*) très bien avec la robe de taffetas. 4. Elle _____ (*asked herself*) continuellement si son amie Jeanne Delbos _____ (*wore*) à des thés un chapeau du Bon Marché. 5. Son chapeau à elle _____ (*came*) justement de ce magasin. 6. Finalement elle _____ (*said to herself*) que décidément elle _____ (*was not going*) se fourvoyer dans un endroit pareil.

## *Dialogue*

MARIE: Bonjour, Mademoiselle. Vous m'attendez depuis long-temps?

L'AMÉRICAINE: Non, je viens d'arriver.

MARIE: Voilà justement l'entrée du métro. Dépêchons-nous parce que l'autobus de Longjumeau part à trois heures et demie.

L'AMÉRICAINE: Ne pouvons-nous pas prendre le trente-huit sur le Boul' Mich'? Il va aussi à la Porte d'Orléans.

MARIE: Il sera plus lent que le métro malgré la correspondance à Odéon.

L'AMÉRICAINE: Que voulez-vous dire par «correspondance?»

MARIE: Je veux dire le changement de trains. Nous sommes ici sur la ligne Austerlitz-Auteuil. Il faut changer à Odéon pour prendre la ligne Clignancourt-Orléans, direction Porte d'Orléans. Je vous montrerai sur le plan.

L'AMÉRICAINE: Est-ce que le tarif varie suivant la distance?

MARIE: Non, c'est tarif unique, pas comme l'autobus où vous payez par sections.

L'AMÉRICAINE: Où allons-nous maintenant?

MARIE: Vous voyez cet écriteau qui dit «Direction Porte d'Auteuil?» Nous descendons par cet escalier.

L'AMÉRICAINE: Pourquoi l'employé m'a-t-il rendu mon billet?

MARIE: En principe on a le droit de le contrôler en route; mais on ne le fait jamais, sauf en première. (*Le train arrive.*)

L'AMÉRICAINE: Nous montons? (*Elle ferme la porte pendant que tout le monde la regarde avec étonnement.*)

MARIE: Il n'est pas nécessaire de fermer la porte. Voyez l'écriteau qui dit: «La fermeture des portes est automatique.»

L'AMÉRICAINE: Première gaffe.

MARIE: Nous descendons maintenant à Odéon. (*Elles descendent sur le quai, suivent le couloir de la direction Porte d'Orléans. L'Américaine essaie de pousser le portillon qui est fermé.*)

MARIE: Deuxième gaffe. Ne voyez-vous pas: «Portillon automatique. Ne pas gêner sa fermeture.» Il s'ouvrira dès que le train sera parti.

### djalɔg

MARIE: bɔ̃ʒur madmwazɛl\ vu m atɑ̃de dpᶣi lɔ̃tɑ̃╱

L'AMÉRICAINE: nɔ̃— ʒ vjɛ̃ d arive\

MARIE: vwala ʒystəmɑ̃ l ɑ̃tre dy metro\ depeʃɔ̃ nu╱ parskə

l ɔtɔbys də lɔ̃ʒymo╱ par a trwa zœr ɛdmi╲

L'Américaine: nə puvɔ̃ nu pa prɑ̃d lə trɑ̃t ɥit╱ syr lə bul
miʃ╱ il va osi a la pɔrtə d ɔrleɑ̃╱

Marie: il səra ply lɑ̃ kə l metro╱ malgre la kɔrɛspɔ̃dɑ̃s a
ɔdeɔ̃__

L'Américaine: kə vule vu dir╲ par kɔrɛspɔ̃dɑ̃s__

Marie: ʒ vø dir╱ lə ʃɑ̃ʒmɑ̃ d trɛ̃╱ nu sɔm isi╱ syr la liɲ
ostɛrlits otœj╱ il fo ʃɑ̃ʒe a ɔdeɔ̃╱ pur prɑ̃drə la liɲ kliɲɑ̃kur
ɔrleɑ̃__ dirɛksjɔ̃ pɔrtə d ɔrleɑ̃__ ʒ vu mɔ̃trərə syr lə plɑ̃╲

L'Américaine: ɛskə l tarif vari╱ sɥivɑ̃ la distɑ̃s╱

Marie: nɔ̃── s e tarif ynik╲ pa kɔm l ɔtɔbys╲ u vu peje par
sɛksjɔ̃__

L'Américaine: u alɔ̃ nu mɛtnɑ̃╲

Marie: vu vwaje sɛt ekrito╱ ki di dirɛksjɔ̃ pɔrtə d otœj╱ nu
desɑ̃dɔ̃ par sɛt ɛskalje╲

L'Américaine: purkwa l ɑ̃plwaje m a til rɑ̃dy mɔ̃ bije╲

Marie: ɑ̃ prɛsip╱ ɔ̃ na l drwa d lə kɔ̃trole ɑ̃ rut╲ me ɔ̃ n lə fe
ʒame╲ sɔf ɑ̃ prəmjɛr╲ (*Le train arrive.*)

L'Américaine: nu mɔ̃tɔ̃╱ (*Elle ferme la porte pendant que
tout le monde la regarde avec étonnement.*)

Marie: il n e pa nesesɛr╱ də fɛrme la pɔrt╲ vwaje l ekrito╲
ki di__ la fɛrmətyr de pɔrt╱ e tɔtɔmatik╲

L'Américaine: prəmjɛr gaf╲

Marie: nu desɑ̃dɔ̃ mɛtnɑ̃╱ a ɔdeɔ̃╲ (*Elles descendent sur le
quai, suivent le couloir de la direction Porte d'Orléans. L'Américaine essaie de pousser le portillon qui est fermé.*)

Marie: døzjɛm gaf╲ nə vwaje vu pa╱ pɔrtijɔ̃ ɔtɔmatik╱ nə
pa ʒene sa fɛrmətyr╱ il s uvrira╱ de k lə trɛ̃ sra parti╲

## *Vocabulaire Supplémentaire*

**automatique** [ɔtɔmatik], *adj.* automatic
(**le**) **changement** [ʃɑ̃ʒmɑ̃] change
(**la**) **correspondance** [kɔrɛspɔ̃dɑ̃s]
correspondence, interchange
(**le**) **couloir** [kulwar] corridor
**demi, -e** [dəmi], *adj.* half *une demi-
heure* [yn dəmi œr], a half hour
*une heure et demie* [yn œr ɛ dmi],
an hour and a half
**dépêcher** (**se**) [sə depeʃe], to hurry
**dès** [de], *prep.* as early as *dès que,
conj.*, as soon as

(**la**) **distance** [distɑ̃s] distance
(**un**) **écriteau** [ekrito] sign
(**un**) **escalier** [ɛskalje] staircase
**essayer** [eseje] to try
(**un**) **étonnement** [etɔnmɑ̃] astonishment
**faire** *il fait* [il fe], he makes, does
**fermer** [fɛrme] to close
(**la**) **fermeture** [fɛrmətyr] closing
(**la**) **gaffe** [gaf] boner
**gêner** [ʒene] to hinder, obstruct
**lent, -e** [lɑ̃, lɑ̃t] slow
**malgré** [malgre], *prep.* in spite of

nécessaire [neseser], *adj.* necessary
pendant [pãdã], *prep.* during **pendant que** (*conj.*), while
(**le**) **portillon** [pɔrtijɔ̃] wicket gate
pourquoi [purkwa], *adv.* why
pousser [puse] to push
pouvoir *nous pouvons* [nu puvɔ̃], we
can

(**le**) **principe** [prɛ̃sip] principle
suivant [sɥivã], *prep.* according to
suivre [sɥivr] *ils suivent* [il sɥiv], they
follow
(**le**) **tarif** [tarif] fare
unique [ynik], *adj.* single
varier [varje] to vary

## TREIZIÈME LEÇON
▼▼▼▼▼▼▼▼▼▼▼▼▼▼▼▼▼▼▼▼

# *Le Thé chez une Comtesse*

Le château de Chantepie était situé, comme tous les châteaux français, d'ailleurs, au fond d'une longue avenue. Pour y entrer il fallait
traverser une cour d'honneur pavée de pierres rondes. Mademoiselle
Seeley (car l'Américaine s'appelait ainsi) s'étonnait de ne pas voir
de parterres de fleurs ou de jets d'eau, mais son amie lui a expliqué
que, par tradition, ces choses devaient se trouver de l'autre côté.
C'était, en effet, vrai, mais les jets d'eau ne fonctionnaient pas, par
mesure d'économie.

Dans la grande salle sous les lambris dorés et les portraits des
innombrables comtes de Chantepie, les invités s'écrasaient, chacun
tenant à la main une tasse de thé et s'efforçant de se faire entendre
à travers le bruit. Comme Marie ne connaissait personne, elle a essayé de se tenir dignement près de la porte, mais une dame du comité
est venue tout de suite la tirer de son embarras. La dame s'est pré-
sentée et Marie lui a présenté l'Américaine. Quand la dame du comité, qui avait vu le nom de «Jean Seeley» sur la liste, a demandé à
l'Américaine si elle n'avait pas un frère, celle-ci a dû avouer que ce
prénom bizarre était le sien.

Ensuite la dame les a menées à une table où une autre dame versait le thé. Du lait? Du sucre? Toutes deux voulaient de l'un et de
l'autre. Un moment plus tard le maître d'hôtel leur a offert de mignons petits fours qui leur ont fait oublier tous les régimes qu'elles
suivaient.

...etit château de campagne qui ne ressemble que vaguement à celui de l'oncle d...

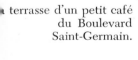

...a terrasse d'un petit café
du Boulevard
Saint-Germain.

La Tour de César, donjon du château de Provins.

Les remparts de Provins.

Dans les Alpes: Le massif de l'Étale.

Sur la Côte d'Azur: Nice, avec la Promenade des Anglais à droite.

L'Arc de Triomphe du Carrousel, le Jardin des Tuileries et, au fond, l'Arc de Triomphe de l'Étoile.

## *Questionnaire*

1. Où était situé le château de Chantepie? 2. Tous les châteaux français sont-ils situés au fond d'une longue avenue? 3. Que fallait-il traverser pour y entrer? 4. De quoi la cour d'honneur était-elle pavée? 5. Qu'est-ce que l'Américaine s'étonnait de ne pas voir? 6. Pourquoi ne voyait-elle pas des parterres de fleurs et des jets d'eau? 7. Qu'est-ce que son amie lui a expliqué? 8. Par tradition où est-ce que ces choses devaient se trouver? 9. Pourquoi les jets d'eau ne fonctionnaient-ils pas? 10. Comment était décorée la grande salle? 11. De qui voyait-on les portraits? 12. Qui s'écrasait sous les portraits des innombrables comtes de Chantepie? 13. Qu'est-ce que chacun tenait à la main? 14. A travers quoi les invités s'efforçaient-ils de se faire entendre? 15. Pourquoi est-ce que Marie a essayé de se tenir dignement près de la porte? 16. Qui est venu tout de suite la tirer de son embarras? 17. Qui a présenté la dame à Marie? 18. Qui a présenté Mademoiselle Seeley à la dame? 19. Quel était le nom de l'Américaine? 20. Pourquoi la dame du comité avait-elle cru que Mademoiselle Seeley était un garçon? 21. Qu'est-ce que Mademoiselle Seeley a dû finalement avouer? 22. Pourquoi le nom de Mademoiselle Seeley était-il bizarre? 23. Où la dame a-t-elle mené les jeunes filles ensuite? 24. Qui y versait le thé? 25. Qu'est-ce que cette autre dame leur a demandé? 26. Est-ce que toutes deux voulaient du lait et du sucre? 27. Qu'est-ce que le maître d'hôtel leur a offert un moment plus tard? 28. Qu'est-ce que les mignons petits fours leur ont fait oublier? 29. Qu'est-ce que ces jeunes filles suivaient?

### QUESTIONS PERSONNELLES

1. Y a-t-il des châteaux en Amérique? 2. Est-ce que tous les châteaux français sont des forteresses? 3. Que feriez-vous à une réception si vous ne connaissiez personne? 4. Est-ce qu'il y a des réceptions pour les étudiants étrangers en Amérique? 5. Comment préférez-vous le thé? 6. Est-ce que les domestiques versent le thé à une réception? 7. Qu'est-ce que c'est qu'un maître d'hôtel? 8. Est-ce que les petits fours sont une forme de gâteau ou de pain? 9. Pourquoi est-ce que les dames suivent des régimes? 10. Suivez-vous un régime?

## Vocabulaire

**ailleurs** [ajœr], *adv. d'ailleurs* [dajœr], besides

**ainsi** [ɛsi], *adv.* thus

**appeler** [aple] to call **s'appeler,** to be called, be named

(**une**) **avenue** [avny] avenue, drive

**avouer** [avwe] to acknowledge, admit

**bizarre** [bizar], *adj.* queer

(**le**) **bruit** [brɥi] noise

(**le**) **comité** [kɔmite] committee

(**le**) **comte** [kɔ̃t] count

(**le**) **côté** [kote] *de l'autre côté,* on the other side

(**la**) **cour** [kur] court, courtyard

**croire** [krwar] *je crois* [ʒə krwa], I believe **cru** [kry], *past part.,* believed

(**la**) **dame** [dam] lady

**deux** [dø] *adj. invar.* **tous deux** [tu dø], *toutes deux* [tut dø], both

**devoir** [dəvwar] *il a dû* [il a dy], he had to

**dignement** [diɲmɑ̃], *adv.* with dignity

**dorer** [dɔre] to gild

(**une**) **économie** [ekɔnɔmi] economy

**écraser** [ekraze] to crush **s'écraser,** to crowd in

(**un**) **effet** [efe] *en effet* [ɑ̃ nefe], as a matter of fact

**efforcer (s')** [sefɔrse] to strive

(**un**) **embarras** [ɑ̃bara] embarrassment

**entendre** [ɑ̃tɑ̃dr] to hear

**essayer** [eseje] to try

(**la**) **fleur** [flœr] flower

**fonctionner** [fɔ̃ksjɔne] to function

(**le**) **fond** [fɔ̃] bottom, end

(**le**) **four** [fur] oven **petits fours** [pəti fur], fancy cakes

**innombrable** [inɔ̃brabl], *adj.* innumerable

**inviter** [ɛ̃vite] *invité, -e, past part. & noun,* guest

(**le**) **jet** [ʒe] *jet d'eau* [ʒe d o], fountain

(**le**) **lambris** [lɑ̃bri] wainscoting

(**la**) **liste** [list] list

**long** [lɔ̃], **longue** [lɔ̃g] long

(**la**) **main** [mɛ̃] hand *à la main,* in his (etc.) hand

(**le**) **maître** [mɛːtr] master *maître d'hôtel* [mɛtrə d otɛl], butler, head waiter

**mener** [məne] to lead

(**la**) **mesure** [məzyr] measure

**mignon, -onne** [miɲɔ̃, miɲɔn] dainty

**offrir** [ɔfrir] to offer **offert** [ɔfɛr], *past part.,* offered

(**le**) **parterre** [partɛr] flower bed

**paver** [pave] to pave

(**la**) **personne** [pɛrsɔn] *ne . . . personne,* no one

(**la**) **pierre** [pjɛr] stone

(**le**) **portrait** [pɔrtre] portrait

(**le**) **prénom** [prenɔ̃] first name

(**le**) **régime** [reʒim] regime, diet

**rond, -e** [rɔ̃, rɔ̃d] round

**sous** [su], *prep.* under

(**le**) **sucre** [sykr] sugar

**suivre** *ils suivaient* [il sɥive], they were following

**tard** [tar], *adv.* late

(**la**) **tasse** [tas] cup

**tenir** [tənir] *tenant* [tənɑ̃], *pres. part.,* holding *se tenir,* to remain, stand

(**la**) **tradition** [tradisjɔ̃] tradition

(**le**) **travers** [travɛr] *à travers, prep.,* through

**un, -e** [œ̃, yn] *l'un et l'autre,* both

**verser** [vɛrse] to pour

**voir** *voyant* [vwajɑ̃] *pres. part.,* seeing

**vrai, -e** [vre] true

## Grammaire

### § XIII (a) POSSESSIVE PRONOUN

Review possessive adjective § IV (e).

For the English speaking student the first problem is to distinguish possessive adjectives from possessive pronouns. To be an adjective, the possessive must accompany a noun. To be a pronoun, it must stand alone.

> ADJECTIVE: *His* hat is green.   PRONOUN: *His* is green.

**The French possessive pronoun agrees in gender with the noun which it replaces, not with the possessor as it sometimes does in English.**

> FIRST PERSON SINGULAR: *mine:* **le mien** [lə mjɛ̃], **la mienne** [la mjɛn], **les miens** [le mjɛ̃], **les miennes** [le mjɛn].
> **Regardez ces portraits. *Le mien* n'est pas bon.**
> > ***Les miens* ne sont pas bons.**
> Look at those portraits. *Mine* is not good.
> > *Mine* are not good.
> **Regardez ces tasses. *La mienne* est jolie.**
> > ***Les miennes* sont jolies.**
> Look at those cups. *Mine* is pretty.
> > *Mine* are pretty.

> SECOND PERSON SINGULAR: *thine:* **le tien, la tienne, les tiens, les tiennes.**
> **Regardez ces portraits. *Le tien* n'est pas bon.**
> > ***Les tiens* ne sont pas bons.**
> Look at those portraits. *Thine* is not good.
> > *Thine* are not good.
> **Regardez ces tasses. *La tienne* est jolie.**
> > ***Les tiennes* sont jolies.**
> Look at those cups. *Thine* is pretty.
> > *Thine* are pretty.

This pronoun, of course, occurs only in familiar address and should not be confused with the second person plural discussed below.

> THIRD PERSON SINGULAR: *his, hers, its:* **le sien, la sienne, les siens, les siennes.**
> **Il n'y a que deux chapeaux. Marie a perdu *le sien.***
> > **Jean a perdu *le sien.***
> > **Marie a perdu *les siens.***
> > **Jean a perdu *les siens.***
> There are only two hats.   Mary has lost *hers* (only one).
> > John has lost *his* (only one).
> > Mary has lost *hers* (more than one).
> > John has lost *his* (more than one).
> **Ce château n'a plus de toit, et l'autre aussi a perdu *le sien.***
> **Ce château n'a plus de toits, et l'autre aussi a perdu *les siens.***
> > This castle no longer has any roof, and the other too has lost *its.*
> > This castle no longer has any roofs, and the other too has lost *its* (more than one).
> **Regardez ces tasses.**   **Marie admire *la sienne.***
> > **Jean admire *la sienne.***
> > **Marie admire *les siennes.***
> > **Jean admire *les siennes.***
> Look at those cups.   Mary admires *hers* (only one).
> > John admires *his* (only one).
> > Mary admires *hers* (more than one).
> > John admires *his* (more than one).

**Ce château n'a plus de tour, et l'autre aussi a perdu *la sienne*.**
**Ce château n'a plus de tours, et l'autre aussi a perdu *les siennes*.**
This castle no longer has any tower, and the other too has lost *its*.
This castle no longer has any towers, and the other too has lost *its* (more than one).

FIRST PERSON PLURAL: *ours:* le nôtre [lə notr], la nôtre [la notr], les nôtres [le notr].
**Regardez ces portraits. *Le nôtre* n'est pas bon.**
                    ***Les nôtres* ne sont pas bons.**
Look at those portraits. *Ours* is not good.
                    *Ours* are not good.
**Regardez ces tasses.    *La nôtre* est jolie.**
                    ***Les nôtres* sont jolies.**
Look at those cups.    *Ours* is pretty.
                    *Ours* are pretty.

SECOND PERSON PLURAL: *yours:* le vôtre, la vôtre, les vôtres.
**Regardez ces portraits. *Le vôtre* n'est pas bon.**
                    ***Les vôtres* ne sont pas bons.**
Look at those portraits. *Yours* is not good.
                    *Yours* are not good.

THIRD PERSON PLURAL: *theirs:* le leur [lə lœr], la leur [la lœr], les leurs [le lœr].
**Regardez ces portraits. *Le leur* n'est pas bon.**
                    ***Les leurs* ne sont pas bons.**
Look at those portraits. *Theirs* is not good.
                    *Theirs* are not good.
**Regardez ces tasses.    *La leur* est jolie.**
                    ***Les leurs* sont jolies.**
Look at those cups.    *Theirs* is pretty.
                    *Theirs* are pretty.

As in the case of the possessive adjective, third person singular must not be confused with third person plural. Compare the following illustrations:

**Ce château n'a plus de tours, et l'autre aussi a perdu *les siennes*.**
**Ces châteaux n'ont plus de tours, et les autres aussi ont perdu *les leurs*.**
This castle no longer has any towers, and the other also has lost *its*.
These castles no longer have any towers, and the others also have lost *theirs*.

## *Étude de Verbes*

### § XIII (b) *Faire* PLUS INFINITIVE

*Faire* + *an infinitive* means *to cause something to be done.*

**Elle fait verser le thé.**
    She causes the tea to be poured.
    She has the tea poured.
    She has someone pour the tea.
**Elle fait verser le thé par une dame.**

> She causes the tea to be poured by a lady.
> She has the tea poured by a lady.
> She has a lady pour the tea.

When a person or thing causes another person or thing to act, always paraphrase the English to read: *to cause something to be done by someone* (*something*) and then rearrange further in the French formula: *faire* + *active infinitive* + *noun object* + *agent* (*the one caused to perform action*).

In other words, the French expression always places the infinitive directly after *faire*.

Now observe word order if object pronouns are substituted:

> Elle *le* fait verser par une dame.
> She causes *it* to be poured by a lady.
> Elle *le lui* fait verser.
> She causes *it* to be poured *by her*.

In the *faire* + *infinitive* construction, all pronoun objects precede *faire*, not the infinitive. If the agent in this construction is a pronoun, French will use an indirect object pronoun.

## § XIII (c) NEGATION WITH INFINITIVE (continues VI, k)

An infinitive is made negative by placing *ne pas* before it. In this case, any pronoun objects will come between *pas* and the infinitive.

> Elle s'étonnait de *ne pas* voir de parterres de fleurs.
> She was surprised *not* to see any flower beds.
> Elle s'étonnait de ne pas *les* voir.
> She was surprised not to see *them*.

## *Exercices*

A. Donnez la forme convenable du pronom possessif: 1. Jean a pris du sucre dans son thé, mais Marie n'en voulait pas dans _____ (*hers*). 2. On trouve partout de bons petits fours, mais _____ (*yours*) sont particulièrement délicieux. 3. Voilà deux tasses. _____ (*mine*) est vide. 4. Quant aux portraits, chacun voulait parler _____ (*of his own*). 5. De tous les régimes possibles, _____ (*theirs*) était le plus fou (*crazy*). 6. Tous les maîtres d'hôtel sont des personnages. _____ (*ours*) l'était particulièrement. 7. Robert n'a pas de fleur parce qu'il a donné _____ (*his*) à Marie qui avait donné _____ (*hers*) à Jean. 8. Je prendrai ma voiture et vous pouvez aussi prendre _____ (*yours*). 9. J'en parlerai à mon père, et vous en parlerez _____ (*to yours*). 10. Cette maison n'est pas _____ (*his*).

## *Dialogue*

La Dame: Bonjour, Mesdemoiselles. Je suis Madame Dupré, membre du comité.

Marie: Très heureuse, Madame. Je m'appelle Marie Dalembert, et voici une étudiante américaine, Mademoiselle Seeley.

La Dame: Enchantée de faire votre connaissance. N'avez-vous pas aussi un frère à Paris, Mademoiselle, car il me semble que j'ai vu son nom sur nos listes?

Jean: Non, je n'ai pas de frère. Ce nom était le mien, car je m'appelle «Jean»—J-E-A-N. Bien des fois on m'a prise pour un garçon et la ligne française m'a même mise dans une cabine d'hommes.

La Dame: Oh là! là! Mais vous n'y êtes pas restée, au moins?

Jean: Non, l'erreur a été rectifiée dès que le garçon de cabine m'a aperçue, vous pensez bien.

La Dame: Vous avez eu du thé?

Marie: Non, Madame, pas encore.

La Dame: En ce cas, suivez-moi. Je vous conduirai à la table de thé . . . Nous voici arrivées. Madame Lechevallier, je voudrais vous présenter Mademoiselle Dalembert, parisienne, et Mademoiselle Seeley, de la libre Amérique.

Madame Lechevallier: Enchantée, Mesdemoiselles. Vous prenez du lait dans votre thé?

Jean et Marie (*à la fois*): Non, merci . . . Oui, s'il vous plaît.

Marie: Ah! pardon. Je crois que Mademoiselle a dit qu'elle prend du lait.

Madame Lechevallier: Et un morceau de sucre, ou deux?

Jean: Un morceau, s'il vous plaît.

Madame Lechevallier: Et vous, Mademoiselle?

Marie: Ni lait, ni sucre. Je réserve mes calories pour les petits fours que je vois là-bas.

## djalɔg

La Dame: bɔ̃ʒur\ medmwazɛl——ʒə sɥi madam dypre\ mãbrə dy kɔmite\

Marie: tre zørøz\ madam—— ʒə m apɛl mari dalãber／ e vwasi yn etydjãt amerikɛn／ madmwazɛl sile\

La Dame: ãʃãte d fɛr vɔtrə kɔnesãs\ n ave vu pa zosi œ̃ frɛr a pari／ madmwazɛl— kar il mə sãbl／ kə ʒ e vy sɔ̃ nɔ̃ syr no list\

Jean: nɔ̃—— ʒ ne pa d frɛr\ sə nɔ̃ ete l mjɛ̃／ kar ʒə m apɛl

dʒiːn╱ ʒi ə a ɛn╲ bjẽ de fwa╱ ʒ m a priz pur œ̃ garsɔ̃╱ e la
liɲ frɑ̃sɛz╱ m a mɛm miz╱ dɑ̃ zyn kabin d ɔm╲

LA DAME: o la la╱ me vu n j ɛt pa rɛste╱ o mwɛ̃──

JEAN: nɔ̃─── l erœr a ete rɛktifje╱ de k lə garsɔ̃ d kabin m a
apɛrsy╲ vu pɑse bjẽ──

LA DAME: vu zave zy dy te╱

MARIE: nɔ̃ madam╲ pa zɑ̃kɔr╲

LA DAME: ɑ̃ s ka╱ sɥive mwa╲ ʒ vu kɔ̃dɥire a la tabl də
te╲ nu vwasi arive╲ madam ləʃvalje╱ ʒvudre vu prezɑ̃te╱
madmwazɛl dalɑ̃bɛr╱ parizjɛn╱ e madwazɛl sile╱ də la libr
amerik╲

MADAME LECHEVALLIER: ɑ̃ʃɑ̃te╲ medmwazɛl── vu prəne dy
le╱ dɑ̃ vɔtrə te╱

JEAN ET MARIE (à la fois): nɔ̃ mɛrsi╲ wi s il vu ple╲

MARIE: a pardɔ̃╲ ʒə krwa╱ k madmwazɛl a di╱ k ɛl prɑ̃ dy
le╲

MADAME LECHEVALLIER: e œ̃ mɔrso d sykr╱ u dø╲

JEAN: œ̃ mɔrso╲ s il vu ple──

MADAME LECHEVALLIER: e vu╲ madmwazɛl──

MARIE: ni le ni sykr╲ ʒə rezɛrvə me kalɔri╱ pur le pti fur╱
kə ʒ vwa laba╲

## Vocabulaire Supplémentaire

**Amérique** [amerik], *f.* America
**apercevoir** [apersəvwar] to perceive
  *aperçu* [apɛrsy], *past part.*, perceived
**bien,** *adv.* **bien des fois** [bjẽ de fwa],
  many a time
**(la) cabine** [kabin] cabin
**(la) calorie** [kalɔri] calory
**(le) cas** [ka] case  *en ce cas* [ɑ̃ s ka],
  in this case
**(la) connaissance** [kɔnesɑ̃s] acquaintance
**enchanter** [ɑ̃ʃɑ̃te] to delight
**encore** [ɑ̃kɔr], *adv.* **pas encore** [pa
  zɑ̃kɔr], not yet
**(une) erreur** [erœr] error, mistake
**(la) fois** *à la fois* [a la fwa], at the
  same time

**(le) garçon** *garçon de cabine* [garsɔ̃ d
  kabin], steward
**heureux, -euse** [ørø, ørøz] happy
**(un) homme** [ɔm] man
**libre** [libr], *adj.* free
**(la) mademoiselle** (*pl.*: **mesdemoiselles**) [madmwazɛl, medmwazɛl]
  miss, young lady
**(le) membre** [mɑ̃br] member
**moins** [mwɛ̃], *adv.* **au moins,** at least
**ni** [ni], *conj.* **ni . . . ni,** neither . . .
  nor
**penser** *vous pensez bien* [vu pɑ̃se bjẽ],
  you can well imagine
**rectifier** [rɛktifje] to correct
**réserver** [rezɛrve] to reserve
**suivre** *vous suivez* [vu sɥive], you follow

## *Au Restaurant*

Jacques et Robert étaient convenus de se retrouver à une heure chez Lipp, le restaurateur alsacien dont la cuisine est si renommée. Lorsque Robert est arrivé, Jacques était assis à la terrasse et avait commandé deux apéritifs. Il a fallu une bonne demi-heure pour les déguster. Ensuite le repas, à cause du nombre des plats et de la façon soignée dont on les servait, menaçait de s'éterniser. Robert s'impatientait. Il avait vécu jusque-là dans un monde où l'on était toujours pressé et n'était pas habitué à la lenteur traditionnelle des repas français. Aussi, c'était un peu de sa faute si le service avait été si lent. Jacques s'était contenté de la spécialité de la maison, une choucroute garnie, mais Robert avait fait un vrai repas: hors-d'œuvre, soupe à l'oignon, langouste, fromage et café. La langouste une fois commandée, Robert n'avait pas voulu la manger seule et avait aussi commandé des pommes de terre frites et des haricots verts. Malheureusement, comme le garçon croyait que l'Américain voulait manger ces légumes séparément suivant l'habitude française, il les avait apportés longtemps après la langouste. Jacques avait dû se lancer dans une longue explication des menus français.

### *Questionnaire*

1. Où Jacques et Robert étaient-ils convenus de se retrouver? 2. A quelle heure étaient-ils convenus de se retrouver? 3. Qui est Monsieur Lipp? 4. Quelle est la réputation de sa cuisine? 5. Où Jacques était-il assis lorsque Robert est arrivé? 6. Qu'est-ce qu'il avait commandé? 7. Pourquoi avait-il commandé deux apéritifs? 8. Combien de temps leur a-t-il fallu pour les déguster? 9. De quelle façon servait-on le repas? 10. Pourquoi est-ce que le repas menaçait de s'éterniser? 11. Pourquoi Robert s'est-il impatienté? 12. Dans quel monde avait-il vécu jusque-là? 13. A quoi n'était-il pas habitué? 14. Était-ce de sa faute si le service avait été si lent? 15. Quelle était la spécialité de la maison? 16. Robert s'était-il contenté d'une choucroute garnie? 17. En quoi a consisté le repas de

Robert? 18. Ne voulant pas manger la langouste seule, qu'est-ce que Robert a commandé après? 19. Pourquoi est-ce que le garçon a apporté les légumes beaucoup plus tard? 20. Est-ce que l'Américain voulait manger les légumes séparément? 21. Dans quoi est-ce que Jacques s'est lancé? 22. Pourquoi s'est-il lancé dans une longue explication des menus français?

## QUESTIONS PERSONNELLES

1. Quelle cuisine préférez-vous: alsacienne, chinoise, italienne, mexicaine? 2. Connaissez-vous un restaurant réputé pour sa cuisine? 3. Qu'est-ce qu'on entend (*mean*) par la «terrasse» d'un café? 4. Aimez-vous les longs repas? 5. Quel est le repas le plus long que vous ayez jamais mangé? 6. Qu'est-ce qu'on entend par «hors-d'œuvre?» 7. Qu'est-ce que Robert a pris comme dessert? 8. Prend-on jamais des fruits comme dessert en Amérique? 9. Savez-vous si on a en France des menus avec des repas numérotés comme en Amérique pour faciliter le choix (*choice*) des clients? 10. En quoi consiste un «vrai» repas français?

## *Vocabulaire*

**alsacien, -ne** [alzasjɛ̃, alzasjɛn] Alsatian

**(un) apéritif** [aperitif] appetizer (alcoholic drink before a meal)

**(le) café** [kafe] coffee

**(la) cause** [koz] cause *à cause de* [a koz də], because of

**(la) choucroute** [ʃukrut] sauerkraut *choucroute garnie*, sauerkraut with sausages

**commander** [kɔmɑ̃de] to command, order

**contenter** [kɔ̃tɑ̃te] to satisfy *se contenter de*, to be satisfied with

**convenir** [kɔ̃vnir] to agree

**croire** *il croyait* [il krwaje], he believed

**(la) cuisine** [kɥizin] kitchen, cooking

**déguster** [degyste] to taste, sip

**dont** [dɔ̃], *pro.* of which, of whom, whose *la façon dont*, the manner in which

**éterniser** (*s'*) [s etɛrnize] to last forever

**(une) explication** [ɛksplikasjɔ̃] explanation

**(la) façon** [fasɔ̃] manner, way

**falloir** *il a fallu* [il a faly], it was necessary

**(la) faute** [fot] fault *c'est de sa faute* [s e d sa fot], it is his fault

**frire** [frir] to fry *frit* [fri], *past part.*, fried *frites* [frit], French fried potatoes

**le garçon** [garsɔ̃] boy, waiter

**(une) habitude** [abityd] habit

**habituer** [abitɥe] to accustom

**(un) haricot** [ɛ̃ ariko] (aspirate *h*) bean *haricot vert* [ariko vɛr], string bean

**(un) hors-d'œuvre** [ɛ̃ ɔrdœvr] (aspirate *h*) hors-d'œuvre (relish course at beginning of meal)

**impatienter** (*s'*) [s ɛ̃pasjɑ̃te] to lose patience

**jusque** [ʒysk], *prep. jusque-là* [ʒyskəla], until then

**lancer** [lɑ̃se] to throw *se lancer,* to launch

(la) **langouste** [lãgust] spiny lobster
(la) **lenteur** [lãtœr] slowness
**longtemps** [lõtã], *adv.* long, a long time
**lorsque** [lɔrsk], *conj.* when
**menacer** [mənase] to threaten
(le) **menu** [məny] menu
(un) **oignon** [ɔɲõ] onion
(le) **plat** [pla] course
(la) **pomme** [pɔm] apple    *pomme de terre* [pɔm də tɛr], potato
**pressé, -e** [prese], *past part. & adj.* in a hurry
**renommé, -e** [rənɔme], *past part. & adj.* renowned
(le) **repas** [rəpa] *faire un repas* [fɛr œ̃ rpa], to eat a meal
(le) **restaurateur** [rɛstɔratœr] restaurant keeper

**retrouver** [rətruve] to find again    *se retrouver,* to meet
(le) **service** [sɛrvis] service
**seul, -e** [sœl] alone
**soigner** [swaɲe] to care for    *soigné, past part. & adj.,* careful
(la) **soupe** [sup] soup
(la) **spécialité** [spesjalite] specialty
**suivant** [sɥivã], *prep.* according to
(la) **terrasse** [teras] terrace, sidewalk (in front of café)
**toujours** [tuʒur], *adv.* always
**traditionnel, -le** [tradisjɔnɛl] traditional
**vivre** [vivr] to live    *vécu* [veky], *past part.,* lived
**vouloir** *voulu* [vuly], *past part.,* wished

## *Grammaire*

### § XIV (a) RELATIVE PRONOUN (continues § VII, a)

In addition to the simple relative *qui* (subject) and *que* (object), French has an inflected (showing gender and number) relative pronoun. On rare occasions this pronoun is useful to distinguish antecedents in a manner which is impossible in English.

> **Il a admiré la table du salon,** *laquelle* **était en acajou.**
> He admired the table of the living room, *which* (the table) was of mahogany.

**After all prepositions the inflected relative is required if the antecedent is a thing.**

> **La cuiller avec** *laquelle* **il mangeait . . .**
> The spoon with *which* he was eating . . .

**If the antecedent is a person, the relative pronoun after a preposition is normally** *qui,* **although the inflected relative may also be used.**

> **L'homme avec** *qui* **(***lequel***) j'ai voyagé . . .**
> The man with *whom* I traveled . . .

With a preposition of location such as *dans* or *sur* French usually substitutes the adverb *où* (where) for the relative.

> **Le monde** *où* **l'on est pressé . . .**
> The world *in which* one is in a hurry . . .

A and *de* combine with the inflected relative according to the normal pattern of contraction (see § II, b).

de + lequel = duquel      à + lequel = auquel
de + lesquels = desquels      à + lesquels = auxquels
de + lesquelles = desquelles      à + lesquelles = auxquelles

## § XIV (b) RELATIVE PRONOUN *dont*

The relative pronoun *dont* is normally substituted for *de + a relative pronoun* when it can become the first word in the clause.
It will be the first word of the clause in the following cases:

(1) *Standing alone*

In this case French word order corresponds to English word order.

Voilà le restaurant *dont* je parlais.
There is the restaurant *of which* I was speaking.
Voilà l'homme *dont* je parlais.
There is the man *of whom* I was speaking.

(2) *Modifying subject of clause*

C'est un restaurant *dont* la cuisine est renommée.
It is a restaurant *of which* the cooking is famous.
C'est le restaurateur *dont* le restaurant est renommé.
He is the restaurant keeper *of whom* the restaurant is famous.

In reality the above translations in English are awkward but they serve to indicate the French word order. In the first case, English would really say *the cooking of which is famous* or *whose cooking is famous*. In the second case, English would say *whose restaurant is famous*.

(3) *Modifying object of clause*

C'est le restaurateur *dont* vous appréciez la cuisine.
He is the restaurant keeper *of whom* you appreciate the cooking.
C'est le restaurant *dont* vous appréciez la cuisine.
It is the restaurant *of which* you appreciate the cooking.

The above translations are likewise awkward but serve to illustrate the French word order. In the first case, English would say *whose cooking you appreciate* and, in the second case, *the cooking of which you appreciate* or *whose cooking you appreciate*.

It is impossible to substitute *dont* for *de + a relative pronoun* in the following case:

(1) *Modifying noun introduced by a preposition in same clause.*

Voilà l'homme avec l'ami *de qui* j'ai voyagé.
There is the man with the friend *of whom* I traveled.
C'est un restaurant sur les repas *duquel* vous pouvez compter.
It is a restaurant on the meals *of which* you can count.

To summarize the problem from the point of view of translating *of + a relative pronoun* or *whose* from English to French, the following principles must be borne in mind:

(1) The relative clause will always begin with *dont* except when *of + a relative pronoun* or *whose* modify a noun introduced by a preposition.

(2) After *dont* there will be normal declarative order: subject + verb + [object].

(3) If English says *whose*, replace with *of which* or *of whom* and rearrange sentence as follows:

   . . . . whose hat is here = of whom the hat is here = **dont le chapeau est ici**

   . . . . whose hat I found = of whom I found the hat = **dont j'ai trouvé le chapeau**

   . . . . with whose hat I left = with the hat of whom I left = **avec le chapeau de qui je suis parti**

## Étude de Verbes

### § XIV (c) IRREGULAR VERB *partir*

A number of *ir* verbs, though not regular, are all conjugated in the same manner. In the present singular they drop the final consonant of the stem before adding the endings -*s*, -*s*, -*t*.

| **partir** | **sortir** | **servir** |
|---|---|---|
| **par-t-ir** | **sor-t-ir** | **ser-v-ir** |
| je pars | je sors | je sers |
| tu pars | tu sors | tu sers |
| il part | il sort | il sert |
| nous partons | nous sortons | nous servons |
| vous partez | vous sortez | vous servez |
| ils partent | ils sortent | ils servent |

The future, conditional and all compound tenses are regular in formation.

> je servirai, etc.
> je servirais, etc.
> j'ai servi, etc.

In all forms where the regular *ir* verb inserts *iss* between the stem and the ending, verbs like *partir* are regular in every respect except that they lack the *iss*.

| **partir** | **sortir** | **servir** |
|---|---|---|
| **partant** | **sortant** | **servant** |
| nous partons | nous sortons | nous servons |
| vous partez | vous sortez | vous servez |
| ils partent | ils sortent | ils servent |
| je partais, etc. | je sortais, etc. | je servais, etc. |

## *Exercices*

A. Traduisez les mots entre parenthèses: 1. C'était un restaurant
_____ _____ (*whose specialty*) était la cuisine alsacienne. 2. Les assiettes dans _____ (*which*) il a mangé venaient de Limoges.
3. Il a commandé un repas _____ (*which*) était délicieux. 4. La
choucroute _____ (*with which*) il s'est contenté était la spécialité
de la maison. 5. Il y avait au moins un château _____ (*whose
great hall*) il n'avait pas encore visité _____. 6. Il n'a pas vu les
petits fours _____ (*of which*) vous parlez. 7. Il s'étonnait de la
lenteur avec _____ (*which*) on servait le repas. 8. Le restaurant
sur la terrasse _____ (*of which*) je l'ai rencontré était situé sur
le boulevard Saint-Germain. 9. Il n'aimait pas la façon _____
(*in which*) on le servait. 10. Il avait vécu dans un monde _____
(*in which*) on était toujours pressé. 11. La langouste _____
(*which*) ils avaient commandée était appétissante. 12. Le repas
s'est éternisé à cause du grand nombre d'assiettes _____ (*in
which*) on l'a servi. 13. Voilà un repas _____ (*of which*) il par-
lerait toute sa vie. 14. Il avait commandé deux apéritifs _____
(*the first of which*) était pour Robert. 15. La personne _____
(*whose acquaintance*) il avait fait _____ était l'amie de Marie.

B. Traduisez les verbes suivants: 1. They leave. 2. She goes out.
3. We were serving. 4. We served. 5. Thou leavest. 6. We leave.
7. I would leave. 8. He used to serve. 9. They will leave. 10. Let
us go out.

## *Dialogue*

(*Jacques et Robert entrent dans le restaurant*)

LE MAÎTRE D'HÔTEL: Bonjour, Messieurs. Combien de places, s'il
vous plaît?

JACQUES: Nous sommes deux.

LE MAÎTRE D'HÔTEL: Voulez-vous vous asseoir à cette table au
fond? (*Ils prennent place. Le maître d'hôtel leur donne à chacun un
menu et une carte des vins.*)

ROBERT (*après avoir regardé*): Je ne sais pas par où commencer.
Qu'est-ce que c'est qu'une langouste?

JACQUES: C'est de la famille du homard.

ROBERT: Bon! une langouste pour moi.

LE MAÎTRE D'HÔTEL: Vous ne voulez rien d'autre?

ROBERT: Il n'y a rien avec la langouste?

Le Maître d'Hôtel: Non, Monsieur. Rien.

Robert: Eh bien! Je prendrai des frites et des haricots verts.

Jacques: Je vous conseille de prendre quelque chose avant, car il faudra attendre la langouste.

Le Maître d'Hôtel: Voulez-vous des hors-d'œuvre, Monsieur?

Robert: Très bien. Des hors-d'œuvre.

Jacques: Je prends une salade de tomates comme hors-d'œuvre, ensuite une choucroute garnie et un demi. Vous ne buvez pas, Robert?

Robert: Je sais qu'on ne boit pas de lait en France. Alors, un café pour moi.

Jacques: Vous ne voulez pas une demi-bouteille de Mâcon? Autrement vous allez bouleverser les habitudes du garçon.

Robert: Mais vous m'avez déjà fait avaler deux Cinzanos à la terrasse.

Jacques: En mangeant vous ne risquez rien. Vous n'allez tout de même pas boire de l'eau avec une langouste.

Robert: Bon! je m'incline. Mais l'addition doit déjà atteindre des chiffres astronomiques.

## djalɔg

(*Jacques et Robert entrent dans le restaurant*)

Le Maître d'Hôtel: bɔʒur╱ mesjø╲ kɔbjɛ̃ d plas╲ s il vu ple——

Jacques: nu sɔm dø╲

Le Maître d'Hôtel: vule vu vu zaswar a sɛt tabl╱ o fɔ̃╱

(*Ils prennent place. Le maître d'hôtel leur donne à chacun un menu et une carte des vins.*)

Robert (*après avoir regardé*): ʒə n se pa╱ par u kɔmɑ̃se╲ kɛskə s e k yn lɑ̃gust╲

Jacques: s e d la famij dy ɔmar╲

Robert: bɔ̃—— yn lɑ̃gustə pur mwa╲

Le Maître d'Hôtel: vu n vule rjɛ̃ d otr╱

Robert: ilnja rjɛ̃╱ avɛk la lɑ̃gust╱

Le Maître d'Hôtel: nɔ̃ məsjø╲ rjɛ̃——

Robert: e bjɛ̃╱ ʒ prɑ̃dre de frit╱ e de ariko vɛr╲

Jacques: ʒ vu kɔ̃sɛj╱ də prɑ̃drə kɛlkəʃoz avɑ̃╱ kar il fodra atɑ̃drə la lɑ̃gust╲

Le Maître d'Hôtel: vule vu de ɔr d œvr╱ məsjø——

Robert: tre bjɛ̃╲ de ɔr d œvr╲

Jacques: ʒə prɑ̃╱ yn salad də tɔmat╱ kɔm ɔr d œvr╱

āsчit⁄ yn ʃukrut garni⁄ e ᴔ dmi\ vu n byve pa⁄ rɔbɛr⎯

ROBERT: ʒə se⁄ k ɔ̃ n bwa pa d le⁄ ɑ̃ frɑ̃s\ alɔr⁄ ᴔ kafe\
pur mwa__

JACQUES: vu n vule pa⁄ yn dəmi butɛj də makɔ̃⁄ otрəmɑ̃⁄
vu zale bulvɛrse⁄ le zabityd dy garsɔ̃⁄

ROBERT: me vu m ave deʒa fe avale⁄ dø sɛ̃zano\ a la
teras__

JACQUES: ɑ̃ mɑ̃ʒɑ̃⁄ vu n riske rjɛ̃⁄ vu n ale tu d mɛm pa
bwar də l o⁄ avɛk yn lɑ̃gust⁄

ROBERT: bɔ̃— ʒ mɛ̃klin\ me l adisjɔ̃⁄ dwa deʒa atɛ̃dr⁄
de ʃifr astrɔnɔmik⁄

## Vocabulaire Supplémentaire

(une) **addition** [adisjɔ̃] addition, bill

**astronomique** [astrɔnɔmik], *adj.* astronomical

**atteindre** [atɛ̃dr] to reach

**autrement** [otрəmɑ̃], *adv.* otherwise

**avaler** [avale] to swallow

**boire** [bwar] to drink  *il boit* [il bwa], he drinks  *vous buvez* [vu byve], you drink

**bouleverser** [bulvɛrse] to upset

(la) **carte** [kart] *carte des vins,* wine list

(le) **chiffre** [ʃifr] figure

**commencer** [kɔmɑ̃se] to begin

**conseiller** [kɔ̃seje] to advise

**être** *nous sommes deux,* there are two of us

(le) **fond** [fɔ̃] *au fond,* in the back

(le) **homard** [lə ɔmar] (aspirate *h*) lobster

**incliner** [ɛ̃kline] to incline  *s'incliner,* to give in, yield

(le) **lait** [le] milk

(le) **monsieur** (*pl.* **messieurs**) [məsjø, mesjø] **messieurs,** gentlemen

**prendre** *prendre place* [prɑ̃drə plas], to sit down

**quelque** [kɛlk], *adj.* some, any, a few (*in pl.*)

(le) **restaurant** [rɛstɔrɑ̃] restaurant

**rien** [rjɛ̃], *pro.* **ne . . . rien,** nothing  *rien d'autre,* nothing else

**risquer** [riske] to risk

(la) **salade** [salad] salad

(la) **tomate** [tɔmat] tomato

## QUINZIÈME LEÇON
▼▼▼▼▼▼▼▼▼▼▼▼▼▼▼▼▼▼▼

## *Chez le Coiffeur*

Ces derniers jours les cheveux de Jacques semblent avoir poussé avec une rapidité extraordinaire et il commence à ressembler à ces étudiants américains qui fréquentent les cafés de Saint-Germain des Prés. Sa sœur l'a tellement taquiné qu'il s'est finalement résolu à s'arrêter chez le coiffeur en revenant du lycée. Comme d'habitude, il lui faut attendre son tour pendant trois quarts d'heure et, pour passer le temps, il lit de vieux journaux de la semaine précédente et des numéros peu édifiants de *Charivari*. Son tour venu, il fait ses recommandations au coiffeur. Pour ne pas ressembler aux Américains qui ont adopté des habitudes françaises, il demande qu'on lui coupe les cheveux en brosse comme à un Américain d'avant-guerre, qu'on passe la tondeuse sur la nuque mais pas sur les côtés, et il finit par refuser la friction et le shampooing, aussi bien que le cosmétique, que le coiffeur lui propose. Il s'est dit que cette fois-ci sa sœur ne l'accuserait pas d'avoir un indéfrisable.

## *Questionnaire*

1. Qu'est-ce que les cheveux de Jacques semblent avoir fait ces derniers jours? 2. Qu'est-ce qui semble avoir poussé avec une rapidité extraordinaire? 3. A qui est-ce qu'il commence à ressembler? 4. Quel endroit est-ce que les étudiants américains fréquentent? 5. Qui fréquente les cafés de St.-Germain des Prés? 6. Qui a tellement taquiné Jacques? 7. A quoi est-ce que Jacques s'est finalement résolu? 8. Où est-ce que Jacques s'arrêtera en revenant du lycée? 9. Pourquoi Jacques s'est-il résolu à s'arrêter chez le coiffeur? 10. Que lui faut-il faire comme d'habitude? 11. Pendant combien de temps lui faut-il attendre? 12. Que fait-il pour passer le temps? 13. Est-ce qu'il lit les nouvelles (*news*) de la dernière heure? 14. Est-ce qu'il profite de la lecture de *Charivari*? 15. Son tour venu, à qui fait-il des recommandations? 16. A qui Jacques ne veut-il pas ressembler? 17. Quelles habitudes les Américains de Paris ont-ils adoptées? 18. Qu'est-ce que Jacques demande? 19. Pourquoi demande-t-il cela? 20. Comment étaient les cheveux des Américains d'avant-guerre? 21. Où veut-il qu'on passe la tondeuse? 22. Veut-il la tondeuse sur les côtés? 23. Que finit-il par refuser? 24. Accepte-t-il le cosmétique? 25. Que s'est-il dit cette fois? 26. De quoi sa sœur ne pouvait-elle pas l'accuser?

### QUESTIONS PERSONNELLES

1. Les étudiants américains de St.-Germain des Prés ressemblent-ils à des Américains ordinaires ou sont-ils une race à part? 2. Portez-vous les cheveux très longs? 3. Justifiez vos préférences. 4. Comment passe-t-on le temps chez le coiffeur en attendant son tour? 5. Quelle autre nation aime beaucoup les cheveux en brosse?

6. Savez-vous pourquoi Jacques a refusé la friction et le shampoo-ing? 7. Aimez-vous le cosmétique? 8. Peut-on se donner un indé-frisable à la maison ou faut-il avoir recours à un coiffeur? 9. Est-ce que votre sœur vous taquine souvent? 10. Qui va le plus souvent chez le coiffeur, un Français ou un Américain?

## *Vocabulaire*

**accuser** [akyze] to accuse
**adopter** [adɔpte] to adopt
**aussi** [osi], *adv. aussi . . . que,* as . . . as
(**un**) **avant-guerre** [avɑ̃gɛr] pre-war period
(**la**) **brosse** [brɔs] *couper les cheveux en brosse,* to give a crew haircut
(**le**) **café** [kafe] coffee, café
(**le**) **charivari** [ʃarivari] tin-kettle music
(**le**) **coiffeur** [kwafœr] hairdresser, barber
**commencer** [kɔmɑ̃se] to begin
(**le**) **cosmétique** [kɔsmetik] cosmetic, hair tonic
**dernier, -ière** [dɛrnje, dɛrnjɛr] last
**édifiant, -e** [edifjɑ̃, edifjɑ̃t] edifying
**extraordinaire** [ɛkstraɔrdinɛr], *adj.* extraordinary
(**la**) **friction** [friksjɔ̃] scalp massage
(**une**) **habitude** *comme d'habitude* [kɔm d abityd], as usual
(**un**) **indéfrisable** [ɛ̃defrizabl] perma-nent wave
(**le**) **journal** (*pl.:* **journaux**) [ʒurnal, ʒurno] newspaper

**lire** [lir] *il lit* [il li], he reads
(**le**) **numéro** [nymero] number, copy (of a periodical)
(**la**) **nuque** [nyk] nape of the neck
**peu** [pø], *adv.* little, scarcely
**pousser** [puse] to push, grow
**précédent, -e** [presedɑ̃, presedɑ̃t] pre-ceding
**proposer** [prɔpoze] to propose
(**la**) **rapidité** [rapidite] rapidity
(**la**) **recommandation** [rəkɔmɑ̃dasjɔ̃] recommendation
**refuser** [rəfyze] to refuse
**résoudre** [rezudr] to solve *résolu* [rezɔly], *past part. se résoudre à,* to make up one's mind to
**ressembler** [rəsɑ̃ble] to resemble
**revenir** [rəvnir] to come back *en re-venant,* on the way home
(**le**) **shampooing** [ʃɑ̃pwɛ̃] shampoo
**taquiner** [takine] to tease
**tellement** [tɛlmɑ̃], *adv.* so much
(**la**) **tondeuse** [tɔ̃døz] clippers
**vieux** [vjø], **vieil** [vjɛj], **vieille** [vjɛj], **vieux** [vjø], **vieilles** [vjɛj] old

## *Grammaire*

### § XV (a) DISJUNCTIVE PRONOUN

The disjunctive is a special form of the personal pronoun to be used in stressed position. Personal pronouns are in stressed position except: (1) as subjects separated from the verb by only *ne* and/or one or two pronoun objects; (2) as objects before the verb. This re-mark about stressed position does not apply to the affirmative impera-tive (see § VIII, b). The only other type of pronoun having a dis-junctive form is the interrogative *que* which becomes *quoi* in stressed position.

| UNSTRESSED | | STRESSED | ENGLISH |
|---|---|---|---|
| *Subject* | *Object* | (Disjunctive) | |
| je | me | moi | I, me |
| tu | te | toi | thou, thee |
| . . . . . | se | soi | (oneself) |
| il | le | lui | he, him |
| elle | la | elle | she, her |
| nous | nous | nous | we, us |
| vous | vous | vous | you, you |
| ils | les | eux | them (*masc.*) |
| elles | les | elles | them (*fem.*) |
| . . . . . | (que) | quoi | (what) |

**Any personal pronoun followed by punctuation is in stressed position and will therefore be in the disjunctive.**

> **Qui le fera?** *Lui.* Who will do it? *He.*
> **Marie le fera, pas** *moi.* Mary will do it, not *I.*

**Any personal pronoun introduced by a preposition is in stressed position and will therefore be in the disjunctive.**

> **Il y a deux clients avant** *moi.* There are two customers ahead of *me.*
> **Je l'ai fait pour** *elles.* I did it for *them* (*feminine*).
> **Voici une lettre pour** *toi.* Here is a letter for *thee.*
> **A** *eux* **maintenant.** *Their* turn now.
> **Il a trouvé de** *quoi* **lire.** He found *something* to read.

**Any personal pronoun in a compound subject or compound object is in stressed position and will therefore be disjunctive.**

> **Jacques et moi, nous irons à Paris.** James and I will go to Paris.
> **Jacques et moi irons à Paris.**
> **Il nous a vus, Jean et moi.**          He saw John and me.
> **Il a vu Jean et moi.**

As demonstrated above, there is a tendency in the case of compound subjects or objects to repeat with a simple personal pronoun subject which summarizes the compound. When there is a compound subject the verb will always agree with the summarizing pronoun whether the pronoun is expressed or not.

**Any pronoun after the verb** *être* **is in stressed position and will therefore be in the disjunctive.**

> **C'est** *moi.* It is *I.*
> **C'est** *nous.* It is *we.*
> **Ce sont** *eux.* It is *they* (see § VII, b).

**When emphasizing a personal pronoun subject or object, French will use a stressed (disjunctive) pronoun but will normally repeat with an unstressed pronoun.**

> *Moi, je* **les aiderai.**
> I (*emphasized*) shall help them.

Je *l'*ai vu *lui*.
   I saw *him* (*emphasized*).
Je n'irai pas, *moi*, petite bourgeoise, me fourvoyer dans un endroit pareil.
   Little bourgeoise that I am, I will not go sticking my nose into such a place.

**Any personal pronoun subject separated from its verb by anything other than *ne* and/or pronoun objects will be disjunctive. Generally the verb will also have a simple personal pronoun subject as well.**

*Moi* seul, *je* l'aiderai.
   I alone will help him.
*Moi*, qui suis son ami, *je* l'aiderai.
   I, who am his friend, will help him.
*Lui*, qui ne m'a jamais aimé, *il* va m'aider maintenant.
   Although he never liked me, he is going to help me now.

As previously noted (see § XI, a), without a specific antecedent a third person singular or plural pronoun, subject or object, when followed by a relative pronoun or a preposition plus a relative pronoun, will translate as a demonstrative.

*Celui* qui ne m'aime pas ne m'aidera jamais.
   *He* who likes me not will never help me.

## *Étude de Verbes*

### § XV (b) PRESENT SUBJUNCTIVE

In the case of the three regular conjugations, the present subjunctive is formed by adding to the stem of the verb the endings *-e, -es, -e, -ions, -iez, -ent*. In the *ir* conjugation, *iss* is inserted between the stem and the subjunctive ending.

| **donner** | **finir** | **vendre** |
|---|---|---|
| je donne I give | je finisse | je vende |
| tu donnes thou give | tu finisses | tu vendes |
| il donne he give | il finisse | il vende |
| nous donnions we give | nous finissions | nous vendions |
| vous donniez you give | vous finissiez | vous vendiez |
| ils donnent they give | ils finissent | ils vendent |

For *avoir* and *être* the subjunctive is irregular.

| | |
|---|---|
| j'aie [ʒ e] I have | je sois [swa] I be |
| tu aies [ty e] thou have | tu sois [ty swa] thou be |
| il ait [il e] he have | il soit [il swa] he be |
| nous ayons [nu zejɔ̃] we have | nous soyons [nu swajɔ̃] we be |
| vous ayez [vu zeje] you have | vous soyez [vu swaje] you be |
| ils aient [il ze] they have | ils soient [il swa] they be |

For irregular verbs of the *partir* type (see § XIV, c), the subjunctive is regular except that it lacks the characteristic *iss* of the regular *ir* verbs.

| | |
|---|---|
| je parte | nous partions |
| tu partes | vous partiez |
| il parte | ils partent |

No general definition of the subjunctive has any practical value, either in English or in French. We shall therefore avoid grammatical theory and simply state that in certain specific cases English or French or both together will use subjunctive. The first specific cases to be considered use subjunctive in both languages.

**Subjunctive is required in a noun clause following an expression of necessity.**

A noun clause begins with the conjunction *that* and occupies the position of a noun in the grammatical structure of the sentence.

**Il faut que Jacques *attende* son tour.**
It is necessary that James *await* his turn.

**Subjunctive is required in a noun clause following an expression of volition.**

**Il demande qu'on lui *coupe* les cheveux.**
He asks that his hair *be cut*.

## Exercices

A. Traduisez les mots entre parenthèses: 1. _____ (*he: stressed*) lit de vieux journaux. 2. Robert et _____ (*he*) veulent ressembler à des Américains. 3. Sa sœur l'a taquiné à cause d'_____ (*them*). 4. Il ne sait pas à _____ (*what*) il veut ressembler. 5. Quel endroit est-ce qu'_____ fréquentent _____ (*they: stressed*)? 6. Sans _____ (*thee*) rien n'est possible. 7. Jacques et _____ (*I*) ferons les recommandations au coiffeur. 8. Il faut _____ dire _____ (*to oneself: stressed*) que tout est possible. 9. _____ (*he*) et _____ (*she*) ont fini par refuser. 10. Ils parlent de _____ (*him*) très souvent. 11. On accusera Marie, pas _____ (*me*). 12. _____ (*he*) et _____ (*I*) lirons avec plaisir des numéros peu édifiants de *Charivari*.

B. Traduisez les verbes entre parenthèses: 1. Voulez-vous qu'on vous _____ (*pass*) la tondeuse sur la nuque? 2. Marie demande qu'il _____ (*finish*) la leçon le plus vite possible. 3. Il faut que Marie _____ (*await*) son tour. 4. Il ne faut pas qu'il _____ (*have*) le temps de répondre. 5. Il veut que nous _____ (*finish*) maintenant.  6. Voulez-vous que je vous _____ (*serve*) tout de suite?  7. Il faut que nous _____ (*leave*) à temps.  8. Savez-vous quand il faut qu'il _____ (*finish*)?

## *Dialogue*

JACQUES: Est-ce que je pourrais passer tout de suite?

LE COIFFEUR: Ah! non, Monsieur. Il faudra attendre un peu. Il y a deux clients avant vous. Si vous voulez bien vous asseoir, vous trouverez de quoi lire sur la table.

JACQUES: Bien. Merci.

LE COIFFEUR (*plus tard*): A vous, Monsieur. C'est pour une coupe de cheveux?

JACQUES: Parfaitement. J'en ai besoin, n'est-ce pas?

LE COIFFEUR (*Jacques oublie l'autre manche du peignoir*): Et l'autre manche. Voilà. Je vous les coupe très courts sur les côtés?

JACQUES: S'il vous plaît. Le plus court possible sans passer la tondeuse.

LE COIFFEUR (*un moment plus tard*): Est-ce que ça suffit maintenant sur les côtés?

JACQUES: Oui, c'est très bien.

LE COIFFEUR: Et le dessus? La raie à droite ou à gauche?

JACQUES: Plus de raie. Je voudrais les cheveux en brosse.

LE COIFFEUR: Comme les Américains?

JACQUES: Oui. Mais pas comme les Américains d'après-guerre. Ceux-là portent les cheveux très longs, à ce que j'ai constaté.

LE COIFFEUR: Alors, c'est assez court, maintenant?

JACQUES: Oui, merci.

LE COIFFEUR: Vous ne voulez pas de shampooing? Seulement une friction?

JACQUES: Même pas, merci. Combien est-ce que je vous dois?

LE COIFFEUR: Quatre-vingts francs, Monsieur.

### djalɔg

JACQUES: ɛskə ʒ pure pase tu d sɥit╱

LE COIFFEUR: a— nɔ̃ məsjø╲ il fodra atɑ̃dr œ̃ pø╲ ilja də klijɑ̃ avɑ̃ vu╲ si vu vule bjɛ̃ vu zaswar╱ vu truvre d kwa lir syr la tabl╲

JACQUES: bjɛ̃— mɛrsi╲

LE COIFFEUR (*plus tard*): a vu╲ məsjø—— s e pur yn kup də ʃvø╱

JACQUES: parfɛtmɑ̃╲ ʒ ɑ̃ ne bzwɛ̃╱ nɛspa——

Le Coiffeur (*Jacques oublie l'autre manche du peignoir*): e
l otrə mɑ̃ʃ\ vwala\ ʒ vu le kup tre kur syr le kote⁄
Jacques: s il vu ple\ lə ply kur pɔsibl⁄ sɑ̃ pase la tɔ̃døz\
Le Coiffeur (*un moment plus tard*): ɛskə sa syfi⁄ mɛ̃tnɑ̃⁄
syr le kote⁄
Jacques: wi—— s e tre bjɛ̃\
Le Coiffeur: e l dəsy\ la re a drwat⁄ u a goʃ\
Jacques: ply d re\ ʒ vudre le ʃvø ɑ̃ brɔs\
Le Coiffeur: kɔm le zamerikɛ̃⁄
Jacques: wi—— me pa kɔm le zamerikɛ̃ d apre gɛr⁄ sø la⁄
pɔrtə le ʃvø tre lɔ̃⁄ a s kə ʒ e kɔ̃state——
Le Coiffeur: alɔr\ s e tase kur⁄ mɛ̃tnɑ̃⁄
Jacques: wi mɛrsi\
Le Coiffeur: vu n vule pa d ʃɑ̃pwɛ̃⁄ sœlmɑ̃ yn friksjɔ̃⁄
Jacques: mɛm pa\ mɛrsi—— kɔ̃bjɛ̃ ɛskə ʒ vu dwa\
Le Coiffeur: katrəvɛ̃ frɑ̃\ məsjø——

## Vocabulaire Supplémentaire

(un) **après-guerre** [apregɛr] post-war
    period
**constater** [kɔ̃state] to ascertain
(la) **coupe** [kup] *coupe de cheveux*
    [kup də ʃvø], haircut
**court, -e** [kur, kurt] short
(le) **dessus** [dəsy] top
**devoir** *je dois* [ʒə dwa], I must, I owe
(la) **droite** [drwat] right   *à droite*, on
    the right, to the right
(la) **manche** [mɑ̃ʃ] sleeve
**parfaitement** [parfɛtmɑ̃], *adv.* per-
    fectly, exactly

(le) **peignoir** [peɲwar] smock
**plus,** *adv.* **ne . . .** *plus* [nə . . . ply],
    no more, no longer
**possible** [pɔsibl], *adj.* possible
**pouvoir** *je pourrais* [ʒə pure], I could
**quoi** [kwa], *pro. de quoi,* wherewith
(la) **raie** [re] stripe, part
**suffire** [syfir] to suffice   *il suffit* [il
    syfi], it suffices.
**vouloir** *si vous voulez bien,* if you will
    be kind enough

# Troisième Révision

*Exercises A to G combine the materials of Lessons XI to XV, but
exercises H to L correspond to individual lessons and may therefore
be used in conjunction with those lessons.*

A.  Révision de vocabulaire. Donnez l'équivalent français des mots
suivants: 1. The hair.  2. The scalp massage.  3. So much.  4. The
copy (of a newspaper).  5. The clippers.  6. Old.  7. The nape of
the neck.  8. The newspapers.  9. The course (of a meal).  10. The

way. 11. To care for. 12. A bean. 13. An onion. 14. To lose patience. 15. The apple. 16. To throw. 17. With dignity. 18. The flower. 19. The diet. 20. The head waiter. 21. Dainty. 22. The first name. 23. The stone. 24. Besides. 25. To borrow. 26. To decipher. 27. To illuminate. 28. The pane of glass. 29. To get off. 30. The wall. 31. To meet. 32. Like (*adjective*). 33. To mislead. 34. To reflect. 35. The silk.

B. Donnez la forme convenable du pronom démonstratif: 1. Toutes les jeunes filles portaient de jolies robes, mais _____ (*Mary's*) était la plus jolie de toutes. 2. Voici deux chapeaux: _____ (*this one*) est à Jean et _____ (*that one*) est à Robert. 3. _____ (*the one*) au chapeau rouge est l'amie de Marie. 4. _____ (*he who*) l'a dit ne connaissait pas bien la question. 5. _____ (*Jeanne Delbos'*), que j'ai portée l'autre jour, n'était pas nouvelle. 6. _____ (*that is*) la carte de visite que j'ai reçue de la comtesse. 7. Je n'avais pas beaucoup de robes, et j'étais bien obligée de porter _____ (*this one*). 8. Je n'ai jamais dit _____ (*that*). 9. _____ (*those*) qui parlent ainsi sont des petites bourgeoises. 10. _____ (*those*) de mes amis qui ont voyagé dans le métro parisien le trouvent mieux organisé mais moins rapide que le métro de New-York.

C. Donnez la forme convenable de l'adjectif interrogatif ou du pronom interrogatif: 1. _____ (*what*) empêche les voyageurs de passer à l'arrivée du train? 2. _____ (*what*) dit l'affiche à l'entrée? 3. _____ (*whom*) avez-vous rencontré ce matin dans le métro? 4. _____ (*what*) veut dire l'expression «correspondance?» 5. _____ (*what*) autobus prenez-vous pour aller à Longjumeau? 6. _____ (*what is*) un panneau de publicité? 7. _____ (*what*) impression est-ce que ces énormes vitres vous donnent? 8. _____ (*who*) poinçonne les billets à l'entrée? 9. Avec _____ (*what*) est-ce qu'on décore les parois du tunnel? 10. _____ (*what is*) la direction à prendre maintenant?

D. Traduisez les verbes indiqués entre parenthèses: 1. Marie _____ (*tried*) de se tenir dignement près de la porte mais c'_____ (*was*) difficile. 2. Elle _____ (*would have liked*) lui montrer comment déchiffrer le plan. 3. Ces jeunes filles _____ (*used to travel*) souvent dans le métro. 4. A chaque station beaucoup de voyageurs _____ (*got off*) mais il y en _____ (*avoir*) d'autres qui _____ (*got on*). 5. Je lui ai tout expliqué mais il _____ (*didn't want*) comprendre. 6. Elle lui _____ (*had poured*) une tasse de thé. 7. Elle lui a demandé s'il _____

(*believed*) ce qu'il _____ (*was saying*). 8. Quand ils _____
(*have left*), je vous _____ (*will tell*) ce que j'en pense. 9. Nous
_____ (*were finishing*) le repas quand Marie _____ (*entered*). 10. Il _____ (*was not necessary*) chercher le terminus
du métro parce que Jacques _____ (*knew*) la ligne. 11. Cela
_____ (*made her forget*) tous les régimes qu'elle suivait.
12. Elle _____ (*had him explain*) la leçon aux étudiants.

E.  Donnez la forme convenable de l'adjectif possessif ou du pronom possessif: 1. De toutes les robes du bal _____ (*hers*) était
la plus jolie. 2. Marie tenait sa tasse de thé à la main, mais Robert
avait mis _____ (*his*) sur le piano. 3. _____ (*ours*) ne fonctionnent plus, par mesure d'économie. 4. Mets _____ (*yours*)
sur la table, a dit Marie à son frère. 5. Marie avait oublié les noms
de beaucoup des invités, mais elle se rappelait (*remembered*) très
bien _____ (*theirs*). 6. Robert mangeait _____ (*his*) légumes en même temps que la viande, mais Jacques mangeait
_____ (*his*) séparément. 7. _____ (*your*) soupe à l'oignon
est bien plus salée que _____ (*ours*). 8. En principe on
doit avouer _____ (*one's*) fautes, mais Marie n'a pas voulu
avouer _____ (*hers*). 9. _____ (*her*) chapeau était mignon;
_____ (*as for mine*), il venait du Bon Marché. 10. J'avais
oublié _____ (*my*) régime et Marie avait oublié _____
(*hers*).

F.  Remplacez les blancs par la forme convenable du pronom relatif: 1. Jacques et Robert étaient convenus de se retrouver à l'heure
_____ (*at which*) il y aurait moins de monde (*people*). 2. Voici
la spécialité de la maison _____ (*of which*) je parlais. 3. Sur le
boulevard St.-Germain il y a un restaurant _____ (*the proprietor*
[le propriétaire] *of which*) est Monsieur Lipp. 4. Prenez la choucroute _____ (*of which*) je vous parlais. 5. Les hors-d'œuvre
avec _____ (*which*) le repas a commencé étaient délicieux.
6. Le restaurant _____ (*in which*) je l'ai rencontré était situé
dans la même rue. 7. Marie est la jeune fille _____ (*whose
brother*) j'ai rencontré _____ l'autre jour. 8. Il n'y avait qu'un
seul restaurant _____ (*with whose specialty*) il s'est
réellement contenté. 9. C'était un restaurant _____
(*on whose specialties*) on pouvait toujours compter. 10. Je ne connais pas le garçon _____ (*whom*) il ressemblait.

G.  Remplacez les blancs par la forme convenable du pronom disjonctif: 1. Marie et _____ (*he*) ne veulent pas ressembler à des
Américains. 2. Elle est partie sans _____ (*me*). 3. _____

(*I:* stressed) ai déjà refusé.    4. Elle a taquiné Marie mais pas _____ (*me*).    5. Ils _____ ont parlé _____ (*to John and me*).    6. Il _____ fait ses recommandations _____ (*to him:* stressed).    7. _____ (*he*) qui a les cheveux en brosse n'est pas toujours un Américain.    8. Ce sont _____ (*they*) qui passent leur temps à lire *Charivari*.    9. A _____ (*what*) est-ce qu'elle fait allusion?    10. _____ (*I*), qui ne refuse jamais les frictions, je n'accepte jamais le cosmétique.    11. Il le _____ a dit _____ (*to them:* stressed).    12. Il _____ l'a dit _____ (*to us*) qui sommes ses amis.

H. (*Corresponds to Lesson XI*): Traduisez: 1. Mary wonders whether it will be necessary to wear gloves.    2. How will she dare to wear a hat like Jeanne Delbos'?    3. Soon she has changed her mind and has accepted not only the invitation of the countess but also that of Jacqueline Davray.    4. She agreed to take to the tea a young American whom she had met in the Bon Marché.    5. As for the suede shoes, she will wear those which she bought last week at Guyomard's.    6. As for the party dress, Anna has just bought a very pretty one.    7. The one who sent this invitation is certainly the Countess of Chantepie.    8. The blue silk dress will not go very well with Jeanne Delbos' hat either.    9. It is the countess who will give this tea in honor of the foreign students in Paris.    10. She and I will not go sticking our noses into such a place.

I. (*Corresponds to Lesson XII*): 1. What astonished this American during her first trip by subway?    2. First one would find the terminus of the Auteuil line on the map and then one would follow the indications "Direction Auteuil Gate."    3. Which cars must one get on, the red first-class cars or the green second-class cars?    4. She kept reading the advertising panels on the walls of the tunnel, lighted by the passing train.    5. That meant that it was necessary to continue on another line to get to the Orleans Gate where one took the bus going towards Longjumeau.    6. What was this "carnet" which one bought at the ticket window?    7. Mary showed her friend how to decipher the subway map posted on the platform.    8. Whom did he prevent from passing onto the platform when the train arrived?    9. These enormous panes gave the American the impression of traveling in an aquarium.    10. What did Mary mean when she said Robert was waiting for her?

J. (*Corresponds to Lesson XIII*): 1. By tradition the flower beds and the fountains were not supposed to be located on the same side as the court of honor.    2. Since no one knew Mary, she tried to

stand in a dignified manner near the entrance door of the great hall.
3. The lady from the committee soon made her forget that she did
not know the other guests. 4. The countess asked both of them if
they wanted a cup of tea. 5. Mary was holding her cup of tea in her
hand, but Jean had put hers on the table. 6. Of all the portraits in
the great hall, theirs was the most beautiful. 7. The castle of the
innumerable counts of Chantepie was located at the end of a long
avenue. 8. Who poured tea for them? 9. Was this queer first name
hers? 10. She made her explain why these things were on the other
side.

K. (*Corresponds to Lesson XIV*): 1. What had Jacques been
satisfied with? 2. Until then she had lived in the same world of
which we were speaking, in the one where everyone is in a hurry.
3. Once the spiny lobster had been ordered, Robert was astonished
to find that there were no vegetables. 4. John was not accustomed
to the traditional slowness of French meals. 5. He is the Alsatian
restaurant keeper whose cooking I like very much. 6. Here is a restaurant whose specialty is fried potatoes. 7. What is the time at
which we agreed to meet at Lipp's? 8. Why did he want to eat all
these vegetables separately? 9. How much time was needed to sip
the two appetizers which Robert had ordered? 10. Was it his fault
or mine if the service had been so slow?

L. (*Corresponds to Lesson XV*): 1. His sister seems to have done
it without him. 2. Did she finally resemble these young Americans?
3. What did his sister accuse him of when she teased him? 4. Does
John have to await his turn to have his hair cut? 5. When our turn
came, he and I made our recommendations to the barber. 6. When
I am at the barber's, *I* (*stressed*) spend my time reading edifying
newspapers. 7. I alone frequent the cafés of St.-Germain des Prés.
8. Is it by habit that the barber proposes hair tonic to him or is it
because he needs it? 9. She made up her mind to ask that they give
her a permanent. 10. Why did he ask that his hair be cut like a prewar American?

# SEIZIÈME LEÇON

## Les Courses de Marie

Madame Dalembert avait chargé sa fille de beaucoup de commissions, car ni elle ni la bonne ne pouvaient s'en occuper ce jour-là. Il fallait passer chez l'épicier pour le sucre et le café, chez le fruitier pour les fruits et les légumes, chez le boucher pour la viande, chez le charcutier pour les saucisses, chez le boulanger pour le pain, chez le pâtissier pour les petits fours, chez le marchand de vin pour le vin, sans parler du laitier pour le fromage, du quincaillier pour la poêle, et du bureau de tabac pour les allumettes. Après avoir couru pendant une heure et demie, un panier de plus en plus lourd au bras, elle s'est mise à maudire intérieurement la décentralisation. En province, le jour du marché, elle aurait pu presque tout faire au même endroit. Mais elle n'était pas en province, elle était à Paris. Si seulement sa mère avait eu un frigidaire, ces courses seraient devenues moins fréquentes, mais Madame Dalembert préférait laisser les choses ainsi. L'idée de conserver la nourriture pendant quelques jours la choquait dans ses habitudes, car elle tenait beaucoup à la qualité de ce qu'elle mangeait. Marie voulait changer tout cela mais elle n'y était pas encore parvenue.

## Questionnaire

1. Qui avait chargé Marie de beaucoup de commissions? 2. De quoi Madame Dalembert avait-elle chargé Marie? 3. Pourquoi l'avait-elle chargée de beaucoup de commissions? 4. Qui ne pouvait s'en occuper ce jour-là? 5. Chez qui fallait-il passer? 6. Qu'est-ce qu'elle allait acheter chez l'épicier? chez le fruitier? chez le boucher? chez le charcutier? chez le boulanger? chez le pâtissier? chez le marchand de vin? chez le laitier? chez le quincaillier? au bureau de tabac? 7. Chez qui achète-t-on les petits fours? les saucisses? les allumettes? la viande? les fruits? le fromage? les légumes? le vin? une poêle? le sucre? le pain? le café? 8. Pendant combien de temps Marie a-t-elle couru? 9. Qu'est-ce que Marie portait au bras? 10. Est-ce que ce panier était léger (*light*)? 11. Qu'est-ce que Marie s'est mise à maudire? 12. Pourquoi s'est-elle mise à maudire in-

térieurement la décentralisation? 13. Est-ce que la province est aussi décentralisée que Paris pour faire des commissions? 14. Quel jour en province peut-on tout acheter au même endroit? 15. Pourquoi ne pouvait-elle pas tout acheter au même endroit cette fois-ci? 16. Est-ce que Marie était en province? 17. Que serait-il arrivé si sa mère avait eu un frigidaire? 18. Comment ces courses seraient-elles devenues moins fréquentes? 19. Qui préférait laisser les choses ainsi? 20. Qu'est-ce qui choquait Madame Dalembert dans ses habitudes? 21. A quoi est-ce que Madame Dalembert tenait beaucoup? 22. Est-ce que Marie aurait voulu conserver la nourriture pendant quelques jours? 23. Qui voulait changer tout cela? 24. Y était-elle déjà parvenue?

QUESTIONS PERSONNELLES

1. Que pensez-vous de la décentralisation dans la vente au détail (*retail sales*) en France? 2. Quel est le désavantage de ce système? 3. Voyez-vous comment ce système pourrait être avantageux à certains points de vue? 4. Est-ce que le tabac est un monopole (*government monopoly*) aux États-Unis comme en France? 5. Décrivez les courses que vous avez faites le jour où votre mère vous a chargé de beaucoup de commissions. 6. Prenez-vous un panier quand vous faites des commissions? 7. Aimez-vous la nourriture conservée dans un frigidaire? 8. Tenez-vous beaucoup à la qualité de ce que vous mangez ou est-ce que la qualité de la nourriture vous est indifférente? 9. Y a-t-il en Amérique des marchés en plein air (*in the open air*)? 10. Approuvez-vous le désir qu'a Marie de vouloir tout changer?

## *Vocabulaire*

(**une**) **allumette** [alymɛt] match
(**le**) **boucher** [buʃe] butcher
(**le**) **boulanger** [bulɑ̃ʒe] baker
(**le**) **bras** [bra] arm   *au bras,* on one's arm
(**le**) **bureau** [byro] *le bureau de tabac* [byro d taba], tobacco shop
(**le**) **charcutier** [ʃarkytje] pork butcher
**charger** [ʃarʒe] to charge   *charger de,* to charge with   *se charger de,* to take charge of
**choquer** [ʃɔke] to shock
(**la**) **commission** [kɔmisjɔ̃] commission, errand
**conserver** [kɔ̃sɛrve] to preserve

**courir** *couru* [kury], *past part.,* run
(**la**) **course** [kurs] running, dash, errand
(**la**) **décentralisation** [desɑ̃tralizasjɔ̃] decentralization
**devenir** [dəvnir] to become
(**un**) **épicier** [episje] grocer
**fréquent, -e** [frekɑ̃, frekɑ̃t] frequent
(**le**) **frigidaire** [friʒidɛr] electric ice box
(**le**) **fruitier** [frɥitje] green grocer
**intérieurement** [ɛ̃terjœrmɑ̃], *adv.* inwardly
**laisser** [lese] to leave
(**le**) **laitier** [letje] milkman

**lourd, -e** [lur, lurd] heavy
**(le) marchand** [marʃɑ̃] merchant
**(le) marché** [marʃe] market
**maudire** [modir] to rave at, curse
**(la) mère** [mɛr] mother
**ni** [ni], *conj. ni . . . ni,* neither . . . nor (*ne* before verb)
**(la) nourriture** [nurityr] food
**occuper** [ɔkype] to occupy, to busy *s'occuper de,* to take charge of, see about
**(le) panier** [panje] basket
**parler** [parle] to speak *sans parler de,* without mentioning
**parvenir** [parvənir] to succeed *parvenir à,* to succeed in

**(le) pâtissier** [patisje] pastry cook
**plus,** *adv. de plus en plus* [də ply zɑ̃ ply], more and more
**(la) poêle** [pwal] frying pan
**pouvoir** *il a pu* [il a py], he has been able
**préférer** [prefere] to prefer
**(la) province** [prɔvɛ̃s] province
**(la) qualité** [kalite] quality
**quelque** [kɛlk], *adj.* some, any, a few (*in pl.*)
**(le) quincaillier** [kɛ̃kaje], ironmonger
**(la) saucisse** [sosis] sausage
**tenir** [tənir] *tenir à* to value, cherish

## *Étude de Verbes*

### § XVI (a) NEGATION (continues § VI, k, and § XIII, c)

*Ne . . . plus* (no longer) and *ne . . . jamais* (never) occupy the same positions in relation to the verb as *ne . . . pas* (see § I, g; § VI, k; and § XIII, c).

> Je *ne* l'aime *pas* [ʒə n lɛm pa]. I don't like it.
> Je *ne* l'aime *plus.* I no longer like it.
> Je *ne* l'aime *jamais.* I never like it.
> *Ne* l'aime-t-il *pas?* Doesn't he like it?
> *Ne* l'aime-t-il *plus?* Does he no longer like it?
> *Ne* l'aime-t-il *jamais?* Does he never like it?
> Je *ne* l'ai *pas* aimé. I did not like it.
> Je *ne* l'ai *plus* aimé. I no longer liked it.
> Je *ne* l'ai *jamais* aimé. I never liked it.
> *Ne* l'a-t-il *pas* aimé? Didn't he like it?
> *Ne* l'a-t-il *plus* aimé? Did he no longer like it?
> *Ne* l'a-t-il *jamais* aimé? Did he never like it? (Didn't he ever like it?)
> . . . pour *ne pas* le voir. . . . in order not to see it.
> . . . pour *ne plus* le voir. . . . in order no longer to see it.
> . . . pour *ne jamais* le voir. . . . in order never to see it.

For emphasis, *jamais* may be the first word in the sentence but, contrary to English usage, the verb is not inverted.

> *Jamais* je *n'*ai dit cela. Never did I say that.

The indefinite negative pronouns *personne* and *rien* can be both subject and object of the verb. In either case they require *ne* before the verb.

> *Personne ne* vient. No one is coming.
> Marie *ne* connaissait *personne.* Mary knew no one.
> *Rien ne* lui plaît. Nothing pleases him.
> Il *n'*a *rien.* He has nothing.

In compound tenses and with infinitives *ne . . . rien* occupies the same position in relation to the verb as *ne . . . pas,* but *ne . . . personne* differs, *ne* coming as usual before the verb but *personne* coming after the past participle or infinitive.

> **Je *n'*ai *rien* vu.** I saw nothing.
> **Je *n'*ai vu *personne*.** I saw no one.
> **. . . pour *ne rien* savoir. . . .** in order to know nothing.
> **. . . pour *ne* voir *personne*. . . .** in order to see no one.

*Rien* and *personne* may also be the objects of prepositions, in which case they still require *ne* before the verb.

> **Il *ne* pense à *rien*.** He thinks of nothing.
> **Il *ne* parle à *personne*.** He speaks to no one.

*Ne . . . que* (only) serves to introduce a word or phrase occurring after the verb. It cannot introduce the subject or the verb itself. *Ne* is placed before the verb but *que* may occur anywhere in the remainder of the sentence to correspond to the English word *only.*

> **Nous *ne* mangerons toujours *que* des conserves.**
> We shall always eat only (nothing but) canned goods.

*Ni . . . ni* (neither . . . nor), requiring *ne* before the verb, may introduce words preceding the verb or words following the verb.

> **Ni elle *ni* la bonne *ne* pouvaient s'en occuper.**
> Neither she nor the maid could take care of it.
> **Je *ne* vois *ni* le pain *ni* le beurre.**
> I see neither the bread nor the butter.

With *ni . . . ni* partitives are omitted.

> **Marie *ne* prend *ni* crème *ni* sucre.**
> Mary takes neither cream nor sugar.

## § XVI (b) STRUCTURE OF IRREGULAR VERBS

In spite of the irregularities of so-called irregular verbs, it is possible to discern certain regular patterns which simplify the learning process. The irregular verb should first be reduced to its four or five principal parts. Generally the principal parts will have to be learned separately since they cannot be derived systematically from the infinitive as in the case of regular verbs. Once the principal parts are known, it is possible to derive most of the remaining forms of the verb from them according to the system described below. Whenever the pattern of the irregular verb deviates from the system, special attention must be paid to the inconsistency.

To illustrate, we shall use the irregular verb *dire.*

FIRST PRINCIPAL PART: *Infinitive:* **dire.**

From the entire infinitive the future (see § VII, f) and the conditional (see § IX, d) are derived. In the case of *dire,* the derivation is regular.

FUTURE: **je dirai,** etc.    CONDITIONAL: **je dirais,** etc.

In the case of many irregular verbs, the derivation is irregular. For example, the future of *aller* is *j'irai* and the conditional *j'irais.*

**In every French verb the stem for the conditional will be the same as the stem for the future.**

SECOND PRINCIPAL PART: *First Singular Present Indicative:* **je dis.**

This form normally gives the clue to the present indicative singular. Except in a few rare cases, the endings of an irregular verb in the present singular are *-s, -s, -t.* Second person singular will be identical with first person singular, and third person singular will differ only in the change of *s* to *t.*

PRESENT SINGULAR: **je dis**
**tu dis**
**il dit**

In most irregular verbs the familiar imperative (see § V, h) is identical with the first person singular present indicative.

FAMILIAR IMPERATIVE: **dis**

THIRD PRINCIPAL PART: *Present participle:* **disant.**

In relation to the infinitive, the present participle of an irregular verb is usually an irregular form which must be learned separately. Although there are sometimes additional irregularities, in general the stem of the present participle will serve as the stem for the following tenses: present indicative plural, plural imperative, imperfect indicative, and present subjunctive. The verb endings are the same as for a regular *-er* verb.

| | |
|---|---|
| PRESENT PARTICIPLE: | disant |
| PRESENT INDICATIVE PLURAL: | nous disons |
| | vous *dites* |
| | ils disent |
| IMPERATIVE PLURAL: | disons |
| | *dites* |
| IMPERFECT INDICATIVE: | je disais |
| | tu disais |
| | il disait |
| | nous disions |
| | vous disiez |
| | ils disaient |

PRESENT SUBJUNCTIVE:        je dise
                            tu dises
                            il dise
                            nous disions
                            vous disiez
                            ils disent

Among the above forms the only inconsistency is *dites* in the second plural present indicative and imperative. Hence this form must be described as irregular in terms of the present participle.

FOURTH PRINCIPAL PART: *Past participle:* **dit.**

The past participle of an irregular verb is usually irregular in relation to the infinitive and must be learned separately. Once the past participle has been learned, it is possible, of course, to derive all compound tenses.

PAST PARTICIPLE: **dit**
PASSÉ COMPOSÉ: **j'ai dit, etc.**
PLUPERFECT: **j'avais dit, etc.**
FUTURE PERFECT: **j'aurai dit, etc.**
CONDITIONAL PERFECT: **j'aurais dit, etc.**

As will be seen in § XVI (c) there are also some compound tenses which have not been studied yet.

Another tense to be studied later is the *passé simple*. In the case of many irregular verbs it will be seen (see Grammatical Appendix, § 10, A) that the *passé simple* is regularly derived from the past participle. Such verbs can be considered to have only four principal parts. *Dire* is a verb of this type.

PAST PARTICIPLE: **dit**
PASSÉ SIMPLE: **je dis, etc.**

FIFTH PRINCIPAL PART: *First singular passé simple:* [omit for *dire*]

Whenever the *passé simple* does not come from the past participle, the verb is considered to have a fifth principal part which is the first singular *passé simple*. Once this form is known, the remaining forms are derived according to an invariable system. By a similar invariable system to be studied later, the imperfect subjunctive is also derived from the first singular *passé simple*.

## § XVI (c) CONJUGATION OF *dire*

| INFINITIVE | PRES. INDIC. | PRESENT PARTICIPLE | | PAST PARTICIPLE | |
|---|---|---|---|---|---|
| dire | je dis | disant | | dit | |

| FUTURE | PRES. INDIC. SING. | PRES. INDIC. PLUR. | PASSÉ COMPOSÉ | PASSÉ SIMPLE * |
|---|---|---|---|---|
| je dirai | je dis | nous disons | j'ai dit, etc. | je dis |
| tu diras | tu dis | vous *dites* | PLUPERFECT INDIC. | tu dis |
| il dira | il dit | ils disent | j'avais dit, etc. | il dit |
| nous dirons | | | FUTURE PERFECT | nous dîmes |
| vous direz | | | j'aurai dit, etc. | vous dîtes |
| ils diront | | | CONDITIONAL PERFECT | ils dirent |
| | | | j'aurais dit, etc. | |
| | | | PAST ANTERIOR * | |
| | | | j'eus dit, etc. | |

| CONDITIONAL | | IMPERFECT INDIC. | PERFECT INFINITIVE avoir dit |
|---|---|---|---|
| je dirais | | je disais | PERFECT PARTICIPLE |
| tu dirais | | tu disais | ayant dit |
| il dirait | | il disait | |
| nous dirions | | nous disions | |
| vous diriez | | vous disiez | |
| ils diraient | | ils disaient | |

| | IMPERATIVE SING. | IMPERATIVE PLUR. |
|---|---|---|
| | dis | disons |
| | | *dites* |

| PRESENT SUBJUNCTIVE | PERFECT SUBJUNCTIVE * | IMPERFECT SUBJUNCTIVE * |
|---|---|---|
| je dise | j'aie dit, etc. | je disse |
| tu dises | | tu disses |
| il dise | PLUPERFECT | il dît |
| nous disions | SUBJUNCTIVE * | nous dissions |
| vous disiez | j'eusse dit, etc. | vous dissiez |
| ils disent | | ils dissent |

* These tenses will be studied in later lessons.

## *Exercices*

A. Relisez les phrases suivantes en y introduisant la négation in-diquée entre parenthèses: 1. Elle a compris (*nothing*) à ce qu'il disait. 2. On achète les petits fours (*only*) chez le pâtissier. 3. J'ai vu (*never*) de pain chez l'épicier. 4. Après avoir couru (*only*) pen-dant une heure et demie, elle a tout trouvé. 5. Ces choses l'avaient-elles choquée (*no longer*)? 6. (*No one*) était encore parvenu à changer tout cela. 7. Elle a donné (*nothing*) à Marie. 8. Elle pré-férait le vin de Bordeaux et le fromage de Brie (*neither, nor*).

9. Marie voudrait du sucre et du lait dans son thé (*neither, nor*).

10. Ces habitudes choquaient (*only*) Madame Dalembert.

B. Mettez *ne . . . plus, ne . . . jamais, ne . . . rien, ne . . . personne* dans les expressions suivantes: 1. Il aime. 2. Il a aimé. 3. A-t-il aimé?

C. Conjugaison du verbe *dire:* 1) Donnez toutes les formes de *dire* qui se dérivent de l'infinitif. 2) Du présent de l'indicatif. 3) Du participe présent. 4) Du participe passé.

## Dialogue

Madame Dalembert: Marie, j'ai tant à faire à la maison, et Rosalie doit m'aider. Pourrais-tu te charger des courses ce matin?

Marie: Oui, je veux bien, maman, mais j'avoue que ces interminables courses à travers Paris me semblent une habitude préhistorique.

Madame Dalembert: Préhistorique? Je te vois venir. Tu voudrais que j'achète en une seule fois les provisions de plusieurs jours. Si je suivais tes conseils, nous ne mangerions que des conserves. Si c'est cela, la vie moderne, je n'en veux pas.

Marie: Je n'ai jamais dit ça, maman. Mais il faudrait que tu achètes un frigidaire. Comme cela tu pourrais conserver la viande et les légumes, ainsi que le beurre, pendant quelques jours.

Madame Dalembert: Peut-être qu'un frigidaire serait commode pour garder des restes, mais je m'en suis toujours passée. Quant à garder les légumes ou la viande fraîche, merci. Pour moi cela n'aurait plus de goût. D'ailleurs le prix de ces appareils est effarant. J'aime mieux garder mon argent pour des choses plus utiles—— pour les concerts au Palais de Chaillot, par exemple.

Marie: Bon, bon, maman. N'en parlons plus. Où faut-il aller?

## djalɔg

Madame Dalembert: mari╱ ʒ e tã ta fɛr a la mezɔ̃╱ e rɔzali dwa m ede╲ pure ty t ʃarʒe de kurs╱ sə matɛ̃╱

Marie: wi——ʒ vø bjɛ̃╱ mamã── me ʒ avu╱ k se zɛ̃tɛrminablə kurs╱ a travɛr pari╱ m sãbl yn abityd preistɔrik╲

Madame Dalembert: preistɔrik╱ ʒ tə vwa vnir╱ ty vudre╱ k ʒ aʃɛt ã nyn sœl fwa╱ le prɔvizjɔ̃ d plyzjœr ʒur╱ si ʒ sɥive te kɔ̃sɛj╱ nu n mãʒərjɔ̃ k de kɔ̃sɛrv╲ si s e sla╱ la vi mɔdɛrn╱ ʒ n ã vø pa╲

Marie: ʒ n e ʒame di sa╱ mamã── me il fodre k tɥ aʃɛt œ̃

friʒidɛr╱ kɔm səla╱ ty pure kɔ̃sɛrve╱ la vjɑ̃d e le legym╱ ɛ̃si
k lə bœr╱ pɑ̃dɑ̃ kɛlkə ʒur╱

MADAME DALEMBERT: pøtɛtrə k ɑ̃̃ friʒidɛr╱ səre kɔmɔd╱
pur garde de rɛst╱ me ʒ m ɑ̃ sɥi tuʒur pase╲ kɑ̃ ta garde le
legym u la vjɑ̃d frɛʃ╱ mɛrsi╱ pur mwa╱ sla n ɔre ply d gu╲
dajœr╱ lə pri d se zaparɛj╱ e tefarɑ̃╲ ʒ ɛm mjø garde mɔ̃
narʒɑ̃╱ pur de ʃoz ply zytil╱ pur le kɔ̃sɛr╱ o pale d ʃajo╱ par
ɛgzɑ̃pl▁▁

MARIE: bɔ̃ bɔ̃ mamɑ̃╲ n ɑ̃ parlɔ̃ ply╲ u fo til ale╲

## Vocabulaire Supplémentaire

**aider** [ede] to help
**(un) appareil** [aparɛj] apparatus, appliance, machine, instrument
**(un) argent** [arʒɑ̃] money, silver
**commode** [kɔmɔd], *adj.* convenient
**(le) concert** [kɔ̃sɛr] concert
**(le) conseil** [kɔ̃sɛj] advice
**(la) conserve** [kɔ̃sɛrv] preserve, canned goods (*in pl.*)
**effarer** [efare] to frighten, scare *effarant* [efarɑ̃], *pres. part.*, frightening
**(un) exemple** [ɛgzɑ̃pl] example *par exemple*, for example
**frais** [fre], **fraîche** [frɛʃ] fresh
**(le) goût** [gu] taste
**interminable** [ɛ̃tɛrminabl], *adj.* interminable

**mieux** [mjø], *adv.* **aimer mieux,** to prefer
**(le) palais** [pale] palace
**passer** [pase] *se passer de,* to do without
**préhistorique** [preistɔrik], *adj.* prehistoric
**(le) prix** [pri] price
**(le) reste** [rɛst] rest, remainder, leftovers (*in pl.*)
**tant** [tɑ̃], *adv.* so much
**utile** [ytil], *adj.* useful
**venir** [vənir] *je vous vois venir,* I see what you are driving at
**(la) vie** [vi] life, living
**vouloir** *je veux bien* [ʒə vø bjɛ̃], I am willing

# DIX-SEPTIÈME LEÇON
••••••••••••••••••••••••••

## *Un Coup de Téléphone*

Au milieu de ses courses, Marie s'est souvenue que son amie Louise
Degorce lui avait demandé de lui téléphoner. Comme les Dalembert
n'avaient pas le téléphone à la maison, —pas plus qu'ils n'avaient
de frigidaire— Marie devait toujours employer le téléphone public
pour ses communications. C'était assez gênant. La plupart de ses
amies avaient le téléphone à la maison mais, pour communiquer avec
Marie, elles ne pouvaient pas l'employer et devaient avoir recours à

un télégramme ou à un pneumatique. Pour ne pas payer double tarif dans un café, Marie a dû faire un long détour par le bureau de poste de la rue de Rennes. Là elle a dû attendre parce que toutes les cabines étaient occupées. En attendant, elle a cherché son numéro dans l'annuaire et a acheté un jeton à la téléphoniste. Mais le jeton était inutile, car elle ne pouvait pas appeler «régional» avec le téléphone automatique. S'étant fait rembourser, elle a donné son numéro à la téléphoniste et a eu sa communication dans une autre cabine.

## *Questionnaire*

1. Quand Marie s'est-elle souvenue qu'elle devait téléphoner à Louise? 2. De quoi Marie s'est-elle souvenue au milieu de ses courses? 3. Qu'est-ce que Louise Degorce lui avait demandé de faire? 4. Les Dalembert avaient-ils le téléphone à la maison? 5. Quelle autre chose n'avaient-ils pas non plus? 6. Comment Marie s'arrangeait-elle pour téléphoner? 7. Est-ce que c'était commode? 8. Est-ce que la plupart de ses amies avaient le téléphone à la maison? 9. A quoi est-ce que ces amies devaient avoir recours pour communiquer avec Marie? 10. Est-ce que Marie devait avoir recours à un télégramme ou à un pneumatique pour communiquer avec ses amies? 11. Pourquoi Marie a-t-elle dû faire un long détour? 12. Où faut-il payer double tarif pour téléphoner? 13. Où Marie est-elle allée pour téléphoner? 14. Pourquoi a-t-elle dû attendre au bureau de poste? 15. Est-ce que toutes les cabines étaient libres? 16. Qu'est-ce qu'elle a fait en attendant? 17. Où a-t-elle cherché son numéro? 18. Qu'est-ce qu'elle a acheté à la téléphoniste? 19. A qui a-t-elle acheté un jeton? 20. Pourquoi le jeton était-il inutile? 21. Pouvait-on appeler «régional» avec le téléphone automatique? 22. Qui lui a remboursé son argent? 23. A qui a-t-elle donné son numéro de téléphone? 24. A-t-elle eu sa communication par téléphone automatique? 25. Pourquoi a-t-elle eu sa communication dans une autre cabine?

### QUESTIONS PERSONNELLES

1. Avez-vous le téléphone chez vous? 2. Où trouve-t-on le téléphone public en Amérique? en France? 3. Savez-vous employer le téléphone automatique? 4. Après avoir mis le doigt dans un trou du cadran, comment faites-vous le numéro? 5. Faut-il décrocher le récepteur avant d'avoir mis le jeton dans l'appareil ou après? 6. A-t-on

des jetons pour le téléphone aux États-Unis? 7. Pourquoi trouve-t-on les téléphonistes au bureau de poste en France? 8. Est-ce que le téléphone est un monopole (*government monopoly*) aux États-Unis? 9. Quelle serait la différence entre «régional» et «inter-urbain?» 10. Quelle différence y a-t-il entre la façon de lire un numéro de téléphone en France et aux États-Unis?

## *Vocabulaire*

(un) **annuaire** [anɥɛr] annual, directory

**assez** [ase], *adv.* enough, rather

**automatique** [ɔtɔmatik], *adj.* automatic *téléphone automatique,* dial telephone

(le) **bureau** *bureau de poste* [byro d pɔst], post office

(la) **cabine** [kabin] cabin, booth

(le) **cadran** [kadrɑ̃] dial

(la) **communication** [kɔmynikasjɔ̃] communication, call

**décrocher** [dekrɔʃe] to unhook

(le) **détour** [detur] detour

(le) **doigt** [dwa] finger

**double** [dubl], *adj.* double

**employer** [ɑ̃plwaje] to employ, use

(les) **États-Unis** [le zetazyni], *m. pl.* United States

**gêner** [ʒene] to cramp, embarrass *gênant* [ʒenɑ̃], *pres. part.,* embarrassing

**inutile** [inytil], *adj.* useless

(le) **jeton** [ʒətɔ̃] token

(le) **milieu** [miljø] middle

**payer** [peje] to pay

(la) **plupart** [plypar] *la plupart de,* most of

(le) **pneumatique** [pnømatik] express letter

**public, -ique** [pyblik] public

(le) **récepteur** [resɛptœr] receiver

(le) **recours** [rəkur] recourse *avoir recours à,* to resort to

**régional, -e** (*m. pl.:* **régionaux**) [re-ʒjɔnal, reʒjɔno] regional

**rembourser** [rɑ̃burse] to reimburse *se faire rembourser,* to get one's money back

**souvenir** [suvnir] *se souvenir de,* to remember

(le) **tarif** [tarif] fare, rate

(le) **télégramme** [telegram] telegram

(le) **téléphone** [telefɔn] telephone

**téléphoner** [telefɔne] to telephone

(la) **téléphoniste** [telefɔnist] operator

## *Étude de Verbes*

## § XVII (a) CONJUGATION OF *pouvoir*

| INFINITIVE | PRES. INDIC. | PRESENT PARTICIPLE | PAST PARTICIPLE | |
|---|---|---|---|---|
| pouvoir | je peux | pouvant | pu | |

| FUTURE | PRES. INDIC. SING. | PRES. PLUR. | PASSÉ COMPOSÉ | PASSÉ SIMPLE * |
|---|---|---|---|---|
| je *pourrai* | je peux | nous pouvons | j'ai pu, etc. | je pus |
| tu pourras | tu peux | vous pouvez | PLUPERFECT INDIC. | tu pus |
| il pourra | il peut | *ils peuvent* | j'avais pu, etc. | il put |
| nous pourrons | | | FUTURE PERFECT | nous pûmes |
| vous pourrez | | | j'aurai pu, etc. | vous pûtes |
| ils pourront | | | CONDITIONAL PERF. | ils purent |
| | | | j'aurais pu, etc. | |

| CONDITIONAL | IMPERFECT INDIC. | PAST ANTERIOR * |
|---|---|---|
| je pourrais | je pouvais | j'eus pu, etc. |
| tu pourrais | tu pouvais | |
| il pourrait | il pouvait | PERFECT INFINITIVE |
| nous pourrions | nous pouvions | avoir pu |
| vous pourriez | vous pouviez | PERFECT PARTICIPLE |
| ils pourraient | ils pouvaient | ayant pu |

| IMPERATIVE SING. (none) | IMPERATIVE PLURAL (none) | | |
|---|---|---|---|
| PRESENT SUBJUNCTIVE | PERFECT SUBJUNCTIVE | IMPERFECT SUBJUNCTIVE * |
| je *puisse* | j'aie pu, etc. | je pusse |
| tu puisses | PLUPERFECT | tu pusses |
| il puisse | SUBJUNCTIVE * | il pût |
| nous puissions | j'eusse pu, etc. | nous pussions |
| vous puissiez | | vous pussiez |
| ils puissent | | ils pussent |

* These tenses will be studied in later lessons.

The present indicative singular of this verb presents no real irregularities. Although the first singular ends in *x* instead of *s,* the second singular is consistent since it has the same form as the first singular. The third singular, as to be expected, replaces *x* with *t.*

In the present indicative plural, the first and second person are regular in terms of the present participle. The third plural is regular in all respects but one: it has the same stem vowel as the singular. This return to the stem vowel of the singular will be duplicated in many other irregular verbs.

Additional irregularities which must be noted are the future *je pourrai* and the present subjunctive *je puisse.*

## § XVII (b) USES OF *pouvoir*

*Pouvoir* means basically *to be able* and normally has depending on it an infinitive without a preposition. In translation it also corresponds to the English auxiliaries *can* or *may* for which French has no grammatical equivalents and between which French makes no distinction.

The following is a synopsis of *pouvoir* in the third singular to illustrate the various translations.

| | |
|---|---|
| **Il peut lire.** | He is able to read.<br>He can read.<br>He may read. |
| **Il a pu lire.** | He has been able to read.<br>He was able [at a specific time] to read.<br>He could [at a specific time] read.<br>He may have read. |
| **Il pouvait lire.** | He was able [over a period of time] to read.<br>He could [over a period of time] read.<br>He might read. |
| **Il pourra lire.** | He will be able to read.<br>He can [at a future time] read.<br>He may [at a future time] read. |
| **Il pourrait lire.** | He would be able to read.<br>He could read.<br>He might read. |
| **Il avait pu lire.** | He had been able to read. |
| **Il aura pu lire.** | He will have been able to read. |
| **Il aurait pu lire.** | He would have been able to read.<br>He could have read.<br>He might have read. |
| (*Literary Style*)<br>**Il put lire.** | He was able [at a specific time] to read.<br>He could [at a specific time] read. |

Translations of the subjunctive have been omitted because, as will be seen in further study of the subjunctive, they generally resemble those of the indicative.

To translate *can, could* or *may, might,* first transcribe the expression in terms of *to be able* to determine the proper tense of *pouvoir.*

Except in rare expressions which we shall not consider here, all notion of tense is expressed with *pouvoir,* after which a simple infinitive occurs.

> *He may have read* is not *He may/have read* but rather
> *He may have/read:* **Il a pu lire.**

## § XVII (c) CONJUGATION OF *devoir*

| INFINITIVE | PRES. INDIC. | PRESENT<br>PARTICIPLE | PAST PARTICIPLE |
|---|---|---|---|
| devoir | je dois | devant | dû |

| FUTURE | PRES. INDIC.<br>SING. | PRES. PLUR. | PASSÉ COMPOSÉ | PASSÉ SIMPLE * |
|---|---|---|---|---|
| je *devrai* | je dois | nous devons | j'ai dû, etc. | je dus |
| tu devras | tu dois | vous devez | PLUPERFECT INDIC. | tu dus |
| il devra | il doit | ils *doivent* | j'avais dû, etc. | il dut |
| nous devrons | | | FUTURE PERFECT | nous dûmes |
| vous devrez | | | j'aurai dû, etc. | vous dûtes |
| ils devront | | | CONDITIONAL PERF. | ils durent |
| | | | j'aurais dû, etc. | |

| CONDITIONAL | | IMPERFECT INDIC. | PAST ANTERIOR * <br> j'eus dû, etc. |
|---|---|---|---|
| je devrais | | je devais | |
| tu devrais | | tu devais | PERFECT INFINITIVE |
| il devrait | | il devait | avoir dû |
| nous devrions | | nous devions | PERFECT PARTICIPLE |
| vous devriez | | vous deviez | ayant dû |
| ils devraient | | ils devaient | |
| | IMPERATIVE SING. <br> dois | IMPERATIVE PLURAL <br> devons <br> devez | |

| PRESENT SUBJUNCTIVE | PERFECT SUBJUNCTIVE * <br> j'aie dû, etc. | IMPERFECT SUBJUNCTIVE * |
|---|---|---|
| je *doive* | | je dusse |
| tu *doives* | | tu dusses |
| il *doive* | PLUPERFECT | il dût |
| nous devions | SUBJUNCTIVE * | nous dussions |
| vous deviez | j'eusse dû, etc. | vous dussiez |
| ils *doivent* | | ils dussent |

* These tenses will be studied in later lessons.

Like *vouloir*, the verb *devoir* is regular in the present indicative plural except that the vowel of the stem in the third plural is the same as in the present singular. Note that the same type of vowel change occurs in the present subjunctive.

Irregular forms which must be noted separately are *je devrai, ils doivent* (indicative and subjunctive) and *je doive*.

The past participle has a circumflex accent to distinguish it from the contraction *de + le = du*. Whenever *dû* adds an adjectival agreement it loses the circumflex accent.

> **La somme due le premier du mois . . .**
> The sum due (owed) the first of the month . . .

## § XVII (d) USES OF *devoir*

With a direct object *devoir* means *to owe*.

> **Je dois trois dollars.** I owe three dollars.

In this sense the choice of tense presents no special problem.

When it is followed by an infinitive, *devoir* expresses obligation or necessity. The corresponding English has a variety of expressions including the auxiliary *must* for which there is no grammatical equivalent in French.

| Je dois lire. | ⎧ I am obliged to read.<br>⎪ I must read.<br>⎨ I have to read.<br>⎪ I am supposed to read.<br>⎩ I am to read. |
| **J'ai dû lire.** | ⎧ I have been obliged to read.<br>⎪ I was obliged [at a specific time] to read.<br>⎨ I must have read.<br>⎪ I have had to read.<br>⎩ I had [at a specific time] to read. |
| **Je devais lire.** | ⎧ I was obliged [over a period of time] to read.<br>⎪ I had [over a period of time] to read.<br>⎨ I was supposed to read.<br>⎩ I was to read. |
| **Je devrai lire.** | ⎰ I shall be obliged to read.<br>⎱ I shall have to read. |
| **Je devrais lire.** | ⎰ I should read.<br>⎱ I ought to read. |
| **J'avais dû lire.** | ⎧ I had been obliged to read.<br>⎨ I had had to read.<br>⎩ I had been supposed to read. |
| **J'aurais dû lire.** | ⎧ I should have read.<br>⎨ I ought to have read.<br>⎩ I was supposed to have read. |
| (*Literary Style*)<br>**Je dus lire.** | ⎰ I was obliged [at a specific time] to read.<br>⎱ I had [at a specific time] to read. |

The first problem is to recognize the expression of obligation or necessity. Having decided to use *devoir,* one must then determine the tense.

**Whenever possible, paraphrase the English expression in terms of *to be obliged to* in order to determine the tense of *devoir*. In addition, remember particularly that *ought* usually signifies a conditional tense of *devoir*, that *am* (*is, are*) *to* is the present tense of *devoir*, and that *was* (*were*) *to* is the imperfect tense of *devoir*.**

As in the case of *pouvoir,* all notion of tense is normally conveyed with *devoir,* after which comes a simple infinitive. *I must have read* is not *I must ⁄ have read* but rather *I must have ⁄ read:*

j'ai dû lire.

For further distinctions between *devoir* and *falloir,* refer back to § X (e) or consult § 24 (I) in Grammatical Appendix.

## *Exercices*

A. Traduisez les expressions suivantes: 1. He could buy.  2. He cannot remember.  3. She must not run.  4. Will she have been able to wait?  5. Could she have looked for it?  6. He may tele-

phone.  7. She had had to speak to them.  8. Could she telephone?
9. Ought she to have done it?  10. She can have remembered it.
11. Weren't we supposed to pay them?  12. Mary has been unable
to do it.  13. She said she might do it.  14. He had to pay double
rate.  15. Here are the three dollars which were due him.

B.  Mettez les verbes entre parenthèses au temps qui convient (*in
the proper tense*): 1. Elle a dit qu'il _____ (*devoir*) partir.
2. Elle _____ (*devoir*) téléphoner parce que la téléphoniste prétend (*claims*) l'avoir vue.  3. Je voulais partir mais je ne _____
(*pouvoir*) pas.  4. Il a dit qu'il _____ (*pouvoir*) le faire si je lui
donnais un jeton.  5. Nous _____ (*devoir*) attendre longtemps,
avant le départ du train.  6. La téléphoniste a dit que Marie
_____ (*devoir*) demander «régional.»  7. Elle lui aurait télé-
phoné si elle _____ (*pouvoir*).  8. Elle _____ (*pouvoir*)
payer double tarif si elle ne veut pas aller au bureau de poste.
9. Vous _____ (*devoir*) partir à huit heures si vous voulez arriver à midi.  10. Est-ce que vous _____ (*devoir*) le voir demain
(*tomorrow*)?

## Dialogue

Marie: Un jeton, s'il vous plaît.

La Téléphoniste: Voilà, Mademoiselle. C'est dix francs.

Marie (*elle entre dans une cabine pour en ressortir tout de suite
après*): Comment fait-on pour téléphoner à Poissy?

La Téléphoniste: Eh! bien, il faut demander «régional.» Mais ça
ne peut pas se faire au téléphone automatique. Quel numéro désirez-
vous à Poissy?

Marie: 63-02 (soixante-trois, zéro, deux).

La Téléphoniste: Vous n'avez qu'à entrer dans cette cabine. Je
vous y donnerai la communication.

(*Marie entre dans la cabine et décroche le récepteur.*)

La Téléphoniste (*parle dans l'appareil*): Allô, régional? Donnez-
moi Poissy 63-02.

Marie (*qui entend un bourdonnement*): Allô.

La Téléphoniste: La ligne est occupée. Je vous rappellerai dans
une minute.

Marie: Allô, c'est Poissy 63-02? Excusez-moi, Madame. On m'a
donné un faux numéro. (*A la téléphoniste.*) Mademoiselle, on m'a
donné Poissy 73-02. C'était Poissy 63-02 que je demandais. (*Nouvelle
sonnerie. Une voix répond.*)

La Voix: J'écoute.
Marie: C'est bien Poissy 63-02?
La Voix: Oui. C'est Madame Degorce à l'appareil.
Marie: Ici Marie Dalembert, Madame.
La Voix: Ah! bonjour, Marie.
Marie: Est-ce que je pourrais parler à Louise?
La Voix: Ne quittez pas. Je vais la chercher.

### djalɔg

Marie: œ̃ ʒtɔ̃\ silvuple——
La Téléphoniste: vwala\ madmwazɛl—— s e di frɑ̃\
Marie (elle entre dans une cabine pour en ressortir tout de suite après): kɔmɑ̃ fe tɔ̃\ pur telefɔne a pwasi——
La Téléphoniste: e bjɛ̃/ il fo dmɑ̃de/ reʒɔnal\ me sa n pø pa s fɛr/ o telefɔn ɔtɔmatik\ kɛl nymero dezire vu\ a pwasi——
Marie: swasɑ̃t trwa zero dø\
La Téléphoniste: vu n ave k a ɑ̃tre dɑ̃ sɛt kabin\ ʒə vu dɔnre la kɔmynikasjɔ̃\ (Marie entre dans la cabine et décroche le récepteur.)
La Téléphoniste (parle dans l'appareil): alo/ reʒɔnal/ dɔne mwa\ pwasi/ swasɑ̃t trwa zero dø\
Marie (qui entend un bourdonnement): alo/
La Téléphoniste: la liɲ e tɔkype\ ʒ vu rapɛlre dɑ̃ zyn minyt\
Marie: alo/ s e pwasi/ swasɑ̃t trwa zero dø/ ɛkskyze mwa\ madam—— ʒ m a dɔne/ œ̃ fo nymero\ (à la télépho-niste) madmwazɛl/ ʒ m a dɔne pwasi swasɑ̃t trɛz zero dø\ s ete pwasi swasɑ̃t trwa zero dø\ kə ʒ dəmɑ̃de—— (Nouvelle sonnerie. Une voix répond.)
La Voix: ʒ ekut\
Marie: s e bjɛ̃ pwasi/ swasɑ̃t trwa zero dø/
La Voix: wi—— s e madam də gɔrs\ a l aparɛj——
Marie: isi/ mari dalɑ̃bɛr\ madam——
La Voix: a bɔ̃ʒur\ mari——
Marie: ɛskə ʒ pure parle a lwiz/
La Voix: nə kite pa\ ʒ ve la ʃɛrʃe\

## Vocabulaire Supplémentaire

allô [alo], *interj.* hello
(le) bourdonnement [burdɔnmã]
  humming
écouter [ekute] to listen
excuser [ɛkskyze] to excuse
faux [fo], fausse [fos] false    *un faux*
  *numéro,* a wrong number

(la) minute [minyt] minute
quitter [kite] to leave, hang up
rappeler [raple] to recall, call back
ressortir [rəsɔrtir] to come out again
(la) sonnerie [sɔnri] ringing
(la) voix [vwa] voice

# DIX-HUITIÈME LEÇON
•••••••••••••••••••••••••

# Un Voyage en Chemin de Fer

Un beau matin de dimanche, Louise et Marie sont parties pour Provins, petite ville moyenâgeuse ignorée des touristes. A vrai dire, elles ont failli ne pas partir, s'étant trompées de direction dans le métro. Elles étaient donc pressées en arrivant à la Gare de Lyon. Devant les flèches indiquant le côté «grandes lignes» et le côté «banlieue,» il fallait faire un choix. Marie a opté pour «Départ Grandes Lignes,» et les deux amies se sont précipitées vers les guichets pour demander des secondes pour Provins. Hélas! malgré la distance, Provins était considéré comme «banlieue.» Nouvelle course folle dans une tout autre partie de la gare pour avoir les billets. A l'entrée du quai, l'employée qui poinçonnait les billets les a engagées à courir encore plus vite: les voyageurs pour Provins devaient d'abord prendre le rapide de Troyes, côté «grandes lignes,» puis changer à Longueville. Comme il n'y avait plus de places dans les compartiments, elles ont dû se tenir debout dans le couloir. A Longueville attendait le petit train omnibus, avec ses vieux wagons poussiéreux à quatre roues. Quel changement après les grands wagons neufs du rapide! Vingt minutes plus tard, en regardant par la portière, elles ont aperçu le donjon de la vieille ville de Provins, autrefois la capitale des puissants comtes de Champagne et la deuxième ville de France après Paris. On n'aurait pas dit que cette petite ville de 8.000 habitants, entourée de vieux remparts délabrés, abritait 80.000 habitants au treizième siècle. Louise et Marie avaient une journée de plaisirs archéologiques devant elles.

## Questionnaire

1. Quand Marie et Louise sont-elles parties pour Provins?
2. Qu'est-ce que c'est que Provins? 3. Est-ce que les touristes connaissent Provins? 4. Pourquoi ont-elles failli ne pas partir? 5. Où s'étaient-elles trompées de direction? 6. Avaient-elles encore beaucoup de temps en arrivant à la Gare de Lyon? 7. Qu'est-ce que les flèches indiquaient? 8. Quel choix fallait-il faire? 9. Pour quel côté Marie a-t-elle opté? 10. Vers quoi les jeunes filles se sont-elles précipitées? 11. Ont-elles pris des premières pour Provins? 12. Pourquoi étaient-elles étonnées d'apprendre que Provins était considéré comme «banlieue?» 13. Où fallait-il courir pour avoir les billets? 14. Qui poinçonnait les billets à l'entrée des quais? 15. Était-ce un homme ou une femme? 16. Pourquoi l'employée les a-t-elle engagées à courir plus vite? 17. Quel train fallait-il prendre d'abord? 18. Où fallait-il changer? 19. Y avait-il des places dans les compartiments? 20. Où fallait-il se tenir? 21. Qu'est-ce qui attendait le rapide à Longueville? 22. Décrivez l'omnibus de Provins. 23. Comment étaient les wagons du rapide? 24. Combien de temps a duré le trajet (*trip*) de Longueville à Provins? 25. Qu'ont-elles aperçu en regardant par la portière? 26. De quoi est-ce que Provins avait été la capitale? 27. Est-ce que Provins était plus grand que Paris au moyen âge? 28. Combien d'habitants a la ville aujourd'hui? 29. Combien en avait-elle au treizième siècle? 30. De quoi la journée de Louise et de Marie devait-elle être remplie (*filled*)?

### QUESTIONS PERSONNELLES

1. Savez-vous si la Gare de Lyon se trouve à Lyon ou à Paris?
2. Quelles sont les deux grandes divisions dans les gares de Paris?
3. Combien de classes y a-t-il dans les trains français? 4. Savez-vous si le contrôleur prend les billets des voyageurs dans le train ou si les voyageurs les rendent à la sortie? 5. Comment fait-on en Amérique? 6. Voit-on jamais en Amérique des wagons à quatre roues? 7. A-t-on des compartiments dans les trains américains? 8. Comment va-t-on d'un compartiment à l'autre? 9. Qu'est-ce que c'est qu'un donjon, une prison souterraine ou une tour (*tower*) défensive? 10. Quelle différence y a-t-il entre le Provins du treizième siècle et celui d'aujourd'hui?

## Vocabulaire

abriter [abrite] to shelter
apercevoir [apɛrsəvwar] to perceive
*aperçu* [apɛrsy], *past part.*, perceived
archéologique [arkeɔlɔʒik], *adj.* archeological
autrefois [otrəfwa], *adv.* formerly
(la) capitale [kapital] capital
(le) changement [ʃɑ̃ʒmɑ̃] change
(le) choix [ʃwa] choice
(le) compartiment [kɔ̃partimɑ̃] compartment
considérer [kɔ̃sidere] to consider
debout [dəbu], *adv.* standing *se tenir debout,* to stand
délabrer [delabre] to dilapidate
(le) départ [depar] departure
devant [dəvɑ̃], *prep.* in front of, before
donc [dɔ̃k], *adv.* therefore, just
(le) donjon [dɔ̃ʒɔ̃] keep (of a castle)
engager [ɑ̃gaʒe] to engage .*engager quelqu'un à,* to urge someone to
entourer [ɑ̃ture] to surround
faillir [fajir] to fail *elle a failli tomber,* she nearly fell
(la) flèche [flɛʃ] arrow
fou [fu], fol [fɔl], folle [fɔl] mad
(la) gare [gar] station
(un) habitant [abitɑ̃] inhabitant
hélas [elaːs], *interj.* alas

ignorer [iɲɔre] not to know
(la) journée [ʒurne] day
(la) ligne [liɲ] line *grande ligne,* main line
moyenâgeux, -euse [mwajɛnaʒø, mwajɛnaʒøz] medieval looking
neuf [nœf], neuve [nœv] new
(un) omnibus [ɔmnibys] *train omnibus,* local train
opter [ɔpte] *opter pour,* to decide in favor of
(la) partie [parti] part
(la) portière [pɔrtjɛr] door (of vehicle)
poussiéreux, -euse [pusjerø, pusjerøz] dusty
précipiter [presipite] to precipitate *se précipiter,* to rush
puissant, -e [pɥisɑ̃, pɥisɑ̃t] powerful
(le) rapide [rapid] express
(le) rempart [rɑ̃par] rampart
(la) roue [ru] wheel
second, -e [səgɔ̃, səgɔ̃d] second
(le) siècle [sjɛkl] century
(le) touriste [turist] tourist
tout [tu], *adv.* very, altogether, completely
(la) ville [vil] town, city
vite [vit], *adv.* quickly, fast
vrai, -e *à vrai dire* [a vre dir], to tell the truth

## Grammaire

### § XVIII (a) INTERROGATIVE PRONOUNS WITH ANTECEDENT

For interrogative pronouns without antecedent, see § XII, b.

In English the interrogative pronoun with an antecedent is *which one* (*ones*), or *which* in the sense of *which one* (*ones*). To correspond to this, French has a pronoun showing gender agreements in its form exactly the same as the inflected relative (see § XIV, a).

> **Voici trois livres.** *Lequel* **préférez-vous?**
> Here are three books. *Which* (*one*) do you prefer?
> **Voici trois fleurs.** *Laquelle* **préférez-vous?**
> Here are three flowers. *Which* (*one*) do you prefer?
> **Voilà plusieurs livres.** *Lesquels* **préférez-vous?**
> There are several books. *Which* (*ones*) do you prefer?

**Voilà beaucoup de fleurs.** *Lesquelles* **préférez-vous?**
There are many flowers. *Which* (*ones*) do you prefer?

*A* and *de* will combine with the inflected interrogative pronoun just as it combined with the inflected relative pronoun (see § XIV, a).

## § XVIII (b) INTERROGATIVE PRONOUNS IN INDIRECT DISCOURSE

The interrogative adjective (see § XII, a) and the inflected interrogative pronoun (see § XVIII, a) present no problem in indirect discourse. (For definition of term *indirect discourse* see § XII, d.)

**Je lui demande** *quels* **livres il préfère.**
I ask him *what* books he prefers.
**Je lui demande** *lequel* **il préfère.**
I ask him *which one* he prefers.

In the case of the interrogative pronoun without antecedent for persons there is likewise no special problem (see § XII, b).

**Je lui demande** *qui* **est ici.** I ask him *who* is here.
**Je lui demande** *qui* **il a vu.** I ask him *whom* he saw.
**Je lui demande de** *qui* **il parle.** I ask him of *whom* he is speaking.

However, in indirect discourse, the interrogative pronoun for things without an antecedent (in English: *what*) differs from the corresponding form in direct discourse (compare with § XII, b). In fact, the interrogative pronoun in this case, as subject or object in the clause, is identical with the compound relative pronoun (see § VII, a) since it is *ce qui* and *ce que*.

DIRECT DISCOURSE: *Qu'est-ce qui* **est sur la table?** *What* is on the table?
INDIRECT DISCOURSE: **Je lui demande** *ce qui* **est sur la table.** I ask him *what* is on the table.
DIRECT DISCOURSE: *Que* **faites-vous?** *What* are you doing?
INDIRECT DISCOURSE: **Je vous demande** *ce que* **vous faites.** I ask you *what* you are doing.

The same pronoun (English: *what*) as object of a preposition is usually identical (an alternate form is discussed in the Grammatical Appendix, § 44, A) in direct and in indirect discourse.

DIRECT DISCOURSE: **De** *quoi* **parlez-vous?** *What* are you speaking about?
INDIRECT DISCOURSE: **Je vous demande de** *quoi* **vous parlez.** I ask you *what* you are speaking about.

The following is the most practical rule to follow:
**In a declarative sentence *what* translates as *ce qui*, subject of the clause, *ce que*, object of the clause. In other uses of the interroga-**

tives, there is no distinction between declarative and interrogative sentences.

## *Étude de Verbes*

### § XVIII (c) ORTHOGRAPHICAL CHANGING VERBS

Orthographical changing verbs occur only in the *-er* conjugation. They have been defined previously (see § II, f) as those *-er* verbs which "vary slightly from the regular pattern in that minor changes in spelling and pronunciation occur consistently in the conjugation." Verbs of this type fall into two categories:

(1) *Spelling change but no change in pronunciation* (-cer *and* -ger *verbs*).

Verbs of this type retain the same pronunciation for *c* or *g* (that is to say phonetically [s] and [ʒ]) as they have in the infinitive. Since certain verb endings begin with *o* and *a* which would produce the pronunciation [k] and [g], the spelling must be altered to *ç* or *ge* in these situations.

The change to *ç* and *ge* occurs in the present participle; first plural present indicative; first plural imperative; first, second and third singular and third plural imperfect indicative; first, second and third singular and first and second plural of the *passé simple* (to be studied in Lesson XXIV).

| PRESENT PARTICIPLE | PRESENT INDICATIVE | IMPERFECT INDICATIVE | PASSÉ SIMPLE |
|---|---|---|---|
| *commençant* | je commence | *je commençais* | *je commençai* |
| | tu commences | *tu commençais* | *tu commenças* |
| IMPERATIVE | il commence | *il commençait* | *il commença* |
| commence | *nous commençons* | nous commencions | *nous commençâmes* |
| *commençons* | vous commencez | vous commenciez | *vous commençâtes* |
| commencez | ils commencent | *ils commençaient* | ils commencèrent |
| | | | |
| PRES. PART. | je mange | *je mangeais* | *je mangeai* |
| *mangeant* | tu manges | *tu mangeais* | *tu mangeas* |
| | il mange | *il mangeait* | *il mangea* |
| IMPERATIVE | *nous mangeons* | nous mangions | *nous mangeâmes* |
| mange | vous mangez | vous mangiez | *vous mangeâtes* |
| *mangeons* | ils mangent | *ils mangeaient* | ils mangèrent |
| mangez | | | |

(2) *Both spelling and pronunciation change.*

In this category we distinguish several subdivisions:

(a) Verbs ending in *e + consonant + er.*

Such verbs are of three different types illustrated by *emmener, espérer* and *appeler*.

Before any pronounced verb ending, the *e* of the stem remains the same as in the infinitive. (NOTE: According to the rules of phonetics, the *e* of the stem is not pronounced in *emmener* [ɑ̃mne] or *appeler* [aple], but it is pronounced, of course, in *espérer* [ɛspere].) Before a mute *e* verb ending, the *e* of the stem is pronounced [ɛ].

In order to record in the spelling this change to [ɛ] before a mute *e*, verbs like *emmener* and *espérer* write a grave accent on the *e* of the stem, whereas verbs like *appeler* double the intervening consonant. This means that there is a grave accent or a double consonant in the first, second and third singular and third plural of both the present indicative and present subjunctive, as well as in the familiar imperative.

| PRESENT INDICATIVE | PRESENT SUBJUNCTIVE | IMPERATIVE |
|---|---|---|
| *j'emmène* [ʒɑ̃mɛn] | *j'emmène* [ʒɑ̃mɛn] | |
| *tu emmènes* [ty ɑ̃mɛn] | *tu emmènes* [ty ɑ̃mɛn] | *emmène* [ɑ̃mɛn] |
| *il emmène* [il ɑ̃mɛn] | *il emmène* [il ɑ̃mɛn] | |
| nous emmenons [nu zɑ̃mnɔ̃] | nous emmenions [nu zɑ̃mnjɔ̃] | emmenons [ɑ̃mnɔ̃] |
| vous emmenez [vu zɑ̃mne] | vous emmeniez [vu zɑ̃mnje] | emmenez [ɑ̃mne] |
| *ils emmènent* [il zɑ̃mɛn] | *ils emmènent* [il zɑ̃mɛn] | |
| | | |
| *j'espère* [ʒɛspɛr] | *j'espère* [ʒɛspɛr] | |
| *tu espères* [ty ɛspɛr] | *tu espères* [ty ɛspɛr] | *espère* [ɛspɛr] |
| *il espère* [il ɛspɛr] | *il espère* [il ɛspɛr] | |
| nous espérons [nu zɛsperɔ̃] | nous espérions [nu zɛsperjɔ̃] | espérons [ɛsperɔ̃] |
| vous espérez [vu zɛspere] | vous espériez [vu zɛsperje] | espérez [ɛspere] |
| *ils espèrent* [il zɛspɛr] | *ils espèrent* [il zɛspɛr] | |
| | | |
| *j'appelle* [ʒapɛl] | *j'appelle* [ʒapɛl] | |
| *tu appelles* [ty apɛl] | *tu appelles* [ty apɛl] | *appelle* [apɛl] |
| *il appelle* [il apɛl] | *il appelle* [il apɛl] | |
| nous appelons [nu zaplɔ̃] | nous appelions [nu zapəljɔ̃] | appelons [aplɔ̃] |
| vous appelez [vu zaple] | vous appeliez [vu zapəlje] | appelez [aple] |
| *ils appellent* [il zapɛl] | *ils appellent* [il zapɛl] | |

Since, according to the rules of phonetics, the *e* of an *-er* infinitive is not pronounced when the entire infinitive is used to form the future or conditional, this *e* is mute and has the same "opening" effect as a mute verb ending on the *e* of the stem.

Hence verbs like *emmener* write a grave accent over the stem vowel *e* in the future and conditional and verbs like *appeler* double the intervening consonant. On the other hand, *espérer* is an exception since it retains the spelling (but generally not the pronunciation) of the original infinitive.

FUTURE

*j'emmènerai* [ʒɑ̃mɛnre]
*tu emmèneras* [ty ɑ̃mɛnra]
*il emmènera* [il ɑ̃mɛnra]
*nous emmènerons* [nu zɑ̃mɛnrɔ̃]
*vous emmènerez* [vu zɑ̃mɛnre]
*ils emmèneront* [il zɑ̃mɛnrɔ̃]

CONDITIONAL

*j'emmènerais* [ʒɑ̃mɛnre]
*tu emmènerais* [ty ɑ̃mɛnre]
*il emmènerait* [il ɑ̃mɛnre]
*nous emmènerions* [nu zɑ̃mɛnərjɔ̃]
*vous emmèneriez* [vu zɑ̃mɛnərje]
*ils emmèneraient* [il zɑ̃mɛnre]

j'espérerai [ʒɛspɛrre]
tu espéreras [ty ɛspɛrra]
il espérera [il ɛspɛrra]
nous espérerons [nu zɛspɛrrɔ̃]
vous espérerez [vu zɛspɛrre]
ils espéreront [il zɛspɛrrɔ̃]

j'espérerais [ʒɛspɛrre]
tu espérerais [ty ɛspɛrre]
il espérerait [il ɛspɛrre]
nous espérerions [nu zɛsperərjɔ̃]
vous espéreriez [vu zɛsperərje]
ils espéreraient [il zɛspɛrre]

*j'appellerai* [ʒapɛlre]
*tu appelleras* [ty apɛlra]
*il appellera* [il apɛlra]
*nous appellerons* [nu zapɛlrɔ̃]
*vous appellerez* [vu zapɛlre]
*ils appelleront* [il zapɛlrɔ̃]

*j'appellerais* [ʒapɛlre]
*tu appellerais* [ty apɛlre]
*il appellerait* [il apɛlre]
*nous appellerions* [nu zapɛlərjɔ̃]
*vous appelleriez* [vu zapɛlərje]
*ils appelleraient* [il zapɛlre]

(b) Verbs ending in *-oyer*, *-uyer* or *-ayer*.

**Verbs in *-oyer* and *-uyer* change *y* to *i* before a mute *e* verb ending and before mute *e* of the infinitive ending in the future and conditional. With *-ayer* verbs a similar change is common but optional.**

This spelling change corresponds to a change in pronunciation and indicates that *y* has ceased likewise to be pronounced separately as a semi-vowel [j] because of the failure to pronounce the following *e*. In *-ayer* verbs, pronunciation changes as in *-oyer* verbs whether or not the spelling is made to conform.

## employer　　　　　　appuyer

### PRESENT INDICATIVE

*j'emploie* [ʒɑ̃plwa]
*tu emploies* [ty ɑ̃plwa]
*il emploie* [il ɑ̃plwa]
nous employons [nu zɑ̃plwajɔ̃]
vous employez [vu zɑ̃plwaje]
*ils emploient* [il zɑ̃plwa]

*j'appuie* [ʒapɥi]
*tu appuies* [ty apɥi]
*il appuie* [il apɥi]
nous appuyons [nu zapɥijɔ̃]
vous appuyez [vu zapɥije]
*ils appuient* [il zapɥi]

### PRESENT SUBJUNCTIVE

*j'emploie* [ʒɑ̃plwa]
*tu emploies* [ty ɑ̃plwa]
*il emploie* [il ɑ̃plwa]
nous employions [nu zɑ̃plwajɔ̃]
vous employiez [vu zɑ̃plwaje]
*ils emploient* [il zɑ̃plwa]

*j'appuie* [ʒapɥi]
*tu appuies* [ty apɥi]
*il appuie* [il apɥi]
nous appuyions [nu zapɥijɔ̃]
vous appuyiez [vu zapɥije]
*ils appuient* [il zapɥi]

employer (*cont.*)                    appuyer (*cont.*)

IMPERATIVE

*emploie* [ãplwa]                     *appuie* [apɥi]
**employons** [ãplwaj5]               **appuyons** [apɥij5]
**employez** [ãplwaje]                **appuyez** [apɥije]

FUTURE

*j'emploierai* [ʒãplware]             *j'appuierai* [ʒapɥire]
*tu emploieras* [ty ãplwara]          *tu appuieras* [ty apɥira]
*il emploiera* [il ãplwara]           *il appuiera* [il apɥira]
*nous emploierons* [nu zãplwar5]      *nous appuierons* [nu zapɥir5]
*vous emploierez* [vu zãplware]       *vous appuierez* [vu zapɥire]
*ils emploieront* [il zãplwar5]       *ils appuieront* [il zapɥir5]

CONDITIONAL

*j'emploierais* [ʒãplware]            *j'appuierais* [ʒapɥire]
*tu emploierais* [ty ãplware]         *tu appuierais* [ty apɥire]
*il emploierait* [il ãplware]         *il appuierait* [il apɥire]
*nous emploierions* [nu zãplwarj5]    *nous appuierions* [nu zapɥirj5]
*vous emploieriez* [vu zãplwarje]     *vous appuieriez* [vu zapɥirje]
*ils emploieraient* [il zãplware]     *ils appuieraient* [il zapɥire]

## payer

PRESENT INDICATIVE                    FUTURE

je *paie*, paye [ʒə pe]               je *paierai*, payerai [ʒə pere]
tu *paies*, payes [ty pe]             tu *paieras*, payeras [ty pera]
il *paie*, paye [il pe]               il *paiera*, payera [il pera]
nous payons [nu pej5]                 nous *paierons*, payerons [nu per5]
vous payez [vu peje]                  vous *paierez*, payerez [vu pere]
ils *paient*, payent [il pe]          ils *paieront*, payeront [il per5]

PRESENT SUBJUNCTIVE                   CONDITIONAL

je *paie*, paye [ʒə pe]               je *paierais*, payerais [ʒə pere]
tu *paies*, payes [ty pe]             tu *paierais*, payerais [ty pere]
il *paie*, paye [il pe]               il *paierait*, payerait [il pere]
nous payions [nu pej5]                nous *paierions*, payerions [nu perj5]
vous payiez [vu peje]                 vous *paieriez*, payeriez [vu perje]
ils *paient*, payent [il pe]          ils *paieraient*, payeraient [il pere]

IMPERATIVE

*paie*, paye [pe]
**payons** [pej5]
**payez** [peje]

## *Exercices*

A. Donnez la forme convenable du pronom ou adjectif relatifs:
1. Il ne savait pas dans _____ (*which*) compartiment ses amis
l'attendaient.  2. Savez-vous _____ (*what*) ils regardaient par
la portière?  3. _____ (*what are*) ces wagons poussiéreux là-
bas?  4. _____ (*to which*) de ces guichets faut-il aller?
5. _____ (*what*) avez-vous aperçu en regardant par la portière?  6. Elle ne savait pas _____ (*what*) cette ville avait
été au moyen âge.  7. De _____ (*what*) parlaient-ils quand
nous sommes entrés?  8. _____ (*what*) était autrefois la capitale des comtes de Champagne?  9. _____ (*which one*) de
ces villes est la plus ancienne?  10. Je me demande _____
(*what*) elle voit dans cette vieille ville à moitié (*half*) abandonnée.  11. Il y a trois trains qui partent à cette heure-ci. _____
(*which*) faut-il prendre?  12. Il ne m'a pas dit _____ (*who*)
s'était trompé de direction dans le métro.

B. Donnez les conjugaisons des verbes suivants: 1. *Manger* au
présent de l'indicatif.  2. *Devoir* au futur.  3. *Commencer* à l'imparfait de l'indicatif.  4. *Manger* à l'impératif.  5. *Commencer* à
l'impératif.  6. *Emmener* au présent du subjonctif.  7. *S'appeler*
au présent du subjonctif.  8. *S'appeler* au conditionnel.  9. *Espérer* à l'imparfait de l'indicatif.  10. *Espérer* à l'impératif.  11. *Pouvoir* au présent du subjonctif.  12. *Payer* au présent de l'indicatif.
13. *Employer* au futur.  14. *Appuyer* au conditionnel.  15. *Employer* au présent de l'indicatif.  16. *Appuyer* au futur.

## *Dialogue*

LOUISE: Nous n'avons que cinq minutes. Provins est encore en
banlieue, n'est-ce pas?

MARIE: Non, je ne crois pas, puisqu'il y a une heure de rapide
de Paris à Longueville. (*Elles se précipitent dans la direction «Départ Grandes Lignes.»*)

LOUISE: Deux secondes aller et retour pour Provins.

L'EMPLOYÉ: Ce n'est pas ici. Provins est en banlieue. (*Nouvelle
course.*)

MARIE: Deux secondes aller et retour pour Provins, s'il vous
plaît.

L'EMPLOYÉ DU GUICHET DE BANLIEUE: Huit cent cinquante-
quatre francs.

MARIE (*après une troisième course*): Le train pour Provins, s'il vous plaît.

L'EMPLOYÉE À LA BARRIÈRE: Provins? Ah! oui. Vous prenez d'abord le rapide de Troyes, voie deux, tout au fond, côté «grandes lignes.» Mais dépêchez-vous. Il part tout de suite.

LOUISE (*dans le train*): Y a-t-il encore une place dans ce compartiment?

UNE DAME: Non, cette place est déjà prise. Mais la place réservée à côté de la fenêtre n'est pas encore occupée. Vous pourrez peut-être la prendre si elle est encore libre d'ici quelques minutes.

LOUISE: Merci beaucoup, Madame. Voulez-vous me la garder? Je vais dire à mon amie que j'ai trouvé une place.

### djalɔg

LOUISE: nu n avɔ̃ k sɛ̃ minyt\ prɔvɛ̃ e tɑ̃kɔr ɑ̃ bɑ̃ljø⁄ nɛspa——

MARIE: nɔ̃—— ʒə n krwa pa⁄ pɥisk ilja yn œr də rapid\ də pari a lɔ̃gvil—— (*Elles se précipitent dans la direction «Départ Grandes Lignes.»*)

LOUISE: dø sgɔ̃d ale e rtur pur prɔvɛ̃\

L'EMPLOYÉ: s ne pa isi\ prɔvɛ̃ e tɑ̃ bɑ̃ljø\ (*Nouvelle course.*)

MARIE: dø sgɔ̃d ale e rtur pur prɔvɛ̃\ silvuple——

L'EMPLOYÉ DU GUICHET DE BANLIEUE: ɥi sɑ̃ sɛ̃kɑt katrə frɑ̃\

MARIE (*après une troisième course*): lə trɛ̃ pur prɔvɛ̃\ silvuple——

L'EMPLOYÉE À LA BARRIÈRE: prɔvɛ̃⁄ a wi\ vu prəne dabɔr⁄ lə rapid də trwa\ vwa dø\ tu to fɔ̃\ kote grɑ̃d liɲ\ me depeʃe vu⁄ il par tu d sɥit⁄

LOUISE (*dans le train*): jatil ɑ̃kɔr yn plas⁄ dɑ̃ s kɔ̃partimɑ̃⁄

UNE DAME: nɔ̃—— sɛt plas⁄ e deʒa priz\ me la plas rezɛrve⁄ a kɔte d la fnɛtr⁄ n e pa zɑ̃kɔr ɔkype\ vu pure pøtɛtrə la prɑ̃dr⁄ si ɛl e tɑ̃kɔr libr—— d isi kɛlkə minyt——

LOUISE: mɛrsi boku\ madam—— vule vu m la garde⁄ ʒ ve dir a mɔ̃ nami⁄ k ʒ e truve yn plas\

## *Vocabulaire Supplémentaire*

aller *aller et retour* [ale e rtur], round trip
(la) barrière [barjɛr] barrier, gate
(le) côté [kote] *à côté de,* beside
(le) fond *tout au fond* [tu to fɔ̃], way back

ici [isi], *adv.* here *d'ici quelques minutes* [disi kɛlkə minyt], a few minutes from now
(la) voie [vwa] way, track

# DIX-NEUVIÈME LEÇON

## A la Campagne

Souvent, en été, Jacques fait un séjour de quelques semaines dans la propriété de son oncle à Ambazac, près de Limoges. L'oncle habite dans un château de la Renaissance restauré au XVIIIᵉ siècle. Bien que classé comme monument historique, ce qui veut dire que l'État paie une partie des frais d'entretien, le château a besoin de réparations qui sont encore trop coûteuses pour un particulier. On devrait, par exemple, réparer le toit et les conduites d'eau de l'aile nord. La tante de Jacques, qui n'est guère sentimentale, voudrait vendre le château pour acheter une villa moderne sur la Côte d'Azur, mais son mari tient encore aux vieilles traditions, même si la baignoire ne fonctionne plus.

Pour l'approvisionnement du château, il y a un jardin potager, un étang avec de belles truites, un poulailler avec plusieurs centaines de poules, et une serre pleine de fleurs et entourée de rosiers en été. Le domaine comprend aussi trois fermes louées à des métayers qui fournissent le lait, le beurre, le fromage et la viande au château. Chaque métayer a des vaches et, pour les travaux des champs, des bœufs, les chevaux étant rares dans cette région. Il est question d'acheter un tracteur en commun, mais ce n'est encore qu'un projet lointain. Les effets de la vie moderne se font aussi sentir à Ambazac depuis que l'oncle de Jacques a loué une grange à un habitant de la commune pour en faire un cinéma.

### Questionnaire

1. Que fait souvent Jacques en été? 2. A quelle saison de l'année est-ce que Jacques va à Ambazac? 3. Où est-ce que l'oncle de Jacques a une propriété? 4. Où se trouve Ambazac? 5. Est-ce que l'oncle de Jacques habite dans une villa à Ambazac? 6. De quelle époque (*period*) date le château? 7. Quand a-t-il été restauré? 8. Quand un château est classé comme monument historique, qui paie une partie des frais d'entretien? 9. De quoi le château a-t-il besoin? 10. Est-ce que l'oncle de Jacques peut faire ces réparations?

11. Qu'est-ce qu'on devrait réparer? 12. Dans quelle partie du château faut-il réparer les conduites d'eau? 13. Qui n'est guère sentimental? 14. Comme la tante de Jacques n'est pas sentimentale, que
voudrait-elle faire? 15. Où voudrait-elle acheter une villa moderne?
16. Pourquoi est-ce que son mari n'est pas d'accord (*in agreement*)?
17. Quel est l'état de la baignoire? 18. Qu'y a-t-il pour l'approvisionnement du château? 19. Qu'est-ce qu'il y a dans l'étang? dans
le poulailler? dans la serre? 20. De quoi la serre est-elle entourée
en été? 21. Qu'est-ce que le domaine comprend aussi? 22. A qui
les trois fermes sont-elles louées? 23. Qu'est-ce que les métayers
fournissent au château? 24. Qui fournit le lait, le beurre, le fromage
et la viande au château? 25. Quels animaux a chaque métayer?
26. Pourquoi emploie-t-on des bœufs pour les travaux des champs?
27. De quoi est-il question pour remplacer les bœufs? 28. A-t-on
la possibilité d'acheter bientôt ce tracteur? 29. Comment les effets
de la vie moderne se font-ils sentir à Ambazac? 30. Qu'est-ce que
l'oncle de Jacques a loué à un habitant de la commune? 31. Pourquoi a-t-il loué la grange à quelqu'un?

### QUESTIONS PERSONNELLES

1. Où passez-vous l'été? 2. Savez-vous quelle ville française est
réputée pour sa porcelaine, surtout celle de Haviland? 3. Est-ce
que le gouvernement des États-Unis peut classer des maisons comme
monuments historiques? 4. Aimeriez-vous mieux habiter un vieux
château de la Renaissance ou une villa moderne? 5. Quelle est la
différence entre un fermier et un métayer? 6. Emploie-t-on des
bœufs ou des vaches pour les travaux des champs en Amérique?
7. Est-ce que la vie de château à la campagne est normalement très
chère? 8. Pourquoi est-ce que tous les fermiers en France n'ont pas
de tracteurs? 9. Dites ce que vous savez de la vie de ferme.
10. Que pensez-vous de ce cinéma à Ambazac? Est-ce une mauvaise
influence sur la vie paysanne (*peasant*)?

## *Vocabulaire*

(une) aile [ɛl] wing
(un) approvisionnement [aprɔvizjɔn-
   mɑ̃] supplying
azur, -e [azyr] azure, blue
(la) baignoire [beɲwar] bath tub
bien [bjɛ̃], *adv. bien que, conj.,* although

(le) bœuf [bœf] ox
(une) centaine [sɑ̃tɛn] about a hundred, hundreds (*in pl.*)
(le) champ [ʃɑ̃] field
(le) cheval (*pl.:* chevaux) [ʃəval,
   ʃəvo] horse
classer [klase] to classify

**commun, -e** [kɔmœ̃, kɔmyn] common
  *en commun* [ã kɔmœ̃], in common, jointly
(la) **commune** [kɔmyn] municipality
**comprendre** [kɔ̃prᾶdr] to understand, comprise
(la) **conduite** [kɔ̃dɥit] pipe *conduite d'eau,* water pipe
(la) **côte** [kot] coast
**coûteux, -euse** [kutø, kutøz] costly
**depuis** [dəpɥi], *prep.* since *depuis que, conj.,* since
**devoir** *je devrais* [ʒə dəvre], I ought
(le) **domaine** [dɔmɛn] estate
(un) **entretien** [ᾶtrətjɛ̃] upkeep
(un) **étang** [etᾶ] pond
(un) **état** [eta] state *l'État,* the government
(un) **été** [ete] summer
(un) **exemple** [egzᾶpl] example *par exemple,* for example
(la) **ferme** [fɛrm] farm
**fournir** [furnir] to furnish *fournir quelque chose à quelqu'un,* to supply someone with something
**frais** [fre], *m. pl.* expenses
(le) **fromage** [frɔmaʒ] cheese
(la) **grange** [grᾶʒ] barn
**guère** [gɛr], *adv. ne . . . guère,* hardly
**historique** [istɔrik], *adj.* historical
(le) **lait** [le] milk
**lointain, -e** [lwɛ̃tɛ̃, lwɛ̃tɛn] distant
(le) **mari** [mari] husband
(le) **métayer** [meteje] share-cropper
(le) **monument** [mɔnymᾶ] monument, public or historic building *monu-*

*ment historique,* national monument
(le) **nord** [nɔr] north
(un) **oncle** [ɔ̃kl] uncle
**particulier** [partikylje], **particulière** [partikyljɛr] *un particulier,* a private citizen
**plusieurs** [plyzjœr], *adj. invar.* several
**potager, -ère** [pɔtaʒe, pɔtaʒɛr] *jardin potager,* vegetable garden
(le) **poulailler** [pulaje] chicken house
(la) **poule** [pul] hen
(le) **projet** [prɔʒe] project, plan
(la) **propriété** [prɔprijete] property, estate
(la) **question** [kɛstjɔ̃] question *il est question de,* it is a matter of
**rare** [rar], *adj.* rare
(la) **réparation** [reparasjɔ̃] repair
**réparer** [repare] to repair
**restaurer** [rɛstɔre] to restore
(le) **rosier** [rɔzje] rosebush
(le) **séjour** [seʒur] stay, sojourn
**sentimental, -e** (*m. pl.:* **sentimentaux**) [sᾶtimᾶtal, sᾶtimᾶto] sentimental
**sentir** [sᾶtir] to sense, feel, smell
(la) **serre** [sɛr] greenhouse
(la) **tante** [tᾶt] aunt
(le) **toit** [twa] roof
(le) **tracteur** [traktœr] tractor
(le) **travail** (*pl.:* **travaux**) [travaj, travo] work
**trop** [tro], *adv.* too, too much
(la) **truite** [trɥit] trout
(la) **vache** [vaʃ] cow
(la) **villa** [vila] villa, suburban residence

## *Grammaire*

### § XIX (a) INDEFINITE ADJECTIVE *quelque*

In the singular *quelque* corresponds to *some* or *any,* but it expresses indefiniteness rather than quantity and should not be confused with the partitive (see § III, b).

> **Je cherche *quelque* explication.**
> I am looking for *some* (just any) explanation.
> I am looking for *any* explanation (any explanation whatever).

In the plural *quelques* is much more common than in the singular and corresponds to English *a few* or *some* in the sense of *a few*.

> **Il a passé *quelques* semaines à Ambazac.**
> He spent *some* (*a few*) weeks at Ambazac.

Whenever *some* means *a few* translate as *quelques*.

## § XIX (b) INDEFINITE PRONOUN *quelqu'un*

Meaning *somebody* (someone), *quelqu'un* can be used only in the masculine singular form and refers to persons (male or female).

> ***Quelqu'un* est ici.** *Someone* is here.

Meaning *someone* (of + person object), *quelqu'un* also has a feminine form *quelqu'une*.

> ***Quelqu'une* de mes amies l'a vu.**
> *Someone* (feminine) of my friends (feminine) saw him.

In the plural the English equivalent of *quelques-uns, quelques-unes* is *a few* standing alone as a pronoun or *some* as a pronoun in the sense of *a few*.

> ***Quelques-uns* sont ici.**
> *Some* are here. *A few* are here.
> ***Quelques-unes* des jeunes filles ne sont pas venues.**
> *Some* (*a few*) of the girls did not come.

As object of the verb, *quelques-uns, quelques-unes* requires the partitive pronoun *en* before the verb.

> ***J'en* ai vu *quelques-uns*.**
> I saw *some* (of them).

**Avoid confusing the adjective and the pronoun. If *a few* or *some* in the sense of *a few* modifies a noun, the adjective *quelques* is required. If *a few* or *some* stands alone as a pronoun, use *quelques-uns, quelques-unes*.**

## *Étude de Verbes*

### § XIX (c) PRESENT TENSE WITH *depuis*

When an action which began in the past continues in the present, French requires a present tense whereas English requires a type of past tense.

> **Je *suis* ici depuis le retour de Marie.**
> I *have been* here since Mary's return (BUT I am still here).

**Je *suis* ici depuis que Marie est revenue.**
　I *have been* here since Mary returned ( AND I am still here).
**Les effets *se font sentir* depuis que l'oncle a loué une ferme.**
　The effects *have been making themselves felt* since the uncle rented a
　farm.

In such constructions *since* translates as its exact equivalent *depuis*
(preposition) or *depuis que* (conjunction). In choosing between
*depuis* and *depuis que,* remember that a conjunction introduces a
part of the sentence containing a verb.

When the amount of time that the action has been going on is
specified, French continues to say *depuis* whereas English says *for.*

> **Je suis ici *depuis* trois jours.**
> 　I have been here *for* three days.
> **Vous m'attendez *depuis* longtemps.**
> 　You have been waiting for me *for* a long time.

This idiom may be transformed into a question in this manner:

> **Depuis combien de temps m'attendez-vous?** ⎱ *How long* have you been
> **Depuis quand m'attendez-vous?** ⎰ waiting for me?

**Learn the basic idiom *Je suis ici depuis trois jours* and its English
equivalent *I have been here for three days* and apply this formula to
the analysis of any action which began in the past but continues in
the present.**

## § XIX (d) SUBJUNCTIVE AFTER EXPRESSIONS OF EMO-TION (continues § XV, b).

**Subjunctive is required in a noun clause following an expression
of emotional attitude.**

We found previously (see § XV, b) that expressions of necessity
and volition brought about a subjunctive in a following noun clause
in both French and English. After expressions indicating an emotional attitude, French always requires subjunctive whereas English
generally has the indicative, although it sometimes approximates a
subjunctive as will be seen in the translation of the second illustration below.

> **Je suis désolé qu'il *soit* malade.**
> 　I am sorry that he *is* sick.
> **Cela m'étonnerait qu'il le *vende.***
> 　It would astonish me that he *should sell* it.
> **Il est malheureux que ces fortunes ne *suffisent* (subjunctive) plus.**
> 　It is unfortunate that these fortunes *are* no longer *sufficient.*

## § XIX (e) CONJUGATION OF *aller*

INFINITIVE
aller

PRESENT INDIC.
je vais

PRESENT PARTICIPLE
allant

PAST PARTICIPLE
allé

PASSÉ SIMPLE *
j'allai
tu allas
il alla
nous allâmes
vous allâtes
ils allèrent

FUTURE
j'irai
tu iras
il ira
nous irons
vous irez
ils iront

PRES. INDIC. SING.
je vais
tu vas
il va

PRESENT PLUR.
nous allons
vous allez
ils *vont*

PASSÉ COMPOSÉ
je suis allé, etc.

PLUPERFECT INDIC.
j'étais allé, etc.

FUTURE PERFECT
je serai allé, etc.

CONDITIONAL PERF.
je serais allé, etc.

PAST ANTERIOR *
je fus allé, etc.

PERFECT INFINITIVE
être allé, etc.

PERFECT PARTICIPLE
étant allé, etc.

CONDITIONAL
j'irais
tu irais
il irait
nous irions
vous iriez
ils iraient

IMPERFECT INDIC.
j'allais
tu allais
il allait
nous allions
vous alliez
ils allaient

IMPERFECT
SUBJUNCTIVE *
j'allasse
tu allasses
il allât
nous allassions
vous allassiez
ils allassent

PERFECT
SUBJUNCTIVE *
je sois allé, etc.

PLUPERFECT
SUBJUNCTIVE *
je fusse allé, etc.

IMPERATIVE SING.
va

IMPERATIVE PLUR.
allons
allez

PRESENT
SUBJUNCTIVE
*j'aille* [ʒaj]
*tu ailles* [ty aj]
*il aille* [il aj]
nous allions [nu zaljɔ̃]
vous alliez [vu zalje]
ils aillent [il zaj]

---

\* These tenses will be studied in later lessons.

*Aller* is unusual in that, historically, it derives from three different Latin verbs. Although the modern infinitive is *aller,* the future and conditional come from a different verb, the Latin *ire* (to go), and must be remembered as irregular forms. Still another Latin verb *vadere* (to go) accounts for the irregular forms in the present indicative. Note that *aller* conforms to the customary pattern of irregular verbs in the present indicative by having a third plural related to the singular. A similar irregular pattern is found in the subjunctive. Note finally the absence of an *s* in the familiar imperative as to be expected in an *-er* verb.

Special attention must be paid to the agreement of the past participle in the compound tenses. Since *aller* is conjugated with *être,* the past participle will agree with the subject (see § VIII, d and e). Note, for example, how many agreements are possible in the *passé composé.*

> **je suis allé, je suis allée**
> **tu es allé, tu es allée**
> **il est allé, elle est allée**
> **nous sommes allés, nous sommes allées**
> **vous êtes allé, vous êtes allée, vous êtes allés, vous êtes allées**
> **ils sont allés, elles sont allées**

## *Exercices*

A. Traduisez les mots entre parenthèses: 1. Trouve-t-on _____ (*some*) intérêt à ce livre? 2. Allez-vous chercher _____ (*some*) occupation à la ferme? 3. _____ (*some*) habitants de la commune ont refusé d'aller au cinéma. 4. Il a fait un séjour de _____ (*a few*) semaines à Ambazac. 5. Dans cette région on emploie _____ bœufs pour les travaux des champs. 6. J'ai rencontré _____ (*some*) des amis de ma sœur au cinéma. 7. Il cherche _____ (*some*) excuse pour aller sur la Côte d'Azur parce que sa femme ne veut plus habiter Ambazac.

B. Donnez le temps convenable du verbe indiqué: 1. Depuis quand _____ (*have you been*) à Ambazac? 2. Il faut que nous lui _____ (*buy*) une villa moderne. 3. Depuis combien de semaines _____ (*have you been waiting for*) une réponse à sa lettre? 4. Les habitants _____ (*have been forgetting*) les vieilles traditions depuis qu'il y a un cinéma dans la commune. 5. Il est malheureux que les chevaux _____ (*are*) rares dans cette région. 6. Jacques ne veut pas que son oncle _____ (*sell*) le château. 7. Il n'aime pas que nous _____ (*should eat*) toutes les truites

de l'étang.  8.  L'État _____  (*has been paying*) les frais d'entretien depuis qu'on a classé le château comme monument historique.

## *Dialogue*

JACQUES: Bonjour, Monsieur Figueyrac.

LE PAYSAN: Bonjour, Monsieur Jacques. Il y a longtemps que je ne
vous ai vu.

JACQUES: En effet. J'ai dû travailler sans arrêt toute l'année pour
me présenter au bachot.

LE PAYSAN: On ne vous verra plus si votre oncle vend le château.

JACQUES: Ça m'étonnerait qu'il le vende. Tante Any a beau lui demander une habitation plus moderne, il tient à ses traditions.

LE PAYSAN: C'est bien malheureux, tout de même, que les fortunes
actuelles ne suffisent plus à entretenir ces vieilles demeures.

JACQUES: Et encore! Heureusement que l'État prend sa part des
frais d'entretien.

LE PAYSAN: Que deviendront tous ces châteaux quand les châte-
lains n'en voudront plus?

JACQUES: Évidemment l'État ne peut pas les acheter, même à vil
prix. Il y en a trop. D'ailleurs je croyais que les paysans ne demandaient pas mieux que de voir disparaître les châteaux.

LE PAYSAN: Pas tous, Monsieur Jacques. Moi, par exemple, j'ai le
respect des traditions. Mais les jeunes, vous savez, ce sont tous des
radicaux.

JACQUES: D'accord. Mais ce n'est pas la politique qui m'amène. On
m'a chargé de vous demander encore un peu de ce délicieux fromage
à la crème qui est, je crois, votre spécialité. En ce moment, c'est la
tradition à laquelle je tiens le plus.

### djalɔg

JACQUES: bɔ̃ʒur╱ məsjø figerak\_\_

LE PAYSAN: bɔ̃ʒur╲ məsjø ʒaːk\_\_ ilja lɔ̃tɑ̃╱ k ʒə n vu ze
vy╲

JACQUES: ɑ̃ neʃe╱ ʒ e dy travaje╱ sɑ̃ zare╱ tut l ane╱ pur
mə prezɑ̃te╱ o baʃo╲

LE PAYSAN: ɔ̃ n vu vera ply╱ si vɔtr ɔ̃klə vɑ̃ l ʃato\_\_

JACQUES: sa m etɔnre╲ k il lə vɑ̃d\_\_ tɑ̃t ani╱ a bo lɥi
dmɑ̃de╱ yn abitasjɔ̃ ply mɔdɛrn╱ il tjɛ̃╱ a se tradisjɔ̃╲

LE PAYSAN: s e bjɛ̃ malørø╱ tu d mɛm\_\_ kə le fɔrtyn ac-
tɥɛl\_\_ nə syfiz ply\_\_ a ɑ̃trətnir se vjɛj dəmœr\_\_

JACQUES: e ãkɔr\ ørøzmã⁄ k l eta prã sa par⁄ de fre d
ãtrətjẽ⁄

LE PAYSAN: kə dvjẽdrɔ̃ tu se ʃato\ kã le ʃatlẽ n ã vudrɔ̃
ply——

JACQUES: evidamã⁄ l eta n pø pa le zaʃte⁄ mɛm a vil pri⁄
iljãna tro⁄ dajœr⁄ ʒə krwaje⁄ k le peizã⁄ n dəmãde pa
mjø\ k də vwar disparɛtrə le ʃato——

LE PAYSAN: pa tus⁄ məsjø ʒaːk—— mwa par ɛgzãpl⁄ ʒ e
l rɛspe de tradisjɔ̃⁄ me le ʒœn⁄ vu save⁄ sə sɔ̃ tus de radiko\

JACQUES: dakɔr\ me s ne pa la pɔlitik⁄ ki m amɛn\ ɔ̃ m a
ʃarʒe d vu dmãde⁄ ãkɔr ẽ pø⁄ d sə delisjø frɔmaʒ a la krɛm⁄
kj e⁄ ʒ krwa⁄ vɔtrə spesjalite\ ã s mɔmã⁄ s e la tradisjɔ̃⁄ a
lakɛl ʒə tjẽ l plys\

## Vocabulaire Supplémentaire

(un) **accord** [akɔr] agreement **d'accord** [dakɔr], agreed

**actuel, -le** [aktɥɛl] present-day

**amener** [amne] to bring

(une) **année** [ane] year

(un) **arrêt** [are] **sans arrêt** [sã zare], without stopping

(le) **baccalauréat** [bakalɔrea] bachelor's examination or degree

(le) **bachot** [baʃo] slang for *baccalauréat.*

**beau,** *adj. avoir beau faire quelque chose',* to do something in vain

(le) **châtelain** [ʃatlẽ] lord of the manor

(la) **crème** [krɛm] cream

**délicieux, -euse** [delisjø, delisjøz] delicious

(la) **demeure** [dəmœr] residence

**devenir** [dəvnir] *ils deviendront* [il dəvjẽdrɔ̃], they will become *que devient-il* [kə dəvjẽ til]? what has become of him?

**disparaître** [disparɛtr] to disappear

(un) **effet** [efe] *en effet* [ã nefe], as a matter of fact, to be sure

**entretenir** [ãtrətnir] to keep up

**évidemment** [evidamã], *adv.* obviously

(la) **fortune** [fɔrtyn] fortune

(une) **habitation** [abitasjɔ̃] habitation, dwelling

**heureusement** [ørøzmã], *adv.* luckily

**malheureux, -euse** [malørø, malørøz] unfortunate

**mieux** [mjø], *adv. il ne demande pas mieux* [il nə dmãd pa mjø], he asks nothing better

(le) **moment** [mɔmã] *en ce moment* [ã s mɔmã], right now

(la) **part** [par] share *prendre sa part de,* to share in

(le) **paysan** [peizã] peasant

(la) **politique** [pɔlitik] politics

**présenter** [prezãte] *se présenter à un examen,* to sit for (take) an examination

(le) **prix** [pri] *à vil prix,* dirt cheap

**radical, -e** (*m. pl.:* **radicaux**) [radikal, radiko] radical

(le) **respect** [rɛspe] respect *avoir le respect de,* to respect

**savoir** *vous savez* [vu save], you know

**tenir** *je tiens* [ʒə tjẽ], I hold

**travailler** [travaje] to work

**vil, -e** [vil] vile, base

**voir** *il verra* [il vera], he will see

**vouloir** *ils voudront* [il vudrɔ̃], they will wish *il n'en veut plus* [il nã vø ply], he no longer wants to have anything to do with it

# VINGTIÈME LEÇON

## *En Bateau et en Avion*

Louise et Marie viennent de passer les vacances en Angleterre pour apprendre l'anglais. Elles étaient au pair, c'est-à-dire qu'en échange de quelques leçons de français données aux enfants, elles étaient logées, nourries et blanchies. Au retour elles ont comparé leurs impressions. Louise était partie en avion du Bourget à trois heures dix et était arrivée à l'aérodrome de Hendon à quatre heures et demie. Au décollage et à l'atterrissage, elle avait eu un peu le mal de l'air mais, à part ça, le voyage avait été agréable. Dans la cabine hermétique de son quadrimoteur, elle ne sentait pas trop les vibrations. L'avion avait survolé des nuages la plupart du temps, ce qui l'avait empêchée de voir la terre.

Marie, à la demande de ses parents, avait voyagé par mer—si l'on peut dire, car traverser la Manche n'est pas exactement traverser la mer. Cela lui avait pris toute une nuit en partant du Havre à minuit. Par Calais-Douvre ou Dieppe-New Haven le trajet aurait été bien plus court, mais elle avait préféré prendre le transatlantique *Liberté* qui l'avait débarquée le lendemain, de bon matin, à Southampton. Elle avait eu une cabine en classe touriste avec deux couchettes dont l'une n'était pas occupée. Le garçon de cabine avait été extrêmement aimable. Elle avait fait un excellent repas et elle avait même exploré les premières (ce qui était naturellement interdit) en compagnie d'un jeune étudiant suédois. En somme c'était un moyen romanesque de faire un voyage si prosaïque.

## *Questionnaire*

1. Où est-ce que Louise et Marie viennent de passer les vacances? 2. Pourquoi ont-elles passé les vacances en Angleterre? 3. Que veut dire «être au pair?» 4. En échange de quoi étaient-elles logées, nourries et blanchies? 5. A qui donnaient-elles des leçons de français? 6. Qu'ont-elles fait au retour? 7. D'où Louise était-elle partie? 8. Louise était-elle partie en avion? 9. A quelle heure était-elle partie et à quelle heure était-elle arrivée? 10. A quel aérodrome

anglais est-ce que l'avion a atterri? 11. Quand avait-elle eu le mal
de l'air? 12. A part ça est-ce que le voyage avait été agréable?
13. Pourquoi ne sentait-elle pas trop les vibrations? 14. Qu'est-ce
que l'avion avait survolé la plupart du temps? 15. Qu'est-ce qui
l'avait empêchée de voir la terre? 16. Pourquoi Marie avait-elle
voyagé par mer? 17. Traverser la Manche est-ce traverser la mer?
18. Combien de temps est-ce que cela lui avait pris? 19. D'où est-
elle partie? 20. Par Calais-Douvre est-ce que le trajet aurait été
plus long? 21. Quel bateau avait-elle préféré prendre? 22. Où le
*Liberté* l'avait-il débarqué le lendemain matin? 23. Avait-elle
eu une cabine en première? 24. Combien de couchettes y avait-il
dans la cabine? 25. Est-ce que l'autre couchette était occupée?
26. Qui avait été extrêmement aimable? 27. Avait-elle bien mangé?
28. Qu'est-ce qu'elle avait exploré? 29. En compagnie de qui?
30. Était-ce permis (*allowed*)? 31. En somme était-ce un voyage
prosaïque?

### QUESTIONS PERSONNELLES

1. Quel est l'avantage du système appelé «au pair?» 2. Racontez
brièvement votre premier voyage en avion. 3. Qu'est-ce qui cause
le mal de l'air ou le mal de mer? 4. Qu'est-ce que c'est que la
Manche et pourquoi l'appelle-t-on une «manche?» 5. Quelle ville se
trouve à l'endroit où la Seine se jette (*empties*) dans la Manche?
6. Racontez un voyage que vous avez fait en bateau. 7. Pourquoi
est-il interdit aux touristes d'explorer les premières? 8. Qui nettoie
les cabines à bord d'un bateau? 9. Quelle est la réputation de la
cuisine des bateaux français? 10. Pour traverser l'Atlantique aimez-
vous mieux prendre un bateau ou un avion?

## *Vocabulaire*

(un) **aérodrome** [aerɔdrom] airport
**agréable** [agreabl], *adj.* pleasant
**aimable** [emabl], *adj.* kind, nice
**anglais, -e** [ãgle, ãglɛz] English
(une) **Angleterre** [ãglətɛr] England
**apprendre** [aprãdr] to learn
(un) **atterrissage** [aterisaʒ] landing
(un) **avion** [avjɔ̃] airplane
**blanchir** [blãʃir] to whiten, wash, launder
(la) **compagnie** [kɔ̃paɲi] company
*en compagnie de,* accompanied by

**comparer** [kɔ̃pare] to compare
(la) **couchette** [kuʃɛt] berth
**court, -e** [kur, kurt] short
**débarquer** [debarke] to land
(le) **décollage** [dekɔlaʒ] take-off
(la) **demande** [dəmãd] request
**Douvre** [duvr], *m.* Dover
(un) **échange** [eʃãʒ] exchange *en
échange de,* in exchange for
(un) **enfant** [ãfã] child
**exactement** [egzaktəmã] exactly
**excellent, -e** [ɛkselã, ɛkselãt] excellent

La Place de la Concorde avec l'obélisque de Louqsor. Au fond, la Madeleine

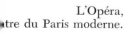

L'Opéra,
tre du Paris moderne.

Ce qu'on voit du sommet de l'Arc de Triomphe: Un coin de l'Avenue des Champs-Élysées.

Notre-Dame de Paris,
chef-d'œuvre gothique
commencé en 1163 et
terminé au XIIIᵉ siècle.

Saint-Germain-des-P
église de style roma
qui date des
XIᵉ et XIIᵉ siècles.

Carcassonne:
Les remparts
et le Château Com[

Paris: L'Hôtel de Sens,
petit palais gothique
du XV<sup>e</sup> siècle.

explorer [ɛksplɔre] to explore
extrêmement [ɛkstrɛmmɑ̃], *adv.* extremely
(le) garçon *garçon de cabine* [garsɔ̃ d kabin], steward
hermétique [ɛrmetik], *adj.* hermetic, air-tight
(une) impression [ɛ̃presjɔ̃] impression
interdire [ɛ̃terdir] to forbid *interdit* [ɛ̃terdi], *past part.,* forbidden
(la) leçon [ləsɔ̃] lesson
(le) lendemain [lɑ̃dmɛ̃] the next day
(la) liberté [libɛrte] liberty
loger [lɔʒe] to lodge
(le) mal (*pl.:* maux) [mal, mo] *le mal de l'air,* airsickness
(la) manche [mɑ̃ʃ] sleeve *la Manche,* the English Channel
(le) matin *de bon matin* [də bɔ̃ matɛ̃], early in the morning
(la) mer [mɛr] sea
(le) minuit [minɥi] midnight
(le) moyen [mwajɛ̃] means
naturellement [natyrɛlmɑ̃], *adv.* naturally
nourrir [nurir] to nourish, board
(le) nuage [nɥaʒ] cloud
(la) nuit [nɥi] night

(le) pair [pɛr] *au pair,* on mutual terms
(la) part [par] *à part ça,* otherwise
passer [pase] *passer son temps,* to spend one's time
pouvoir *si l'on peut dire* [si lɔ̃ pø dir], if one may say so
prosaïque [prozaik], *adj.* prosaic
quadrimoteur, -trice [kwadrimɔtœr, kwadrimɔtris] four-engined *un quadrimoteur,* a four-engined plane
(le) retour [rətur] return *au retour,* on returning
romanesque [rɔmanɛsk], *adj.* romantic
(la) somme [sɔm] *en somme,* in short
suédois, -e [sɥedwa, sɥedwaz] Swedish
survoler [syrvɔle] to fly over
(la) terre [tɛr] earth, ground
(le) trajet [traʒe] journey, crossing
transatlantique [trɑ̃zatlɑ̃tik], *adj.* Transatlantic *un transatlantique,* a liner
(la) vacance [vakɑ̃s] vacancy *les vacances,* vacation
venir [vənir] *ils viennent* [il vjɛn], they come
(la) vibration [vibrasjɔ̃] vibration

## *Grammaire*

### § XX (a) PREPOSITIONS WITH CITIES AND COUNTRIES

*To, at* or *in* with the name of a city is usually translated as *à.*

> Ils arrivent *à* Paris. They arrive *at* Paris.
> *A* Paris on mange très bien. *In* Paris one eats very well.
> Mes amis vont *à* Paris. My friends are going *to* Paris.

Only rarely do cities have articles as part of the name. An example of such usage in English is *The Hague* (French *La Haye*). Similarly a few French cities such as *Le Havre, Le Mans* and *La Rochelle* have articles as part of the name. With such place names the usual rules of contraction apply but the capitalization of the article is then lost.

> *Le Havre* est un port important. *Le Havre* is an important port.
> Ils vont partir *du Havre.* They are going to leave *from Le Havre.*

*To, in* or *into* with continents, European countries, feminine countries outside Europe (most countries ending in -*e* are feminine), and feminine regions and provinces is *en.* After *en* the article which would otherwise accompany the name of the country is omitted.

*La* **France est un pays européen.** France is a European country.
**Je vais** *en* **France cet été.** I am going *to* France this summer.

**With masculine countries outside Europe *to*, *in* or *into* normally translate as *à* and the article which would otherwise accompany the name of the country remains.**

> *Le* **Canada est au nord des États-Unis.**
> Canada is to the north of the United States.
> **Marie va** *au* **Canada.**
> Mary is going *to* Canada.

## § XX (b) PREPOSITIONS INDICATING POSSESSION

**Possession is indicated by the preposition *de* when the possessor is a noun.**

> **le livre de Jean** John's book

**Simple possession after the verb *être* is indicated by the preposition *à*.**

> **Ce livre est** *à* **Jean.** This book is *John's.*
> **Ce livre est** *à* **moi.** This book is *mine.*
> **A** *qui* **est ce livre?** *Whose* [1] book is this?

After *être,* possessive pronouns (see § XIII, a) serve only to distinguish between or among things possessed. If no distinction is desired, *à* will be used with a disjunctive pronoun (see § XV, a).

> **Voici trois livres. Celui-ci est** *le mien.*
> Here are three books. This one is *mine.*
> **Il n'y a qu'un seul livre et il est** *à moi.*
> There is only one book and it is *mine.*

To emphasize a possessive adjective by the usual method of repetition or to clarify the meaning of an ambiguous possessive adjective, *à + disjunctive pronoun* may be added after the noun modified by the possessive adjective.

EMPHASIS: **mon livre à moi** my book
> **ta traversée à toi** your crossing
CLARIFICATION: **Marie a perdu son livre.**
> Mary has lost *her* book.
> **Marie a perdu** *son* **livre** *à lui.*
> Mary has lost *his* book.
> **Jean a perdu** *son* **livre** *à elle.*
> John has lost *her* book.
> **Les jeunes filles ont perdu** *leurs* **livres** *à eux.*
> The girls have lost *their* (masculine antecedent) books.

1. Compare this interrogative use of *whose* with the same word as a relative (see § XIV, b).

## Étude de Verbes

### § XX (c) CONJUGATION OF venir

| INFINITIVE | PRES. SING. | PRES. PART. | PAST PARTICIPLE | PASSÉ SIMPLE |
| --- | --- | --- | --- | --- |
| venir | je viens | venant | venu | je vins |

| FUTURE | PRESENT SINGULAR | PRESENT INDICATIVE PLURAL | PASSÉ COMPOSÉ | PASSÉ SIMPLE * |
| --- | --- | --- | --- | --- |
| je viendrai | je viens | nous venons | je suis venu, etc. | je vins |
| tu viendras | tu viens | vous venez | PLUPERFECT INDIC. | tu vins |
| il viendra | il vient | ils viennent | j'étais venu, etc. | il vint |
| nous viendrons | | | FUTURE PERFECT | nous vînmes |
| vous viendrez | | | je serai venu, etc. | vous vîntes |
| ils viendront | | | CONDITIONAL PERF. | ils vinrent |

| CONDITIONAL | IMPERFECT INDICATIVE | | PAST ANTERIOR * | IMPERFECT SUBJUNCTIVE * |
| --- | --- | --- | --- | --- |
| je viendrais | je venais | | je serais venu, etc. | je vinsse |
| tu viendrais | tu venais | | je fus venu, etc. | tu vinsses |
| il viendrait | il venait | | PERFECT INFINITIVE | il vînt |
| nous viendrions | nous venions | | être venu | nous vinssions |
| vous viendriez | vous veniez | | PERFECT PARTICIPLE | vous vinssiez |
| ils viendraient | ils venaient | | étant venu | ils vinssent |

| IMPERATIVE SINGULAR | IMPERATIVE PL. | | | |
| --- | --- | --- | --- | --- |
| viens | venons | | | |
| | venez | | | |

| | PRES. SUBJUNC. | | PERFECT SUBJUNCTIVE * | |
| --- | --- | --- | --- | --- |
| | je vienne | | je sois venu, etc. | |
| | tu viennes | | PLUPERFECT SUBJUNCTIVE * | |
| | il vienne | | je fusse venu, etc. | |
| | nous venions | | | |
| | vous veniez | | | |
| | ils viennent | | | |

* These tenses will be studied in later lessons.

This verb has five instead of four principal parts since the *passé simple* is not derived from the past participle. Once the first singular *passé simple* is known, however, the remainder of the *passé simple* and the imperfect subjunctive work out according to the regular pattern described in Grammatical Appendix, § 10 and § 18.

As illustrated above, the future must be learned separately. The present indicative follows the familiar pattern of four forms related to the first person present singular and two forms related to the present participle. Note that the present subjunctive follows the same arrangement. Agreements similar to those described for *aller* (see § XIX, e) will be found in the compound tenses of *venir*.

### *Exercices*

A. Remplacez le blanc par l'article ou la préposition voulus:
1. _____ Pérou est un pays de l'Amérique du Sud.  2. Ce garçon de cabine a été _____ Grèce.  3. Le transatlantique Liberté est parti _____ Havre à minuit.  4. Il n'avait passé que trois heures _____ la Nouvelle Orléans.  5. Combien de temps voulez-vous rester _____ Allemagne?  6. Voici la cabine des parents _____ Marie.  7. _____ Chili on parle espagnol.  8. _____ qui est cet avion qui survole les nuages?  9. Son bateau _____ elle a traversé la Manche en quelques heures.  10. Ce quadrimoteur n'est pas _____ nous.  11. _____ Boston on ne mange que des haricots. 12. _____ Chine on ne mange que du riz (*rice*).

B. Traduisez les verbes suivants: 1. He come (*present subjunctive*).  2. He would come.  3. She would have come.  4. Let us go. 5. I shall come.  6. We come.  7. They were coming.  8. We would come.  9. They come.  10. We come (*present subjunctive*).  11. We had come.  12. I was coming.  13. Coming.  14. I shall come. 15. She must have come.

### *Dialogue*

MARIE: Ça s'est bien passé, ton voyage en Angleterre?

LOUISE: Oh! épatant! A deux heures, j'ai pris le car à l'aérogare des Invalides; trois quarts d'heure plus tard nous décollions au Bourget.

MARIE: Tu n'as pas eu le mal de l'air?

LOUISE: Un peu au décollage, mais après, je n'ai plus rien ressenti. Sans ces petits sacs en papier, j'aurais oublié tout malaise.

MARIE: C'était beau de survoler la Manche?

LOUISE: On ne voyait rien. Il y avait trop de brouillard.

MARIE: Ça, c'est dommage.

LOUISE: Ta traversée à toi a dû être bien prosaïque en comparaison de la mienne.

MARIE: Au contraire. Au lieu de prendre le petit bateau entre Dieppe et New Haven, j'ai pris le *Liberté* du Havre à Southampton. Quel paquebot magnifique!

LOUISE: Tu étais en première?

MARIE: Ah! non! J'étais en touriste, mais un jeune étudiant suédois qui s'y connaissait m'a fait passer clandestinement en première.

LOUISE: Alors, tu as eu des aventures. Mais, c'est épatant! Tu vas me raconter tout ça.

## djalɔg

MARIE: sa s e bjɛ̃ pase ╱ tɔ̃ vwajaʒ ɑ̃ nɑ̃glətɛr ╱

LOUISE: o epatɑ̃ ╲ a dø zœr ╱ ʒ e pri l kar ╱ a l aerɔgar de zɛ̃valid ╱ trwa kar d œr ply tar ╱ nu dekɔljɔ̃ o burʒe ╲

MARIE: ty n a pa y l mal də l ɛr ╱

LOUISE: œ̃ pø o dekɔlaʒ ╲ me apre ╱ ʒ n e ply rjɛ̃ rsɑ̃ti ╲ sɑ̃ se pti sak ɑ̃ papje ╱ ʒ ɔre ublije tu malɛz ╲

MARIE: s ete bo ╱ d syrvɔle la mɑ̃ʃ ╱

LOUISE: ɔ̃ n vwaje rjɛ̃ ╲ iljave trɔ d brujar ╲

MARIE: sa s e dɔmaʒ ╱

LOUISE: ta travɛrse ╱ a twa ╱ a dy ɛtrə bjɛ̃ prɔzaik ╱ ɑ̃ kɔ̃parezɔ̃ d la mjɛn——

MARIE: o kɔ̃trɛr ╱ o ljø d prɑ̃dr ╱ lə pti bato ╱ ɑ̃trə djɛp e nju hevən ╱ ʒ e pri lə libɛrte ╱ dy avr ╱ a sauθamptən ╲ kɛl pakbo maɲifik ╲

LOUISE: tɥ ete ɑ̃ prəmjɛr ╱

MARIE: a nɔ̃ ╱ ʒ ete ɑ̃ turist ╱ me œ̃ ʒœn etydjɑ̃ sɥedwa ╱ ki s i kɔnese ╱ m a fe pase klɑ̃dɛstinmɑ̃ ╱ ɑ̃ prəmjɛr ╲

LOUISE: alɔr tɥ a y de zavɑ̃tyr ╱ me s e tepatɑ̃ ╱ ty va m rakɔ̃te tu sa ╱

## *Vocabulaire Supplémentaire*

(une) **aérogare** [aerɔgar] air terminal

(une) **aventure** [avɑ̃tyr] adventure

(le) **bateau** [bato] boat

(le) **brouillard** [brujar] fog, mist, haze

(le) **car** [kar] bus

**clandestinement** [klɑ̃dɛstinmɑ̃], *adv.* clandestinely

(la) **comparaison** [kɔ̃parezɔ̃] comparison *en comparaison de,* in comparison with

**connaître** [kɔnɛtr] *s'y connaître,* to know all about it (le) **contraire** [kɔ̃trɛr] contrary *au contraire,* on the contrary

**décoller** [dekɔle] to take off

(le) **dommage** [dɔmaʒ] *c'est dommage,* it is a pity

**entre** [ɑ̃tr], *prep.* between, among

**épatant, -e** [epatɑ̃, epatɑ̃t] swell (*slang*)

(un) **invalide** [ɛ̃valid] invalid

(le) **lieu** [ljø] place *au lieu de,* instead of

**magnifique** [maɲifik], *adj.* magnificent

(le) **malaise** [malɛz] uneasiness, discomfort

(le) **papier** [papje] paper

(le) **paquebot** [pakbo] steamer, liner

**passer** [pase] *se passer,* to take place *tout s'est bien passé,* all went off well

**raconter** [rakɔ̃te] to relate, tell

**ressentir** [rəsɑ̃tir] to feel (as an after-effect)

(le) **sac** [sak] sack, bag

**sans** [sɑ̃], *prep.* without, but for

(le) **touriste** [turist] *en touriste,* in tourist class

(la) **traversée** [traverse] crossing

## *Quatrième Révision*

A. Révision de vocabulaire: 1. The berth. 2. To forbid. 3. The peasant. 4. To keep up. 5. The greenhouse. 6. Dusty. 7. The choice. 8. The arrow. 9. To unhook. 10. To reimburse. 11. The palace. 12. The green grocer. 13. The food. 14. The frying-pan. 15. A match. 16. To hang up (telephone). 17. To stand. 18. Mad. 19. The rosebush. 20. The field. 21. Distant. 22. A wing. 23. To launder. 24. In short. 25. The mist.

B. Introduisez dans les phrases suivantes la négation indiquée entre parenthèses ou remplacez les mots soulignés par la négation indiquée: 1. *Marie* aurait pu tout faire au même endroit (*no one*). 2. Elle a acheté *du* lait et *du* beurre chez le laitier (*neither . . . nor*). 3. A-t-elle couru pendant une heure et demie (*never*)? 4. Elle avait *de la* nourriture à conserver dans le frigidaire (*no more*). 5. Il fallait passer chez l'épicier pour le sucre (*only*). 6. L'idée de conserver la nourriture l'aurait choquée (*never:* emphasized). 7. Elle a acheté *quelque chose* chez le marchand de vin (*nothing*). 8. Pour tout changer, il fallait suivre ce programme (*only*). 9. Marie *et* Jean avaient le temps de passer chez le charcutier (*neither . . . nor*). 10. A-t-il rencontré *Madame Dalembert* à la gare (*no one*)? 11. Il en avait parlé à *Robert* (*no one*). 12. Elle tenait à *la qualité* (*nothing*).

C. Traduisez les pronoms ou adjectifs entre parenthèses: 1. _____ (*which one*) de ces trains omnibus faut-il prendre? 2. _____ (*what*) était autrefois la capitale des comtes de Champagne? 3. Dites-moi encore une fois _____ (*what*) ligne il faut prendre? 4. Je ne sais pas _____ (*what*) il y avait dans cette

ville qui l'intéressait tellement.  5. _____ (*what*) vous me demandez est vraiment impossible.  6. Je ne sais pas _____
(*whom*) ils ont rencontré à la gare.  7. Voilà le donjon _____
(*of which*) je parlais.  8. Vous ne m'avez pas encore dit avec
_____ (*whom*) ils sont partis.  9. Comment s'appelle l'instrument
avec _____ (*which*) l'employé poinçonne les billets?  10. _____
(*what is*) cette vieille tour qui domine la ville?  11. _____
(*which*) seraient moins chères, des secondes pour tout le trajet ou
des premières jusqu'à Longueville et des troisièmes après?
12. _____ (*whose*) est ce billet que j'ai trouvé par terre?  13. De
_____ (*what*) vous a-t-il parlé si longuement?  14. Voici trois
livres très intéressants. _____ (*of which one*) voulez-vous
parler dans votre prochain article?  15. _____ (*what*) vous fait
dire que Marie l'aime?  16. On emploie même _____ (*some*)
vaches pour les travaux des champs.  17. Il y a _____ (*a few*)
traditions auxquelles les paysans tiennent beaucoup.  18. A-t-on
loué _____ (*some*) de ces fermes à des paysans?  19. Pouvez-
vous me donner _____ (*some*) conseil?  20. Y a-t-il dans le château _____ (*some*) baignoire qui ne fonctionne plus?

D. Traduisez les prépositions indiquées entre parenthèses et
mettez des articles où il y a lieu (*as required*): 1. Paris est la capitale de ___ France.  2. _____ (*in*) Espagne de 1931 à 1939 il y
avait une république.  3. Je les ai rencontrés _____ (*in*) Amiens.
4. Visiterez-vous _____ Brésil au cours de votre voyage?  5. Savez-
vous s'il y a des trains _____ (*in*) Sénégal?  6. Passerez-vous beaucoup de temps _____ (*in*) Portugal?  7. Pourquoi dites-vous que cet
avion arrive _____ (*from*) Japon?  8. _____ Mexique se compose d'états, exactement comme les États-Unis.

E. Traduisez le plus exactement possible les mots entre parenthèses: 1. De toutes les cabines que nous avons visitées, _____
(*ours*) était la plus jolie.  2. Est-ce que ce stylo est _____
(*yours*)?  3. Marie n'avait pas vu partir _____ avion _____ (*his*).
4. _____ garçon de cabine _____ (*their:* feminine) était très
aimable.  5. Ces belles fleurs ne sont pas _____ (*hers*).  6. Est-
ce que le repas que Jacques a fait à bord du *Liberté* était aussi délicieux que _____ (*hers*)?  7. _____ vie _____ (*our:* emphasized)
n'est pas aussi simple que _____ (*the peasants'*).  8. La
ferme _____ (*Jacques' uncle's*) est située près d'Ambazac.

F. Traduisez les verbes suivants: 1. Il _____ (*said*) qu'il
_____ (*was going*) acheter un tracteur.  2. On _____
(*had to*) louer la ferme à des paysans.  3. Depuis quand _____

(*have they been coming*) dans cette région?   4. Il a dit que l'État
_____ (*was supposed to*) payer une partie des frais.
5. _____ (*could you*) le faire si vous vouliez?   6. Ils _____
(*will come*) ici dans quelques jours.   7. Nous _____ (*will have
to*) acheter une villa si nous vendons le château.   8. Il _____
(*cannot have*) le faire sans mon consentement.   9. _____ (*were
you saying*) qu'il _____ (*would not come*) demain?   10. Depuis qu'elles _____ (*went*) à Limoges il n'y a personne pour aller chercher le fromage à la ferme.   11. Ne _____ (*being able*) pas
payer des réparations si coûteuses, il s'est adressé au gouvernement.
12. Elle est très heureuse que vous _____ (*have come*).
13. _____ (*ought we*) attendre plus longtemps?   14. Depuis
le XVIII^e siècle _____ (*people have been saying*)
que la famille n'a plus de quoi entretenir le château.   15. Cela
m'étonnerait qu'il _____ (*should have*) le mal de l'air.
16. Quand _____ (*will you go*) le voir à l'hôpital?   17. Elle
_____ (*must have*) lui parler avant nous.   18. Quand
_____ (*will they have to*) réparer le toit?   19. _____
(*will they be able*) acheter un tracteur en commun?   20. _____
_____ (*not having gone*) à temps à la gare, elles ont manqué le
train.   21. Nous les _____ (*will call*) tout de suite.   22. _____
(*I shall hope*) toujours que vous serez mon ami.   23. Ils _____
(*were eating*) quand nous sommes arrivés.

   G. Traduisez (*corresponds to Lesson XVI*): 1. If she had not
had to go to the grocer's, the pork butcher's and the baker's, she
would have been able to see about many things.   2. After having
preserved the food in the electric ice box for several days, she no
longer dared give it to her family.   3. Since her basket was becoming
heavier and heavier, she could buy neither bread nor vegetables.
4. She valued highly the meat which she bought at that butcher's.
5. She did many errands in the shops near her home, but never was
she able to do everything in the same place.   6. The idea of going
to market once a week was very shocking to her.   7. No one would
have said that sausages were not sold at the butcher's.   8. She never
began to swear at decentralization when she was looking for a dress.
9. The quality of what she ate seemed to her less important than the
time she would have saved.   10. Hadn't she gone either to the ironmonger's for the frying pan or to the pastry baker's for the fancy
cakes?

   H. (*Corresponds to Lesson XVII*): 1. Most of her errands were
already finished and now she still had to telephone to Louise.

2. Could she have waited if she had found all the booths occupied?
3. Where is one supposed to look for one's telephone number?
4. From whom must she have bought the token? 5. In order not to pay double rate, could she have found a telephone in another place? 6. The Dalemberts had no electric ice box at home—any more than they had a telephone. 7. She got her money back because she had not got her call. 8. Never had she had recourse to an express letter. 9. Would the token have been useless if she had desired to telephone to some friends in Paris? 10. It was rather embarrassing to have to telephone in front of everybody.

I. (*Corresponds to Lesson XVIII*): 1. At the platform that the employee had said, the Troyes express was waiting with its large modern cars. 2. Which did you notice first, the keep or the old dilapidated ramparts? 3. The old woman whom they met urged them to run faster since they had mistaken the direction. 4. In these dusty old four-wheeled cars they had to stand because there were no more seats. 5. All the tourists rushed towards the train that had almost left without them. 6. Did this little medieval city shelter 80,000 inhabitants in the thirteenth century? 7. What a change after having stood so long in the corridor! 8. I wonder what is considered as "suburbs" in this station. 9. Shall we use the main line before changing at Longueville? 10. Looking through the door, they saw what they hoped to see, the ancient capital of the powerful counts of Champagne.

J. (*Corresponds to Lesson XIX*): 1. Some of the pipes of the north wing needed repairs. 2. The state would pay a part of the costs of upkeep if they were too great for an individual. 3. Since he has had several hundreds of chickens in his chicken yard, he has had to buy only butter and meat from the farmers. 4. Do you know whether the question has been raised of buying a tractor in common? 5. Since horses are rare in this region, oxen and even cows are used for field work. 6. Have the effects of these traditions made themselves felt? 7. The estate comprises a few farms which Jacques' uncle rented to some share-croppers. 8. If the bath tub no longer functioned, the government would not repair it. 9. How long have the farmers been seeing about the supplying of the castle? 10. It is very unfortunate that one should have to eat all the beautiful trout in the pond.

K. (*Corresponds to Lesson XX*): 1. In England there are more inhabitants than in Canada. 2. At the take-off and on landing, the plane flew over a few clouds. 3. In exchange for what did they give lessons when they were "on mutual terms?"   4.  They arrived at Hendon airport at half past seven, after having flown for only three hours. 5.  In whose company did she explore the first class?   6.  Because of the amiable steward and the young Swedish student, the trip had been rather romantic.   7.  Marie has just traveled by sea, if one may say so.   8.  The Liberté landed her the next morning at Southampton. 9.  In her (*stressed*) cabin, there were two berths, one of which was occupied by a young Swedish girl.   10.  Most of the time she was air sick, which prevented her from having a pleasant trip.

# DEUXIÈME PARTIE

## *La Civilisation Française*

LA FRANCE D'AUJOURD'HUI (LES DÉPARTEMENTS)

# VINGT ET UNIÈME LEÇON

## La Géographie de la France

*( L'étudiant doit se rapporter à sa carte de France )*

Robert Martin veut se faire une idée plus nette de la France, de ses problèmes, et de la façon de voir des Français, ses promenades dans Paris ne lui ayant révélé qu'un côté plutôt superficiel de la vie française. En attendant de visiter la province, il interroge ses amis sur l'ensemble du pays. C'est ainsi qu'il parvient à une notion plus claire de la géographie de la France. Jusque-là ses connaissances se réduisaient aux constatations suivantes: la France est bornée au nord par la Belgique et le Luxembourg, à l'est par l'Allemagne, la Suisse et l'Italie; le fleuve le plus long de France est la Loire qui se jette dans l'Atlantique; Bordeaux se trouve sur l'estuaire de la Gironde; les Alpes sont plus élevées que les Pyrénées; et ainsi de suite. Il savait aussi que la France était aussi grande que le Texas, mais, comme il ne connaissait pas le Texas, cela ne l'avançait guère.

Maintenant ce qui le frappe est moins les dimensions de la France que sa diversité, le fait qu'au nord le pays ressemble par sa végétation et par sa conformation à l'est des États-Unis tandis qu'au sud, surtout sur la Côte d'Azur, il rappelle, par sa sécheresse, la Californie du sud. Il découvre aussi qu'il n'a pas suffisamment compris la situation privilégiée de la France par rapport au reste de l'Europe. D'un côté la France est orientée vers le centre du continent. Non seulement elle partage dans la région de l'Est le climat continental de l'Allemagne mais depuis les temps les plus reculés de l'histoire elle sait que son sort dépend de la bonne volonté des peuples d'outre-Rhin. Par contre, grâce à sa côte sur la mer Méditerranée, la France fait partie de la civilisation méditerranéenne, celle qui a donné naissance à la Grèce et à Rome, à l'Égypte et à Carthage. Car la Méditerranée n'est pas une barrière mais plutôt une voie de commerce vers l'Orient et l'Afrique. Enfin la France est tournée vers l'Atlantique, ce qui a joué un rôle peut-être moins décisif dans sa destinée mais qui l'amène malgré tout à regarder au delà des mers vers des mondes nouveaux.

## *Questionnaire*

1. De quoi Robert veut-il se faire une idée plus nette? 2. Est-ce que les problèmes de la France sont différents des nôtres? 3. Est-ce que la façon de voir des Français est différente de la nôtre? 4. Pourquoi a-t-il besoin de se faire une idée plus nette de la France? 5. Qu'est-ce que ses promenades dans Paris lui ont révélé? 6. Ses promenades lui ont-elles révélé un côté profond de la vie française? 7. Que fait-il en attendant de visiter la province? 8. Sur quoi interroge-t-il ses amis? 9. A quoi parvient-il maintenant? 10. De quoi veut-il avoir une notion plus claire? 11. A quoi se réduisaient ses connaissances jusque-là? 12. Par quoi la France est-elle bornée au nord? à l'est? 13. Quel est le fleuve le plus long de la France? 14. Dans quoi se jette la Loire? 15. Où se trouve Bordeaux? 16. Les Pyrénées sont-elles plus élevées que les Alpes? 17. A quel état américain peut-on comparer la France? 18. La France est-elle plus grande que le Texas? 19. Pourquoi est-ce que cela ne l'avançait guère de savoir que le Texas était plus grand que la France? 20. Qu'est-ce qui le frappe beaucoup plus que les dimensions de la France? 21. A quoi le nord du pays ressemble-t-il par sa végétation et par sa conformation? 22. Qu'est-ce qu'il rappelle au sud? 23. Pourquoi le pays rappelle-t-il la Californie du sud? 24. Qu'est ce que Robert n'a pas suffisamment compris? 25. Quelle est la situation de la France par rapport au reste de l'Europe? 26. Vers quoi la France est-elle orientée? 27. Qu'est-ce qu'elle partage dans l'est? 28. De quoi dépend le sort de la France depuis les temps les plus reculés de l'histoire? 29. De quoi la France fait-elle partie grâce à sa côte sur la mer Méditerranée? 30. A quoi la civilisation méditerranéenne a-t-elle donné naissance? 31. La Méditerranée est-elle une barrière? 32. Finalement, vers quoi la France est-elle tournée? 33. Est-ce que l'Atlantique a joué un rôle décisif dans sa destinée? 34. Vers quoi la France regarde-t-elle, au delà des mers?

## *Discussion*
### (*se rapporter à la carte de France*)

1. Par quels pays la France est-elle bornée au nord? à l'est? au sud? 2. Quelles montagnes forment la frontière entre la France et l'Italie? la France et la Suisse? 3. Comment s'appelle la chaîne de montagnes, en Alsace? entre la France et l'Espagne? 4. Où se trouve le Massif Central? 5. Quel fleuve a sa source dans le Massif Central et se jette dans l'Atlantique près de Nantes? dans la Manche près

du Havre? 6. Sur quel fleuve se trouve Paris? 7. Dans quoi la
Seine se jette-t-elle? 8. Quel fleuve commence près du lac de Genève? 9. Quelle ville importante se trouve au confluent (*junction*)
du Rhône et de la Saône? 10. Est-ce que Marseille est à l'embou-
chure (*mouth*) du Rhône? 11. Sur quel fleuve se trouve Toulouse?
12. Sur quel affluent (*tributary*) du Rhin se trouve Nancy?
13. Quelle ville industrielle importante se trouve près de la frontière
belge? 14. Quelle ville rendue célèbre par Jeanne d'Arc se trouve
sur la Loire? 15. Où se trouvent Brest et Cherbourg?

## *Vocabulaire*

**Afrique** [afrik], *f.* Africa
**Allemagne** [almaɲ], *f.* Germany
*Alpe* [alp], *f.* Alp
**amener** [amne] to bring, lead
*Atlantique* [atlɑ̃tik], *m.* Atlantic
**attendre** *en attendant de* [ɑ̃ natɑ̃dɑ̃
  də], pending the time when
**avancer** [avɑ̃se] *cela ne l'avançait
  guère,* that didn't help him
**avoir** *ayant* [ejɑ̃], *pres. part.* having
(*la*) **barrière** [barjɛr] barrier
(*la*) **Belgique** [bɛlʒik] Belgium
**borner** [bɔrne] to limit, bound
(*la*) *Californie* [kalifɔrni] California
(*le*) **centre** [sɑ̃tr] center
(*la*) *civilisation* [sivilizasjɔ̃] civilization
**clair, -e** [klɛr] clear
(*le*) **climat** [klima] climate
(*le*) *commerce* [kɔmɛrs] commerce
(*la*) **conformation** [kɔ̃fɔrmasjɔ̃] shape
(*la*) **connaissance** [kɔnesɑ̃s] acquaintance, knowledge
(*la*) **constatation** [kɔ̃statasjɔ̃] verification, fact
(*le*) *continent* [kɔ̃tinɑ̃] continent
*continental, -e* [kɔ̃tinɑ̃tal] continental
**contre** [kɔ̃tr], *prep. par contre,* on the
  other hand
(*la*) côte *Côte d'Azur* [kot d azyr],
  Riviera
*décisif, -ve* [desizif, desiziv] decisive
**découvrir** [dekuvrir] to discover *il
  découvre,* he discovers
**delà** *au delà de* [o dla də], beyond
**dépendre** [depɑ̃dr] to depend
(*la*) **destinée** [dɛstine] destiny
(*la*) *dimension* [dimɑ̃sjɔ̃] dimension
(*la*) *diversité* [divɛrsite] diversity

*Égypte* [eʒipt], *f.* Egypt
**élever** [ɛlve] to raise *élevé, -e,* high
**enfin** [ɑ̃fɛ̃], *adv.* at last, finally
(**un**) **ensemble** [ɑ̃sɑ̃bl] whole
**est** [ɛst], *m.* east
(**un**) **estuaire** [ɛstɥɛr] estuary
*Europe* [ørɔp], *f.* Europe
**faire** [fɛr] *se faire une idée,* to get an
  idea
(**le**) **fait** [fe] fact
(**le**) **fleuve** [flœv] river
**frapper** [frape] to strike, hit
(*la*) *géographie* [ʒeɔgrafi] geography
(*la*) **grâce** [grɑːs] *grâce à,* thanks to
(*la*) **Grèce** [grɛs] Greece
(**une**) **histoire** [istwar] story, history
**interroger** [ɛ̃terɔʒe] to examine, question
*Italie* [itali], *f.* Italy
**jeter** [ʒəte] to throw *se jeter,* to empty
**malgré** [malgre], *prep.* in spite of
  *malgré tout,* in spite of everything
(*la*) *Méditerranée* [mediterane] the
  Mediterranean
*méditerranéen,* *-ne* [mediteraneɛ̃,
  mediteraneɛn] Mediterranean
(*la*) **naissance** [nesɑ̃s] birth
**net, -te** [nɛt] clean, clear
(*la*) *notion* [nɔsjɔ̃] notion
**nouveau** [nuvo], **nouvel** [nuvɛl], **nouvelle** [nuvɛl], **nouveaux** [nuvo],
  **nouvelles** [nuvɛl] new
**orienter** [ɔrjɑ̃te] to orient
**outre** [utr], *prep.* **outre-Rhin,** beyond
  the Rhine
**partager** [partaʒe] to share
(*la*) **partie** [parti] *faire partie de,* to
  be part of
**parvenir** [parvənir] to succeed, arrive

(le) **pays** [pei] country
(le) **peuple** [pœpl] people
**privilégié, -e** [privilezje] privileged
(le) **problème** [problɛm] problem
**Pyrénées** [pirene], *f. pl.* Pyrenees
**rappeler** [raple] to recall, remind one of
(le) **rapport** [rapɔr] relationship *par rapport à*, in relation to
**reculer** [rəkyle] to move back *reculé, -e*, distant
**réduire** [redɥir] to reduce *se réduire à*, to confine itself to
**révéler** [revele] to reveal
(le) **Rhin** [rɛ̃] Rhine
(le) **rôle** [rol] role, part
(la) **sécheresse** [seʃrɛs] dryness

(la) **situation** [sitɥasjɔ̃] situation, location
(le) **sort** [sɔr] fate
**suffisamment** [syfizamɑ̃], *adv.* sufficiently
(la) **Suisse** [sɥis] Switzerland
(la) **suite** [sɥit] *et ainsi de suite*, and so on
**suivre** *suivant* [sɥivɑ̃], *pres. part.,* following
**superficiel, -le** [sypɛrfisjɛl] superficial
**tandis que** [tɑ̃di kə], *conj.* whereas
**tourner** [turne] to turn
(la) **végétation** [veʒetasjɔ̃] vegetation
(la) **voie** [vwa] way, avenue
(la) **volonté** [vɔlɔ̃te] will

## *Grammaire*

1. Étudiez dans l'appendice grammatical § 1 et § 2.

2. Étudiez la formation du présent et de l'imparfait de l'indicatif pour les verbes réguliers (page 429).

3. Apprenez le présent et l'imparfait de *faire, vouloir, voir, lire* et *savoir* (voir tables des verbes irréguliers à la fin de ce livre).

## *Exercice*

Traduisez les verbes aux temps voulus: 1. Depuis quand _____ _____ (*has he been questioning*) ses amis sur l'ensemble du pays? 2. Il y avait trois jours qu'il _____ (*had been wanting*) comprendre ces problèmes. 3. Il _____ (*is discovering*) qu'il n'a pas suffisamment compris la situation géographique de la France. 4. Répondez à ma question ou je vous _____ (*punish*). 5. Non seulement elle _____ (*shared*) le climat continental de l'Europe mais elle _____ (*knew*) que son sort _____ (*depended*) de la bonne volonté des peuples d'outre-Rhin. 6. Si la France _____ (*were not*) orientée vers le centre du continent, elle n'aurait pas ces problèmes. 7. Cette région _____ (*reminded him of*) la Californie du sud. 8. Robert _____ (*decided*) de visiter plusieurs provinces françaises. 9. La végétation de cette région _____ (*resembled*) celle des États-Unis de l'est. 10. Grâce à sa côte sur la Méditerranée, la France _____ (*was*) partie de la civilisation méditerranéenne. 11. _____ (*I thought*) que la Loire _____ (*emptied*) dans

la Méditerranée, mais je ⎯⎯⎯⎯⎯ (*was mistaken*). 12. Il ⎯⎯⎯
⎯⎯⎯ (*had known*) le Texas depuis longtemps, mais cela ne l'avançait guère. 13. C'est ainsi qu'elle ⎯⎯⎯⎯⎯ (*arrived*) à une notion plus claire de la géographie de la France. 14. Pendant que
Jean ⎯⎯⎯⎯ (*studied*) la géographie de la France, Marie
⎯⎯⎯⎯ (*looked at*) son livre. 15. Voici trois jours qu'il ⎯⎯⎯⎯
(*has been walking*) dans Paris. 16. Si ses connaissances ⎯⎯⎯⎯
(*confined themselves*) à cela, il ne saurait pas grand'chose. 17. Il
⎯⎯⎯⎯ (*used to go*) souvent chez ce perruquier. 18. Il ne savait
pas si le Luxembourg ⎯⎯⎯⎯ (*was*) une province française ou un
pays indépendant. 19. Il se demandait si le Rhône ⎯⎯⎯⎯⎯
(*emptied*) dans l'Atlantique. 20. Ce point de vue ⎯⎯⎯⎯⎯
(*seemed*) trop superficiel.

## VINGT-DEUXIÈME LEÇON

### *Perspectives Parisiennes*

(*L'étudiant doit se rapporter à son plan de Paris*)

19, rue Gay-Lussac
Paris V<sup>e</sup>
le 25 septembre 1951

Cher Ami,

Quand vous viendrez à Paris, tâchez d'arriver au printemps, au
mois de mai, par exemple. C'est alors que les arbres le long des
boulevards sont couverts de feuilles nouvelles et que les jardins
publics regorgent de fleurs, toutes bien alignées, d'ailleurs, dans des
plates-bandes géométriques. Les jardins comme le Luxembourg et
les Tuileries sont en effet tout ce qu'il y a de plus classique, et la
symétrie se retrouve non seulement dans les massifs mais dans les
allées, les fontaines et même les arbres. Lorsque vous contemplerez
la perspective depuis la Place du Carrousel (formée par les deux
ailes du Louvre) jusqu'à l'Arc de Triomphe de l'Étoile, en passant
par la Place de la Concorde et les Champs-Élysées, vous trouverez
sûrement qu'il n'y a pas de ville au monde plus belle que Paris.

Paris est tout en perspective. Sortez par la grande porte nord du
Louvre. Vous verrez au fond l'Opéra qui se dresse au bout de l'Ave-

nue de l'Opéra. Mettez-vous au centre de la Place de la Concorde
devant l'obélisque; au nord vous aurez la Madeleine, cette église du
XVIII<sup>e</sup> siècle en forme de temple grec; à l'est, le Louvre; au sud, sur
l'autre rive de la Seine, le Palais Bourbon où siège l'Assemblée Nationale; à l'ouest, l'Arc de Triomphe. Même sur la Rive Gauche, dans
un quartier plus ancien, vous verriez le Panthéon (imité du célèbre
temple de Rome) se dresser au bout de la rue Soufflot, ou le Palais
du Luxembourg (XVI<sup>e</sup> siècle, siège du Conseil de la République)
surgir dans la perspective formée par le jardin du même nom et
l'Avenue de l'Observatoire. Seriez-vous dans un quartier moderne
comme le Trocadéro que vous verriez la même chose: la Tour Eiffel
encadrée par les deux ailes du nouveau Palais de Chaillot et, au fond
du Champ de Mars, l'École Militaire. Si vous alliez ensuite à Versailles, vous comprendriez que toute cette régularité, qui s'étend
même aux façades de la rue de Rivoli (XIX<sup>e</sup> siècle) ou à celles de
la Place Vendôme (XVII<sup>e</sup> siècle), est l'expression du goût français
classique du XVII<sup>e</sup> siècle. Bien que le Paris moderne des grands
boulevards soit en grande partie l'œuvre du XIX<sup>e</sup> siècle, les ingénieurs de ce temps-là n'ont fait qu'appliquer les principes de l'urbanisme du XVII<sup>e</sup> siècle dont vous avez des exemples authentiques
dans la ville de Versailles.

## Questionnaire

1. Quand faut-il arriver à Paris? 2. A quel mois de l'année faut-
il arriver à Paris? 3. De quoi les arbres le long des boulevards sont-
ils couverts? 4. Où trouve-t-on des arbres à Paris? 5. De quoi est-ce
que les jardins publics regorgent? 6. Comment ces fleurs sont-elles
arrangées? 7. Qu'y a-t-il dans les plates-bandes? 8. Quel adjectif
s'applique aux jardins du Luxembourg et des Tuileries? 9. Pourquoi dit-on qu'ils sont classiques? 10. Où se trouve cette symétrie
classique? 11. Par quoi la Place du Carrousel est-elle formée?
12. Quelle perspective voit-on depuis la Place du Carrousel?
13. Que voit-on en sortant de la grande porte nord du Louvre?
14. Qu'est-ce qui se dresse au bout de l'Avenue de l'Opéra?
15. Qu'est-ce qu'il y a au centre de la Place de la Concorde?
16. Depuis le centre de la Place de la Concorde que voit-on au
nord? 17. Qu'est-ce que c'est que la Madeleine? 18. A quoi cette
église ressemble-t-elle? 19. Que voit-on à l'est? au sud? à l'ouest?
20. Qu'est-ce que c'est que le Palais Bourbon? 21. Quel édifice,
imitant un temple romain, se trouve sur la Rive Gauche? 22. Au

bout de quelle rue se dresse le Panthéon? 23. Dans quelle perspective surgit le Palais du Luxembourg? 24. De quoi ce palais est-il le siège? 25. Quand ce palais a-t-il été construit? 26. Dans quelle perspective voit-on le Palais du Luxembourg? 27. Comment s'appelle le quartier moderne d'où l'on voit la Tour Eiffel? 28. Dans cette perspective, par quoi la Tour Eiffel est-elle encadrée? 29. Que voit-on au fond du Champ de Mars? 30. Qu'est-ce qu'on comprend quand on va à Versailles? 31. Dans quelles façades retrouve-t-on cette régularité à Paris? 32. La Place Vendôme est-elle de la même époque que la rue de Rivoli? 33. Le Paris moderne est-il l'œuvre du XVIIe siècle? 34. Quels principes d'urbanisme les ingénieurs du XIXe ont-ils appliqués dans la construction du Paris moderne? 35. Où trouve-t-on des exemples authentiques de cet urbanisme?

## Discussion

*(Consulter [§ 24, B] le plan de Paris)*

1. Quand on est au coin du Boulevard Montparnasse et du Boulevard Saint-Michel que peut-on voir en regardant vers le nord? 2. Si on arrivait par le Pont de Neuilly que verrait-on au fond de l'Avenue de la Grande Armée? 3. Mettez-vous au centre de la Place de la Concorde et décrivez ce que vous voyez. 4. Si on était entre le Petit Palais et le Grand Palais, que verrait-on au sud? 5. Que voit-on depuis le Pont Neuf en regardant dans toutes les directions? 6. Quels bois sont aux deux bouts de Paris? 7. Combien d'avenues aboutissent (*end*) à la Place de l'Étoile? 8. Décrivez votre itinéraire pour aller à pied de la Sorbonne à l'Opéra. 9. Quels présidents américains ont leur avenue à Paris dans le quartier de l'Étoile? 10. Combien de gares y a-t-il à Paris et comment s'appellent-elles? 11. En face de quel parc se trouve la Cité Universitaire? 12. Connaissez-vous des villes américaines où il y ait des perspectives comme celles de Paris? 13. Chaque arrondissement (*ward*) de Paris a sa mairie (*town hall*). Où se trouve la mairie du XIIIe arrondissement? 14. Pourquoi dit-on *Rive Gauche* et *Rive Droite?*

## Vocabulaire

**aligner** [aliɲe] to align
**une allée** [ale] path
**appliquer** [aplike] to apply
**un arbre** [arbr] tree
**une assemblée** [asãble] assembly

*authentique* [ɔtãtik], *adj.* authentic
**le bout** [bu] the end
le carrousel [karuzɛl] merry-go-round
la concorde [kɔ̃kɔrd] concord, harmony

le conseil [kɔ̃sɛj] counsel, council
*contempler* [kɔ̃tɑ̃ple] to contemplate, behold
couvrir [kuvrir] to cover *couvert* [kuvɛr], *past part.*
depuis [dəpɥi], *prep.* since, from
dresser [drese] *se dresser,* to rise up
une école [ekɔl] school
une église [egliz] church
encadrer [ɑ̃kadre] to frame
ensuite [ɑ̃sɥit], *adv.* next, then
étendre [etɑ̃dr] to extend [*transitive*] *s'étendre,* to extend [*intransitive*]
une étoile [etwal] star
*une expression* [ɛkspresjɔ̃] expression
la façade [fasad] façade, front of building
la feuille [fœj] leaf
la fontaine [fɔ̃tɛn] fountain
*la forme* [fɔrm] form
*former* [fɔrme] to form
*géométrique* [ʒeɔmetrik], *adj.,* geometrical
le goût [gu] taste
grec [grɛk], grecque [grɛk] Greek
*imiter* [imite] to imitate
un ingénieur [ɛ̃ʒenjœr] engineer
le massif [masif] clump (of bushes)
*militaire* [militɛr], *adj.* military
le mois [mwa] month
*national, -e* [nasjɔnal] (*m. pl.: nationaux*) national

un obélisque [ɔbelisk] obelisk
un observatoire [ɔbsɛrvatwar] observatory
une œuvre [œvr] work
*un opéra* [ɔpera] opera
ouest [wɛst], *m.* west
le palais [pale] palace
la partie *en grande partie* [ɑ̃ grɑ̃d parti], in a large measure
la perspective [pɛrspɛktiv] view
la plate-bande [platbɑ̃d] flower bed
le principe [prɛ̃sip] principle
le printemps [prɛ̃tɑ̃] spring
le quartier [kartje] quarter, section
rapporter [rapɔrte] to report *se rapporter,* to refer
regorger [rɔgɔrʒe] to overflow
*la régularité* [regylarite] regularity
*la république* [repyblik] republic
la rive [riv] bank
le siège [sjɛʒ] seat
siéger [sjeʒe] to sit
le sud [syd] south
sûrement [syrmɑ̃], *adv.* surely
surgir [syrʒir] to rise, come into view
la symétrie [simetri] symmetry
tâcher [taːʃe] to try
*le temple* [tɑ̃pl] temple
la tour [tur] tower
tout, *pro. tout ce qu'il y a de plus* [*adjectif*], nothing could be more [adjective]
urbanisme [yrbanism], *m.* city-planning

## *Grammaire*

1. Étudiez dans l'appendice grammatical § 3 et § 4.

2. Étudiez la formation du futur et du conditionnel pour les verbes réguliers.

3. Apprenez le futur et le conditionnel de *faire, vouloir, voir, lire, savoir* (voir tables des verbes irréguliers à la fin de ce livre).

## *Exercice*

Donnez la forme voulue des verbes entre parenthèses: 1. Que _____ (*dire*) -vous s'il y avait des gratte-ciel à Paris? 2. Quand même ils _____ (*avoir*) imité Notre-Dame, je ne serais pas étonné. 3. Vous me direz vos impressions quand vous _____ (*être*) de retour. 4. J'ai dit qu'il _____ (*devoir*) le faire le plus tôt possible. 5. D'après ce qu'on m'a dit, ç' _____ (*être*) le monument de Lincoln que nous avons vu d'abord. 6. Il a dit que Marie _____ (*devoir*) partir avant nous. 7. Je me demande si vous _____ (*aimer*) Paris quand vous l'aurez vu. 8. Quand vous _____ (*venir*) à Paris, vous arriverez sûrement au printemps. 9. Au cas où vous _____ (*visiter*) le Palais de Chaillot, vous verriez la Tour Eiffel de l'autre côté de la Seine. 10. Je _____ (*devoir*) tout voir puisque je suis ici, mais je n'en ai pas le courage. 11. Vous me _____ (*préparer*) ces exercices pour demain. 12. Après que vous _____ (*avoir*) trouvé le centre de la Place de la Concorde, tournez-vous dans toutes les directions. 13. Dites-le-lui aussitôt que vous le _____ (*voir*). 14. Il me dira tout ce qu'il _____ (*vouloir*), je ne le croirai jamais. 15. Quand il était à Paris, il _____ (*se lever*) de bonne heure tous les matins pour se promener au Luxembourg. 16. Dites-moi si vous _____ (*visiter*) l'Europe entière. 17. Aussitôt que vous _____ (*visiter*) Versailles, vous retrouverez cette même symétrie. 18. Quand nous _____ (*expliquer*) -ils leurs raisons? 19. Je ne me _____ (*dire*) pas leur ami s'ils m'avaient joué un tour pareil. 20. Il a dit qu'il ne _____ (*connaître*) pas le Texas.

## VINGT-TROISIÈME LEÇON

# *Les Quartiers de Paris*

### (*Suite de la lettre de Robert*)

Vu à vol d'oiseau, Paris [1] est une grande ville (2.830.000 habitants) coupée en deux par la Seine qui entre au sud-est, décrit une courbe passant par le centre géographique de la ville et ressort par le sud-ouest, pour remonter vers le nord devant la colline de Saint-Cloud. Ce dernier tronçon du fleuve est encore dans l'agglomération de la métropole mais en dehors des limites officielles de la ville. Sur le plan, Paris a la forme d'un cercle dont le périmètre, jusqu'à ces dernières années, était nettement indiqué par des fortifications. Aujourd'hui les «fortifs» n'existent plus, mais les grandes places entourées d'im-

---

1. *Se rapporter à un plan de Paris.*

meubles modernes au pourtour de Paris s'appellent toujours Porte d'Orléans, Porte de Versailles, Porte de Vincennes, et ainsi de suite.

Le berceau de Paris est l'Ile de la Cité, un peu à l'est du centre de la ville moderne. C'est là que les Romains ont construit leur ville et les premiers rois de France leurs châteaux. Déjà au moyen âge la ville débordait sur les deux rives du fleuve. Au sud sur la Rive Gauche, c'était la ville de l'Université qu'on appelle encore le Quartier Latin parce que les étudiants, venus de tous les pays de la chrétienté, y parlaient latin. Aujourd'hui ce quartier traversé par les boulevards Saint-Michel et Saint-Germain ne manque pas de pittoresque mais il n'a guère l'aspect d'une ville du moyen âge.

Pour trouver du vieux aujourd'hui, il faut aller dans le Marais, ce quartier délabré au nord-est de la Cité qui était le quartier aristocratique aux XVI$^e$ et XVII$^e$ siècles. J'en reparlerai. Au XVIII$^e$ siècle le quartier noble s'est déplacé vers le «Faubourg» Saint-Germain, quartier aujourd'hui digne et paisible près du centre de la ville. En dehors de la ville, au XVIII$^e$, on avait tracé les Champs-Élysées, l'Esplanade des Invalides et le Champ de Mars. Au XIX$^e$ siècle c'est le quartier de l'Étoile qui s'est développé sur les boulevards tracés du temps de Napoléon. De nos jours la partie la plus moderne de la ville se trouve à l'ouest entre la Place de la Concorde et la Place du Trocadéro, en face de la Tour Eiffel. Depuis le début du XIX$^e$ siècle le quartier commercial est situé au centre sur la Rive Droite autour de l'Opéra et de la Bourse. Quant aux quartiers populaires comme Montmartre, Montparnasse, Belleville et la Nation, ils se sont développés dans la seconde moitié du XIX$^e$ siècle.

## *Questionnaire*

1. Combien y a-t-il d'habitants à Paris? 2. Vu à vol d'oiseau, est-ce que Paris a l'air d'une petite ville? 3. Qu'est-ce qui coupe la ville en deux? 4. Décrivez le cours de la Seine. 5. Devant quelle colline est-ce que la Seine passe, une fois hors de Paris? 6. Ce dernier tronçon du fleuve est-il dans l'agglomération de la métropole? 7. Quelle forme a Paris sur le plan? 8. Qu'est-ce qui en indiquait le périmètre jusqu'à ces dernières années? 9. Est-ce que les fortifications existent toujours? 10. Quel mot d'argot (*slang*) employait-on pour désigner les fortifications? 11. Qu'est-ce qu'il y a aujourd'hui à la place des portes de Paris? 12. De quoi ces places sont-elles entourées? 13. Quel est le berceau de Paris? 14. Où se trouve l'Ile de la Cité? 15. Où est-ce que les Romains ont construit leur ville? 16. Où est-

ce que les premiers rois de France avaient leurs châteaux? 17. Au moyen âge est-ce que la ville se limitait à l'Ile de la Cité? 18. Qu'est-ce qu'il y avait au sud sur la Rive Gauche? 19. Pourquoi appelait-on cette partie de la ville le Quartier Latin? 20. D'où venaient ces étudiants? 21. Quels boulevards traversent ce quartier aujourd'hui? 22. Est-ce que ce quartier a l'aspect d'une ville du moyen âge? 23. Où faut-il aller aujourd'hui pour trouver du vieux? 24. Qu'est-ce que c'est que le Marais? 25. Qu'est-ce qui est devenu le quartier aristocratique au XVIIIᵉ siècle? 26. Est-ce un quartier mouvementé? 27. Qu'est-ce qu'on avait tracé en dehors de la ville au XVIIIᵉ siècle? 28. Quel quartier s'est développé au XIXᵉ siècle? 29. Au temps de qui a-t-on tracé ces boulevards? 30. De nos jours où se trouve la partie la plus moderne de la ville? 31. Où se trouve la Place du Trocadéro? 32. Où est situé le quartier commercial? 33. Comment s'appellent les quartiers populaires? 34. Quand se sont-ils développés?

## *Discussion*

1. Comparez la population de Paris à celle des grandes métropoles que vous connaissez. 2. Connaissez-vous une ville qui soit coupée en deux par un fleuve comme Paris? 3. Savez-vous pourquoi on a démoli les fortifications de Paris? 4. Pourquoi les portes de Paris portent-elles souvent les noms d'autres villes? 5. Trouvez l'Ile de la Cité sur le plan de Paris et dites quels édifices s'y trouvent aujourd'hui. 6. Quelle serait la différence entre une cité et une ville? 7. Est-ce que les étudiants de l'Université de Paris parlent toujours latin? 8. Est-ce que les étudiants viennent toujours de tous les pays de la chrétienté? 9. Est-ce que les boulevards Saint-Michel et Saint-Germain datent du moyen âge? 10. Quel est le sens du mot «faubourg?» 11. Pourquoi appelle-t-on le quartier de Saint-Germain le «faubourg» Saint-Germain? 12. Essayez de trouver l'emplacement d'autres faubourgs d'après les noms de rue sur votre plan. 13. Pourquoi le quartier de l'Étoile est-il plus géométrique que d'autres quartiers? 14. Où trouverait-on à Paris les principales banques et agences de tourisme? 15. Quelle est la réputation de Montparnasse et de Montmartre? 16. De quelle mythologie a-t-on tiré *les Champs-Élysées* et *le Champ de Mars?*

# Vocabulaire

un **âge** [aʒ] age  **moyen âge** [mwa-
jɛnaʒ], Middle Ages
une **agglomération** [aglɔmerasjɔ̃] built-
up area
**ainsi**, *adv.* **ainsi de suite** [ɛ̃sidsɥit], and
so forth
une **année** [ane] year
*aristocratique* [aristɔkratik], *adj.* aristocratic
un **aspect** [aspe] appearance
**aujourd'hui** [oʒurdɥi], *adv.* today
**autour** [otur], *adv.* **autour de**, *prep.*
around
le **berceau** [bɛrso] cradle
la **bourse** [burs] purse  *la Bourse*, the
Stock Exchange
le **cercle** [sɛrkl] circle
la **chrétienté** [kretjɛ̃te] Christendom
la **cité** [site] city ( originally in sense of
fortified city )
la **colline** [kɔlin] hill
*commercial, -e* ( *m. pl.: commerciaux* )
[kɔmersjal, kɔmersjo] commercial
la **courbe** [kurb] curve
**déborder** [debɔrde] to overflow
le **début** [deby] beginning
**décrire** [dekrir] to describe
**dehors**, *adv.* **en dehors de** [ɑ̃dəɔrdə],
*prep.* outside
**déplacer** [deplase]  *se déplacer*, to
move, change place
**développer** [devlɔpe] to develop  *se
développer*, to develop ( *intransitive* )
**digne** [diɲ], *adj.* worthy, dignified
**encore** [ɑ̃kɔr], *adv.* still, again
*exister* [ɛgziste] to exist

le **faubourg** [fobur] suburb
la **fortif** [fɔrtif] *slang for* fortification
*la fortification*  [fɔrtifikasjɔ̃] fortification
**géographique** [ʒeɔgrafik], *adj.* geographical
une **île** [il] isle, island
le **jour** *de nos jours* [də no ʒur], in our
days
*latin, -e* [latɛ̃, latin] Latin  *le latin*,
Latin language
*la limite* [limit] limit
**manquer** [mɑ̃ke] *manquer de*, to lack
le **marais** [mare] marsh
la **métropole** [metrɔpɔl] metropolis
la **moitié** [mwatje] half
**nettement** [nɛtmɑ̃], *adv.* clearly
**officiel, -le** [ɔfisjɛl] official
un **oiseau** [œ̃ nwazo] bird
**paisible** [pezibl], *adj.* peaceful
le **périmètre** [perimɛtr] perimeter
le **pittoresque** [pitɔrɛsk] picturesqueness
**populaire** [pɔpylɛr], *adj.* popular,
working-class
le **pourtour** [purtur] periphery
**remonter** [rəmɔ̃te] to go up again
**ressortir** [rəsɔrtir] to come out again
le **roi** [rwa] king
*romain, -e* [rɔmɛ̃, rɔmɛn] Roman
**toujours** [tuʒur], *adv.* always, still
*tracer* [trase] to trace, lay out
le **tronçon** [trɔ̃sɔ̃] piece, stub
*une université* [ynivɛrsite] university
le **vol** [vɔl] flight  *vu à vol d'oiseau*,
from a bird's eye view

# Grammaire

1. Étudiez dans l'appendice grammatical § 5, § 6, § 7, § 8, § 9.

2. Étudiez le passé composé, le plus-que-parfait de l'indicatif, le
futur antérieur et le conditionnel antérieur pour les verbes réguliers.

3. Apprenez ces mêmes temps pour les verbes irréguliers *faire,
vouloir, voir, lire, savoir* ( voir tables à la fin de ce livre ).

## Exercice

Donnez l'auxiliaire qui convient et faites l'accord du participe passé où il y a lieu: 1. Vu___ à vol d'oiseau, la ville a la forme d'un cercle. 2. Quand les fortifications _____ été construit___, Paris était plus petit que maintenant. 3. Aujourd'hui ces quartiers, traversé___ comme ils le sont par de nombreux boulevards, manquent de pittoresque. 4. Toutes les métropoles que nous _____ visité___, n'avaient pas plus d'un million d'habitants. 5. La ville s'_____ développé___ d'une façon imprévue. 6. Ils _____ démoli___ les fortifs assez récemment. 7. Ces étudiants, qui parlaient tous latin, _____ venu___ de tous les pays de la chrétienté. 8. Elle ne s'___ pas rappelé___ le nom de ce quartier paisible. 9. Combien de musées _____-vous visité___ cette fois-ci? 10. Elle ne se les _____ pas rappelé___ à temps. 11. Combien en _____-vous trouvé— avant d'abandonner le jeu? 12. Deux ou trois garçons _____ accouru___ pour voir ce miracle. 13. Elle croyait qu'ils _____ parti___ plus tôt. 14. Quand même elle les _____ tous vu___, je ne la croirais pas. 15. S'ils _____ été entouré___ de fortifications, ils _____ pu résister à l'attaque. 16. Quand ces quartiers se _____ développé___, ils seront aussi beaux que les autres. 17. Nous _____ monté___ trois escaliers pour arriver en haut. 18. Après cela nous _____ descendu___ par l'ascenseur (*elevator*). 19. Je les lui _____ fait___ comprendre par l'interprète. 20. Je les _____ entendu___ chanter plusieurs fois.

## VINGT-QUATRIÈME LEÇON
●●●●●●●●●●●●●●●●●●●●●●●●●●●●●

# *Paris Jusqu'au Onzième Siècle*

### (*Suite de la lettre de Robert*)

En contemplant le Paris des boulevards, je ne me sens pas dépaysé, car vu de l'extérieur c'est une ville plutôt moderne. Au contraire il me faut faire un certain effort pour me rappeler, quand je manque de me faire écraser par un autobus au milieu du parvis Notre-Dame, que l'énorme cathédrale devant moi a vu défiler devant elle près de 800 ans d'histoire de France et qu'elle était déjà vieille en 1328 quand, par ces mêmes portes, Philippe de Valois y entra à cheval entouré de ses barons pour dédier son harnais à la Vierge en remerciement de la victoire de Cassel. On pourrait ainsi retracer l'histoire de la ville à travers ses monuments.

C'est dans le pays des *Parisii,* une tribu gauloise, que les Romains fondèrent leur ville de *Lutétia* il y a deux mille ans. On ne s'en douterait guère, mais de la Lutétia des Romains (appelée *Paris* à partir du IVe siècle) il reste encore quelque chose, une grande salle voûtée près de la Sorbonne qu'on appelle *le Palais des Thermes* et les vestiges des arènes près du Jardin des Plantes. Tout cela est bien intéressant, mais il faut une imagination prodigieuse pour se représenter la ville gallo-romaine.

Paris survécut à la chute de l'Empire romain et devint la capitale des rois mérovingiens et carolingiens (à l'exception surtout de Charlemagne dont la capitale était Aix-la-Chapelle en Allemagne). Comme les Francs construisaient surtout en bois et qu'ils habitaient de préférence la campagne, on ne trouve guère de traces de leur passage à Paris, si ce n'est quelques chapiteaux dans la vieille église de Saint-Germain des Prés.

Passons donc à la période suivante. Le roi de Paris (c'est-à-dire le roi de France, puisque le royaume des Francs a fini par s'appeler ainsi) est sur le point de devenir le maître d'une grande partie de la France actuelle. L'architecture ecclésiastique de cette période est le style roman qui se reconnaît surtout à l'arc «en plein cintre.» Les murs sont épais, les fenêtres petites, mais déjà on a inventé le système des bas-côtés, ce qui permet des constructions plus grandes. Je sais qu'il existe même des cathédrales romanes (Angoulême, par exemple), mais généralement ce sont seulement les petites églises romanes des paroisses pauvres qui ont survécu. A Paris il n'y a aucun exemple pur du style roman bien qu'on en trouve des vestiges dans les petites églises de Saint-Julien le Pauvre et de Saint-Pierre de Montmartre aussi bien que dans le beau clocher de Saint-Germain des Prés qui est en partie antérieur à 1014.

## *Questionnaire*

1. Quel est le sentiment de Robert en contemplant le Paris des boulevards? 2. Pourquoi est-ce que Robert ne se sent pas dépaysé? 3. Expliquez pourquoi, même devant Notre-Dame, Robert a de la difficulté à se rappeler qu'il est dans une ville ancienne. 4. Combien d'années d'histoire est-ce que cette énorme cathédrale a vu défiler

devant elle? 5. Est-ce que la cathédrale fut construite en 1328? 6. Qui y entra à cheval en 1328? Pour quoi faire? 7. Pourquoi Philippe de Valois voulait-il remercier la Vierge? 8. Comment pourrait-on retracer l'histoire de la ville? 9. De quelle tribu gauloise vient le nom de Paris? 10. Comment s'appelait la ville que les Romains fondèrent sur l'emplacement du Paris actuel? 11. Est-ce qu'il reste encore quelque chose de la Lutétia des Romains? 12. Qu'est-ce qu'il en reste? 13. Quelle ruine romaine se trouve près du Jardin des Plantes? 14. Depuis quand est-ce que Paris porte son nom actuel? 15. Quelle sorte d'imagination faut-il pour se représenter la ville gallo-romaine? 16. Est-ce que Paris fut abandonné à la chute de l'Empire romain? 17. Quels rois ont fait de Paris leur capitale? 18. Quel empereur célèbre avait sa capitale, non pas à Paris, mais à Aix? 19. Pourquoi est-ce qu'on ne trouve guère de traces des Francs dans l'architecture? 20. Quels vestiges des Francs trouve-t-on encore à Paris? 21. Quel nom a-t-on fini par donner au royaume des Francs? 22. A la veille de quoi sommes-nous dans l'histoire de la France? 23. Comment s'appelle le style d'architecture caractéristique de cette période? 24. A quoi se reconnaît le style roman? 25. Comment sont les murs et les fenêtres? 26. Quel est l'avantage du système des bas-côtés? 27. Voit-on des cathédrales romanes en France? 28. Pourquoi est-ce que ce sont plutôt les petites églises romanes qui ont survécu? 29. Y a-t-il à Paris un exemple pur du style roman? 30. Où trouve-t-on des vestiges du style roman à Paris?

### Discussion

1. Avez-vous jamais visité une ville ancienne? Racontez brièvement vos impressions. 2. Quelle différence de sens y a-t-il entre *harnais* au moyen âge et *harnais* en français moderne? 3. Dites ce que vous savez de l'histoire de Charlemagne. 4. Si les Francs habitaient la campagne, qui habitaient les villes à la même époque? 5. D'où venaient les Francs? 6. Quelle est la différence entre une capitale et un chapiteau? 7. Définissez le terme *bas-côté*. 8. Avez-vous jamais vu une église romane authentique ou imitée?

### Vocabulaire

actuel, -elle [aktɥɛl] present-day
un an [ɑ̃] year
antérieur, -e [ɑ̃terjœr] previous

un arc [ark] arch
aucun, -e [okœ̃, okyn] any *ne . . .
aucun*, no, not any

avoir *il y a* [ilja], ago
*le baron* [barɔ̃] baron
le bas-côté [bakɔte] side-aisle
carolingien, -ne [karɔlɛ̃ʒɛ̃, karɔlɛ̃ʒɛn]
Carolingian (dynasty founded by
Charlemagne)
*la cathédrale* [katedral] cathedral
le chapiteau [ʃapito] capital (of a column)
le cheval *à cheval* [a ʃval], on horseback
la chute [ʃyt] fall
le cintre [sɛ̃tr] concave surface *arc
en plein cintre* [arkɑ̃plɛ̃sɛ̃tr], semicircular arch
le clocher [klɔʃe] steeple
construire *ils construisaient* [kɔ̃strɥize]
they were constructing
le contraire [kɔ̃trɛr] contrary *au contraire,* on the contrary
dédier [dedje] to dedicate
défiler [defile] to parade
dépaysé, -e [depeize] *se sentir dépaysé,* to feel out of place
douter [dute] to doubt *se douter de,*
to suspect
*ecclésiastique* [eklezjastik], *adj.* ecclesiastical
*un effort* [efɔr] effort
*un empire* [ɑ̃pir] empire
épais, -aisse [epe, epɛs] thick
être *si ce n'est* [sisne], except for
*une exception* [ɛksɛpsjɔ̃] exception
*à l'exception de,* with the exception
of
*un extérieur* [ɛksterjœr] exterior
fonder [fɔ̃de] to found
gallo-romain, -e [galorɔmɛ̃, galorɔ-
men] Gallo-Roman
gaulois, -e [golwa, golwaz] Gallic
généralement [ʒeneralmɑ̃] generally
le harnais [arne] (aspirate *h*) harness,
armor
intéressant, -e [ɛ̃teresɑ̃, ɛ̃teresɑ̃t] interesting
*inventer* [ɛ̃vɑ̃te] to invent

même [mɛm], *adj.* same
mérovingien, -ne [merɔvɛ̃ʒɛ̃, merɔ-
vɛ̃ʒɛn] Merovingian (descendants
of Mérovée who is supposed to have
reigned from 448 to 458)
*le mur* [myr] wall
la paroisse [parwas] parish
partir [partir] *à partir de,* beginning
with
*le parvis* [parvi] parvis (square in
front of a church)
*le passage* [pasaʒ] passage, passing
pauvre [povr], *adj.* poor
*la période* [perjɔd] period
*la plante* [plɑ̃t] plant *Jardin des
Plantes,* Botanical Garden
*le point* [pwɛ̃] point
le pré [pre] meadow
*la préférence* [preferɑ̃s] preference
*de préférence,* preferably
*prodigieux, -euse* [prɔdiʒj∅, prɔdiʒj∅z]
prodigious
pur, -e [pyr] pure
rappeler [raple] *se rappeler,* to remember
*reconnaître* [rəkɔnɛtr] to recognize
le remerciement [rəmersimɑ̃] thanks
*représenter* [rəprezɑ̃te] to represent
*se représenter,* to imagine
*rester* [rɛste] to remain
*retracer* [rətrase] to retrace, trace
roman, -e [rɔmɑ̃, rɔman] Romanesque
le royaume [rwajom] realm, kingdom
sentir *je sens* [sɑ̃], I feel
survivre [syrvivr] to survive *survécu*
[syrveky], *past. part.,* survived *il
survécut,* he survived (conjugated
like *vivre*)
*le système* [sistɛm] system
thermes [tɛrm], *m. pl.* thermae (public baths of Romans)
la tribu [triby] tribe
la victoire [viktwar] victory
la vierge [vjɛrʒ] virgin
voûté, -e [vute] vaulted

## *Grammaire*

1. Étudiez dans l'appendice grammatical § 10 et § 11.

2. Étudiez la formation du passé simple, du passé antérieur et du passé surcomposé des verbes réguliers et de *avoir* et *être.*

3. Apprenez ces mêmes temps pour les verbes irréguliers *faire, vouloir, voir, lire, savoir* (voir tables à la fin de ce livre).

### *Exercice*

Traduisez les verbes entre parenthèses au temps voulu par le style littéraire (pour les verbes irréguliers l'étudiant devra se rapporter aux tables à la fin de ce livre): Robert _____ (*wanted*) se faire une idée plus nette de la France, de ses problèmes et de la façon de voir des Français. Après deux jours de marche dans Paris, il n'_____ (*had*) encore qu'une idée plutôt superficielle de la vie française. Alors il _____ (*decided*) d'explorer la province, qui lui _____ (*was*) inconnue. Il _____ (*visited*) la région d'Orléans où il _____ (*saw*) la Loire, ce fleuve très long qui _____ (*emptied*) dans l'Atlantique, et il _____ (*admired*) les célèbres châteaux. Ce qui le _____ (*struck*) dans le Sud, ce _____ (*was*) la sécheresse qui _____ (*reminded him of*) la Californie. Il _____ (*discovered*) aussi qu'il _____ (*had not understood*) la situation privilégiée de la France par rapport au reste de l'Europe. En étudiant davantage la géographie, il _____ (*understood*) surtout combien la France _____ (*was*) un pays méditerranéen. En somme il _____ (*was*) bien content d'avoir vu autre chose que Paris.

## VINGT-CINQUIÈME LEÇON

# *Le Paris du Moyen Age*

### (*Suite de la lettre de Robert*)

Le moyen âge continue à vivre dans ce chef-d'œuvre de l'architecture gothique qu'est Notre-Dame de Paris. Bien que cette cathédrale ait des vitraux moins beaux que Chartres, une nef moins haute que Beauvais, une façade moins originale que Reims ou qu'elle ne contienne rien qu'on puisse comparer aux stalles d'Amiens ou à la décoration murale d'Albi, aucune cathédrale française ne l'égale par la perfection de l'ensemble, me dit-on. Comme il y a loin de la lourdeur de l'architecture romane (pourtant si belle à Notre-Dame-la-Grande à

Poitiers) à la grâce féerique de l'architecture gothique! L'invention de l'arc-boutant et de l'ogive a permis d'élever la nef à des hauteurs incroyables et d'agrandir les vitraux jusqu'à en faire de véritables symphonies en verre de couleur. Et, en fait de vitraux et de décoration murale, ne manquez pas de voir au Palais de Justice la Sainte-Chapelle que saint Louis a fait construire en 1248 pour recevoir la couronne d'épines du Christ et un morceau de la vraie croix, cadeaux de l'empereur de Constantinople. Choisissez un jour où il fait beau et, s'il n'y a pas trop de touristes pour gâter votre plaisir, vous verrez un spectacle dont vous vous souviendrez toute votre vie.

Il me tarde d'aller voir Aigues-Mortes, cette petite ville fortifiée de la Méditerranée où saint Louis s'embarqua et qui est maintenant aussi morte que les eaux stagnantes qui l'entourent. On dit que c'est encore plus authentique que Carcassonne, parce que moins restauré. A défaut d'Aigues-Mortes, j'ai décidé d'aller à un des châteaux du métro: Château-d'Eau, Château-Landon, Château-Rouge, Château de Vincennes. Aux trois premières stations, il n'y a rien, mais à la dernière il y a une authentique forteresse du moyen âge avec un donjon royal (1183) où Henri V d'Angleterre est mort en 1422 et où les vieux rois de France habitaient de préférence, ne se sentant pas en sécurité dans leur bonne ville de Paris. Dire qu'on y va en métro! Depuis j'ai découvert qu'il y a au centre de Paris, sous le Palais de Justice moderne, une immense salle gothique qui faisait partie du château des rois de France. Pour voir des exemples de l'architecture civile à la fin du moyen âge, je suis allé à l'Hôtel de Sens (1507) dans le Marais et à l'Hôtel de Cluny (XVe siècle), ce palais crénelé en face de la Sorbonne qui était la maison parisienne de l'ordre de Cluny, si puissant au moyen âge.

(J'interromps cette lettre pour aller au *Vray Mystère de la Passion* qu'on joue ce soir en plein air sur le parvis Notre-Dame.)

## *Questionnaire*

1. Où est-ce que le moyen âge continue à vivre, à Paris? 2. Quel chef-d'œuvre de l'architecture gothique se trouve à Paris? 3. Quelle cathédrale a des vitraux plus beaux que ceux de Notre-Dame? 4. Quelle cathédrale a une nef plus haute? 5. Quelle cathédrale a une façade plus originale? 6. Où se trouvent les stalles les plus belles de France? 7. Que peut-on comparer dans Notre-Dame à la décoration murale d'Albi? 8. En quoi est-ce que Notre-Dame dépasse les autres cathédrales de France? 9. Est-ce que l'architec-

ture romane est généralement «féerique?» 10. Où trouve-t-on un bon exemple de l'architecture romane? 11. Qu'est-ce qui a permis d'élever la nef à des hauteurs incroyables? 12. Quel a été l'effet de l'invention de l'arc-boutant et de l'ogive sur les vitraux? 13. A quelle forme de musique peut-on comparer les vitraux des cathédrales gothiques? 14. Où trouve-t-on à Paris un exemple magnifique de décoration murale? 15. Qui a fait construire la Sainte-Chapelle? 16. Pourquoi? 17. Qui a donné à saint Louis la couronne d'épines et un morceau de la vraie croix? 18. Par quel temps faut-il voir la Sainte-Chapelle? 19. Qu'est-ce qui pourrait gâter votre plaisir? 20. Que verrez-vous à la Sainte-Chapelle? 21. Quelle ville est-ce qu'il tarde à Robert d'aller voir? 22. Qu'est-ce que c'est que Aigues-Mortes? 23. Qui s'embarqua à Aigues-Mortes? 24. Pourquoi l'appelle-t-on Aigues-Mortes, c'est-à-dire *eaux mortes?* 25. Pourquoi est-ce que Aigues-Mortes est plus authentique que Carcassonne? 26. Qu'est-ce que Robert a décidé d'aller voir à défaut d'Aigues-Mortes? 27. Qu'est-ce qu'il y a à la station Château de Vincennes? 28. Qui est mort au donjon royal de Vincennes en 1422? 29. Pourquoi les vieux rois de France habitaient-ils de préférence à Vincennes? 30. Qu'est-ce qu'il y a sous le Palais de Justice moderne? 31. De quoi cette salle gothique faisait-elle partie? 32. Pourquoi Robert est-il allé à l'Hôtel de Sens et à l'Hôtel de Cluny? 33. Quel est le palais crénelé en face de la Sorbonne? 34. Qui a fait construire l'Hôtel de Cluny? 35. Pourquoi Robert interrompt-il la lettre? 36. Où jouera-t-on *le Vray Mystère de la Passion?*

## Discussion

1. Quelle différence y a-t-il entre une église et une cathédrale? 2. A quoi servent les stalles d'une église? 3. Qu'est-ce que c'est qu'un arc-boutant? 4. Pourquoi l'arc-boutant et l'ogive ont-ils permis d'élever la nef à une très grande hauteur? 5. Quelles parties du Palais de Justice sont des vestiges de l'ancien château des rois? 6. Où se trouve Carcassonne? 7. Aimeriez-vous mieux visiter Carcassonne ou Aigues-Mortes? Pourquoi? 8. Qu'est-ce que c'est qu'un *château d'eau?* 9. Où se trouve Vincennes par rapport à Paris? 10. Que veut dire le mot *crénelé?* 11. Pourquoi les murailles des forteresses du moyen âge étaient-elles crénelées? 12. Savez-vous où on jouait les *mystères* au moyen âge?

# *Vocabulaire*

agrandir [agrãdir] to enlarge

*air* [εr], *m.* air *en plein air* [ãplεnεr], in the open air

un arc-boutant [arkbutã] flying-buttress

**beau,** *adj. il fait beau* [il fe bo], the weather is beautiful

**le cadeau** (*pl.:* cadeaux) [kado] gift

la chapelle [ʃapεl] chapel

**le chef-d'œuvre** [ʃedœvr] masterpiece

**contenir** [kɔ̃tnir] to contain (conjugated like *tenir*)

**la couleur** [kulœr] color

**la couronne** [kurɔn] crown

**crénelé, -e** [krɛnle] crenelated

**la croix** [krwa] cross

*la décoration* [dekɔrasjɔ̃] decoration

**découvrir** *découvert* [dekuvεr], *past part.*, discovered

**le défaut** [defo] lack *à défaut de,* for lack of

**dire** [dir] *dire que . . .* ( ! ), imagine that . . . ( ! )

égaler [egale] to equal

**embarquer** [ãbarke] *s'embarquer,* to go on board ship, set sail

un empereur [ãprœr] emperor

une épine [epin] thorn

**le fait** [fe] *en fait de* [ãfedə], as regards

féerique [feerik], *adj.* fairy-like

**la fin** [fɛ̃] end

la forteresse [fɔrtərεs] fortress

**gâter** [gɑ:te] to spoil

**haut, -e** [o, ot] (aspirate *h*) high

**la hauteur** [otœr] (aspirate *h*) height

*immense* [imãs], *adj.* immense

incroyable [ɛ̃krwajabl], *adj.* unbelievable

**interrompre** [ɛ̃terɔ̃pr] to interrupt

*une invention* [ɛ̃vãsjɔ̃] invention

**loin** [lwɛ̃], *adv. il y a loin de,* it is a far cry from

la lourdeur [lurdœr] heaviness

**mort, -e** [mɔr, mɔrt] dead

*mural, -e* [myral] (*m. pl.: muraux*) mural

le mystère [mistεr] mystery

la nef [nεf] nave

une ogive [ɔʒiv] pointed arch

un ordre [ɔrdr] order

*original, -e* [ɔriʒinal] (*m. pl.: originaux*) original

*la passion* [pasjɔ̃] passion

*la perfection* [perfεksjɔ̃] perfection

**permettre** *permis* [pεrmi], *past part.*, permitted

**pourtant** [purtã], *adv.* nevertheless, however

*royal, -e* [rwajal] (*m. pl.: royaux*) royal

*la sécurité* [sekyrite] security

**le soir** [swar] evening

*le spectacle* [spεktakl] spectacle

*stagnant, -e* [stagnã, stagnãt] stagnant

la stalle [stal] stall (seat in choir of church)

*la symphonie* [sɛ̃fɔni] symphony

**tarder** [tarde] *il me tarde de,* I am anxious to

*véritable* [veritabl], *adj.* veritable, true

le vitrail [vitraj] (*pl.:* vitraux) stained glass window

**voir** *vous verrez* [vere] you will see

# *Grammaire*

1. Étudiez dans l'appendice grammatical § 12.

2. Étudiez le présent du subjonctif des verbes réguliers et de *avoir* et *être*.

3. Apprenez le présent du subjonctif des verbes irréguliers *faire, vouloir, voir, lire, savoir* (voir tables à la fin de ce livre).

La magnifique
cathédrale de Reims
(XIIIᵉ siècle) où
Jeanne d'Arc fit
couronner Charles VII.
On voit en haut
les statues des rois
de France.

Château de Chinon:
Tour de l'Horloge.
C'est dans ce château
que Jeanne d'Arc vit
Charles VII pour la
première fois.

L'Hôtel Lauzun
sur l'Ile Saint-Louis,
somptueuse résidence
du XVIIᵉ siècle.

Au cœur du Marais: La Place des Vosges commencée sous Henri IV en 1605.

La Tour Eiffel vue
du Palais de Chaillot.

Le Panthéon,
ancienne église
du XVIIIe siècle,
où sont enterrés
Voltaire, Rousseau,
Hugo et Zola.

Façade centrale du Château de Versailles.
On voit les fenêtres de la Galerie des Glaces au premier.

Château de Versailles: La Galerie des Glaces.

### Exercices

A. Traduisez les mots entre parenthèses: 1. Il faudra que vous _____ (*choose*) un jour où il fera beau. 2. Saint Louis commande qu'on _____ (*enlarge*) cette partie du château. 3. Il a peur que cette façade _____ (*may be*) moins originale que celle de Chartres. 4. Il se peut que ce château ne _____ (*contain*) rien d'intéressant, mais j'en doute. 5. Je ne m'oppose pas à ce que vous _____ (*visit*) Aigues-Mortes. 6. Voulez-vous que je vous _____ (*relate*) l'histoire de Jeanne d'Arc? 7. Il n'aime pas qu'on _____ (*sell*) des cartes postales dans la Sainte-Chapelle même. 8. Croyez-vous qu'on _____ (*can*) comparer ces stalles à celles d'Amiens? 9. Il est temps que vous me _____ (*give*) une explication. 10. Je ne permettrai pas que vous _____ (*go*) dans un endroit pareil.

B. Traduisez: 1. I want John to do it. 2. I am afraid he cannot come. 3. He orders him to do it but he does not say what will have to be done. 4. Prevent Mary from leaving. 5. I ask him to visit the cathedral with me. 6. I want him to visit the cathedral with me. 7. Let us advise them to do it immediately. 8. Do you think it to be possible?

## Cinquième Révision

A. Révision de vocabulaire: 1. The cross. 2. A thorn. 3. Heaviness. 4. To spoil. 5. The masterpiece. 6. Fairy-like. 7. The steeple. 8. The parish. 9. Gallic. 10. To feel out of place 11. Prodigious. 12. The virgin. 13. To remember. 14. Thick. 15. The kingdom. 16. Present-day. 17. Half. 18. The purse. 19. Peaceful. 20. A bird. 21. Sufficiently. 22. In spite of. 23. To succeed. 24. The will. 25. The country. 26. The taste. 27. A star. 28. To extend. 29. The principle. 30. To try.

B. Révision de verbes: 1. We were doing. 2. We read (*passé simple*). 3. I wish (*subjunctive*). 4. Thou shalt know. 5. He will see. 6. You see (*subjunctive*). 7. He had known (*past anterior*). 8. They would like. 9. You read. 10. We did (*passé simple*). 11. He will have seen. 12. They had done. 13. He is doing. 14. You read (*passé simple*). 15. We shall do. 16. They wished

(*passé simple*).   17. He sees.   18. They wish.   19. You will know.
20. We know (*subjunctive*).   21. He would have known.

C. Traduisez les verbes indiqués entre parenthèses:   1. S'il
_____ (*had studied*) la géographie, il _____ (*would have
understood*) la situation privilégiée de la France.   2. Il ne savait
pas si Bordeaux _____ (*was located*) sur l'estuaire de la Gironde.
3. Il _____ (*told*) à ses amis qu'il _____ (*would be*) mieux
renseigné sur l'ensemble du pays quand il _____ (*had visited*)
toute la France.   4. Quand Xavier _____ (*comes*) à Paris, ce
sera le printemps.   5. Tous les matins il _____ (*would contemplate*) la perspective depuis la Place du Carrousel.   6. Ce jardin
_____ (*was*) tout ce qu' _____ (*there was*) de plus classique.
7. J'ai peur que le fleuve _____ (*will overflow*) sur les deux rives.
8. Une fois ce quartier _____ (*has been crossed*) vous verrez
des choses bien plus intéressantes.   9. Au cas où il _____ (*insisted*) il faudrait voir les vieux hôtels.   10. C'est la première fois
qu'il me _____ (*has spoken*) de sa sœur.   11. Depuis quand est-ce
que les fortifs _____ (*had no longer existed*)?   12. Ce _____
(*is probably*) parce que les étudiants _____ (*lived there*)
qu'on l'appelle aujourd'hui le Quartier Latin.   13. Voilà plus d'un
siècle que le quartier commercial _____ (*has been located*)
sur la Rive Droite.   14. (*Literary style*): Philippe de Valois et ses
vassaux _____ (*entered*) à cheval dans la cathédrale.
15. (*Literary style*): Il _____ (*dedicated*) son harnais à
la Vierge en remerciement de la victoire de Cassel.   16. Quand même
ils _____ (*were*) très intéressants, je n'aurais pas l'imagination
nécessaire pour me représenter tout ce passé.   17. On ne _____
(*would suspect it*) guère, mais il reste des vestiges des arènes près
du Jardin des Plantes.   18. Vous ne _____ (*could*) pas vous
rappeler tout ce que je vous _____ (*said*).   19. Les Romains
_____ (*lived*) aussi dans l'Ile de la Cité.   20. Pendant que les
Romains _____ (*constructed*) leurs fortifications, les Gaulois
les _____ (*watched*) de loin.

D. Faites l'accord du participe passé où il y a lieu: 1. Les livres
que j'ai acheté___.   2. La peine qu'elle s'est donné___.   3. Ces fortifications avaient été construit___par les Romains.   4. Elle s'est
fait___ mal au pied.   5. La jeune fille que j'ai entendu___ chanter.
6. Combien de leçons avez-vous déjà fait___?   7. Les jeunes filles
auxquelles j'ai parlé___ étaient des amies d'Yvonne.   8. Elles se
sont parlé___ très souvent.   9. Jean et Marie étaient arrivé___ en-

semble. 10. Cette grande salle voûtée construit___ par les archi-
tectes gothiques subsiste encore.

E. Mettez tous les verbes au passé en employant: 1) le style
de la conversation; 2) le style littéraire: Robert Martin _____
(*vouloir*) se faire une idée plus nette de la France, de ses problèmes,
et de la façon de voir des Français, car ses promenades dans Paris
ne lui _____ (*révéler*) qu'un côté plutôt superficiel de la
vie française. En attendant de visiter la province, il _____
(*interroger*) ses amis sur l'ensemble du pays. C'est ainsi qu'il
_____ (*parvenir*) à une notion plus claire de la géographie
de la France. Jusque-là il _____ (*savoir*) que la France _____
(*être*) bornée au nord par la Belgique et le Luxembourg, à l'est
par l'Allemagne, la Suisse et l'Italie, que le fleuve le plus long de
France _____ (*être*) la Loire qui se _____ (*jeter*) dans l'Atlantique, que Bordeaux se _____ (*trouver*) sur l'estuaire de la Gironde; et ainsi de suite. Ensuite il _____ (*apprendre*) que la
France _____ (*être*) aussi grande que le Texas, mais, comme il
ne _____ (*connaître*) pas le Texas, cela ne l'_____
(*avancer*) guère.

F. Traduisez (*corresponds to Lesson XXI*): 1. That is how
he discovered that the Alps are higher than the Pyrénées. 2. How
long had he known that Luxembourg was as big as the state of
Rhode Island? 3. Not only is France a Mediterranean country, but
the Atlantic has always played an important part in her destiny.
4. Now Robert is getting a clearer idea of France, for he is questioning his friends on the different regions. 5. From the most distant
time of history they had known that their fate depended on the
friends they might have to the east. 6. It scarcely got him anywhere
to know that Bordeaux was located on the estuary of the Gironde.
7. The vegetation and shape of this country remind him of California.
8. This trip having revealed to him only superficial things, he de-
cides that he has not sufficiently studied the geography of France.
9. Mediterranean civilization gave birth to that of Greece and Rome.
10. Meanwhile he noticed that this country did not resemble Texas.

G. Traduisez (*corresponds to Lesson XXII*): 1. If he came to
Paris, he ought to arrive in September. 2. When you put yourself
in the center of the Place de la Concorde, you will see the Madeleine
to the north and, to the south, the Bourbon Palace where the National Assembly sits. 3. He found that there was no garden in the
world more beautiful than that of the Tuileries. 4. Even if the en-

gineers of that time had applied the modern principles of city planning, the city which they constructed could not have been better adapted to modern life.   5. If you were in the center of the Place du Trocadéro, you would see the Eiffel tower framed by the two wings of the new Palace of Chaillot.   6. We saw the Arch of Triumph rise up in the perspective formed by the well aligned trees of the garden.   7. Then the trees along the boulevards will be covered with new leaves.   8. Tell me what this church is in the form of a Greek temple.   9. All this regularity extends not only to the fronts of the buildings but also to the public gardens.   10. This is probably the Pantheon which is imitated from the famous Roman temple of the same name.

H. Traduisez (*corresponds to Lesson XXIII*): 1. To find something beautiful today, you must not go to this dilapidated quarter. 2. The avenues which they had so often gone up indicated the limits of the city of Louis XIV.   3. These students and teachers who had come from the four corners of the world, knew how to speak only Latin.   4. This square has the form of a star whose points are indicated by the different avenues traced in the time of Napoleon. 5. That is where the business section developed in the 19th Century.   6. Today this peaceful and dignified quarter is still inhabited by a few nobles.   7. The river comes out again towards the northwest after having cut Paris in half.   8. These large modern squares surrounded by buildings are called gates.   9. The banks of the river do not lack picturesqueness.   10. The first kings of France constructed their castles on the Ile de la Cité which was the cradle of Paris.

I. Thème (*corresponds to Lessons XXIV and XXV*): The Romans founded two thousand years ago in the country of the Gallic tribe of the *Parisii* a city which they called *Lutetia* but which has been called *Paris* since the 4th Century. It is very interesting to trace the history of this city in the monuments which have survived. Of the Gallo-Roman city there remain only the *Palace of the Thermae,* as it is called (but it was probably not the palace of the Roman governor as people once believed) and the Arena of Lutetia, situated near the present-day Botanical Garden. All that is not much.

Medieval Paris has left many more traces. Naturally Paris is not a fortified city surrounded by ramparts like Aigues-Mortes or Carcassonne, but one does find many isolated examples of medieval architecture, beginning with Notre-Dame. How many years of French history Notre-Dame has seen parading before her doors!

This enormous cathedral was already old when Philip of Valois entered it on horseback in 1328 to dedicate his harness to the Virgin.

Notre-Dame was entirely constructed in the Gothic style, which is exceptional because many famous cathedrals have parts dating from the Romanesque period. Consequently one finds no semicircular arches and none of this heaviness which is characteristic of Romanesque architecture. The invention of the flying buttress and of the pointed arch allowed the architects of Notre-Dame to raise the nave to unbelievable heights and to enlarge the windows which became veritable symphonies of colored glass.

Notre-Dame is certainly what is most impressive among the vestiges of the Middle Ages in Paris, but, if one looks closely, one does not fail to see numerous other examples of medieval architecture. Take the métro as far as the station called "Castle of Vincennes" and there you will find an authentic castle of the Middle Ages in which Henry V of England died in 1422. Paris is perhaps not worth Carcassonne in this respect, but there are many interesting things to see.

## VINGT-SIXIÈME LEÇON

# *Jeanne d'Arc*

Une prophétie de Merlin, répandue partout en France au XVe siècle et modifiée selon les provinces, annonçait qu'une pucelle viendrait sauver le royaume. La France semblait bien perdue. Il n'y avait plus de souverain depuis la mort de Charles VI, le roi fou, dont les trois premiers fils étaient morts aussi et dont le dernier fils, le «soi-disant» dauphin, qui lui-même avait des doutes sur la légitimité de sa naissance, était proscrit et déshérité. Les Anglais tenaient tout le nord du pays qui était dévasté par les guerres. Les loups attaquaient les hommes entre Montmartre et Paris tandis que les habitants de la capitale mouraient de faim. Le seul plaisir des nobles, à part le vin et les femmes, était de s'égorger ou de faire pire ( tel cet infâme Gilles de Retz, l'original authentique de Barbe Bleue ). Dans le petit village de Domrémy en Lorraine on accueillait souvent des fugitifs et parfois on se cachait dans les champs pour échapper aux brigands.

Comment pouvait-on être simple et honnête dans un monde pareil? Et pourtant, à Domrémy, il y avait la simple et honnête Jeanne, fille du laboureur Jacques Darc. Au dire des voisins elle était d'une piété exemplaire et aidait sa mère à coudre (elle n'était pas bergère, comme on le croit souvent). Elle eut des visions: saint Michel et quelques saintes qui lui disaient qu'elle était la pucelle de Lorraine désignée pour aller au secours du roi. Dans un monde aussi crédule et aussi naïf que celui du quinzième siècle, les mystiques ne manquaient pas. Ce qui était extraordinaire, c'était la volonté et le courage de cette simple paysanne de dix-huit ans qui sut mener à bien sa noble mission en dépit de ce monde hostile qui l'intimidait et l'effrayait.

La route de Jeanne était semée d'obstacles. C'était d'abord sa famille qui voulait la marier, et ensuite Jean de Baudricourt, capitaine de Vaucouleurs, qui refusait de l'envoyer au dauphin. Chaque fois, pourtant, il y eut quelqu'un qui crut en elle et qui persuada les autres. Chaque fois la politique entra en jeu et peut-être décida de tout. En route pour le château royal de Chinon, elle faillit tomber dans une embuscade dressée par les adversaires du parti de Lorraine à la cour. Mais ce fut la politique aussi qui décida le dauphin et une partie de son entourage à accepter son appui puisque les anges de Jeanne avaient confirmé la légitimité de la naissance de ce prince. Il fallait une intervention divine et même quelques miracles pour prouver que le souverain légitime était bien ce prétendu bâtard et non ce petit Henri de Lancastre, le seul fils de feu le roi Henri V d'Angleterre qui avait épousé de force la malheureuse fille de Charles VI de France.

## Questionnaire

1. De qui était la prophétie qui annonçait la venue (*coming*) de Jeanne d'Arc? 2. Est-ce que cette prophétie était la même dans toutes les provinces de France? 3. Qui viendrait sauver le royaume? 4. Quel était l'état de la France à cette époque? 5. Est-ce que la France avait un souverain? 6. Qui était le roi fou? 7. Est-ce que les trois premiers fils de ce roi vivaient encore? 8. Quel titre était porté par le dernier fils de Charles VI? 9. Pourquoi l'appelait-on le «soi-disant» dauphin? 10. Est-ce que le dauphin était sûr de ses droits? 11. Qui tenait tout le nord du pays? 12. Qu'est-ce qui attaquait les hommes entre Montmartre et Paris? 13. Comment était la vie dans la capitale? 14. En quoi consistaient les plaisirs des nobles? 15. Qui était Gilles de Retz? 16. Qui est-ce qu'on accueillait à Domrémy? 17. Pourquoi se cachait-on dans les champs?

18. Qui était Jeanne d'Arc? 19. Quel était son caractère? 20. Était-elle bergère, comme on le croit souvent? 21. Qui disait qu'elle était d'une piété exemplaire? 22. Comment aidait-elle sa mère? 23. Que disaient saint Michel et les saintes à Jeanne? 24. Est-ce que le quinzième siècle était sceptique? 25. Y avait-il beaucoup de mystiques au quinzième siècle? 26. Qu'est-ce qui était extraordinaire chez cette simple paysanne? 27. Quel âge avait Jeanne? 28. Est-ce que Jeanne était habituée au monde? 29. Quel était le premier obstacle sur la route de Jeanne? 30. Qui refusait de l'envoyer au dauphin? 31. Pourquoi a-t-elle réussi chaque fois? 32. A vrai dire, qu'est-ce qui a décidé de tout? 33. Quel obstacle l'attendait sur la route même de Chinon? 34. Qui avait dressé cette embuscade? 35. Qu'est-ce qui a décidé le dauphin et son entourage à accepter son appui? 36. Pourquoi est-ce que la mission de Jeanne servait la politique du dauphin? 37. Qui est-ce que les Anglais et beaucoup de Français considéraient comme le souverain légitime? 38. De qui Henri de Lancastre était-il fils? 39. Qui avait épousé de force la fille de Charles VI?

## Discussion

1. Savez-vous qui était Merlin? 2. Racontez brièvement l'histoire de Barbe Bleue. 3. Comment s'explique la présence des Anglais en France au temps de Jeanne d'Arc? 4. Jeanne était-elle sincère quand elle disait qu'elle avait eu des visions? 5. Expliquez pourquoi Charles VII (le dauphin) n'était pas reconnu comme le souverain légitime. 6. Qu'est-ce qui était extraordinaire dans le caractère de Jeanne? 7. Auriez-vous aimé vivre au temps de Jeanne d'Arc? 8. Pourquoi les «Français libres» ont-ils choisi comme insigne la croix de Lorraine? 9. Quelle est la forme de la croix de Lorraine? 10. Expliquez comment Jeanne d'Arc était le jouet (*plaything, tool*) des politiciens.

## Vocabulaire

**accueillir** [akœjir] to receive, greet
**un adversaire** [adversɛr] adversary
**aider** [ede] to help
**un ange** [ɑ̃ʒ] angel
**un appui** [apɥi] support
**attaquer** [atake] to attack
**la barbe** [barb] beard
le bâtard [batar] bastard

le berger [bɛrʒe], la bergère [bɛrʒɛr] shepherd, shepherdess
*le brigand* [brigɑ̃] brigand, robber
**cacher** [kaʃe] to hide (*transitive*) *se cacher*, to hide (*intransitive*)
**le capitaine** [kapitɛn] captain
*confirmer* [kɔ̃firme] to confirm
**coudre** [kudr] to sew

*le courage* [kuraʒ] courage
crédule [kredyl] credulous
croire *il crut* [kry], *passé simple,* he
  believed
le dauphin [dofɛ̃] Dauphin (sovereign of Dauphiné; title given to
  eldest son of king of France), crown
  prince
*décider* [deside] *décider de tout,* to
  settle everything
le dépit [depi] *en dépit de,* in spite of
déshérité, -e [dezerite] disinherited
désigner [deziɲe] to designate
dévaster [devaste] to lay waste
dire *au dire de* [odirdə], according to
divin, -e [divɛ̃, divin] divine
le doute [dut] doubt
dresser [drese] to erect, set up
échapper [eʃape] to escape
effrayer [efreje] to frighten
égorger [egɔrʒe] to cut the throat of
une embuscade [ɑ̃byskad] ambush
*un entourage* [ɑ̃turaʒ] entourage
envoyer [ɑ̃vwaje] to send
épouser [epuze] to marry, wed
exemplaire [ɛgzɑ̃plɛr], *adj.* exemplary
la faim [fɛ̃] hunger
la femme [fam] woman
feu, -e [fø], *adj.* late, deceased
le fils [fis] son
*la force* [fɔrs] force   *de force,* forcibly
fugitif [fyʒitif], fugitive [fyʒitiv] fugitive
la guerre [gɛr] war
un homme [ɔm] man
honnête [ɔnɛt], *adj.* honest
*hostile* [ɔstil], *adj.* hostile
infâme [ɛ̃faːm], *adj.* infamous
*une intervention* [ɛ̃tɛrvɑ̃sjɔ̃] intervention
intimider [ɛ̃timide] to intimidate
le jeu [ʒø] game   *entrer en jeu,* to become a factor
le laboureur [laburœr] tillage farmer
légitime [leʒitim], *adj.* legitimate
la légitimité [leʒitimite] legitimacy
le loup [lu] wolf
malheureux, -euse [malørø, malørøz]
  unfortunate
marier [marje] to marry [someone to
  someone else]

mener [mɔne] *mener à bien,* to carry
  out
Michel [miʃɛl], *m.* Michael
*le miracle* [mirakl] miracle
*la mission* [misjɔ̃] mission
modifier [mɔdifje] to modify
la mort [mɔr] death
mourir [murir] to die
*le mystique* [mistik] mystic
naïf [naif], naïve [naiv] naive
*un obstacle* [ɔbstakl] obstacle
parfois [parfwa], *adv.* sometimes
le parti [parti] party
partout [partu], *adv.* everywhere
le paysan [peizɑ̃], la paysanne [pei-
  zan] peasant
perdre [pɛrdr] to lose
*persuader* [pɛrsɥade] to persuade
*la piété* [pjete] piety
pire [pir], *adj. comp.* worse
la politique [pɔlitik] politics
prétendre [pretɑ̃dr] to claim   *prétendu, past part.,* alleged
*le prince* [prɛ̃s] prince
la prophétie [prɔfesi] prophecy
proscrit, -e [prɔskri, prɔskrit] proscribed, outlawed
prouver [pruve] to prove
la pucelle [pysɛl] maiden
quelqu'un, -e [kɛlkœ̃, kɛlkyn], quel-
  ques-uns/unes [kɛlkəzœ̃, kɛlkəzyn]
  someone (-ones)
répandre [repɑ̃dr] to spread
sauver [sove] to save
savoir *il sut* [sy], *passé simple,* he
  knew
le secours [sɔkur] help, aid
selon [sɔlɔ̃], *prep.* according to
semer [sɔme] to sow
soi-disant [swadizɑ̃], *adj. invar.* so-
  called
le souverain [suvrɛ̃] sovereign
suivre [sɥivr] *à suivre,* to be continued
tel, -le [tɛl] such, like   *un tel homme,*
  such a man
tomber [tɔ̃be] to fall
le vin [vɛ̃] wine
*la vision* [vizjɔ̃] vision
le voisin [vwazɛ̃] neighbor

## Grammaire

1. Étudiez dans l'appendice grammatical § 13 et § 14.
2. Faites une révision générale des verbes irréguliers suivants déjà étudiés: *partir, pouvoir, devoir, dire, aller, venir.*

## Exercices

A. Traduisez les verbes entre parenthèses: 1. Il y avait une prophétie de Merlin qui _____ (*announced*) la venue d'une pucelle. 2. C'est la guerre la plus désastreuse que j'_____ (*have*) jamais vue. 3. Est-ce qu'il doute que la naissance de ce prince _____ (*is*) légitime? 4. Il n'y a personne qui _____ (*is*) plus infâme que Gilles de Retz. 5. Croyez-vous que Jeanne _____ (*has*) été désignée pour aller au secours du roi? 6. Le seul plaisir que les nobles _____ (*did*) connu était le vin, les femmes et la guerre. 7. Qu'elle _____ (*did*) eu une vision ou qu'elle se le _____ (*did*) imaginé, le résultat en était le même. 8. Ils se battent jusqu'à ce que tout le monde _____ (*is*) égorgé. 9. Pourvu qu'elle _____ (*has*) assez de courage, elle réussira toujours. 10. Autant que je _____ (*know*), elle était aussi naïve et crédule que les autres.

B. Traduisez: 1. Although you are telling the truth, I do not believe you. 2. As far as I know, she had visions. 3. I know no one who is more simple and honest. 4. She leaves without my being able to stop her. 5. I will wait until I have to leave. 6. Unless you come on time, I shall be unable to leave. 7. You must say nothing to her for fear that she may be intimidated.

## VINGT-SEPTIÈME LEÇON
▼▼▼▼▼▼▼▼▼▼▼▼▼▼▼▼▼▼▼▼▼▼▼▼▼▼

## *Jeanne d'Arc (Suite)*

Le moment était critique. Les Anglais avaient mis le siège devant Orléans et, si cette ville tombait, c'en était fait du reste de la France au sud de la Loire. Après avoir consulté les docteurs de l'université de Poitiers pour s'assurer qu'ils n'avaient pas affaire à une sorcière, les capitaines français décidèrent d'employer cette petite paysanne qui soulevait tant d'enthousiasme parmi le peuple. Pour lever le siège, on envoya à Orléans ce qui passait pour une armée à l'époque. Tout autour de la ville les Anglais avaient construit des «bastilles.» S'ils n'en sortaient pas pour attaquer, on pouvait entrer librement dans la ville. L'armée française y entra, ne se décida pas à attaquer les bastilles, et se retira à Blois, laissant Jeanne à Orléans. La populace s'enthousiasmait de plus en plus pour la pucelle, et force fut à l'armée de revenir. Jeanne et des prêtres, suivis des Orléanais et de l'armée, passèrent en procession devant les bastilles anglaises, d'où il ne sortait que des injures. Un peu plus tard, sans prévenir Jeanne, qui était couchée, on attaqua une des bastilles du nord. L'attaque fut repoussée et les Français fuyaient en désordre quand Jeanne, prévenue par ses anges, arriva. La victoire changea de camp. Désormais Jeanne était à la tête des troupes quand on attaquait. On ne peut pas dire qu'elle commandait réellement l'armée. Mais elle était là, elle donnait des ordres, et parfois ces capitaines à demi brigands lui obéissaient. A plusieurs reprises elle fut grièvement blessée.

Orléans fut délivré. On sait la suite: comment Jeanne décida le dauphin à se faire couronner à Reims en pays ennemi avant que les Anglais ne pussent faire la même cérémonie pour le petit Henri VI. On emporta Troyes d'enthousiasme et Reims ouvrit ses portes. Le sacre terminé, Jeanne dit au roi: «O gentil roi, maintenant est fait le plaisir de Dieu, qui voulait que je fisse lever le siège d'Orléans et que je vous amenasse en votre cité de Reims recevoir votre saint sacre, montrant que vous êtes vrai roi et qu'à vous doit appartenir le royaume de France.» La mission de Jeanne d'Arc était accomplie et elle pressentait déjà sa fin.

## Questionnaire

1. Pourquoi le moment était-il critique?  2. Qui avait mis le siège devant Orléans?  3. Si cette ville tombait, qu'est-ce qui arriverait?  4. Pourquoi les capitaines ont-ils consulté les docteurs de l'université de Poitiers?  5. Pourquoi ont-ils décidé d'employer cette petite paysanne?  6. Où a-t-on envoyé ce qui passait pour une armée?  7. Qu'est-ce que les Anglais avaient construit tout autour de la ville?  8. Que pouvait-on faire si les Anglais n'en sortaient pas pour attaquer?  9. Est-ce que l'armée française est entrée à Orléans?  10. N'ayant pas pu se décider à attaquer les bastilles, qu'est-ce que l'armée a fait?  11. Où était Jeanne pendant ce temps?  12. Pourquoi

est-ce que l'armée a dû revenir à Orléans? 13. Décrivez la procession autour d'Orléans. 14. D'où sortait-il des injures? 15. Où était Jeanne pendant qu'on attaquait les bastilles du nord? 16. Quel a été le résultat de cette première attaque? 17. Qui avait prévenu Jeanne que les Français attaquaient? 18. Quel a été le résultat de l'arrivée de Jeanne? 19. Désormais où était Jeanne quand on attaquait? 20. Qui donnait les ordres? 21. Est-ce que Jeanne a été blessée? 22. Finalement est-ce qu'Orléans a été délivré? 23. Pourquoi Jeanne a-t-elle décidé le dauphin à se faire couronner? 24. Où fallait-il le faire couronner? 25. Est-ce qu'on a dû prendre Troyes et Reims de force? 26. Quelle était la signification du sacre pour Jeanne? 27 Sa mission accomplie, qu'est-ce qu'elle pressentait?

## Discussion

1. Où est Poitiers par rapport à Chinon et à Orléans? 2. Est-ce que les armées, du temps de Jeanne d'Arc, étaient bien disciplinées? 3. Expliquez comment Jeanne d'Arc a exercé une pression (*pressure*) morale sur les capitaines pour pouvoir accomplir sa mission. 4. Expliquez comment les Français pouvaient entrer librement dans Orléans malgré le siège. 5. Savez-vous pourquoi les Anglais n'ont pas attaqué les Français? 6. Savez-vous pourquoi on devait faire la cérémonie du sacre à Reims plutôt que dans une autre ville? 7. Pourquoi était-il difficile de faire couronner le roi à Reims? 8. Où se trouve Troyes par rapport à Orléans, Reims et Paris? 9. Pourquoi est-ce que l'armée française ne pouvait pas passer par Paris? 10. Est-ce que Jeanne comprenait le vrai caractère du dauphin?

## Vocabulaire

accomplir [akɔ́plir] to accomplish
une affaire [afɛr] affair, business, concern  avoir affaire à, to deal with
appartenir [apartənir] to belong
une armée [arme] army
assurer [asyre] to assure  s'assurer, to make sure
avant que [avã kə], *conj.* before
la bastille [bastij] small fortress
blesser [blese] to wound
le camp [kã] camp
la cérémonie [seremɔni] ceremony
changer [ʃãʒe] *changer de quelque chose*, to change something
coucher [kuʃe] to put to bed  *se*

coucher, to go to bed  *couché, -e,* in bed
couronner [kurɔne] to crown
critique [kritik], *adj.* critical
décider [deside] *se décider à*, to make up one's mind to  *décider quelqu'un à*, to persuade someone to
délivrer [delivre] to deliver
demi, -e [dəmi] *à demi* [admi], *adv. phrase,* half
le désordre [dezɔrdr] disorder
désormais [dezɔrme], *adv.* henceforth
le dieu [djø] god
emporter [ãpɔrte] to carry away  *emporter une ville d'enthousiasme,* to

capture a city in a burst of enthusiasm

**ennemi, -e** [ɛnmi] enemy

*un* **enthousiasme** [ɑ̃tuzjasm] enthusiasm

enthousiasmer [ɑ̃tuzjasme] to fire with
enthusiasm *s'enthousiasmer,* to become enthusiastic

*une* **époque** [epɔk] period, time

**faire** *c'en est fait de* [sɑ̃nefedə], it is
all up with

*la* **force** [fɔrs] *force leur fut de,* they
had no alternative but to

**fuir** [fɥir] to flee *il fuyait,* he was
fleeing

**gentil, -le** [ʒɑ̃ti, ʒɑ̃tij] nice, gentle
(Medieval)

grièvement [grijɛvmɑ̃], *adv.* seriously

*une* injure [ɛ̃ʒyr] insult

**lever** [ləve] to raise

librement [librəmɑ̃], *adv.* freely

**obéir** [ɔbeir] to obey *obéir à quelqu'un,* to obey someone

Orléanais, -e [ɔrleane, ɔrleanɛz] inhabitant of Orléans

**ouvrir** [uvrir] *il ouvrit, passé simple,*
he opened

**parmi** [parmi], *prep.* among

*la* **populace** [pɔpylas] populace

pressentir [presɑ̃tir] to have a presentiment of

*le* **prêtre** [prɛtr] priest

**prévenir** [prevnir] to warn

*la* **procession** [prɔsesjɔ̃] procession

**réellement** [reɛlmɑ̃], *adv.* really

**repousser** [rəpuse] to repulse

*la* **reprise** [rəpriz] retaking, resumption *à plusieurs reprises,* on several
occasions

**retirer** [rətire] to withdraw (*transitive*) *se retirer,* to withdraw (*intransitive*)

*le* sacre [sakr] coronation

*le* **siège** [sjɛʒ] seat, siege *mettre le
siège devant,* to lay siege to

*le* **sorcier** [sɔrsje], *la* **sorcière** [sɔrsjɛr]
sorcerer, witch

**sortir** [sɔrtir] to go out, come out

**soulever** [sulve] to raise

**tant** [tɑ̃], *adv.* so much *tant de,* so
much, so many

**terminer** [tɛrmine] to finish

*la* **tête** [tɛt] head

*la* **troupe** [trup] troop

## *Grammaire*

1. Étudiez dans l'appendice grammatical § 15 et § 16.

2. Étudiez dans la XVIIᵉ leçon la conjugaison et l'emploi de *pouvoir* et de *devoir*.

3. Apprenez dans tous les temps que vous connaissez déjà les
verbes irréguliers *croire* et *connaître*.

## *Exercices*

A. Traduisez les mots entre parenthèses: 1. _____ (*Whatever*) docteurs qu'ils _____ (*have*) consultés, ils n'ont pas pu
prouver que c'était une sorcière. 2. Qu'il me _____ (*answer*)
immédiatement s'il veut que je le _____ (*do*). 3. _____
(*Anyone whatever*) pouvait entrer librement dans Orléans.
4. _____ (*Whoever*) passe devant les bastilles est accablé
d'injures. 5. _____ (*However*) grande que soit sa victoire,
elle ne sera jamais soutenue par les capitaines. 6. _____ (*However*) difficile que soit la prise de la ville, elle ne se découragera pas.
7. _____ (*Whatever*) _____ (*is*) la ville qu'ils attaquent,

les habitants leur ouvrent les portes.   8. _____ (*Wherever*) elle _____ (*is*), elle encourage les troupes à attaquer.   9. Dites-leur _____ (*anything whatever*) pourvu que vous le _____ (*say*) bien.   10. _____ (*Let him attack*) immédiatement une des bastilles du nord.

B. Traduisez: 1. She must have left.   2. Could you find it? 3. I doubt that I can do it.   4. We had had to leave.   5. He said that he had to leave.   6. Would you be able to tell them?   7. May I help you?   8. Would she have been able to do it?   9. Can she have done it?   10. I doubt that he is obliged to do it.   11. We ought to do it if we could.   12. We shall never be able to stop.   13. Why couldn't she have done it?   14. She might have spoken to them.

# VINGT-HUITIÈME LEÇON

## *Jeanne d'Arc (Suite)*

Cependant le cardinal de Winchester, qui exerçait le vrai pouvoir en Angleterre, voulait non seulement couronner le jeune Henri à Paris mais aussi décrier le sacre de Charles VII pour le perdre dans l'esprit du peuple français. Pour cela il fallait prouver qu'une sorcière avait fait couronner Charles VII. L'occasion se présenta bientôt. Bien que ses voix lui eussent dit que Paris était imprenable, Jeanne se laissa persuader, et l'attaque se fit le jour de la Nativité de Notre-Dame, ce qui était une énorme impiété. Pour la première fois, Jeanne échoua. Mal soutenue désormais et accusée d'impiété même par la cour de Charles VII, elle fit encore le siège de quelques places fortes et fut elle-même cernée dans Compiègne par les gens du duc de Bourgogne dont le père, Jean sans Peur, avait été lâchement assassiné (disait-on) par le «gentil» dauphin quelques années auparavant. Dans une sortie contre les assiégeants, Jeanne fut faite prisonnière par les Bourguignons et livrée aux Anglais.

Il ne faut pas croire que tous les hommes du XV<sup>e</sup> siècle aient été des barbares superstitieux ou des mystiques. Il y avait des hommes parfaitement capables de tirer parti de la crédulité de leurs contemporains. Tout prince d'Église qu'il fût, Winchester n'hésita pas à faire une sorcière d'une sainte. L'infâme Cauchon, évêque de Beauvais, fut

chargé de prouver par un procès public à Rouen que Jeanne était magicienne. Les preuves de sorcellerie n'étant pas convaincantes, on voulut la confondre en demandant des précisions sur ses visions. Lorsque
saint Michel apparaissait, était-il vêtu ou nu? A quoi elle répondit:
«Pensez-vous donc que Notre-Seigneur n'ait pas de quoi le vêtir?»
Elle leur tenait tête, malgré les fers qu'elle avait aux pieds et malgré
les indignités qu'elle devait souffrir, étant toujours gardée à vue par
cinq soldats anglais. Ensuite on voulut la perdre par des procédés
de dialectique. Tout chrétien devant se soumettre à l'autorité de
l'Église, elle devait avouer que ses voix n'étaient pas divines puisque
l'Église le lui disait. Malgré son désir de se soumettre, elle ne renia
pas ses voix. Furieux, Cauchon essaya de l'empoisonner, mais le
gouverneur anglais de Rouen exigea qu'on la guérisse. Il fallait la
forcer à abjurer publiquement. On ne se souciait plus de la légalité
juridique. Pour expédier les choses, on la fit déclarer sorcière par
l'université de Paris qui était soumise aux Anglais. Alors on amena
Jeanne à un échafaud où le bourreau était tout prêt, et on la somma
d'abjurer publiquement et de dire que son roi était hérétique. Au
grand scandale des Anglais, elle dit hautement le contraire mais,
sous les menaces, elle signa par une croix une rétractation (car elle
ne savait pas écrire). En principe elle était condamnée à la prison
perpétuelle sous une surveillance ecclésiastique. Mais on la ramena
à la prison civile. Les Anglais insistaient toujours pour qu'elle soit
brûlée et on dressa son bûcher au centre de Rouen. Devant le public
rouennais, un prêtre fit un long sermon où il énuméra les crimes de
Jeanne, disant que l'Église ne pouvait pas la défendre. N'ayant plus
d'espoir, elle demanda une croix qu'on lui donna et elle se mit à
prier. Les Anglais, n'y tenant plus, la saisirent et la mirent sur le
bûcher. Devant les flammes qui la menaçaient elle perdit toute incertitude et dit une dernière fois: «Oui, mes voix étaient de Dieu, mes
voix ne m'ont pas trompée.» Puis elle mourut. C'était le 30 mai 1431.

## Questionnaire

1. Qui exerçait le vrai pouvoir en Angleterre?   2. Qui voulait-il
couronner?   3. Pourquoi voulait-il décrier le sacre de Charles VII?
4. Pourquoi voulait-il perdre Charles VII dans l'esprit des Français?
5. Que fallait-il faire pour cela?   6. D'après Winchester, qui avait
fait couronner Charles VII?   7. Qu'est-ce que les voix de Jeanne
lui avaient dit sur les défenses de Paris?   8. Est-ce que Jeanne
voulait attaquer Paris?   9. Quand a-t-elle fait l'attaque de Paris?

10. Qu'est-ce qui était une énorme impiété? 11. Est-ce qu'elle a réussi cette fois? 12. Était-elle bien soutenue désormais? 13. Qui l'accusait d'impiété? 14. Où fut-elle cernée par les gens du duc de Bourgogne? 15. Pourquoi est-ce que le duc de Bourgogne en voulait (*to hold a grudge against*) au gentil dauphin? 16. Qu'est-ce qui est arrivé pendant que Jeanne faisait une sortie contre les assiégeants? 17. A qui Jeanne a-t-elle été livrée? 18. Est-ce que tous les hommes du XV$^e$ siècle étaient des barbares superstitieux? 19. De quoi certains hommes étaient-ils capables de tirer parti? 20. Pourquoi est-ce que Winchester n'aurait pas dû faire une sorcière d'une sainte? 21. Qui a été chargé de prouver que Jeanne était magicienne? 22. Comment allait-il le prouver? 23. Est-ce que les preuves de sorcellerie étaient convaincantes? 24. Comment a-t-on cherché à la confondre? 25. Quelle question lui ont-ils posée sur saint Michel? 26. Qu'a-t-elle répondu à cela? 27. Malgré quoi est-ce qu'elle leur tenait tête? 28. Qu'avait-elle aux pieds? 29. Quelles indignités devait-elle souffrir? 30. Que voulait-on faire par des procédés de dialectique? 31. Qu'est-ce que tout chrétien devait faire? 32. Pourquoi devait-elle dire que ses voix n'étaient pas divines? 33. Est-ce qu'elle a renié ses voix? 34. Qui a essayé de l'empoisonner? 35. Pourquoi le gouverneur anglais a-t-il exigé qu'on la guérisse? 36. Est-ce qu'on se souciait désormais de la légalité juridique? 37. Qu'est-ce qu'on a fait pour expédier les choses? 38. Où est-ce que le bourreau était tout prêt? 39. Qu'est-ce qu'on a sommé Jeanne de faire? 40. Qui était scandalisé quand elle a dit hautement le contraire? 41. Pourquoi a-t-elle signé une rétractation? 42. Pourquoi a-t-elle signé par une croix? 43. A quoi était-elle condamnée en principe? 44. L'a-t-on mise dans une prison ecclésiastique? 45. Qui est-ce qui insistait pour qu'elle soit brûlée? 46. Où a-t-on dressé un bûcher? 47. Quel était le sujet du sermon que le prêtre a fait devant le public rouennais? 48. Qu'a-t-elle fait, n'ayant plus d'espoir? 49. Qu'est-ce que les Anglais ont fait, n'y tenant plus? 50. Qu'est-ce qu'elle a dit en mourant?

### Discussion

1. Est-ce que Jeanne aurait dû attaquer Paris? 2. Racontez comment Jeanne est tombée entre les mains des Anglais. 3. Racontez comment on a cherché à briser sa volonté. 4. Y a-t-on réussi? 5. Pourquoi a-t-on cherché longtemps à condamner Jeanne légalement? 6. Donnez des exemples du courage de Jeanne. 7. Est-ce

que Jeanne était intelligente? 8. Savez-vous comment on est si
bien renseigné sur le procès de Jeanne d'Arc? 9. Quand est-ce que
Jeanne d'Arc a été canonisée (*canonized*)? 10. Pourquoi était-il
difficile de canoniser Jeanne d'Arc? 11. Que s'est-il passé après la
mort de Jeanne?

## Vocabulaire

*abjurer* [abʒyre] to abjure, recant
**apparaître** [aparɛtr] to appear (conjugated like *paraître*)
**assassiner** [asasine] to assassinate,
  murder
un **assiégeant** [asjeʒɑ̃] besieger
une **attaque** [atak] attack
**auparavant** [oparavɑ̃] before, previously
une **autorité** [ɔtɔrite] authority
le **barbare** [barbar] barbarian
la **Bourgogne** [burgɔɲ] Burgundy
le **Bourguignon** [burgiɲɔ̃] Burgundian
le **bourreau** [buro] (*pl.:* bourreaux)
  executioner
**brûler** [bryle] to burn
le **bûcher** [byʃe] funeral pyre
*capable* [kapabl], *adj.* capable
*le cardinal* [kardinal] (*pl.: cardinaux*)
  cardinal
**cependant** [səpɑ̃dɑ̃], *adv.* however,
  meanwhile
**cerner** [sɛrne] to surround
**chrétien, -ne** [kretjɛ̃, kretjɛn] Christian
**condamner** [kɔ̃dane] to sentence  *con-*
  *damner à la prison perpétuelle,* to
  sentence to life imprisonment
**confondre** [kɔ̃fɔ̃dr] confuse, mistake
le **contemporain** [kɔ̃tɑ̃pɔrɛ̃] contemporary
**convaincant, -e** [kɔ̃vɛ̃kɑ̃, kɔ̃vɛ̃kɑ̃t] con-
  vincing
*la crédulité* [kredylite] credulity
*le crime* [krim] crime
**décrier** [dekrije] to disparage
**défendre** [defɑ̃dr] to defend
le **désir** [dezir] desire
la **dialectique** [djalɛktik] dialectics
le **duc** [dyk] duke
un **échafaud** [eʃafo] scaffold
**échouer** [eʃwe] to fail
**écrire** [ekrir] to write
**empoisonner** [ɑ̃pwazɔne] to poison
**énumérer** [enymere] to enumerate

un **espoir** [ɛspwar] hope
un **esprit** [ɛspri] mind
un **évêque** [evɛk] bishop
**exercer** [egzɛrse] to exercise
**exiger** [egziʒe] to demand, insist
**expédier** [ɛkspedje] to dispatch, expedite
le **fer** [fɛr] iron
la **flamme** [flam] flame
*forcer* [fɔrse] to force
**furieux, -euse** [fyrjø, fyrjøz] furious
**garder** to keep, guard  *garder à vue*
  [garde a vy], to keep a close watch
  on
le **gouverneur** [guvɛrnœr] governor
**guérir** [gerir] to cure
**hautement** [otmɑ̃] (aspirate *h*), *adv.*
  highly, loudly
*un hérétique* [eretik] heretic
**hésiter** [ezite] to hesitate
*une impiété* [ɛ̃pjete] impiety
**imprenable** [ɛ̃prənabl], *adj.* impregnable
une **incertitude** [ɛ̃sɛrtityd] uncertainty
*une indignité* [ɛ̃diɲite] indignity
*insister* [ɛ̃siste] to insist  *insister pour*
  *faire,* to insist on doing
**juridique** [ʒyridik], *adj.* juridical
**lâchement** [laːʃmɑ̃], *adv.* in a cowardly manner
*la légalité* [legalite] legality
**livrer** [livre] to deliver
un **magicien** [maʒisjɛ̃], une **magicienne** [maʒisjɛn] magician
*la menace* [mənas] menace, threat
*la nativité* [nativite] nativity
**nu, -e** [ny] naked
**parfaitement** [parfɛtmɑ̃], *adv.* perfectly, exactly
le **parti** [parti] *tirer parti de,* to turn
  to account
**perpétuel, -le** [pɛrpetɥɛl] perpetual
  *la prison perpétuelle,* life imprisonment

la peur [pœr] fear
la place [plas] place forte, fortified place
le pouvoir [puvwar] power
la précision [presizjɔ̃] precision demander des précisions, to ask for full particulars
prêt, -e [pre, prɛt] ready
la preuve [prœv] proof
le prisonnier [prizɔnje], la prisonnière [prizɔnjɛr] prisoner
le procédé [prɔsede] process, method
le procès [prɔse] trial
publiquement [pyblikmɑ̃], adv. publicly
quoi [kwa], pro. de quoi, wherewith
ramener [ramne] to bring back, take back
renier [rənje] to disown
la rétractation [retraktasjɔ̃] retraction
rouennais, -e [rwane, rwanɛz] of Rouen
saisir [sezir] to seize
le scandale [skɑ̃dal] scandal, shock
le seigneur [seɲœr] lord
le sermon [sɛrmɔ̃] sermon

le siège [sjɛʒ] faire le siège de, to lay siege to
signer [siɲe] to sign
le soldat [sɔlda] soldier
sommer [sɔme] to call upon
la sorcellerie [sɔrsɛlri] witchcraft
la sortie [sɔrti] sortie (military term)
soucier [susje] se soucier de, to trouble oneself with
soumettre [sumɛtr] to submit (transitive) se soumettre, to submit (intransitive) soumis, past part., submissive, obedient (conjugated like mettre)
soutenir [sutnir] to uphold, support
superstitieux, -euse [sypɛrstisjø, sypɛrstisjøz] superstitious
la superstition [sypɛrstisjɔ̃] superstition
la surveillance [syrvejɑ̃s] supervision
tenir [tənir] Je n'y tiens plus, I can't stand it any longer
la tête [tɛt] head tenir tête à, to stand up to
vêtir [vetir] to dress vêtu, past part.
la voix [vwa] voice

## Grammaire

Étudiez dans l'appendice grammatical § 17, § 18, § 19, § 20.

## Exercices

A. Conjuguez donner, finir, vendre, avoir, être, faire, devoir, venir, partir, pouvoir, dire, aller, vouloir, voir, savoir, croire, connaître, venir: 1) au présent du subjonctif; 2) au passé du subjonctif; 3) à l'imparfait du subjonctif; 4) au plus-que-parfait du subjonctif.

B. Traduisez les mots entre parenthèses en employant (a) le style de la conversation; (b) le style littéraire: 1. Bien qu'il _____ (assassinated) le père du duc de Bourgogne, Charles VII était toujours le gentil roi pour Jeanne d'Arc. 2. Ils voulaient qu'elle _____ (submit) à l'autorité de l'Église. 3. Bien que ses voix lui _____ (had told) que Paris était imprenable, elle s'est laissée (se laissa) persuader. 4. Jeanne a toujours nié (nia toujours) qu'elle _____ (was) magicienne. 5. Elle avait peur qu'on ne l'_____ (might accuse) d'impiété. 6. On a cerné la ville de Compiègne de peur qu'elle ne _____ (might escape). 7. Il cherchait quelqu'un qui ———— (*might*) prouver qu'elle était sorcière. 8. Elle leur tiendra toujours tête quoiqu'on ———— (*make her suffer*) toutes sortes d'indignités. 9. Il fallait que Cauchon ———— (*prove*) au peuple français qu'une sorcière avait fait couronner Charles VII. 10. Qu'elle ———— (*besieged*) quelque place forte ou non, elle ne pouvait jamais regagner la popularité qu'elle avait connue auparavant. 11. Tout prince d'Église qu'il ———— (*was*), Winchester n'a pas hésité (n'hésita pas) à faire une sorcière d'une sainte. 12. Elle n'aurait pas été si malade, à moins qu'on ne l'———— (*had poisoned*).

# VINGT-NEUVIÈME LEÇON

## Le Marais

### (*Suite de la lettre de Robert*)

Hâtez-vous d'arriver à Paris si vous voulez encore voir le Marais qui est, à mon sens, le quartier le plus plein de souvenirs authentiques. Déjà on démolit ce coin pittoresque de Paris pour des raisons d'hygiène publique. Évidemment on conserve les édifices les plus dignes d'intérêt, car la France respecte ses traditions, mais l'atmosphère n'en sera plus la même du moment que la plupart des vieilles maisons auront été remplacées par des bâtisses modernes.

Le plaisir qu'on trouve à une promenade dans ce vieux quartier serait sans doute comparable au plaisir d'un érudit qui découvre des manuscrits dans un grenier. Même poussière, même délabrement, et puis, de temps en temps, en poussant indiscrètement une vieille porte cochère, on se trouve dans une cour du temps de la Fronde. Derrière le hangar de quelque menuisier on entrevoit des sculptures gracieuses. Une simple énumération serait fastidieuse mais je ne peux pas m'empêcher de prononcer des noms: l'Hôtel Lamoignon, construit en 1598 pour Diane de France, duchesse d'Angoulême; l'Hôtel Sully, construit en 1624 pour le duc de Sully; l'Hôtel des Ambassadeurs de Hollande, 1655—la liste remplirait plusieurs pages. Quoique la plupart de ces nobles bâtiments tombent en ruine, d'autres, comme l'Hôtel Carnavalet (XVIe et XVIIe siècles), sont maintenant des musées. Surtout ne manquez pas la Place des Vosges, l'ancienne

Place Royale du temps de Henri IV (1553–1610), entourée de ses maisons à arcades en briques rouges, qui, sans qu'on puisse la comparer à la Place de l'Hôtel de Ville à Bruxelles ou à quelque autre chef-d'œuvre architectural de la Renaissance, évoque néanmoins dans ce coin tranquille de Paris un temps ancien.

En lisant toutes ces élucubrations, vous devez regretter de vous être confié à l'Agence Touristique Robert Martin qui vous amène si loin des chemins battus. Mettez-vous donc plutôt entre les mains de l'Agence Cook. Pour la Renaissance ils vous montreront un très beau pavillon du Louvre construit vers 1546 pour François I^er et aussi le magnifique château de ce même roi à Fontainebleau près de Paris. Et vous visiterez tous les monuments officiels de Paris: le Luxembourg de Marie de Médicis (construit entre 1615 et 1620); la chapelle des Invalides, construite par Mansart pour Louis XIV et qui abrite maintenant le tombeau de Napoléon; le Panthéon où vous trouverez les tombeaux de Voltaire et de Rousseau et les fresques de Puvis de Chavannes—sans parler de la Tour Eiffel (1887–1889) et de l'église du Sacré-Cœur (1891) à Montmartre. Vous en trouverez la description dans la brochure ci-jointe de Monsieur Cook. Mais si Monsieur Cook vous fatigue, venez chez moi. Je vous montrerai, caché dans un coin près de la Bibliothèque Nationale, un très curieux palais construit par le cardinal de Richelieu en 1634. Monsieur Cook ne le connaît pas.

## *Questionnaire*

1. Que faut-il faire pour voir encore le Marais aujourd'hui? 2. De l'avis de Robert pourquoi faut-il voir le Marais? 3. Pourquoi démolit-on ce coin pittoresque de Paris? 4. Quels édifices est-ce qu'on conserve? 5. Quand les vieilles maisons seront remplacées par des bâtisses modernes, est-ce que l'atmosphère du quartier sera la même? 6. A quoi peut-on comparer le plaisir qu'on trouve à une promenade dans ce vieux quartier? 7. Où trouve-t-on la même poussière et le même délabrement? 8. Où se trouve-t-on en poussant indiscrètement une vieille porte cochère? 9. Où entrevoit-on des sculptures gracieuses? 10. Est-ce que Robert estime qu'une simple énumération serait fastidieuse? 11. Dans quel état se trouvent la plupart de ces «nobles» bâtiments? 12. Qu'est devenu l'Hôtel Carnavalet? 13. Qui a fait construire la Place des Vosges et quel est son ancien nom? 14. De quoi la place est-elle entourée? 15. A quelle autre place plus splendide pourrait-on comparer la Place des Vosges?

16. Quel sentiment doit-on éprouver en lisant toutes les élucubrations de Robert? 17. Est-ce que l'Agence Touristique Robert Martin amène ses clients dans les chemins battus? 18. Entre les mains de qui vaut-il mieux se mettre? 19. Qu'est-ce que Monsieur Cook vous montrera pour la Renaissance? 20. Quels sont les monuments «officiels» de Paris? 21. Qui a fait construire le Luxembourg? 22. Qu'est-ce que la chapelle des Invalides abrite maintenant? 23. Qu'est-ce qu'on admire au Panthéon? 24. Mentionnez encore deux endroits que les touristes ne manquent pas de visiter. 25. Si vous retournez chez Robert Martin, qu'est-ce qu'il vous montrera? 26. Où se trouve un très curieux palais construit par le cardinal de Richelieu?

## Discussion

1. Est-ce qu'on démolit les vieilles maisons du Marais parce que ce quartier est l'emplacement d'un marais? 2. Qu'est-ce qu'on découvre en se promenant dans ce quartier? 3. Situez la Place des Vosges par rapport au Paris moderne. 4. Qu'est-ce que c'est que la Fronde? 5. Racontez ce que vous savez de Henri IV. 6. Où se trouve Fontainebleau par rapport à Paris? 7. A part la chapelle des Invalides, quel autre monument de Paris célèbre la gloire de Napoléon? 8. Qu'est-ce que c'est qu'une fresque? 9. A qui devons-nous le mot *mansarde* et qu'est-ce que ce mot signifie? 10. Quelle est la signification du mot *panthéon*? 11. Qui était le cardinal de Richelieu?

## Vocabulaire

une agence [aʒɑ̃s] agency
**un ambassadeur** [ɑ̃basadœr] ambassador
**ancien, -ne** [ɑ̃sjɛ̃, ɑ̃sjɛn] ancient, old,
former
*une arcade* [arkad] arcade
**architectural, -e** (*m. pl.: architectu-*
***raux***) [arʃitɛktyral] architectural
*une atmosphère* [atmɔsfɛr] atmosphere
**le bâtiment** [batimɑ̃] building
la bâtisse [batis] ramshackle building
**battre** [batr] to beat
**la bibliothèque** [biblijɔtɛk] bookcase,
library
**la brique** [brik] brick

la brochure [brɔʃyr] pamphlet
**le chemin** [ʃəmɛ̃] road, way, path
ci-joint, -e [siʒwɛ̃, siʒwɛt] (invar.
when it precedes, agrees when it
follows) herewith
**le coin** [kwɛ̃] corner
**comparable** [kɔ̃parabl], *adj.* comparable
**confier** [kɔ̃fje] to entrust
**curieux, -se** [kyrjø, kyrjøz] curious
le délabrement [delabrəmɑ̃] disrepair
démolir [demɔlir] to demolish
**derrière** [dɛrjɛr], *prep.* behind
*la description* [dɛskripsjɔ̃] description
**le doute** [dut] doubt **sans doute,** no
doubt

la duchesse [dyʃɛs] duchess
*un édifice* [edifis] building, edifice
une élucubration [elykybrasjɔ̃] brain storm
**entrevoir** [ɑ̃trəvwar] to catch a glimpse of
*une énumération* [enymerasjɔ̃] enumeration
**évidemment** [evidamɑ̃], *adv.* obviously, evidently
évoquer [evɔke] to evoke
fastidieux, -euse [fastidjø, fastidjøz] tedious
*fatiguer* [fatige] to tire, fatigue
la fresque [frɛsk] fresco
**gracieux, -euse** [grasjø, grasjøz] graceful
le grenier [grənje] garret
le hangar [ɑ̃gar] (aspirate *h*) shed
**hâter** [aːte] (aspirate *h*) *se hâter,* to hasten
*un hôtel* [otɛl] *hôtel de ville,* city hall
*une hygiène* [iʒjɛn] hygiene
indiscrètement [ɛ̃diskrɛtmɑ̃], *adv.* indiscreetly
un intérêt [ɛ̃tere] interest
le manuscrit [manyskri] manuscript
le menuisier [mənɥizje] joiner, cabinet-maker

*le moment* [mɔmɑ̃] *du moment que,* the moment that
le musée [myze] museum
néanmoins [neɑ̃mwɛ̃], *adv.* nevertheless
*la page* [paʒ] page
le pavillon [pavijɔ̃] pavilion
la porte *porte cochère* [pɔrtkɔʃɛr], carriage gateway
la poussière [pusjɛr] dust
**prononcer** [prɔnɔ̃se] to pronounce, utter
la raison [rezɔ̃] reason
regretter [rəgrete] to regret, be sorry
remplacer [rɑ̃plase] to replace
remplir [rɑ̃plir] to fill
*respecter* [rɛspɛkte] to respect
*la ruine* [rɥin] ruin *tomber en ruine,* to fall to ruins
*la sculpture* [skyltyr] sculpture
le sens [sɑ̃s] sense *à mon sens,* in my opinion
le souvenir [suvnir] memento
**le temps** *de temps en temps* [dətɑ̃zɑ̃tɑ̃], from time to time
le tombeau (*pl.:* tombeaux) [tɔ̃bo] tomb
touristique [turistik], *adj.* touristic

## Grammaire

1. Étudiez dans l'appendice grammatical § 21, § 22, § 23.

2. Après avoir étudié le schéma (*diagram*) des verbes irréguliers (§ XVI, b), apprenez tous les temps des verbes *battre* et *mettre* (voir tables des verbes irréguliers à la fin de ce livre).

## Exercices

A. Traduisez les mots entre parenthèses: 1. Il prétend _____ (*that he visited*) très soigneusement le Marais avec ses amis. 2. Nous allons pousser indiscrètement quelques vieilles portes cochères _____ (*unless you do not have the courage*) de le faire. 3. Il a regretté _____ (*that he entrusted himself*) à l'Agence Touristique Robert Martin. 4. Il ne pouvait pas parler du Marais _____ (*without his having to utter*) les noms de quelques-unes de ces vieilles maisons. 5. On démolit maintenant ce quartier _____ (*so they may construct*) des bâtisses modernes.

6. Croyez-vous _____ (*that you will want to visit*) le Panthéon ou la chapelle des Invalides? 7. Avez-vous peur _____ (*that you might be unable to visit*) Fontainebleau avant votre départ pour l'Espagne? 8. Voulez-vous _____ (*him to show you*) un beau pavillon du Louvre construit pour François I<sup>er</sup>?

B. Traduisez les phrases suivantes, si possible, de trois manières différentes: (a) par un passif; (b) par un verbe réfléchi; (c) par une construction avec *on:* 1. These old houses are being demolished now. 2. This kind of house was constructed in the 18th Century. 3. These manuscripts were discovered in a garret. 4. She was prevented from uttering too many words. 5. This square cannot be compared to the one at Brussels. 6. She had been entrusted to the Robert Martin Tourist Agency.

# TRENTIÈME LEÇON

## *Visite de Versailles*

Marie Dalembert et Jean Seeley étaient convenues de passer une journée ensemble à Versailles. Pour y aller, elles avaient le choix entre trois lignes électrifiées. Marie a choisi la moins directe, celle qui va de la Gare Montparnasse à Versailles-Chantiers, afin de montrer à son amie ce que la S.N.C.F. (Société Nationale des Chemins de Fer Français) avait de plus moderne. Si elle avait su que Jean ne remarquait pas ces choses-là, elle se serait donné moins de peine, car son invitée n'a guère fait attention au beau train électrique en acier inoxydable.

Près du château il y avait foule car c'était jour de grandes eaux. Jean a vu une grille, une cour pavée de grandes pierres, et plus loin un bâtiment si énorme qu'on n'en voyait pas les extrémités. L'ensemble n'était guère harmonieux, bien que symétrique, puisque deux ailes au premier plan étaient construites dans un autre style. Elle s'est dit que Versailles ne différait en rien de tout autre lieu touristique: le Sacré Cœur ou la Tour Eiffel.

Comprenant tout de suite que son amie éprouvait une certaine déception, Marie l'a entraînée de l'autre côté du château et l'a fait asseoir à l'ombre, d'où on pouvait voir la façade sud et les fontaines qui jouaient. Peu à peu, Jean s'est laissé gagner par le charme de l'endroit. Là où elle n'avait vu d'abord que le plus grand palais du monde (Louis XIV avait donc la mentalité d'un roi du pétrole américain?), elle commençait à apercevoir une dignité et une harmonie grandioses, car dans cette façade le XIX⁰ siècle n'avait pas construit de pavillons intrus. En se retournant, elle a découvert la même harmonie dans les jardins. Alors Marie s'est mise à parler du XVII⁰ siècle, de la cérémonie du lever du roi avec tous les courtisans qui attendaient dans la Salle de l'Œil-de-Bœuf, et de tous ces nobles hautains dont certains seulement avaient le droit de franchir la balustrade autour du lit du roi. Et elle a raconté comment un jour, Louis XIV étant malade, le premier président de Novion s'était permis de s'avancer près du lit. Sur quoi le duc d'Aumont, premier gentilhomme de la chambre, lui avait dit: «Où allez-vous? Sortez. Des gens comme vous n'entrent pas dans la balustrade, si le roi ne les appelle pour leur parler.» Et puis elle a dit combien ce roi despotique avait le génie de l'organisation et comment les arts et les lettres avaient prospéré sous son règne. Généralement le roi dînait seul, mais un jour il avait fait asseoir à sa table Molière, qu'il avait honoré du titre de valet de chambre, en disant à ses courtisans: «Vous me voyez occupé de faire manger Molière, que mes officiers ne trouvent pas d'assez bonne compagnie pour eux.»

Puis Marie s'est mise à parler des grands génies du temps de Louis XIV: Descartes, Pascal, Corneille, Racine, Molière, La Fontaine, Bossuet. Peu à peu Jean, qui avait lu ces auteurs, mais péniblement, en classe, s'est sentie plus près du fond même du génie français. Elle a vu Versailles avec les yeux d'un Français tout pénétré de ses lectures classiques du lycée, et elle a compris combien ce XVII⁰ siècle, cet ancien régime apparemment enterré par la Révolution, vivait encore dans l'esprit de tout Français cultivé. Elle était tout à fait remise quand Marie lui a proposé de visiter l'intérieur du château.

## *Questionnaire*

1. Combien de temps Marie et Jean étaient-elles convenues de passer ensemble à Versailles?  2. Quel choix avaient-elles pour y aller?  3. Quelle ligne Marie a-t-elle choisie?  4. Pourquoi l'a-t-elle choisie?  5. Que veulent dire les initiales S.N.C.F.?  6. Qu'aurait-elle fait si elle avait su que Jean ne remarquait pas ces choses-là? 7. Quelle sorte de train y avait-il pour le service de Versailles?

8. Pourquoi est-ce qu'il y avait foule près du château? 9. Décrivez ce que Jean a d'abord vu. 10. Pourquoi est-ce que l'ensemble n'était pas harmonieux bien que symétrique? 11. Qu'est-ce que Jean s'est dit? 12. Qu'est-ce que Marie a compris tout de suite? 13. Où est-ce que Marie a entraîné son amie? 14. Est-ce que Jean est restée dans le même état d'esprit? 15. Dans son esprit à qui est-ce que Jean a comparé Louis XIV? 16. Qu'est-ce qu'elle commençait à voir à la place du plus grand palais du monde? 17. Vu de ce côté, est-ce que l'ensemble du château était harmonieux? 18. Qu'a-t-elle vu en se retournant? 19. Où est-ce que les courtisans attendaient pour assister à la cérémonie du lever du roi? 20. Qui avait le droit de franchir la balustrade du lit du roi? 21. Pourquoi le premier président de Novion s'était-il permis de s'avancer près du lit? 22. Qui l'en a empêché? 23. Quand est-ce que les gens comme le premier président avaient le droit de franchir la balustrade? 24. Louis XIV était-il intelligent? 25. Qui est-ce que le roi a fait asseoir un jour à sa table? 26. Pourquoi a-t-il dîné avec Molière? 27. Où est-ce que Jean avait lu Corneille, Racine, Bossuet, etc.? 28. Quel sentiment éprouve-t-elle maintenant? 29. L'ancien régime a-t-il été enterré par la Révolution? 30. Quand son amie a été remise, qu'est-ce que Marie a proposé de faire?

## Discussion

1. Quel est l'avantage des chemins de fer électrifiés sur les chemins de fer à vapeur (*steam*)? 2. Racontez comment Jean Seeley a changé d'attitude à l'égard de Versailles. 3. Racontez l'épisode du premier président de Novion. 4. Racontez le repas de Molière. 5. Qui était Molière? 6. Pourquoi est-ce que Versailles est l'expression de la mentalité française du XVII^e siècle? 7. Que pensez-vous de l'étiquette de Versailles? 8. Racontez brièvement votre dernière visite à un lieu touristique.

## Vocabulaire

un **acier** [asje] steel
**afin de** [afɛ̃ də], *prep.* in order to
**apparemment** [aparamɑ̃], *adv.* apparently
un **art** [ar] art
une **attention** [atɑ̃sjɔ̃] attention **faire attention**, to pay attention
un **auteur** [otœr] author

**avancer** [avɑ̃se] **s'avancer,** to move forward
la **balustrade** [balystrad] balustrade
le **charme** [ʃarm] charm
le **chemin** [ʃəmɛ̃] **chemin de fer** [ʃəmɛ̃dfɛr] railroad
**combien** [kɔ̃bjɛ̃], *adv.* how much, how, to what extent

le courtisan [kurtizɑ̃] courtier
*cultiver* [kyltive] to cultivate
la déception [desɛpsjɔ̃] disappoint-
    ment
*despotique* [dɛspɔtik], *adj.* despotic
*différer* [difere] to differ
*la dignité* [diɲite] dignity
*direct, -e* [dirɛkt] direct
une eau [o] *jour de grandes eaux* [ʒur
    də grɑ̃d zo], day when all fountains
    play
*électrifier* [elɛktrifje] to electrify
*électrique* [elɛktrik], *adj.* electric
ensemble [ɑ̃sɑ̃bl], *adv.* together
enterrer [ɑ̃tere] to bury
entraîner [ɑ̃trene] to drag, draw
éprouver [epruve] to feel
*une extrémité* [ɛkstremite] extremity
franchir [frɑ̃ʃir] to cross (over)
gagner [gaɲe] to gain, earn  *se laisser
    gagner*, to let oneself be caught up
le génie [ʒeni] genius  *avoir le génie
    de*, to have a genius for
le gentilhomme [ʒɑ̃tijɔm] gentleman
*grandiose* [grɑ̃djoz] grandiose
la grille [grij] iron gate
*une harmonie* [armɔni] harmony
harmonieux, -euse [armɔnjø, armɔnjøz]
    harmonious
hautain, -e [otɛ̃, otɛn] (aspirate *h*)
    haughty
*honorer* [ɔnɔre] to honor
importer [ɛ̃pɔrte] to be of importance
*n'importe quel* [nɛ̃pɔrtəkɛl], any
    . . . whatever
inoxydable [inɔksidabl], *adj.* unoxi-
    dizable  *acier inoxydable,* stainless
    steel
intrus, -e [ɛ̃try, ɛ̃tryz] intruding
la lecture [lɛktyr] reading

le lever [ləve] levee, rising
**le lieu** [ljø] (*pl.:* **lieux**) place
**lire** *lu* [ly], *past part.,* read
**malade** [malad], *adj.* sick, ill
un œil-de-bœuf [œjdəbœf] bull's eye
**un officier** [ɔfisje] officer
**une ombre** [ɔ̃br] shade
*une organisation* [ɔrganizasjɔ̃] organ-
    ization
la peine [pɛn] trouble
pénétrer [penetre] to penetrate  *péné-
    tré,* imbued
péniblement [penibləmɑ̃], *adv.* pain-
    fully
le pétrole [petrɔl] oil  *roi du pétrole,*
    oil baron
peu [pø], *adv. peu à peu,* little by
    little
le plan [plɑ̃] *premier plan,* foreground
*le  président* [prezidɑ̃] president
    *premier président,* chief justice
*prospérer* [prɔspere] to prosper
quoi [kwa], *pro. sur quoi,* whereupon
raconter [rakɔ̃te] to relate, tell
le règne [rɛɲ] reign
remettre [rəmɛtr] to put back  *se re-
    mettre,* to recover  *remis, past part.,*
    recovered
retourner [rəturne]  *se retourner,* to
    turn around
*la révolution* [revɔlysjɔ̃] revolution
*la société* [sɔsjete] society, company
symétrique [simetrik], *adj.* symmetri-
    cal
le titre [titr] title
tout [tu], *adv. tout à fait* [tutafe], alto-
    gether
*le valet* [vale] valet  *valet de chambre*
    [valedʃɑ̃br], gentleman in waiting

## *Grammaire*

1. Étudiez dans l'appendice grammatical § 24 et § 25.

2. D'après le schéma des verbes irréguliers (§ XVI, b), étudiez
les verbes irréguliers *prendre* et *recevoir* (voir tables des verbes
irréguliers à la fin de ce livre).

## *Exercices*

A. Remplacez les blancs par des prépositions là où il y a lieu. 1. Il a cru _____ l'avoir vu. 2. Je les inviterai _____ venir. 3. J'ai demandé à Marie _____ m'aider. 4. Il semble _____ avoir compris. 5. Je lui ai écrit _____ garder le livre. 6. Dépêchez-vous _____ arriver à l'heure. 7. Il aura _____ lire tout le livre. 8. Elle n'ose pas _____ le faire. 9. Elle s'est mise _____ parler rapidement. 10. Hâtez-vous _____ visiter ce quartier. 11. Il n'avait jamais songé _____ lui écrire. 12. Continuons _____ travailler ensemble. 13. Il n'a jamais cherché _____ lui enseigner les mathématiques. 14. Elle était très déçue _____ voir le château dans ces conditions. 15. Le roi avait un discours _____ préparer pour la cérémonie. 16. Elle est heureuse _____ pouvoir lire toute seule. 17. Elle a pris un train en acier inoxydable _____ impressionner son amie. 18. Elle a eu beaucoup de peine _____ apprécier Versailles.

B. Traduisez: 1. I made him read the book. 2. Have your sister sit in the shade. 3. I want to have John read the book first. 4. She made Mary say that she did not like it. 5. By whom did you have the work done? 6. I heard Mary say that she was not coming.

C. Traduisez les mots entre parenthèses: 1. _____ (*Going down*) l'escalier, elle est tombée. 2. Il a fait asseoir Molière, _____ (*saying*) à ses courtisans d'avoir du respect pour le génie de cet écrivain. 3. J'ai entendu Jean Sablon _____ (*sing*) à la Salle Wagram. 4. _____ (*Finishing*) son repas, il s'est levé de table. 5. _____ (*By frightening*) Jeanne d'Arc, on a cherché à lui faire avouer ses crimes. 6. Elle a fini par _____ (*understanding*) ce qu'on voulait d'elle. 7. Je les ai vus _____ (*walking*) au Luxembourg. 8. Il y avait là une jeune fille _____ (*singing*) d'une voix mélodieuse.

# *Sixième Révision*

A. Révision de vocabulaire: 1. Haughty. 2. To drag. 3. To earn. 4. A steel. 5. To bury. 6. The reign. 7. The disrepair. 8. The garret. 9. To fill. 10. The dust. 11. The reason. 12. To catch a glimpse of. 13. To seize. 14. In a cowardly manner. 15. The witchcraft. 16. The trial. 17. To trouble oneself with. 18. To support. 19. Henceforth. 20. To obey. 21. It is all up with. 22. The priest. 23. On several occasions. 24. To repulse. 25. The shepherd. 26. To frighten. 27. A support. 28. The hunger. 29. The peasant. 30. The neighbor.

B. Révision de verbes: 1. We could. 2. We shall go. 3. They are coming. 4. We believed. 5. I used to know. 6. They go. 7. She had known (*subjunctive*). 8. Thou beatest. 9. We put (*passé simple*). 10. They take. 11. They will receive. 12. He receives (*subjunctive*). 13. We have read (*subjunctive*). 14. I put. 15. You knew (*passé simple*). 16. We went (*passé simple*). 17. You were wishing (*subjunctive*). 18. We were taking (*subjunctive*). 19. I shall have to. 20. He was taking. 21. I receive. 22. She had beaten (*past anterior*). 23. We were seeing (*subjunctive*). 24. She was doing (*subjunctive*). 25. I was acquainted with (*subjunctive*).

C. Traduisez les verbes entre parenthèses: 1. C'est dommage que toutes ces belles terres _____ (*are*) dévastées par les guerres. 2. Ils cherchent une pucelle qui _____ (*is willing*) aller au secours du roi. 3. Il est très important que la populace _____ (*be enthusiastic*) pour la pucelle. 4. Il nie que l'armée _____ (*fled*) en désordre. 5. C'était la meilleure preuve qu'on _____ (*had found*) de la légitimité de la naissance du dauphin. 6. Si Jeanne _____ (*had*) écouté ses voix, elle n'aurait pas attaqué Paris. 7. Que je _____ (*die*) si je ne dis pas la vérité. 8. Si elle avait attaqué et qu'elle _____ (*had*) remporté la victoire, elle aurait peut-être échappé à son sort. 9. Quelles que _____ (*be*) ses raisons, je n'en tiendrai pas compte. 10. Je voudrais que vous me _____ (*tell*) l'histoire de Jeanne d'Arc. 11. Il suffisait que Jeanne _____ (*be*) à la tête de ses troupes pour être victorieuse. 12. Bien qu'elle n'_____ (*had*) plus confiance en elle-même, elle fit une sortie pour attaquer les Bourguignons. 13. Celui qui le _____ (*says*) se trompe assurément. 14. Je ne connais personne qui _____ (*was*) plus infâme que Cauchon. 15. Ne croyez pas que tous les hommes de ce temps _____ (*were*) des barbares superstitieux.

D. Mettez tous les verbes soulignés (*underlined*) au passé composé et ensuite au passé simple en faisant tous les autres changements nécessaires: 1. Il ne *veut* pas croire que Jeanne soit magicienne. 2. Bien que ce soit une énorme impiété, Jeanne *attaque* le jour de la Nativité de Notre-Dame. 3. Sans qu'elle ait le temps de se défendre, les Bourguignons la *font* prisonnière. 4. Il y *a* très peu d'hommes qui soient capables de tirer parti des superstitions. 5. Il *faut* empêcher que Jeanne ne tombe aux mains des Bourguignons.  6. Ils *courent* à Reims pour couronner Charles VII de peur qu'on ne le reconnaisse pas comme le roi légitime.  7. Quelque puissante qu'elle soit, elle n'*est* pas assez forte pour résister à ces médisances.  8. Il *demande* que Jeanne soit guérie.

E. Remplacez le passif par une construction avec *on* ou par un verbe pronominal: 1. Elle n'a pas été convaincue.  2. Jean sans Peur avait été lâchement assassiné.  3. L'attaque a été faite le jour de la Nativité de Notre-Dame.  4. Des fers avaient été mis à ses pieds. 5. Toutes ces choses étranges ont été expliquées sans difficulté.

F. Remplacez les blancs par la préposition qui convient, chaque fois qu'il y a lieu: 1. Ils insistaient _____ dresser son bûcher au centre de Rouen.  2. Il est bien temps _____ le déclarer hérétique. 3. L'échafaud était facile _____ construire.  4. La victime était prête _____ abjurer.  5. _____ accuser ses voix lui semblait chose impossible.  6. _____ avoir signé par une croix, elle a voulu se rétracter.  7. Il n'y a rien de plus intéressant que _____ visiter ces vieilles églises.  8. Il n'avait qu'__ consulter sa montre pour savoir qu'il n'arriverait pas à temps.  9. _____ arrivant à Compiègne, il a cherché l'adresse de son ami.  10. Vous expliquerez tout _____ répondant à cette seule question.  11. La route _____ menant à Compiègne passait par Paris.

G. Traduisez: 1. I ask him to go.  2. I want him to go.  3. He has to go.  4. I saw the sun rising.  5. She didn't make him read it.  6. She must be prevented from falling into the enemy's hands. 7. Order him to do it.  8. Let him do it.

H. Traduisez (*corresponds to Lesson XXVI*): 1. According to travelers, the inhabitants of the capital were dying of hunger.  2. He has many doubts that the birth of the so-called "crown prince" is legitimate.  3. Although France no longer has any sovereign since the death of the mad king, certain Frenchmen continue to recognize the "crown prince."  4. Without telling her mother what she had seen, she decided she was the one designated to go to the help of the king. 5. What is extraordinary in this simple Lorraine village is that the only pleasures are not wine and women.  6. She is the only one who can make her noble mission succeed.  7. Provided someone believes in her, she will escape from all the ambushes set up on her road.  8. Her family wants her to marry some farmer of her own village.  9. Can she persuade the crown prince and his followers to accept her support?  10. The greatest miracle which she can perform is to prove that the legitimate sovereign is this alleged bastard.

I. Traduisez (*corresponds to Lesson XXVII*): 1. Whatever be the insults which the English shout at the French, the latter continue to march in procession. 2. After having entered Orleans, the army withdrew to Blois because it could not make up its mind to attack the bastilles. 3. Without Jeanne having had to intervene, the army was obliged to return because the populace of Orleans was becoming so enthusiastic about the maiden. 4. Whoever wants to make certain that he is not dealing with a witch must consult the doctors of the University of Poitiers. 5. Henceforth the French attacked with Jeanne d'Arc in front. 6. That day she gave orders that she was not to be disturbed. 7. The dauphin must be crowned before the same ceremony is performed for little Henry. 8. Whatever city she attacks, she is victorious. 9. The attack has been repulsed and the French are fleeing in any direction whatever. 10. The English were done for since they dared not come out of their bastilles to attack.

J. Traduisez (*corresponds to Lesson XXVIII*): 1. This cardinal, who exercised the real power in England, wanted young Henry to be crowned at Paris. 2. Before the English could make a saint into a witch, Joan of Arc had to be made prisoner. 3. This was done when Joan was surrounded in Compiègne by the men of the Duke of Burgundy. 4. So that they might take advantage of the superstitions of their contemporaries, the Bishop of Beauvais was designated to organize a public trial at Rouen. 5. She did not deny that her voices were divine even though the Church told her to do so. 6. To expedite matters they insisted that she be burned at the stake. 7. Not being able to hold out any longer, the English had her declared a witch by the university of Paris which was subservient to them. 8. Although she was in principle sentenced to life imprisonment in an ecclesiastical prison, they took her back to the civil prison. 9. She still claimed that her voices came from God. 10. There was no one who could defend her since she was surrounded by her enemies.

K. Thème (*corresponds to Lessons XXIX and XXX*): Although certain "hôtels" of the Marais date from the same period as Versailles (one thinks immediately of the Hôtel Lauzun which, without being exactly in the Marais, is near by), it is difficult to compare these two places. That is probably because the Marais is older than Versailles and could not be transformed by 17th Century city planning. In the Marais the streets are narrow and dusty and many of the buildings, which have not been demolished, are falling to ruin.

One sees none of these grandiose perspectives which are characteristic of Versailles and of the new sections of Paris like the Champs-Élysées and the Champ de Mars which were outside Paris when built.

The charm which one finds in visiting the Marais is due in a large measure to one's imagination. Pushing open an old carriage gate, one discovers behind the shed of some joiner graceful sculpture which reminds one of a forgotten age. At Versailles it is not the same. Everything is harmonious; everything is symmetrical, above all; everything is well preserved. One does not need imagination to see before one one of the architectural masterpieces of the world. It is quite possible that the Duke of Aumont is no longer there to insult the poor First President of Novion for having crossed over the balustrade around the king's bed, but one can do without people of that kind. One would do better to read a play of Molière or Racine before walking in the Hall of Mirrors. That is all that is necessary. If there are not too many tourists, it is still possible to derive true esthetic enjoyment and to recapture abstractly the beauty of the 17th Century. One does not need to be Leonardo da Vinci to appreciate the Mona Lisa (*La Joconde*) nor the Duke of Aumont to appreciate the beauty of Versailles.

## TRENTE ET UNIÈME LEÇON

# *Voltaire*

«Quel est, dit M. de Rohan-Chabot, ce jeune homme qui pour me contredire parle si haut?—Monsieur le Chevalier, répondit Voltaire avec impertinence, c'est un homme qui ne traîne pas un grand nom, mais qui honore le nom qu'il porte.» Furieux, le chevalier sortit de table et le duc de Sully, chez qui on était, se dit fort satisfait de son départ. Quelques jours plus tard, lorsque Voltaire était de nouveau chez le duc, deux hommes en fiacre demandèrent à voir le jeune poète. Celui-ci descendit sans méfiance dans la rue, où il fut bâtonné par les inconnus. De loin le chevalier de Rohan criait: «Ne frappez pas à la tête, il peut en sortir quelque chose de bon.» Ses vêtements en désordre, le poète remonta chez le duc et demanda à ses amis nobles de l'accompagner chez le commissaire de police pour porter plainte. Ils refusèrent. Après tout Voltaire n'était qu'un bourgeois. Alors le poète se fit donner des leçons d'escrime en proclamant qu'il se battrait volontiers avec le chevalier. Les Rohan le firent mettre à la Bastille.

Voltaire n'était ni un saint ni un martyr. C'était tout simplement un homme un peu trop intelligent qui ne pouvait tenir sa langue. Né en 1694 le fils d'un riche avoué, il fut baptisé François-Marie Arouet (Voltaire étant son nom de plume) et reçut une bonne éducation chez les Jésuites à Louis-le-Grand où il se fit beaucoup d'amis parmi les jeunes nobles. Grâce à ces relations et à sa réputation de bel esprit, il osa refuser de prendre un état quand son père le lui demanda et se fit poète et auteur de tragédies. S'il était né seulement cinquante ans plus tôt, il serait peut-être resté poète, mais les circonstances firent de lui un polémiste et un des précurseurs de la Révolution française.

Moralement Voltaire appartient à la première moitié du XVIIIe siècle—période de décadence après le règne de Louis XIV, pendant lequel la civilisation française avait égalé celle de l'ancienne Grèce. Non seulement on y attaqua le gouvernement et l'Église mais il y eut un relâchement général des mœurs. Le jeune Voltaire fréquenta cette jeunesse libertine et écrivit des vers satiriques sur l'ancien régime, ce qui lui valut un premier séjour de dix-huit mois à la Bastille. A sa sortie de prison, le Régent le reçut très cordialement. Avec son audace habituelle Voltaire fit jouer sa tragédie d'Œdipe où un public avisé n'eut pas de peine à remarquer un manque de respect envers la religion. La noblesse irréligieuse semblait le traiter en égal et Voltaire se croyait le droit de tout faire, même d'insulter en public un chevalier de Rohan. La bâtonnade et le deuxième séjour à la Bastille firent de lui l'adversaire des classes privilégiées. Sa vengeance sur le chevalier de Rohan se réalisa par la Révolution française.

(*A suivre*).

## Questionnaire

1. Pourquoi M. de Rohan-Chabot était-il furieux? 2. Qu'est-ce que Voltaire lui a répondu avec impertinence? 3. Que pensait le duc de Sully du départ de M. de Rohan? 4. Qui a demandé à voir Voltaire lorsqu'il était chez le duc de Sully? 5. Qu'est-ce qui est arrivé quand il est descendu sans méfiance dans la rue? 6. Qu'est-ce que le chevalier de Rohan criait de loin? 7. Dans quel état est-ce que Voltaire est remonté chez le duc? 8. Pourquoi voulait-il aller

chez le commissaire de police? 9. Pourquoi est-ce que ses amis nobles ont refusé? 10. Pourquoi est-ce que le poète s'est fait donner des leçons d'escrime? 11. S'est-il battu avec le chevalier? 12. Est-ce que Voltaire était un saint et un martyr? 13. Quel était le vrai nom de Voltaire et de qui était-il fils? 14. A-t-il profité de son séjour chez les Jésuites? 15. Comment a-t-il osé refuser de prendre un état? 16. Quelle profession a-t-il embrassée? 17. Est-il resté seulement poète? 18. Qu'est-ce qui caractérise la première moitié du XVIIIᵉ siècle? 19. Est-ce que le règne de Louis XIV avait été une période de décadence? 20. Comment s'est manifestée la décadence du XVIIIᵉ siècle? 21. Qu'est-ce qui est arrivé quand le jeune Voltaire a écrit des vers satiriques sur l'ancien régime? 22. Qui l'a reçu à sa sortie de prison? 23. Comment est-ce que l'audace de Voltaire s'est manifestée de nouveau? 24. Que pouvait voir un public avisé dans sa tragédie d'*Œdipe*? 25. Pourquoi est-ce que Voltaire se croyait le droit de tout faire? 26. Quel effet est-ce que la bâtonnade a eu sur la destinée de Voltaire? 27. Comment s'est réalisée sa vengeance sur le chevalier de Rohan?

## *Discussion*

1. Expliquez pourquoi Voltaire a été mis une deuxième fois à la Bastille. 2. Qu'avez-vous appris sur le caractère de Voltaire? 3. Quel changement d'attitude envers la noblesse remarque-t-on chez les écrivains du XVIIᵉ siècle et chez ceux du XVIIIᵉ siècle? 4. Que voit-on d'abord chez Voltaire, le décadent ou l'idéaliste? 5. Dans quelle classe sociale surtout trouve-t-on cette décadence? 6. Pourquoi est-ce que Voltaire se croyait le droit de tout faire? 7. Est-ce que le gouvernement était sincère dans ses efforts pour arrêter ce courant libre-penseur? 8. Est-ce que les Rohan avaient raison de faire mettre le jeune Arouet à la Bastille?

## *Vocabulaire*

**accompagner** [akɔ̃paɲe] to accompany
une **audace** [odas] audacity
un **avoué** [avwe] attorney
*baptiser* [batize] to baptize
la **bâtonnade** [batɔnad] cudgeling
**bâtonner** [batɔne] to cudgel
**battre** [batr] *se battre*, to fight
le **chevalier** [ʃəvalje] knight
la **circonstance** [sirkɔ̃stɑ̃s] circumstance

le **commissaire** [kɔmisɛr] commissioner, superintendent
**contredire** [kɔ̃trədir] to contradict
**cordialement** [kɔrdjalmɑ̃], *adv.* cordially
**crier** [krije] to shout
la **décadence** [dekadɑ̃s] decadence
une **éducation** [edykasjɔ̃] education
**égal, -e** [egal] (*m. pl.:* égaux) equal
**envers** [ɑ̃vɛr], *prep.* towards

Voltaire à vingt-quatre ans.
Portrait par Nicolas de Largillière, aujourd'hui au Musée
Carnavalet.

Le château de Sully-sur-Loire
(XIVᵉ siècle) où Voltaire
fut exilé en 1716.

Un autre château de la Loire, Chaumont, où Benjamin Franklin fut reçu.

La Victoire de Samothrace,
célèbre sculpture grecque
du Louvre.

L'entrée principale du Louvre.

La Devideuse par J.-B. Greuze.

Les Bergers d'Acadie par Nicolas Poussin.

escrime [ɛskrim], *f.* fencing

un esprit *un bel esprit* [œ̃ bɛl ɛspri], a wit

un état [eta] state, profession, trade

le fiacre [fjakr] cab

fort [fɔr], *adv.* hard, very

le gouvernement [guvɛrnəmɑ̃] government

habituel, -le [abitɥɛl] habitual, customary

*une impertinence* [ɛ̃pɛrtinɑ̃s] impertinence

inconnu, -e [ɛ̃kɔny] unknown

*insulter* [ɛ̃sylte] to insult

*intelligent, -e* [ɛ̃teliʒɑ̃, ɛ̃teliʒɑ̃t] intelligent

irréligieux, -euse [ireliʒjø, ireliʒjøz] irreligious

un Jésuite [ʒezɥit] Jesuit

la jeunesse [ʒœnɛs] youth, young people

libertin, -e [libɛrtɛ̃, libɛrtin] libertine

le manque [mɑ̃k] lack

*le martyr* [martir] martyr

la méfiance [mefjɑ̃s] mistrust

les mœurs [mœr], *f.* morals, manners

moralement [mɔralmɑ̃], *adv.* morally

naître [nɛːtr] to be born *né* [ne], *past part.*, born

la noblesse [nɔblɛs] nobility

nouveau [nuvo] *de nouveau,* again

la plainte [plɛ̃t] complaint *porter plainte,* to lodge a complaint

la plume [plym] pen

le poète [pɔɛt] poet

le polémiste [pɔlemist] polemist

*la police* [pɔlis] police

*le précurseur* [prekyrsœr] precursor

proclamer [prɔklame] to proclaim

*le public* [pyblik] public, audience

réaliser [realize] to realize, fulfill

*le régent* [reʒɑ̃] regent

le relâchement [rəlɑʃmɑ̃] relaxing

*la religion* [rəliʒjɔ̃] religion

*la réputation* [repytasjɔ̃] reputation

riche [riʃ], *adj.* rich

satirique [satirik], *adj.* satirical

satisfait, -e [satisfe, satisfɛt] satisfied

la sortie [sɔrti] *à sa sortie de prison,* on coming out of prison

sortir [sɔrtir] *sortir de table,* to leave the table

traîner [trene] to drag (around)

traiter [trete] to treat

valoir [valwar] to be worth, to win (for someone) *il valut, passé simple*

*la vengeance* [vɑ̃ʒɑ̃s] vengeance, revenge

le vers [vɛr] line of poetry *les vers,* poetry

volontiers [vɔlɔ̃tje], *adv.* willingly, gladly

## *Grammaire*

1. Étudiez dans l'appendice grammatical § 26 et § 27.

2. Étudiez les verbes irréguliers *conduire, envoyer, falloir* (voir tables à la fin de ce livre).

## *Exercice*

Remplacez les blancs là où il y a lieu par l'article défini, par l'article indéfini ou par l'article partitif: 1. Le chevalier de Rohan, _____ grand seigneur s'il en fût, ne se laissa pas insulter. 2. Voltaire se fit beaucoup ____ amis à Louis-le-Grand. 3. Perdican était _____ docteur à quatre boules blanches. 4. _____ fiacres sont _____ ancêtres des taxis modernes. 5. Prenez-vous votre café avec _____ crème? 6. Il descendit dans la rue sans _____ méfiance. 7. Ensuite il parle _____ (*of*) jeune Voltaire qui a écrit

_____ vers satiriques sur l'ancien régime.  8. N'ont-ils pas eu _____ peine à comprendre ce qu'il disait?  9. J'en ai vu _____ autres qui haïssaient les classes privilégiées.  10. Dans ces remarques il ne vit que _____ insultes.  11. N'avez-vous jamais vu jouer _____ tragédie?  12. Il y fit _____ nombreuses allusions indiscrètes.  13. Il avait besoin _____ papier pour terminer son travail.  14. Il a parlé longuement _____ (of) Espagne.  15. Il arrivait justement _____ (from) Europe centrale.  16. Il ne voulait pas recevoir _____ bâtonnades.  17. La prison était entourée _____ (with) murailles très solides.

### Les Mots Qu'il Faut Savoir

*Mots nouveaux:*
  love (*n.*), glad, rabbit, overcoat, to wipe, knee, hard.
*Mots anciens:*
  first (*adv.*), to accomplish, thus, English, apparatus, afternoon, clothespress, to sit down, bus, to inform, to wound, button, to hide, famous, shoe, Christian, hole, lecture, to agree, coat, to run, cream, lack (*n.*), last (*adj.*), god, to erect, to crush, ink, to surround, to hope, to explain, intentionally, fault, leaf, ditch, mad, station, to dress, to hasten, island, interesting, game, newspaper, tongue, light (*n.*), house, sleeve, doctor, noon, half, to die, name (*n.*), to obey, shade, peaceful, private, to paint, foot, to please, apple, to carry, to dash, ready, to utter, reason, to bring near, to reflect, to give back, to repeat, return (*n.*), nothing, to seize, sensitive, to care for, sum, to suffer, often, to pull, to be wrong, valley, glass, virgin, to wish.

## TRENTE-DEUXIÈME LEÇON
●●●●●●●●●●●●●●●●●●●●●●●●●●●●●●●

## *Voltaire* (*Suite*)

Le deuxième séjour de Voltaire à la Bastille ne dura que quelques jours. Le gouvernement lui ayant rendu la liberté sur sa promesse de s'exiler, il alla en Angleterre voir un pays où, disait-on, l'homme pouvait penser librement. Il y resta de 1726 à 1729, fréquenta nobles et hommes de lettres, apprit l'anglais, vit jouer Shakespeare qui était inconnu en France, prit goût à la philosophie matérialiste de Locke, puis, ne pouvant vivre heureux loin de Paris, il y retourna et reprit son activité littéraire: deux tragédies, *Brutus* et *Zaïre*, un livre d'histoire sur Charles XII de Suède. Cependant il n'oubliait pas son séjour en Angleterre. Oserait-il publier ses *Lettres philosophiques* (sur l'Angleterre) où, dans un style ironique et enjoué et sous prétexte de parler uniquement d'un pays étranger, il jetait les fondements de la Révolution française en réclamant un nouveau régime basé sur l'égalité du noble et du bourgeois, la séparation de la foi et de la raison et la souveraineté de la méthode expérimentale? Il hésita pendant quelques années, puis il confia son manuscrit à un éditeur de Rouen qui devait le publier clandestinement. Quand il se ravisa, il était trop tard. Le livre parut en 1733 à Londres et produisit l'effet d'une bombe. Immédiatement des contrefaçons se vendirent en France. Le libraire responsable fut mis à la Bastille. Voltaire se réfugia en Lorraine, duché indépendant.

Bientôt, il s'établit à Cirey chez Madame du Châtelet dont le mari était complaisant—chose coutumière dans la société libertine du XVIIIe siècle. Ensemble pendant dix ou douze ans ils firent des expériences scientifiques et jouèrent la comédie. A cette époque Voltaire était reconnu comme le plus grand poète de son temps et c'est au poète que le prince Frédéric de Prusse envoya des épîtres en vers (vers français naturellement puisque toute l'Europe intellectuelle parlait et écrivait en français). En 1743 Voltaire fut envoyé par Louis XV auprès de Frédéric, devenu roi, mais il échoua dans sa mission diplomatique. Entre temps des changements à la cour de Versailles avaient permis à Voltaire de rentrer en grâce. Il devint historiographe du roi, gentilhomme de la chambre, membre de l'Académie française, mais le roi ne pouvait pas supporter son impertinence. Quand Madame du Châtelet mourut, en 1749, Voltaire, libre alors, décida de punir le roi de France de son ingratitude et accepta l'hospitalité de Frédéric de Prusse à Potsdam. Nommé chambellan avec 20.000 livres de pension, Voltaire crut avoir trouvé son Utopie, un royaume gouverné par un roi philosophe avec les conseils du grand Voltaire. Hélas! qui pouvait vivre avec le grand Voltaire? Bientôt les mauvaises langues rapportaient au roi ce que le Français disait derrière son dos. Après plusieurs brouilles et réconciliations, Voltaire obtint la permission de quitter la Prusse en 1753, mais on l'arrêta encore à la frontière pour l'empêcher d'emporter un volume de poésies du roi qu'il voulait sans doute publier pour jeter le ridicule sur son ancien maître.

Voltaire était riche, ayant hérité de son père une fortune qu'il avait accrue par des placements très solides. Pour pouvoir vivre désormais à l'abri des coups de la fortune et des gouvernements, il s'acheta plusieurs maisons des deux côtés de la frontière franco-suisse, et dans l'une d'elles, le château de Ferney, il passa le reste de sa vie. Quand les rois étaient de passage à Genève, ils allaient voir le roi Voltaire, car ce vieillard acariâtre était l'idole de l'Europe. C'était l'homme de l'avenir, le prophète de l'Utopie future où l'homme ne serait plus guidé par des superstitions mais par la raison. Nombreux furent les traités de vulgarisation scientifique et philosophique qu'il écrivit. Aujourd'hui on ne lit plus guère que *Candide,* ce petit chef-d'œuvre d'ironie. Désormais il vécut un peu moins pour lui-même et un peu plus pour les autres. Quand le fils du protestant Calas, victime du fanatisme religieux à Toulouse, vint frapper à sa porte, il entreprit courageusement la réhabilitation de cette malheureuse famille et écrivit son *Traité de la Tolérance.* C'est une date dans l'histoire de la tolérance religieuse. A l'âge de quatre-vingt-trois ans Voltaire retourna à Paris pour la représentation de sa tragédie *Irène,* fut acclamé par la foule en délire, reçut la visite des grands de la terre et d'un certain Monsieur Franklin, et mourut le 30 mai 1778. Onze ans plus tard la Révolution éclatait.

## *Questionnaire*

1. Combien de temps le deuxième séjour de Voltaire à la Bastille a-t-il duré?   2. Dans quelles conditions est-ce que le gouvernement lui a rendu la liberté?   3. Pourquoi est-il allé en Angleterre?   4. Combien de temps est-il resté en Angleterre?   5. Qu'est-ce qu'il a vu jouer et à quoi a-t-il pris goût?   6. Pourquoi est-il retourné à Paris?   7. De retour à Paris, qu'est-ce qu'il a écrit?   8. Quel autre ouvrage est-ce qu'il hésitait à publier?   9. Dans quel style ce livre était-il écrit?   10. De quoi est-ce qu'il jetait les fondements?   11. Qu'est-ce que Voltaire réclamait?   12. A qui a-t-il confié son manuscrit?   13. Où est-ce que le livre a paru?   14. Quel effet a-t-il produit?   15. Qu'est devenu le libraire responsable des contrefaçons?   16. Où est-ce que Voltaire s'est réfugié?   17. Chez qui s'est-il établi ensuite?   18. Qu'est-ce qu'ils ont fait ensemble pendant dix ou douze ans?   19. Pourquoi Frédéric de Prusse a-t-il envoyé des épîtres en vers à Voltaire?   20. Pourquoi les épîtres étaient-elles écrites en français?   21. Qui a envoyé Voltaire auprès de Frédéric?   22. A-t-il réussi dans sa mission?   23. Qu'est-ce qui avait permis à Voltaire de

rentrer en grâce? 24. Quels honneurs a-t-il reçus? 25. A la mort de Madame du Châtelet, comment est-ce que Voltaire décide de punir le roi de France? 26. Pourquoi est-ce que Voltaire a cru avoir trouvé son Utopie à Potsdam? 27. Qu'est-ce que les mauvaises langues rapportaient au roi? 28. Qu'est-ce que Voltaire a fait après plusieurs brouilles et réconciliations? 29. Pourquoi l'a-t-on arrêté à la frontière? 30. Pourquoi voulait-il publier ce volume de poésies? 31. Pourquoi Voltaire était-il riche? 32. Qu'a-t-il fait pour vivre désormais à l'abri des coups de la fortune? 33. Qu'est-ce qui prouve que ce vieillard acariâtre était devenu l'idole de l'Europe? 34. Comment serait l'homme de l'avenir? 35. Qu'est-ce que Voltaire a écrit à cette époque? 36. Quel ouvrage de Voltaire lit-on de préférence aujourd'hui? 37. Quel changement voit-on dans le caractère de Voltaire? 38. Qui était Calas? 39. Qu'est-ce que Voltaire a fait quand le fils de Calas est venu frapper à sa porte? 40. Quel est l'ouvrage de Voltaire qui marque une date dans l'histoire de la tolérance religieuse? 41. Pourquoi Voltaire est-il retourné à Paris à l'âge de quatre-vingt-trois ans? 42. De qui a-t-il reçu la visite? 43. Qu'est-ce qui éclatait quinze ans plus tard?

## Discussion

1. Savez-vous pourquoi Shakespeare était inconnu en France? 2. Quel rapport y a-t-il entre la philosophie matérialiste de Locke et le point de vue de Voltaire? 3. Qu'est-ce que Voltaire a trouvé d'intéressant dans l'organisation politique de l'Angleterre? 4. Racontez les relations entre Voltaire et Frédéric. 5. Donnez des exemples du libéralisme de Voltaire. 6. Est-ce que Voltaire a consciemment (*consciously*) préparé la Révolution française?

## Vocabulaire

**un abri** [abri] shelter   **à l'abri de,** sheltered from
**une académie** [akademi] academy
**acariâtre** [akarjɑːtr], *adj.* cantankerous
**acclamer** [aklame] to acclaim
**accroître** [akrwatr] to increase   **accru,** *past part.*
**une activité** [aktivite] activity
**auprès de** [opre də], *prep.* near, to (diplomatic terminology)
**un avenir** [avnir] future
**baser** [baze] to base

**la bombe** [bɔ̃b] bomb
**la brouille** [bruj] estrangement
**le chambellan** [ʃɑ̃belɑ̃] chamberlain
**clandestinement** [klɑ̃destinmɑ̃], *adv.* clandestinely
**la comédie** [kɔmedi] **jouer la comédie,** to perform a play
**complaisant, -e** [kɔ̃plezɑ̃, kɔ̃plezɑ̃t] obliging
**la contrefaçon** [kɔ̃trəfasɔ̃] fraudulent imitation, pirated edition
**le coup** [ku] blow

courageusement [kuraʒøzmã], *adv.* courageously

coutumier, -ière [kutymje, kutymjɛr] customary

le délire [delir] delirium *en délire,* delirious

le dos [do] back

le duché [dyʃe] duchy

durer [dyre] to last

éclater [eklate] to burst, burst out

un éditeur [editœr] publisher

enjoué, -e [ãʒwe] playful

entreprendre [ãtrəprãdr] to undertake

une épître [epitr] epistle

établir [etablir] to establish

*exiler* [ɛgzile] to exile

*une expérience* [ɛksperjãs] experience, experiment

*expérimental, -e* (*m. pl.: expérimentaux*) [ɛksperimãtal, ɛksperimãto] experimental

le fanatisme [fanatism] fanaticism

la foi [fwa] faith

le fondement [fɔdmã] foundation *jeter les fondements de,* to lay the foundations for

la foule [ful] crowd

franco-suisse [frãkosɥis], *adj.* Franco-Swiss

la frontière [frɔtjɛr] frontier

futur, -e [fytyr] future

le goût [gu] *prendre goût à,* to develop a taste for

gouverner [guvɛrne] to govern

la grâce [graːs] *rentrer en grâce,* to return to favor

*guider* [gide] to guide

hériter [erite] to inherit

heureux, -euse [ørø, ørøz] happy

un historiographe [istɔrjɔgraf] historiographer

*une hospitalité* [ɔspitalite] hospitality

une idole [idɔl] idol

immédiatement [imedjatmã], *adv.* immediately

indépendant, -e [ɛdepãdã, ɛdepãdãt] independent

*une ingratitude* [ɛgratityd] ingratitude

intellectuel, -le [ɛtelɛktɥɛl] intellectual

*une ironie* [irɔni] irony

ironique [irɔnik] *adj.* ironical

la langue [lãg] *une mauvaise langue,* a mischief-maker

le libraire [librɛr] bookseller

littéraire [literɛr], *adj.* literary

la livre [livr] pound

matérialiste [materjalist], *adj.* materialistic

mauvais, -e [mɔve, mɔvɛz] bad

le membre [mãbr] member

la méthode [metɔd] method

mourir *il mourut* [mury], *passé simple,* he died

nombreux, -euse [nɔbrø, nɔbrøz] numerous

nommer [nɔme] to name, appoint

obtenir *il obtint* [ɔbtɛ], *passé simple,* he obtained

paraître *il parut* [pary], *passé simple,* he appeared

*le passage* [pasaʒ] *être de passage,* to be passing through

*la pension* [pãsjɔ] pension

*la permission* [pɛrmisjɔ] permission

le philosophe [filɔzɔf] philosopher

*la philosophie* [filɔzɔfi] philosophy

le placement [plasmã] investment

le prétexte [pretɛkst] excuse *sous prétexte de,* on pretext of

produire [prɔdɥir] to produce *il produisit, passé simple*

la promesse [prɔmɛs] promise

le prophète [prɔfɛt] prophet

*protestant, -e* [prɔtestã, prɔtestãt] Protestant

la Prusse [prys] Prussia

publier [pyblije] to publish

punir [pynir] to punish

quitter [kite] to leave, hang up

le raccommodement [rakɔmɔdmã] reconciliation

raviser (se) [ravize] to change one's mind

réclamer [reklame] to protest; demand

réfugier (se) [refyʒje] to take refuge

*la réhabilitation* [reabilitasjɔ] rehabilitation

religieux, -euse [rəliʒjø, rəliʒjøz] religious

la représentation [rəprezãtasjɔ] presentation

responsable [rɛspɔsabl], *adj.* responsible

ridicule [ridikyl], *adj.* ridiculous *jeter le ridicule sur,* to make ridiculous

*scientifique* [sjãtifik], *adj.* scientific

*la séparation* [separasjɔ] separation

solide [sɔlid], *adj.* solid, secure

la souveraineté [suvrɛnte] sovereignty
la Suède [sɥɛd] Sweden
**supporter** [sypɔrte] to bear, tolerate
**le temps** *entre temps* [ɑ̃trətɑ̃], meanwhile
*la tolérance* [tɔlerɑ̃s] tolerance
**le traité** [trete] treaty

uniquement [ynikmɑ̃], *adv.* exclusively
*une Utopie* [ytɔpi] Utopia
la victime [viktim] victim
le vieillard [vjejar] old man
*le volume* [vɔlym] volume
*la vulgarisation* [vylgarizasjɔ̃] vulgarization, popularization

## *Grammaire*

1. Étudiez dans l'appendice grammatical § 28, § 29, § 30, § 31, § 32, § 33, § 34.

2. Étudiez les verbes irréguliers *courir, écrire, tenir* (voir tables à la fin de ce livre).

## *Exercices*

A. Mettez un article défini ou indéfini devant chacun des noms suivants: 1. indépendance. 2. romantisme. 3. brassière. 4. écritoire. 5. Texas. 6. vaisseau. 7. Flandre. 8. cherté. 9. ineptie. 10. chaleur. 11. égoïsme. 12. petitesse. 13. ancienneté. 14. oriflamme. 15. combinaison. 16. directeur. 17. actrice. 18. prix. 19. chienne. 20. oubliette.

B. Donnez les pluriels des noms suivants: 1. le gaz. 2. le genou. 3. le château. 4. le travail. 5. un Rohan-Chabot. 6. un protège-livre. 7. le grand-oncle. 8. un porte-cigarette. 9. un porc-épic. 10. le chef-d'œuvre.

C. Donnez toutes les formes possibles des adjectifs suivants: 1. muet. 2. neuf. 3. heureux. 4. gris. 5. discret. 6. gentil. 7. beau. 8. fatal. 9. protecteur. 10. vieux. 11. épais. 12. grec. 13. sec. 14. malin. 15. blanc.

D. Mettez la forme correcte de l'adjectif dans les expressions suivantes en faisant tous les changements nécessaires: 1. (*interesting, old*) une histoire. 2. (*such*) des jeunes filles. 3. (*every*) deux jours. 4. (*French*) les chemins de fer et la marine. 5. (*most materialistic*) la philosophie. 6. (*beautiful old*) une église. 7. (*bourgeois*) la classe. 8. (*exclusively literary*) un style. 9. (*very beautiful*) un style. 10. (*wicked little*) un garçon. 11. (*English*) trois hommes de lettres. 12. (*new, Shakespearian*) une pièce. 13. (*ancient*) un livre d'histoire. 14. (*interesting, scientific*) une expérience. 15. (*very different, red*) une maison.

## Les Mots Qu'il Faut Savoir

*Mots nouveaux:*

to have a good time, neck, store, rain, stomach, sword, grass.

*Mots anciens:*

agreed, business, ease, to announce, to belong, tree, to tear, enough, authority, to acknowledge, blue, arm, gift, however, chief, fall ( *n.* ), combination, to entrust, body, to go to bed, crown, to shout, to describe, despair, worthy, water, writer, place ( *n.* ), to drag, mind ( *n.* ), explanation, to express, armchair, son, strong, crowd ( *n.* ), to spoil, habit, high, to forbid, to question, youth, judge ( *n.* ), light ( *adj.* ), hand, master, to miss, better, middle, world, average, number, object ( *n.* ), uncle, palace, to leave, trouble, stone, pleasure, bridge, to ask a question, to take, to claim, by the way, to bring back, to catch, to look at, to go home, to answer, to waken, bank, season, to serve, evening, to ring, to raise, fountain pen, title, turn ( *n.* ), to sell, line of poetry, meat, old, vaulted.

## TRENTE-TROISIÈME LEÇON

# *Visite au Louvre*

### ( *Suite de la lettre de Robert* )

J'ai réservé le Louvre pour la fin parce que cet énorme musée, le plus riche du monde, est, pour ainsi dire, en dehors du temps. Les trésors artistiques que renferme cette ancienne résidence royale ne résument pas seulement l'activité artistique de la France mais aussi celle de l'Europe entière. Si je me mettais maintenant à vous décrire tous les chefs-d'œuvre italiens, flamands, espagnols et allemands qui se trouvent au Louvre depuis Giotto, Léonard de Vinci, Raphaël, Van Eyck, Rembrandt jusqu'à El Greco, sans oublier la Vénus de Milo et la Victoire de Samothrace, je n'en finirais pas. Je vais donc me contenter de faire quelques réflexions sur l'activité artistique de la France.

Disons, entre parenthèses, qu'on ne va pas au Louvre pour voir le palais. Et pourtant il est vraiment impressionnant, surtout vu de l'extérieur du côté des Tuileries. L'intérieur, même dans les ailes qui datent de François I<sup>er</sup>, a subi beaucoup de transformations, et la seule salle qui présente maintenant un intérêt en elle-même est cette énorme et magnifique Galerie d'Apollon, construite par Louis XIV et comparable à la Galerie des Glaces de Versailles.

En passant en revue l'activité artistique de la France, ce qui frappe d'abord c'est que la peinture française manquait d'originalité avant le XVIIIe siècle. Je vous dirai tout à l'heure pourquoi. Cela ne veut pas dire que la France ait manqué d'originalité artistique. Au contraire. C'est dans l'Ile de France que l'architecture gothique est née, et ces artistes gothiques ont créé des chefs-d'œuvre de sculpture, depuis ces petits personnages grotesques et naïfs des tympans du XIIe siècle jusqu'au tombeau de Philippe Pot (au Louvre), du XVe, qui est d'un réalisme extraordinaire. Les Français du moyen âge ne connaissaient pas la peinture, sauf pour décorer les murs des églises ou pour enluminer les manuscrits. Ces enluminures étaient aussi parfois des chefs-d'œuvre, comme dans le cas du livre des *Très Riches Heures* du duc de Berry.

## *Questionnaire*

1. Qu'est-ce que Robert a réservé pour la fin de sa lettre? 2. Quelle place est-ce que le Louvre occupe par rapport aux autres musées du monde? 3. Pourquoi le Louvre est-il en dehors du temps? 4. Est-ce que le Louvre a toujours été un musée? 5. Quelles statues célèbres se trouvent au Louvre? 6. De quoi Robert va-t-il se contenter? 7. Va-t-on au Louvre pour voir le palais? 8. De quel côté est-ce que le Louvre est impressionnant? 9. A-t-on préservé l'intérieur? 10. Quelle salle présente un intérêt en elle-même? 11. Qui a fait construire la Galerie d'Apollon? 12. A quelle autre salle peut-on la comparer? 13. Qu'est-ce que Robert va passer en revue? 14. Que peut-on dire de la peinture avant le XVIIIe siècle? 15. Est-ce que cela veut dire que la France manquait d'originalité artistique? 16. Qu'est-ce qui prouve le contraire? 17. Est-ce que l'art gothique se limitait seulement à l'architecture? 18. Où trouve-t-on des exemples de sculpture gothique? 19. Quel tombeau, aujourd'hui au Louvre, est d'un réalisme extraordinaire? 20. Est-ce que les Français du moyen âge connaissaient la peinture? 21. Quelles enluminures sont des chefs-d'œuvre?

## Discussion

1. Quelle est la nationalité de chacun des peintres mentionnés dans le premier paragraphe de cette leçon? 2. Pouvez-vous citer les noms de quelques-unes de leurs peintures? 3. Quelle forme a le Louvre sur le plan de Paris? 4. Où se trouvent les Tuileries par rapport au Louvre? 5. Où se trouvait le palais des Tuileries incendié pendant la Commune? 6. Qu'est-ce que vous aimeriez le plus voir au Louvre? 7. Quelle partie du corps manque à la Vénus de Milo? à la victoire de Samothrace? 8. Pourquoi est-ce que la sculpture surtout s'est développée au moyen âge?

## Vocabulaire

**ainsi** [ɛ̃si], *adv. pour ainsi dire,* so to speak
*un* **artiste** [artist] artist
**créer** [kree] to create
**décorer** [dekɔre] to decorate
**enluminer** [ɑ̃lymine] to illuminate (a manuscript)
**une enluminure** [ɑ̃lyminyr] illumination (of manuscript)
**entier, -ère** [ɑ̃tje, ɑ̃tjɛr] entire
**espagnol, -e** [espaɲɔl] Spanish
**finir** [finir] *Cela n'en finit pas,* That never comes to an end
**flamand, -e** [flamɑ̃, flamɑ̃d] Flemish
**la galerie** [galri] gallery, hall
*grotesque* [grɔtesk], *adj.* grotesque
**une heure** *tout à l'heure* [tutalœr], presently
**impressionnant, -e** [ɛ̃presjɔnɑ̃, ɛ̃presjɔnɑ̃t] impressive

**italien, -ne** [italjɛ̃, italjɛn] Italian
**magnifique** [maɲifik], *adj.* magnificent
*une* **originalité** [ɔriʒinalite] originality
**la parenthèse** [parɑ̃tɛz] parenthesis *entre parenthèses,* parenthetically
**la peinture** [pɛ̃tyr] painting
**le personnage** [pɛrsɔnaʒ] character
*le réalisme* [realism] realism
**la réflexion** [reflɛksjɔ̃] reflection
**renfermer** [rɑ̃fɛrme] to shut up, enclose
**résumer** [rezyme] to summarize
**la revue** [rəvy] review *passer en revue,* to check over
*la transformation* [trɑ̃sfɔrmasjɔ̃] transformation
**le trésor** [trezɔr] treasure
**le tympan** [tɛ̃pɑ̃] tympanum
**vraiment** [vremɑ̃], *adv.* truly

## Grammaire

1. Étudiez dans l'appendice grammatical § 35, § 36, § 37.
2. Étudiez les verbes irréguliers *mourir, naître, vivre* (voir tables à la fin de ce livre).

## Exercices

A. Remplacez les blancs par la forme convenable de l'adjectif ou du pronom démonstratifs: 1. Je considère _____ peinture comme un chef-d'œuvre. 2. Vous direz _____ à tous vos amis. 3. De

toutes les salles du Louvre, _____ qui a été construite par Louis
XIV est la plus intéressante.  4. _____ sont surtout les Flamands qui
ont développé la peinture.  5. _____ est pourquoi ils semblent
manquer d'originalité.  6. En fait de décoration, _____ de la
Galerie des Glaces est surtout à voir.  7. _____ qui ont contribué
le plus au progrès de la peinture sont les Italiens de la Renaissance.
8. Ce qu'il n'a pas expliqué, _____ est que l'enluminure est une
forme de peinture.  9. De toutes les peintures du Louvre, _____
m'ont le plus intéressé.  10. Voici deux tableaux. _____ est de
Giotto. _____ est de Léonard de Vinci.  11. N'oubliez pas de voir
cette salle parce que _____ est la plus intéressante.  12. _____
homme n'a jamais rien compris à la peinture.  13. _____ ne lui
dit rien de voir toutes ces belles choses.  14. J'ai trouvé le chapeau
de Jacques mais pas _____ de Robert.  15. ____ est à Marie que nous
devons cette visite si intéressante.

B. Traduisez: 1. Give me another hat. This one is too old.  2. The
ones which are oldest date from Francis I.  3. It is interesting to see
all these things.  4. It does not interest him to see all these things.
5. John is the one who is going to do it.  6. Then there occur (*ar-river*) revolutions which destroy everything.  7. To them I explained
everything.  8. Do not fail to see these two halls. The latter is in the
Louvre and the former at Versailles.  9. She is a friend of Mary.

## *Les Mots Qu'il Faut Savoir*

*Mots nouveaux:*
  throat, ball, necktie, watch (*n.*), to lend, to extinguish, picture.
*Mots anciens:*
  to welcome, pleasant, path, to perceive, appeal (*n.*), arch, stop,
plate, around, boat, fair, brick, notebook, circle, masterpiece, movies,
to fill up, to confuse, to correct, to sew, short, critical, beginning,
henceforth, to discuss, to dazzle, to erase, to confine, to keep up, to
try, to demand, opposite, false, flower, forest, fork, left, customary,
winter, unknown, to interrupt, pretty, cowardly, vegetable, now,
unhappy, merchant, to mix, morals, change (*n.*), dumb, to nourish,
to obtain, to dare, basket, everywhere, painter, worse, course, door,
water pitcher, near, priest, property, rank, fulfill, rule (*n.*), to over-throw, to rest, to reveal, rock, hall, alone, soil, fate, deaf, to undergo,
roof, to translate, to come, to pour, victory, town, to travel.

# La Peinture Française

*(Fin de la lettre de Robert)*

La peinture moderne a deux origines, l'une gothique, l'autre italienne. A la fin du XIVᵉ siècle l'enluminure gothique se transforma en peinture sur bois *à la détrempe*. Cette peinture, destinée d'abord aux autels, est ce qu'on appelle généralement la peinture primitive, bien qu'elle soit primitive seulement en ce qu'on n'avait pas encore découvert les lois de la perspective ni les autres procédés permettant de reproduire la nature. La peinture était très en retard sur la sculpture gothique, dans la recherche du *réalisme*. A cause de la guerre de Cent Ans (époque de Jeanne d'Arc) la France n'était plus au premier rang du développement artistique et ce furent les Flamands qui perfectionnèrent l'art nouveau surtout en inventant la *peinture à l'huile*. Comme la Flandre dépendait du duc de Bourgogne, beaucoup de grands peintres flamands vinrent en France travailler à la cour ducale de Dijon. A la cour du roi de France quelques peintres essayaient d'imiter les Flamands; le plus célèbre était Jean Fouquet à qui nous devons un assez bon portrait de Charles VII.

Déjà à cette époque l'Europe entière se tournait vers l'Italie, qui passait par une magnifique renaissance des arts et des lettres. Bientôt ce fut l'énorme floraison artistique du XVᵉ siècle qui éblouit les chevaliers français de Charles VIII quand ils envahirent l'Italie du Nord. Au XVIᵉ siècle, François Iᵉʳ fit venir en France des artistes italiens pour construire et décorer ses palais: Léonard de Vinci qui mourut bientôt en France, André del Sarto qui ne voulut pas rester, et finalement Rosso, élève de Michel-Ange. La Renaissance française fut relativement courte mais elle assimila vite les progrès de la Renaissance italienne.

Au XVIIᵉ siècle, sous Louis XIV, la France était redevenue par sa littérature la première nation d'Europe, mais dans le domaine de l'art elle cédait encore la place à l'Italie et à la Flandre. L'art classique de ce temps, représenté par Poussin, Claude Lorrain et Le Brun, est parfait par la technique mais il lui manque le véritable souffle de la grandeur. Au XVIIIᵉ siècle, où la France domine encore plus complètement l'Europe intellectuelle, l'originalité artistique de la France commence à se manifester en peinture avec Watteau et Fragonard chez qui le pompeux est remplacé par une nature idéale baignée de poésie et avec Chardin et Greuze qui peignent avec réalisme les gens de la rue plutôt que les nobles ou les dieux et déesses de l'antiquité gréco-romaine.

Au XIXᵉ siècle, alors que la France n'occupe plus la première place dans l'activité industrielle et scientifique du monde, la peinture française (et dans une très large mesure aussi sa littérature) sert désormais de modèle. La peinture mondiale suit l'évolution de la peinture française en allant des néo-classiques comme David (1748–1825) en passant par les romantiques comme Delacroix (1798–1863) et Géricault (1791–1824), les académiciens comme Ingres (1780–1862), les paysagistes comme Corot (1796–1875), les réalistes comme Courbet (1819–1877) et Millet (1814–1875), jusqu'aux impressionnistes comme Manet, Monet, Renoir, Degas, Cézanne et Gauguin. Même la peinture abstraite de nos jours est essentiellement une création française.

## *Questionnaire*

1. Quelles sont les deux origines de la peinture moderne? 2. En quoi l'enluminure gothique s'est-elle transformée à la fin du XIVᵉ siècle? 3. A quoi cette peinture était-elle destinée? 4. Comment l'appelle-t-on généralement? 5. En quoi cette peinture est-elle primitive? 6. Qu'est-ce qu'on ne savait pas reproduire? 7. En quoi cette peinture était-elle en retard sur la sculpture? 8. Pourquoi la France n'était-elle plus au premier rang du développement artistique? 9. Qu'est-ce que les Flamands ont inventé pour perfectionner l'art nouveau? 10. Pourquoi est-ce que beaucoup de grands peintres flamands sont venus travailler à la cour ducale de Dijon? 11. Qui a essayé d'imiter les Flamands? 12. Quel était le plus célèbre de ces peintres et de qui a-t-il fait le portrait? 13. Pourquoi est-ce que l'Europe entière se tournait vers l'Italie? 14. Qu'est-ce qui a ébloui les chevaliers français de Charles VIII? 15. Que faisaient les chevaliers français en Italie? 16. Pourquoi François Iᵉʳ a-t-il fait venir des artistes italiens? 17. Lequel des grands artistes italiens est mort en France? 18. Pourquoi est-ce que la Renaissance française a été relativement courte? 19. Au temps de Louis XIV dans quel domaine est-ce que la France était devenue la première nation d'Europe? 20. A qui est-ce qu'elle cédait encore la place en peinture? 21. Que

peut-on dire de l'art classique de Poussin, de Claude Lorrain et de Le Brun? 22. Est-ce que la domination intellectuelle de la France continue au XVIII<sup>e</sup> siècle? 23. Chez qui est-ce que l'originalité commence à se manifester? 24. Par quoi le pompeux est-il remplacé? 25. Par quoi est-ce que Chardin et Greuze ont remplacé les dieux et les déesses de l'antiquité gréco-romaine? 26. Dans quel domaine est-ce que la France perd sa place au XIX<sup>e</sup> siècle? 27. Qu'est-ce qui sert désormais de modèle? 28. Quelles sont les différentes écoles par lesquelles la peinture française passe au XIX<sup>e</sup> siècle? 29. Qui a inventé la peinture abstraite?

## *Discussion*

1. Racontez brièvement l'évolution de la technique de la peinture depuis le moyen âge. 2. Qu'est-ce que la peinture française doit à la peinture italienne? 3. A quelles époques trouve-t-on du réalisme dans la peinture française? 4. Pourquoi la peinture réaliste est-elle plutôt éclipsée aujourd'hui? 5. Qu'est-ce que c'est que la peinture abstraite? 6. Qu'est-ce que les peintres abstraits cherchent à faire? 7. Que pensez-vous de la peinture abstraite?

## *Vocabulaire*

abstrait, -e [abstre, abstrɛt] abstract

un académicien [akademisjɛ̃] academician

alors que [alɔrkə], *conj.* when

*une antiquité* [ɑ̃tikite] antiquity

assimiler [asimile] to assimilate

un autel [otɛl] altar

baigner [beɲe] to bathe

céder [sede] to give up, yield *céder la place à,* to be second to

complètement [kɔ̃plɛtmɑ̃], *adv.* completely

*la création* [kreasjɔ̃] creation

la déesse [dees] goddess

dépendre [depɑ̃dr] to depend *dépendre de,* to be a dependency of

*destiner* [dɛstine] to destine, intend

la détrempe [detrɑ̃p] distemper (painting term)

le développement [devlɔpmɑ̃] development

dominer [dɔmine] to dominate

*ducal, -e* (*m. pl.: ducaux*) [dykal, dyko] ducal

éblouir [ebluir] to dazzle

un élève [elɛv] pupil

envahir [ɑ̃vair] to invade

essentiellement [esɑ̃sjɛlmɑ̃], *adv.* essentially

*une évolution* [evɔlysjɔ̃] evolution

la Flandre [flɑ̃dr] Flanders

la floraison [flɔrezɔ̃] flourishing

la grandeur [grɑ̃dœr] grandeur, greatness

*idéal, -e* (*m. pl.: idéaux*) [ideal, ideo] ideal

industriel, -le [ɛ̃dystriɛl] industrial

large [larʒ] broad *une large mesure,* a large measure

la littérature [literatyr] literature

la loi [lwa] law

*manifester* [manifɛste] to manifest

manquer [mɑ̃ke] *quelque chose manque à quelqu'un,* somebody lacks something

Michel-Ange [mikelɑ̃ʒ] Michelangelo

le modèle [mɔdɛl] model

mondial, -e (*m. pl.: mondiaux*)

[mɔ̃djal, mɔ̃djo] world-wide, of the world
*la nation* [nasjɔ̃] nation
*la nature* [natyr] nature
néo-classique [neoklasik], *adj.* neo-classical
une origine [ɔriʒin] origin
parfait, -e [parfe, parfɛt] perfect
le paysagiste [peizaʒist] landscape painter
peindre [pɛ̃dr] to paint *ils peignent* [pɛɲ], they paint
le peintre [pɛ̃tr] painter
perfectionner [pɛrfɛksjɔne] to perfect
la poésie [pɔezi] poetry
pompeux, -euse [pɔ̃pø, pɔ̃pøz] pompous

primitif, -ve [primitif, primitiv] primitive
le progrès [prɔgre] progress
le rang [rɑ̃] rank, row
la recherche [rəʃɛrʃ] search, research
relativement [rəlativmɑ̃], *adv.* relatively
la renaissance [rənesɑ̃s] rebirth
reproduire [rəprɔdɥir] to reproduce
le retard [rətar] delay *être en retard sur,* to be behind
romantique [rɔmɑ̃tik], *adj.* romantic
servir [sɛrvir] *servir de,* to serve as
le souffle [sufl] breath, inspiration
*la technique* [tɛknik] technique
travailler [travaje] to work

## *Grammaire*

1. Étudiez dans l'appendice grammatical § 38, § 39, § 40, § 41.

2. Étudiez les verbes irréguliers *conclure, s'asseoir, pleuvoir* (voir tables à la fin de ce livre).

## *Exercices*

A. Traduisez les mots entre parenthèses: 1. A _____ (*her*) époque, la France n'était plus au premier rang. 2. Malgré les progrès dans les autres domaines, _____ (*theirs*) étaient relativement lents. 3. Ce beau portrait n'est plus _____ (*mine*). 4. La peinture de la Flandre et _____ (*ours*) n'avaient pas fait les mêmes progrès. 5. _____ (*Its*) originalité était douteuse. 6. J'_____ ai noté _____ (*its*) progrès dans mes cahiers. 7. Les élèves de Mademoiselle Kergour étaient très en retard sur _____ (*ours*). 8. _____ (*To yours*) j'ajouterai volontiers _____ (*mine*). 9. La bourgeoisie a toujours _____ (*its*) problèmes. 10. Marie n'a plus _____ (*her*) portrait.

B. Traduisez: 1. She has found my book, not yours. 2. She arrived without them. 3. They spoke to both of us. 4. She and I don't like too much oil. 5. They are the ones who are going to do it. 6. I saw you and her yesterday in the store. 7. He found in it many interesting things. 8. He put paper all around it. 9. What did they see behind them?

## Les Mots Qu'il Faut Savoir

*Mots nouveaux:*
kiss (*n.*), to dig, to swim, ground floor, to faint, animal.

*Mots anciens:*
accompany, elder, German, to appear, to be called, money, rear, to attend, formerly, building, ox, to break, comrade, to erase, shirt, to wax, committee, leave (*n.*), suit (*n.*), to flow, knife, to pick, standing, underneath, to argue, to exchange, effect, to take off, to catch a glimpse of, gasoline, examination, easy, woman, river, fountain, to furnish, to cramp, man, to educate, intimate, to play, ugly, the next day, struggle (*n.*), in spite of, market, to threaten, least, mountain, wall, food, to see about, to forget, pope, to succeed, during, ceiling, full, politeness, post, in a hurry, proof, to protect, to recall, to receive, to move back, to spread, to repulse, ridiculous, king, living room, only, soldier, care (*n.*), under, sugar, tomb, quiet, belly, green, empty, wine, true.

# TRENTE-CINQUIÈME LEÇON

# A la Sorbonne

19, rue Gay-Lussac
Paris (5$^e$)
le 3 novembre 1951

Cher ami,

J'ai renoncé à m'établir à la Cité Universitaire et je suis toujours rue Gay-Lussac. La cité, comme vous le savez peut-être, est située au sud de la ville, sur l'emplacement des anciennes fortifications. C'est assez loin et, pour y aller, il faut prendre le train électrique de la ligne de Sceaux. Une fois là-bas on trouve une véritable exposition internationale d'architecture; chaque pavillon représente une province française ou une nation étrangère (les États-Unis sont du nombre) et a été conçu dans le style de ce pays. Le centre de la vie estudiantine est la Maison Internationale, don de Monsieur Rockefeller et inspirée du château de Fontainebleau. On y trouve un restaurant, une piscine et des salles publiques. L'idée de la Cité Universitaire est de retrouver cette atmosphère internationale qui caractérisait l'Université de Paris du moyen âge. Pour un étudiant français, c'est excellent mais pour un étudiant étranger qui cherche avant tout à connaître la France, il me semble qu'il y a avantage à vivre dans une famille française comme je le fais. Si l'Université de Paris était conçue dans l'esprit d'une université américaine, c'est-à-dire si la vie universitaire constituait une existence en marge du monde réel, ce serait le moyen de prendre contact avec la jeunesse française, mais la plupart des étudiants habitent comme moi dans des chambres particulières près des facultés. Ils participent comme moi à la vie parisienne et cet aliment intellectuel leur est indispensable. Etre étudiant et ne pas habiter le Quartier Latin serait inconcevable pour bien des étudiants. Je me conforme donc à la pratique courante et j'y reste.

Ce matin je me suis fait inscrire à quelques cours de la Sorbonne (c'est ainsi qu'on appelle la Faculté des Lettres et des Sciences parce que ce grand bâtiment est situé sur l'emplacement de l'ancien collège de la Sorbonne de l'université médiévale) après avoir étudié le *Livret de l'Étudiant,* qui correspond au catalogue d'une université américaine. Ce livret se vend chez les libraires du quartier. Mon intention était de suivre uniquement des *cours fermés* qui mènent à la licence, mais on me l'a déconseillé en me disant que les matières de ces cours étaient assez spécialisées et que je ne serais pas à la hauteur. Je suivrai donc les *Cours de Civilisation française,* destinés aux étudiants étrangers qui ont besoin d'un enseignement plus général.

## *Questionnaire*

1. Où habite Robert Martin?   2. Qu'est-ce qu'il a renoncé à faire? 3. Où est située la Cité Universitaire?   4. Sur l'emplacement de quoi?   5. Comment y va-t-on?   6. Une fois là-bas, qu'est-ce qu'on y trouve?   7. Qu'est-ce que chaque pavillon représente?   8. Dans quel style les pavillons ont-ils été conçus?   9. Quel est le centre de la vie estudiantine?   10. Qui a donné la Maison Internationale et de quoi s'inspire-t-elle?   11. Qu'est-ce qu'on y trouve?   12. Quelle est l'idée de la Cité Universitaire?   13. Est-ce bon pour un étudiant étranger d'y habiter?   14. Qu'est-ce qu'il y a avantage à faire? 15. Si l'université française était conçue dans l'esprit de l'université américaine, pourquoi est-ce qu'il y aurait avantage à habiter à la

Cité Universitaire? 16. Où habitent la plupart des étudiants parisiens? 17. Qu'est-ce qui leur est un aliment indispensable? 18. Qu'est-ce qui serait inconcevable pour la plupart des étudiants parisiens? 19. A quoi est-ce que Robert se conforme? 20. Qu'est-ce que Robert a fait ce matin? 21. Qu'est-ce que c'est que la Sorbonne? 22. Qu'est-ce qui correspond au catalogue d'une université américaine? 23. Où se vend ce livret? 24. Quelle était l'intention de Robert? 25. Pourquoi le lui a-t-on déconseillé? 26. Ne suivra-t-il pas des cours fermés? 27. Que suivra-t-il en même temps? 28. A qui sont destinés les Cours de Civilisation française?

## Discussion

1. Pourquoi est-ce qu'il n'est pas toujours commode d'habiter la Cité Universitaire? 2. Dans quelle mesure la Cité s'inspire-t-elle de l'université médiévale? 3. Y a-t-il des universités américaines conçues dans le même esprit que l'Université de Paris? 4. Quel avantage et quel désavantage y aurait-il à suivre uniquement les Cours de civilisation française? 5. Y a-t-il des universités américaines ayant des Cours de civilisation américaine destinés aux étudiants étrangers? 6. A-t-on raison de dire, comme le font beaucoup d'Américains, «l'Université de la Sorbonne?» 7. Pourquoi est-ce que le mot *cité* convient particulièrement à la Cité Universitaire? 8. Si vous étiez étudiant à Paris, préféreriez-vous habiter la Cité Universitaire ou le Quartier Latin?

## Vocabulaire

un aliment [alimɑ̃] food
un avantage [avɑ̃taʒ] *il y a avantage à,* there is an advantage to
bien, *adv.* bien des, many
caractériser [karakterize] to characterize
le *catalogue* [katalɔg] catalogue
concevoir [kɔ̃svwar] to conceive *conçu, past part.*
conformer (se) [kɔ̃fɔrme] to conform
constituer [kɔ̃stitɥe] to constitute
le *contact* [kɔ̃takt] contact *prendre contact,* to make contact
correspondre [kɔrɛspɔ̃dr] to correspond
courir [kurir] *courant, -e,* running, current, common

déconseiller [dekɔ̃seje] to advise someone against something
le don [dɔ̃] gift
un emplacement [ɑ̃plasmɑ̃] site
un enseignement [ɑ̃sɛɲmɑ̃] teaching, education, educational system
estudiantin, -e [ɛstydjɑ̃tɛ̃, ɛstydjɑ̃tin] student (*adj.*)
une exposition [ɛkspozisjɔ̃] exhibition
la hauteur [otœr] (aspirate *h*) *être à la hauteur,* to be equal to something
inconcevable [ɛ̃kɔ̃svabl], *adj.* inconceivable
inscrire [ɛ̃skrir] to inscribe *s'inscrire à,* to enrol in
*inspirer* [ɛ̃spire] to inspire

**international, -e** (*m. pl.: internatio-*
**naux**) [ɛ̃tɛrnasjɔnal, ɛ̃tɛrnasjɔno] international
la **licence** [lisɑ̃s] licence (equivalent
to a master's degree)
le **livret** [livrɛ] handbook
la **marge** [marʒ] margin *en marge de*,
on the fringe of, just outside
*la* **matière** [matjɛr] material, subject
**participer** [partisipe] *participer à*, to
participate in

la **piscine** [pisin] swimming pool
*la* **pratique** [pratik] practice
**réel, -le** [reɛl] real
**renoncer** [rənɔ̃se] to renounce, give up
an idea
**suivre** [sɥivr] *suivre un cours*, to
take a course
le **titre** [titr] title *à titre de*, by virtue
of, as
**universitaire** [ynivɛrsitɛr], *adj.* university

## Grammaire

1. Étudiez dans l'appendice grammatical § 42, § 43, § 44.

2. Étudiez les verbes irréguliers *craindre, ouvrir, plaire* (voir tables à la fin de ce livre).

## Exercices

A. Remplacez les blancs par la forme convenable du pronom
relatif: 1. Voici la maison _____ il habitait. 2. C'est le train
électrique _____ va à Sceaux. 3. C'est le même train _____ pre-
naient tous les matins les étudiants de la Cité Universitaire. 4. On
nous a montré le savon avec _____ il se lavait tous les matins.
5. Voilà le pavillon _____ je parlais. 6. Les étudiants des différentes nationalités habitent de nouveau dans des maisons spéciales,
_____ était caractéristique de l'université médiévale. 7. Je vous
conseille d'habiter le Quartier Latin _____ l'aliment intellectuel
est indispensable à tant d'étudiants. 8. Vous rappelez-vous la Cité
Universitaire _____ vous avez visité le pavillon principal? 9. Il
n'aime pas cette atmosphère internationale avec _____ il faut
toujours vivre. 10. Il en connaît trois pour l'amitié de _____ il
ferait n'importe quoi. 11. C'est une jeune fille _____ sa maladie
inguérissable (*incurable*) force de rester au lit.

B. Traduisez les mots entre parenthèses: 1. _____ (*Whom*)
avez-vous rencontré ce matin? 2. Vous venez de visiter trois chambres. _____ (*Which*) préférez-vous? 3. Avec _____ (*whom*)
allez-vous partir? 4. Je ne sais pas _____ (*what*) signifie le mot
*piscine*. 5. Je lui ai demandé _____ (*which*) de toutes ces chambres il préférait. 6. Avec _____ (*whom*) avez-vous visité la
Maison Internationale? 7. _____ (*What*) il vous a conseillé de
suivre comme cours? 8. A _____ (*what*) cours allez-vous vous

inscrire? 9. Savez-vous vraiment _____ (*of what*) vous parlez?
10. _____ (*What*) l'oblige à changer de maison? 11. J'ignore
_____ (*to what*) il fait allusion. 12. _____ (*What is*) un lar-
gopède alpin?

C. Traduisez: 1. Here is the man whose father is very old.
2. Here is the man whose wife I met. 3. Here is the man with whose
daughter I crossed the English Channel. 4. Whose daughter is she?
5. I don't know whose this book is. 6. I don't know what he was
talking about.

### Les Mots Qu'il Faut Savoir

*Mots nouveaux:*

to slide, happiness, to cook, snow (*n.*), dirty, to get angry, to
break.

*Mots anciens:*

to buy, frightful, match (*n.*), year, to bring, appearance, to attack,
to attain, to increase, to beat, wood, brush, country, chair, to look
for, clarity, convenient, acquaintance, to convince, color (*n.*), custom, spoon, already, to become, to divide, to last, to strive, enormous,
to invade, to establish, to avoid, way, window, faithful, to melt,
fresh, people, chance, honest, to print, formerly, day, milk, slow,
magnificent, sick, morning, lie (*n.*), month, to show, museum, naked,
eye, wave, paper, past, thought, to pity, to rain, poetry, hen, precise,
to warn, to publish, relationship, narrative, to protest, meal, to reproach, to dream, Roman, satisfied, century, sun, to uphold, to remember, to suffice, to fall, through, truth, clothing, life, face, willingly.

## Septième Révision

A. Révision de vocabulaire: 1. The painting. 2. Entire. 3. To
be equal to. 4. The swimming pool. 5. The flourishing. 6. The
breath. 7. The law. 8. To enclose. 9. The treasure. 10. To contradict. 11. The cab. 12. Satisfied. 13. Customary. 14. The
crowd. 15. To increase. 16. Numerous. 17. The promise. 18. To
summarize. 19. To bathe. 20. To dazzle. 21. The rank. 22. To
perfect. 23. The painter. 24. To invade. 25. The handbook.
26. To advise against. 27. The title. 28. The gift. 29. A site.
30. To conceive.

B. Révision de verbes: 1. We conclude. 2. She wrote (*passé simple*). 3. He would run. 4. You will hold. 5. Let's sit down. 6. You will sit down. 7. She is dying. 8. She has died. 9. They send. 10. It will rain. 11. He pleases. 12. We were born (*passé simple*). 13. She had opened (*subjunctive*). 14. We conduct. 15. We conducted (*passé simple*). 16. Thou livest. 17. He fears. 18. I was pleasing. 19. We were dying. 20. Let him hold. 21. We are running (*subjunctive*). 22. She would have lived. 23. You sat down (*passé composé*). 24. We are being born. 25. He is being born.

C. Mettez l'article défini, l'article indéfini ou l'article partitif où il y a lieu: 1. Il y avait _____ fontaines qui jouaient. 2. Jean ne faisait guère attention (à) _____ trains électriques. 3. Alors le poète se fit donner _____ leçons d'escrime. 4. Bien qu'elle ait aimé _____ marmelade, elle n'en trouvait plus _____ bonne. 5. Un palais n'a pas besoin (de) _____ statues pour être beau. 6. Madrid est la capitale (de) _____ Espagne. 7. Près du château il y avait _____ foule. 8. Ces paysans viennent de _____ Provence. 9. Elle adore visiter Versailles _____ dimanche. 10. Devant le Palais de Justice se trouvait la statue (de) _____ roi René. 11. Le XIX^e siècle n'y avait pas construit _____ pavillons intrus. 12. Elle avait mal à _____ tête. 13. Voulez-vous encore _____ potage? 14. En principe elle n'aimait pas _____ grands palais. 15. Son frère était _____ avocat, et je ne connaissais pas _____ meilleur avocat que lui.

D. Mettez l'article qui convient devant chacun des noms suivants et ensuite donnez les pluriels: 1. __ pression. 2. _____ balançoire. 3. _____ nez. 4. _____ commensal. 5. _____ pléonasme. 6. _____ chaise-longue. 7. _____ souveraineté. 8. _____ poubelle. 9. _____ travail. 10. _____ jouvenceau (*stripling*). 11. _____ noirceur. 12. _____ kermesse.

E. Mettez les adjectifs dans les expressions suivantes en faisant tous les changements nécessaires: 1. (*Big, harmonious and symmetrical*) une construction. 2. (*New, electric*) des trains. 3. (*Least, pretty*) Il n'a pas de cravate. 4. (*Old, yellow*) une maison. 5. (*Own*) sa maison. 6. (*Noble*) ses amis. 7. (*Last, Balzacian*) le roman. 8. (*The most direct*) la route. 9. (*Lost*) la corde. 10. (*Better*) la souricière.

F. Traduisez les mots entre parenthèses: 1. (*What*) _____ est sur la table est propre. 2. Marie n'a pas perdu _____ (*her*) couteaux. 3. (*It*) _____ est Marie qui va le faire. 4. Marie a choisi la moins directe, _____ (*the one*) qui va à Versailles-Chantiers.

5. (*It*) ———— était bien temps de partir.  6. (*It*) ———— est
trois heures dix.  7. (*Whom*) ———— avez-vous vu hier?
8. (*That*) ———— n'est pas possible.  9. J'adore ———— (*this*)
roman, mais je déteste ———— (*that one*).  10. Voici la robe
d'Andrée et ———— (*Albertine's*).  11. (*It*) ———— ne lui dit
rien de voir toutes ces belles choses.  12. (*Whose*) ———— est ce
livre?  13. (*It*) ——— n'est pas ———— (*John's*).  14. Je parlais
———— (*of them*) hier soir.  15. (*He*) ——— est un homme sur
———— (*whom*) on peut toujours compter.  16. Yvonne est la jeune
fille ———— (*whose brother*) vous avez rencontré ———— hier
soir chez les Fridulard.  17. (*What*) ———— en est l'explication?
18. (*Whom*) ———— vous avez rencontré chez les Dalembert?
19. Je ne sais pas ———— (*what*) vous voulez dire.  20. (*Which*)
———— de ces trois livres préférez-vous?  21. Marie et ——— (*I*)
sommes allés dimanche dernier à Versailles.  22. Voici l'arbre à
l'ombre ———— (*whose*) il aimait s'asseoir.  23. Je ne sais pas
———— (*about what*) vous parlez.  24. Sa mère l'a laissé à la
maison, ———— (*which*) l'ennuyait beaucoup.  25. (*I*) ——— qui
suis son ami, je ne dirai jamais de mal de ———— (*him*).  26. Met-
tez-——— (*in it*) vos brochures.  27. Il y en avait trois qui étaient
perdues. Marie a retrouvé ———— (*hers*) mais nous cherchons
toujours ———— (*ours*).  28. Ce chapeau est sans doute ————
(*mine*) puisqu'il n'est pas ——— (*Robert's*).  29. (*There*) ————
vient toujours un moment —— (*when*) il faut s'arrêter pour réfléchir.
30. (*It*) —— n'était déjà plus pareil.  31. (*What*) ———— il a dit
était très beau.

G. Traduisez (*corresponds to Lesson XXXI*): 1. If these so-called
friends had been real friends, they would not have refused to accompany him to the superintendent of police to lodge a complaint.  2. He
said he was very satisfied with the fencing lessons he had had.  3. A
Rohan did not fight with a bourgeois, he had him beaten by his
servants.  4. Since he had written satirical verses about the government, he was put in the Bastille.  5. Circumstances made him a polemist and the great adversary of the privileged classes.  6. He did not
refuse to go down to the street when he was asked to do so.  7. On
leaving prison he thought he had the right to do anything because
the Regent himself received him cordially.  8. Was it a lack of respect to refuse to take up a profession?  9. The irreligious nobility
admired the wit of this young bourgeois.  10. Sons of attorneys are
not generally received by the nobility, however rich they may be.

H. Traduisez (*corresponds to Lesson XXXII*): 1. When he

changed his mind it was too late to stop the clandestine publication of the *Philosophical Letters*.   2.  The separation of faith and reason and equality between noble and bourgeois were not new ideas for him.   3.  Voltaire was not exclusively a man of letters since he also performed scientific experiments.   4.  It was easy to correspond with all intellectual Europe because everyone wrote and spoke French.   5.  Voltaire had returned to favor since he had been entrusted with a diplomatic mission to Prussia.   6.  He decided to punish Prince Frederick of Prussia by publishing his poetry.   7.  Having been appointed chamberlain by the philosopher king, he thought he had found Utopia.   8.  He bought the castle of Ferney to be able to live henceforth sheltered from the blows of fate.   9.  When the great men of Europe were passing through Geneva, they went to Ferney to see King Voltaire, the prophet of the new world to come.   10.  What proves particularly that he was living a little more for others is that he undertook the rehabilitation of the Calas family.

I.  Thème (*corresponds to Lessons XXXIII and XXXIV*): By studying the artistic treasures which the Louvre contains one can get an excellent idea of the artistic activity of all Europe. But let us be satisfied with a few reflections on French artistic activity as one sees it in the Louvre.

Gothic architecture, the greatest discovery of the Middle Ages, was born in the Ile de France and is truly a French creation. Hence it is false to say that medieval France lacked artistic genius. But Gothic architecture is not merely flying buttresses and pointed arches. In perfecting details of ornamentation, Gothic architecture rediscovered the art of sculpture. At first naive and conventional, but conventional in an abstract manner which reminds one of certain forms of modern sculpture, Gothic sculpture became more and more realistic, finally producing a masterpiece like the tomb of Philippe Pot.

The Hundred Years War delayed the artistic development of France which was soon surpassed by Flanders and Italy, especially by Italy which was already passing through the period known as the Renaissance. Oil painting was invented by the Flemish and, naturally, soon spread to Italy which continued to perfect it. Although France had a few isolated painters like Jean Fouquet, who were trying to imitate the Flemish, the French were still barbarians in comparison with the Italians and this the French realized when they invaded northern Italy for the first time under Charles VIII. It was especially Francis I who brought Italian artists to France. Thanks to their influence the arts were reborn there.

In the 18th Century French artists ceased to imitate and developed truly original forms of expression. Since then France has always led the world in artistic development.

J. Traduisez (*corresponds to Lesson XXXV*): 1. Although the Cité is often more comfortable, I have given up the idea of living there because it seems to me to be more advantageous from many points of view to live in a French family. 2. The center of student life is the International House which was given to the University by Mr. Rockefeller. 3. Most Parisian students cannot live at the Cité because there is not enough room for them. 4. Once there one finds a veritable international exposition in this "city," each pavilion of which represents a foreign nation. 5. She arrived by the Sceaux electric train with which one goes generally from the Sorbonne to the Cité. 6. Like them these students prefer to participate in Parisian life. 7. They advised me not to take courses leading to the master's degree because I would not be equal to them. 8. I asked him which he preferred: to live in the Cité and miss a large part of the intellectual activity of Paris or live in the Latin Quarter and be badly housed. 9. Who advised us not to conform to common practice? 10. For whom are the *Civilization Courses* intended?

# TRENTE-SIXIÈME LEÇON

## *Les Pensées de Pascal*

### (*Suite de la lettre précédente*)

Je reprends ma lettre après un certain laps de temps. Ce matin à la Salle Louis Liard j'ai assisté comme d'habitude à mon cours fermé sur les *Pensées* de Pascal. Heureusement que j'ai renoncé à mon idée de faire une licence, car je n'aurais jamais osé me présenter. L'examen comporte un essai de trois heures sur un seul sujet et après, si l'on est *admissible* à l'écrit, un examen oral. Pour cela il faudrait écrire et parler un français impeccable. Dire que tout ce cours sera consacré à un seul livre et encore à un livre qui n'a jamais été écrit par l'auteur et qui n'est composé que de fragments! Dans les premières leçons (on dit *leçon*) il était question de la vie de Pascal et je comprenais encore assez bien, sauf le premier jour où j'entendais plutôt mal parce que le professeur parlait dans sa barbe (il avait une belle barbe, comme le père Noël). Après cela il a commencé à commenter le texte d'après une méthode qu'on appelle *explication de texte*— méthode à laquelle tout lycéen est habitué mais qui pour moi est encore mystérieuse.

Savez-vous que je n'ai aucun contact direct avec le professeur? Vous pensez bien que je n'aurais jamais l'idée d'aller frapper à sa porte pendant ses heures de consultation. Qu'est-ce que je lui dirais, quand il y a au moins 399 autres étudiants dans ce cours et qu'ils font un travail sérieux, tandis que moi . . . J'ai bien acheté une édition critique des *Pensées* dans une librairie du Boulevard Saint-Michel, mais je n'ai pas même pris note de l'énorme bibliographie que le professeur a donnée le premier jour. Il paraît qu'on s'arrache ces livres à la bibliothèque de la Sorbonne et à Sainte-Geneviève.

Inutile de dire qu'on fait exactement ce qu'on veut dans ce cours puisque la présence n'est pas obligatoire. Dans une université américaine il n'y aurait personne, dans ces conditions, mais dans cette université française la salle était comble, même les premiers jours où chaque fois qu'on arrivait une petite affiche annonçait que le professeur avait eu un empêchement. On ne disait ni pourquoi ni pour combien de temps. Quand le professeur a finalement commencé son cours, il s'est à peine excusé du retard, se contentant de dire qu'il avait dû présider les examens du baccalauréat.

Naturellement, il n'y a pas de devoirs obligatoires dans un cours de ce genre. Au début du cours le professeur a annoncé que chaque étudiant avait le droit de lui remettre une composition pendant le semestre et qu'il lui donnerait une note (on note toujours sur vingt). Surtout, disait-il, il ne voulait pas de compositions de province. Il paraît que l'année précédente beaucoup d'étudiants de province avaient envoyé leurs compositions (les auteurs «au programme» étant les mêmes pour toute la France) aux camarades de Paris pour avoir une note parisienne et que le pauvre professeur les avait corrigées à son insu.

Vous devez croire que je perds mon temps. Au contraire, cette atmosphère intellectuelle surchauffée me plaît et je me lancerai dans un travail sérieux, peut-être un doctorat d'université, quand je me serai acclimaté (je le serais déjà si j'avais pu passer mon année *junior* en France).

En attendant, je vous prie de croire, cher ami, à mes sentiments les plus amicaux.

ROBERT MARTIN

## Questionnaire

1. Où Robert a-t-il assisté à son cours? 2. Quel était le sujet du cours? 3. A quelle idée a-t-il renoncé? 4. Pourquoi y a-t-il renoncé? 5. Qu'est-ce que l'examen comporte? 6. Si on est admissible à l'écrit que doit-on faire? 7. Que faudrait-il savoir pour être reçu à l'examen? 8. Qu'est-ce que le sujet du cours a d'extraordinaire? 9. De quoi ce livre est-il composé? 10. De quoi était-il question dans les premières leçons? 11. Pourquoi est-ce que Robert n'a pas très bien compris le premier jour? 12. A quoi est-ce que la barbe l'a fait penser? 13. D'après quelle méthode est-ce que le professeur a commenté le texte? 14. Est-ce que cette méthode est mystérieuse pour un étudiant français? 15. Est-ce que Robert a des contacts directs avec le professeur? 16. Qu'est-ce qu'il n'aurait pas l'idée de faire? 17. Pourquoi Robert n'ose-t-il pas aller aux heures de consultation? 18. Qu'est-ce que Robert a acheté dans une librairie du Boulevard Saint-Michel? 19. De quoi est-ce que Robert n'a pas même pris note? 20. Où s'arrache-t-on ces livres? 21. Est-ce que la présence est obligatoire? 22. Dans une université américaine est-ce qu'il y aurait beaucoup de monde dans ces conditions? 23. Est-ce que la salle était vide? 24. Qu'est-ce qu'une petite affiche annonçait les premiers jours? 25. Comment est-ce que le professeur a expliqué son absence quand il a commencé son cours? 26. Y a-t-il des devoirs? 27. Qu'est-ce que le professeur a annoncé? 28. Sur combien est-ce qu'on note? 29. Pourquoi ne voulait-il pas de compositions de province? 30. Est-ce que les auteurs «au programme» sont différents d'une université à l'autre? 31. Est-ce que Robert perd son temps? 32. Que fera-t-il quand il sera acclimaté? 33. Qu'est-ce qu'il regrette de ne pas avoir fait? 34. Par quelle formule peut-on terminer une lettre à un ami?

## Discussion

1. Racontez les difficultés que Robert a eues à suivre le cours sur les *Pensées* de Pascal. 2. Est-ce qu'il y avait réellement un examen dans le cours même? 3. Pourquoi les étudiants français ne voient-ils pas souvent leur professeur? 4. Que pensez-vous de ce système? 5. Racontez comment les étudiants de province avaient trompé le professeur de Paris. 6. Est-ce que les cours sont exactement les mêmes dans toutes les universités françaises? 7. Croyez-vous que

les étudiants français fassent un travail plus sérieux que les étudiants américains? Donnez vos raisons.

## *Vocabulaire*

acclimater [aklimate] to acclimatize
admissible [admisibl], *adj.* admissible, qualified
une affiche [afiʃ] poster
amical, -e (*m. pl.*: amicaux) [amikal, amiko] friendly
**après** [apre], *prep. d'après,* according to
**arracher** [araʃe] to tear (out, away) *s'arracher quelque chose,* to snatch something from each other's hands
**assister** [asiste] *assister à,* to attend, be present at
le **camarade** [kamarad] comrade, fellow student
comble [kɔ̃bl], *adj.* full to overflowing
commenter [kɔmɑ̃te] to comment on
comporter [kɔ̃pɔrte] to call for
*la composition* [kɔ̃pozisjɔ̃] composition
consacrer [kɔ̃sakre] to devote
*la consultation* [kɔ̃syltasjɔ̃] consultation *heure de consultation,* office hour
corriger [kɔriʒe] to correct
le doctorat [dɔktɔra] doctorate *doctorat d'université,* university doctorate
une édition [edisjɔ̃] edition
empêchement [ɑ̃pɛʃmɑ̃] *m. avoir un empêchement,* to be delayed
un essai [ese] essay, attempt
un **examen** [ɛgzamɛ̃] examination

excuser [ɛkskyze] to excuse *s'excuser,* to apologize
*le fragment* [fragmɑ̃] fragment
le genre [ʒɑ̃r] kind *dans le genre de,* like
impeccable [ɛ̃pekabl], *adj.* impeccable
insu [ɛ̃sy], *m. à l'insu de,* without the knowledge of
le laps [laps] lapse
la librairie [libreri] bookstore
la licence [lisɑ̃s] *faire une licence,* to take a master's degree
le lycéen [liseɛ̃] lycée pupil
**mystérieux, -euse** [misterjø, misterjøz] mysterious
Noël [nɔɛl], *m.* Christmas *le père Noël,* Santa Claus
la note [nɔt] note, grade, mark *prendre note de,* to take note of
noter [nɔte] to take note of, to mark
la pensée [pɑ̃se] thought
la présence [prezɑ̃s] attendance
présider [prezide] to preside over
le **programme** [prɔgram] program, curriculum
remettre [rəmɛtr] put back, submit
**sérieux, -euse** [serjø, serjøz] serious
le sujet [syʒe] subject
surchauffer [syrʃofe] to overheat
le texte [tɛkst] text
la vie [vi] life, living

## *Grammaire*

1. Étudiez dans l'appendice grammatical § 45, § 46, § 47, § 48.
2. Étudiez les verbes irréguliers *suivre, rire, peindre* (voir tables à la fin de ce livre).

## *Exercices*

A. Remplacez les mots en italiques par des pronoms: 1. Je reprends *la lettre* pour pouvoir la donner *au facteur* quand il viendra. 2. N'avez-vous pas assisté *au cours* ce matin? 3. *Dans les premières leçons* il était question de la biographie de Pascal.   4. Qu'est-ce que je dirais *à ce professeur* qui a au moins 399 autres étudiants?   5. Je n'ai pas même pris note *de l'énorme bibliographie*.   6. *Chaque professeur* porte une belle barbe.   7. Il n'aime pas arracher *les livres aux étudiants*.   8. On a dû faire beaucoup *de gaffes* le premier jour.   9. Empruntez *une édition critique à Marie Dalembert* quand vous la verrez.   10. Il ne voulait pas *de compositions* de province.   11. Envoyez *les compositions aux camarades de Paris* pour avoir une note parisienne.   12. Je me lancerai *dans un doctorat d'université* dès mon retour.   13. N'oubliez pas de me présenter *à vos amis*.   14. On devait remettre *une composition au professeur*.   15. *Quelques étudiantes* attendaient déjà le professeur.   16. Il avait lu *quelques compositions* envoyées par des étudiants de province.   17. Donnez-moi *des compositions* à corriger.   18. Va *au cours* tout de même si tu crois que le professeur viendra.   19. Il avait corrigé *toutes les compositions* à son insu.   20. *Tous les étudiants* n'avaient pas remis *de composition* cette fois.

B. Traduisez: 1. All I can do is believe you.   2. I looked at all of them.   3. They cannot do it themselves.   4. They could not live without each other.   5. They looked at themselves secretly in the mirror and then they spoke to each other.

## Les Mots Qu'il Faut Savoir

*Mots nouveaux:*
   to be thirsty, kindness, to draw (sketch), to drown, salt, proud, cat.
*Mots anciens:*
   bill, to act, wing, soul, former, to approve, today, otherwise, beard, library, box, to upset, fog, character, held, horse, clear, common, advice, blow (*n.*), to cover, kitchen, tooth, gift, to gild, to listen, frighten, to delight, to bury, to send, kind (*n.*), story (of house), obviously, iron, farm, bottom, to cross over, cheese, gentleman, garret, yesterday, not to know, leg, free, distant, a long time, sea, measure, motor, music, cloud, work (*n.*), beyond, package, paste, little (*adv.*), play (*n.*), lead (*n.*), practical, prisoner, price, to walk, power, quarter, reign, queen, republic, result, round, street, lord, stay (*n.*), seat, to underline, to follow, such, tea, sad, vacation, cow, pane of glass, neighbor.

# TRENTE-SEPTIÈME LEÇON

## *Les Races Françaises*

Par la continuité de leur tradition nationale, il n'y a guère que l'Espagne et l'Angleterre qui puissent se comparer à la France. Toutes les autres nations d'Europe, quand on y pense, sont de formation relativement récente. L'unité française étonne d'autant plus qu'il n'y a pas de race française à proprement parler. En insistant, comme nous le faisons ici, sur le régionalisme français, il ne faut pas oublier combien, en dépit de sa diversité régionale, la France reste moralement unie.

Si la France est habitée par un mélange de races, peut-on distinguer encore des groupements ethnologiques relativement distincts? Autrefois les écoliers français commençaient l'histoire par cette phrase mémorable: «Les Gaulois, nos ancêtres, étaient grands et blonds.» D'un point de vue ethnologique, il n'y avait rien de plus faux. Les grands Gaulois blonds décrits par César n'étaient pas les vrais ancêtres des Français, mais une race celtique conquérante, numériquement inférieure aux peuples qu'ils avaient conquis. Le fond de la population en Gaule était probablement un type d'homme petit aux cheveux noirs dans le Sud et un type aux cheveux châtains dans le Centre. Aujourd'hui on distingue au Sud le type *méridional* qu'on aime caricaturer sous la forme d'un petit monsieur aux cheveux noirs et aux moustaches cirées qui parle avec une rapidité ahurissante et qui aime autant chanter que se disputer. L'homme du Nord est plus réservé et même plus froid et on a aujourd'hui plus de difficulté à lui trouver un type distinctif, tant les races du Nord ont été mélangées par les invasions.

Dans la région Ouest des Pyrénées il y a une race mystérieuse aux cheveux noirs, au visage et au nez longs, et parlant une langue qui ne ressemble à aucune autre langue européenne. Ce sont les Basques ou les Gascons, célèbres par leur bravoure et leurs *gasconnades*. Sont-ils descendants des habitants primitifs de la France, et auraient-ils été refoulés dans cette région inaccessible par l'invasion des Gaulois blonds ou par les Romains? Personne ne le sait.

Pendant les siècles où l'Empire romain s'effondrait, des tribus germaniques s'infiltrèrent en France, d'abord des Wisigoths et ensuite

LES ANCIENNES PROVINCES

des Francs. Finalement les Francs devinrent les maîtres de toute la Gaule, instituèrent le système féodal mais ne réussirent pas à imposer leur langue. Les Francs ne cessèrent jamais d'être les chefs mais, en élevant les Gallo-Romains au rang de la noblesse, ils se laissèrent absorber par les races conquises. Dans une seule région, dépeuplée d'habitants gallo-romains, ils survécurent. C'est en Flandre où les habitants blonds parlent encore une langue germanique, le flamand. Depuis le début du moyen âge jusqu'à la guerre de Cent Ans, le comte de Flandre était vassal du roi de France, mais aujourd'hui toute la Flandre, sauf un petit coin du côté de Lille, se trouve en Belgique. Ces blonds Lillois parlant flamand sont les descendants des guerriers francs.

(A suivre).

## Questionnaire

1. Par la continuité de leur tradition nationale quels pays peuvent se comparer à la France? 2. Y a-t-il d'autres nations anciennes en Europe? 3. Pourquoi est-ce que l'unité française étonne? 4. En dépit de quoi est-ce que la France reste moralement unie? 5. Par qui la France est-elle habitée? 6. Par quelle phrase mémorable les écoliers français commençaient-ils l'histoire? 7. Avaient-ils raison de dire que leurs ancêtres étaient grands et blonds? 8. Qui étaient les grands blonds décrits par César? 9. Quel type d'homme était probablement le fond de la population en Gaule? 10. Quel type y avait-il vers le centre? 11. Quels sont les deux types qui constituent encore le fond de la population en France? 12. Quel type distingue-t-on au Sud? 13. Comment est-ce qu'on aime le caricaturer? 14. Quelle différence y a-t-il entre l'homme du Nord et celui du Sud? 15. Pourquoi a-t-on plus de difficulté aujourd'hui à trouver à l'homme du Nord un type distinctif? 16. Quelle race y a-t-il dans la région Ouest? 17. Quels sont les traits physiques de cette race? 18. Quelle langue parlent les Basques? 19. Par quoi les Gascons sont-ils célèbres? 20. De qui pourraient-ils être les descendants? 21. Pourquoi seraient-ils dans cette région? 22. Qu'est-ce qui est arrivé pendant que l'Empire romain s'effondrait? 23. Quelles tribus germaniques, par exemple, se sont infiltrées en France? 24. Qui est devenu maître de toute la France? 25. Quel système ont-ils institué? 26. Comment est-ce que les Francs se sont laissé absorber? 27. Pourquoi ont-ils survécu en Flandre? 28. Quelle langue parle-t-on en Flandre? 29. Est-ce que la Flandre a jamais appartenu à la France? 30. Dans

quel pays se trouve la Flandre aujourd'hui? 31. De qui descendent
les grands Lillois blonds?

## Discussion

1. De quand date l'unité de l'Italie? de l'Allemagne? de la
Belgique? de la Hollande? de la Norvège? de la Russie? de la You-
goslavie? de la Grèce? de la Suisse? 2. Quelles idées erronées
avait-on sur les ancêtres des Français? 3. Est-ce que la conquête
celtique de la France a eu lieu avant ou après l'arrivée des Romains?
4. Y a-t-il des races celtiques quelque part dans le monde aujour-
d'hui? 5. En France comment peut-on distinguer un homme du
centre d'un méridional. 6. Qu'est-ce que c'était que le système
féodal? 7. En quoi le système féodal différait-il du système politique
des Gallo-Romains? 8. Dans quelle mesure les Francs ont-ils transformé la France? 9. Qui sont les Flamands? 10. Quelle contribution est-ce que la Flandre a faite au progrès du monde? 11. Parle-
t-on flamand aujourd'hui?

## Vocabulaire

**absorber** [absɔrbe] to absorb
**ahurir** [ayrir] to bewilder   *ahurissant*
 [ayrisã], *pres. part.*
un **ancêtre** [ãsɛtr] ancestor
**autant** [otã], *adv. d'autant plus que,*
 all the more so because
**blond, -e** [blõ, blõd] fair
la **bravoure** [bravur] bravery, gallantry
*caricaturer* [karikatyre] to caricature
*celtique* [sɛltik], *adj.* Celtic
**cesser** [sese] to cease
**chanter** [ʃãte] to sing
**châtain, -e** [ʃatɛ̃, ʃatɛn]  (chestnut)
 brown
le **chef** [ʃɛf] chief, leader
**cirer** [sire] to wax
**conquérir** [kõkerir] to conquer *con-*
*quérant, pres. part. conquis* [kõki],
 *past part.*
la *continuité* [kõtinɥite] continuity
**dépeuplé, -e** [depœple] unpopulated
le *descendant* [desãdã] descendant
la *difficulté* [difikylte] difficulty
**disputer (se)** [dispyte] to argue
*distinct, -e* [distɛ̃, distɛkt] distinct

**distinctif, -ve** [distɛ̃ktif, distɛktiv] distinctive
un **écolier** [ekɔlje], une **écolière**
 [ekɔljɛr], school boy (girl)
**effondrer (s')** [efõdre] to collapse
**Espagne** [ɛspaɲ], *f.* Spain
**ethnologique** [ɛtnɔlɔʒik], *adj.* ethnological
**européen, -ne** [ørɔpeɛ̃, ørɔpeɛn] European
**féodal, -e** (*m. pl.:* féodaux) [feɔdal,
 feɔdo] feudal
**froid, -e** [frwa, frwad] cold
la **Gaule** [gol] Gaul
le **Gaulois** [golwa] Gaul
*germanique* [ʒɛrmanik], *adj.* Germanic
le **guerrier** [gɛrje] warrior
*imposer* [ɛ̃poze] to impose
*inaccessible* [inaksesibl], *adj.* inaccessible
**inférieur, -e** [ɛ̃ferjœr] inferior
**infiltrer (s')** [ɛ̃filtre] to infiltrate
**instituer** [ɛstitɥe] to institute
*une invasion* [ɛ̃vazjõ] invasion
le **Lillois** [lilwa] inhabitant of Lille

Le Pavillon Suisse
à la Cité Universitaire.

La cour de la Sorbonne.

Quelques Bretons
à Pont-Aven.

Promenade traditionnelle de la
«bande des Arlequins» dans les
rues de Cassel en Flandre.

Quelques vieille
maisons à Honfl
en Normandie.

Vieilles maisons de la Renaissance à Strasbourg.

des plus anciens
édifices religieux
de France:
la Maison Carrée,
temple romain
construit
à Nîmes
au début
de notre ère.

Une des églis
les plus
modernes
de France:
La chapelle
décorée par
Matisse à Ver

le **mélange** [melɑ̃ʒ] mixture
mélanger [melɑ̃ʒe] to mix
*mémorable* [memɔrabl], *adj.* memorable
méridional, -e (*m. pl.:* méridionaux)
[meridjɔnal, meridjɔno], southern
la **moustache** [mustaʃ] moustache
*les moustaches,* moustache
le **nez** [ne] nose
**noir, -e** [nwar] black
numériquement [nymerikmɑ̃], *adv.*
numerically
la **phrase** [fraz] sentence
*la population* [pɔpylasjɔ̃] population

**probablement** [prɔbabləmɑ̃], *adv.*
probably
proprement [prɔprəmɑ̃], *adv.* properly
*à proprement parler,* properly
speaking
refouler [rəfule] to push back
*le régionalisme* [reʒjɔnalism] regionalism
réussir [reysir] to succeed
unir [ynir] to unite
*une unité* [ynite] unity
*le vassal* (*pl.: vassaux*) [vasal, vaso],
vassal
le **visage** [vizaʒ] face

## *Grammaire*

1. Étudiez dans l'appendice grammatical § 49, § 50, § 51.
2. Étudiez les verbes irréguliers *acquérir, boire, vaincre.*

## *Exercices*

A. Lisez les chiffres suivants: 295; 7.436; 2.222; 8.679; 299.616;
1.003; 5.080, 71.

B. Lisez: 6 hommes; 6 garçons; 9 heures; 8 garçons; 99 hommes;
80 hommes; 100 hommes; 200 hommes; 21 maisons; 81 maisons; 2000
hommes; 5e; 9e; 121e; ⅓; ¾; ²⁄₁₀₀; 3⅔.

C. Faites les calculs suivants: $5 + 4 = ?$ $18 - 3 = ?$ $321 \div 3 = ?$
$3 \times 30 = ?$ $6 - 4 = ?$

D. Donnez les noms des jours de la semaine; des mois de l'année.

E. Traduisez les dates suivantes: May 21, 1666; April 1, 1361;
Monday, August 1, 1960. On May 31, 1521.

F. Traduisez: 1. Twenty minutes to seven.   2. A quarter past
ten.   3. Half past one.   4. Twelve thirty (midday).   5. Half past
twelve (midnight).   6. It is six thirty-eight P.M.   7. What time is it?

## *Les Mots Qu'il Faut Savoir*

*Mots nouveaux:*
   to squeeze, to boil, the devil, egg, sleep (*n.*), frank, warm.
*Mots anciens:*
   access, in order to, elsewhere, to lead, angel, to wait, previously,
to swallow, to obstruct, ticket, to bound, purse, noise, square, hat,
hair, customer, account, story, guilty, to fear, copper, to hurry, it's

a pity, back, to burst, equal, to borrow, to hear, thick, Spanish, summer, to stifle, family, festival, time, to strike, to flee, mirror, war, luckily, idea, yellow, to read, law, to rent, bad, trade, word, birth, shading, officer, worker, perfect, comb, to lose, sentence, feather, dust, spring, process, plan, to punish, quarrel (n.), to be sorry, to notice, to breathe, to summarize, pink, kingdom, dry, according to, to situate, to submit, subject, cup, head, triumph, to kill, old man, to live, carriage.

## TRENTE-HUITIÈME LEÇON

# *Les Races Françaises* (*Suite*)

Au IX$^e$ et au X$^e$ siècles des pirates scandinaves, les *northmen*, remontaient souvent la Seine et saccageaient les villes. Finalement un de leurs chefs, Rollon, s'établit à Rouen et se reconnut pour vassal du roi de France sous le titre de duc de *Normandie*. Aujourd'hui encore on trouve de grands nordiques blonds dans cette région. Quand le duc Guillaume et ses Normands firent la conquête de l'Angleterre en 1066, ils étaient déjà français puisqu'ils parlaient un dialecte de la langue d'*oïl*. Ce dialecte anglo-normand devint pendant plusieurs siècles la langue officielle de l'Angleterre. Aujourd'hui les Normands sont réputés pour leur économie et leur finesse. En quelque sorte, ce sont les Écossais de la France.

Les chefs gaulois, les grands blonds dont parlait César, étaient de race celtique comme les Irlandais et les Gallois de nos jours. Il y a encore des hommes de pure race celtique en France, mais ce ne sont pas les descendants des chefs gaulois. Aux V$^e$ et VI$^e$ siècles, la presqu'île d'Armorique étant complètement dépeuplée, des Bretons de Cornouailles traversèrent la Manche et s'y établirent, donnant leur nom au pays qui devint la *Bretagne* (d'où *Grande Bretagne* pour l'Angleterre). Ce peuple païen et mystique apporta en France ses légendes mystérieuses et poétiques qui, sous la plume du Champenois Chrestien de Troyes (qui vécut au XII$^e$ siècle), devinrent les romans des chevaliers de la Table Ronde. Aujourd'hui les pêcheurs bretons conservent leur langue et leur mysticisme qui s'exprime sous la forme d'une foi catholique encore très médiévale.

Dans l'Est de la France les Alsaciens forment un groupe ethno-logique bien plus distinct que les autres puisqu'il n'est pas, comme eux, rattaché à la France par mille ans d'histoire. Ce pays de langue et de race germaniques avait toujours fait partie des confédérations allemandes et il appartenait à l'Autriche quand les Habsbourg le cédèrent à la France par le traité de Westphalie en 1648. Jusqu'au moment de la Révolution les Alsaciens résistèrent à l'influence fran-çaise mais, inspirés alors par des idées démocratiques, ils se sentirent désormais plus près de la France que de l'Allemagne. En 1870, quand l'Allemagne de Bismarck annexa l'Alsace, plus de 50.000 Alsaciens quittèrent leur pays pour la France et les autres résistèrent passive-ment à la germanisation de leur province. Libérés par la victoire de 1918, ils connurent de nouveau le joug allemand de 1940 à 1944.

Avec l'Alsace les Allemands annexèrent aussi en 1870 la partie nord de la Lorraine sous prétexte que ce pays avait appartenu à l'Al-lemagne. Toute la Lorraine était pourtant une région de langue et de «race» françaises qui avait eu au moyen âge des relations autant avec la France qu'avec l'Allemagne. En chassant de son trône le der-nier duc de Lorraine qui avait épousé Marie-Thérèse d'Autriche, Louis XV reprenait un territoire qui était bien français.

Ces groupes dont nous venons de parler, les Alsaciens, les Fla-mands, les Bretons et les Gascons ne sont pas seuls à parler des langues différentes du français moderne. A vrai dire le français, ou plutôt le *francien,* est un dialecte qui a son origine dans l'Ile de France et que les rois français réussirent à imposer au reste de la France vers le XIVe siècle. Bien que toute personne instruite s'exprime de préfé-rence en français, les paysans continuent à parler leurs propres dia-lectes, issus de la *langue romane* que les hommes du moyen âge classaient en deux groupes, la *langue d'oc* dans le Sud et la *langue d'oïl* dans le Nord. Quand on entend dans la bouche d'un vieux paysan de Champagne les mots de la vieille langue dans laquelle Chrestien de Troyes rédigea les romans du roi Arthur, ou qu'on écoute en Pro-vence les accents rythmés de deux belles cueilleuses de lavande qui parlent encore la langue des troubadours, on a le sentiment d'ouvrir sur le passé une porte mystérieuse et poétique. On a davantage la conviction qu'il y a, non pas *une* race, mais *des* races françaises dont les racines plongent dans un passé lointain.

## Questionnaire

1. Que faisaient les pirates scandinaves au IX$^e$ et au X$^e$ siècles?
2. Où Rollon s'est-il établi? 3. Comment a-t-il reçu le titre de duc de Normandie? 4. Quel type physique trouve-t-on aujourd'hui dans cette région? 5. Les Normands qui firent la conquête de l'Angleterre étaient-ils encore des Scandinaves? 6. Quel dialecte français est devenu la langue officielle de l'Angleterre? 7. Quelle est aujourd'hui la réputation des Normands? 8. De quelle race étaient les chefs gaulois dont parlait César? 9. Les hommes de race celtique qui vivent maintenant en France sont-ils les descendants des chefs gaulois? 10. Pourquoi des Bretons de Cornouailles se sont-ils établis en Bretagne? 11. Qu'est-ce que ce peuple païen et mystique a apporté en France? 12. Que sont devenues ces légendes sous la plume de Chrestien de Troyes? 13. Chrestien était-il breton? 14. Quel groupe ethnologique se trouve dans l'Est de la France? 15. Ce groupe est-il lié à la France de la même manière que les autres? 16. A qui est-ce que ce pays appartenait avant le traité de Westphalie? 17. Jusqu'à quelle date est-ce que les Alsaciens ont résisté à l'influence française? 18. Pourquoi ont-ils changé d'attitude? 19. Qu'est-ce que les Alsaciens ont fait après 1870? 20. Combien de fois ont-ils connu le joug allemand? 21. Quelle autre région est-ce que les Allemands ont annexée en 1870? 22. Avaient-ils raison de dire que c'était un territoire allemand? 23. Qui a chassé le dernier duc de Lorraine de son trône? 24. Comment le dialecte *francien* est-il devenu la langue nationale? 25. En quels deux groupes se partageaient les dialectes romans du moyen âge? 26. Dans la bouche de qui pourrait-on entendre la langue de Chrestien de Troyes? 27. Quand on entend ces accents quelle impression a-t-on? 28. Y a-t-il une seule race française?

## Discussion

1. Que savez-vous de l'emploi du français en Angleterre? 2. D'où nous viennent les romans des chevaliers de la Table Ronde? 3. Expliquez dans quelle mesure l'Alsace est française. 4. Quelle est l'origine de la langue que vous apprenez dans ce livre? 5. Pourquoi est-ce que les dialectes disparaissent en France? 6. Savez-vous si les bourgeois parlent les dialectes? 7. Y a-t-il des dialectes aux États-Unis? 8. Existe-t-il un type latin et un type nordique?

## Vocabulaire

**annexer** [anɛkse] to annex
Autriche [otriʃ], *f.* Austria
**la bouche** [buʃ] mouth
la Bretagne [brətaɲ] Brittany
le Champenois [ʃɑ̃pnwa] inhabitant of Champagne
**chasser** [ʃase] to drive (away)
la confédération [kɔ̃federasjɔ̃] federation
**la conquête** [kɔ̃kɛt] conquest
*la conviction* [kɔ̃viksjɔ̃] conviction
la Cornouailles [kɔrnwaj] Cornwall
le cueilleur [kœjœr], la cueilleuse [kœjøz] picker
**le département** [departəmɑ̃] department
le dialecte [djalɛkt] dialect
un Écossais [ekɔse] Scotchman
**écouter** [ekute] to listen to
**exprimer** [ɛksprime] to express
la finesse [finɛs] shrewdness
le Gallois [galwa] Welshman
la germanisation [ʒɛrmanizasjɔ̃] Germanizing
**le groupe** [grup] group
*imposer* [ɛ̃poze] to impose  *imposer à,* to impose on
**instruire** [ɛ̃strɥir] to educate  *instruit,* past part.
un Irlandais [irlɑ̃de] Irishman
issu, -e [isy] descended
le joug [ʒu] yoke
la lavande [lavɑ̃d] lavender
la légende [leʒɑ̃d] legend
libérer [libere] to liberate

*le mysticisme* [mistisism] mysticism
*nordique* [nɔrdik], *adj.* Nordic
le Normand [nɔrmɑ̃] Norman
oc [ɔk], *interj.* yes (Old French)
oïl [ɔil], *interj.* yes (Old French)
païen, -ne [pajɛ̃, pajɛn] pagan
**le passé** [pase] past
passivement [pasivmɑ̃], *adv.* passively
le pêcheur [peʃœr] fisherman
*le pirate* [pirat] pirate
**plonger** [plɔ̃ʒe] to plunge
la presqu'île [prɛskil] peninsula
**propre** [prɔpr], *adj.* clean (*when following*); own (*when preceding*)
**la racine** [rasin] root
rattacher [rataʃe] to fasten, tie up
rédiger [rediʒe] to draw up, write
réputé, -e [repyte] well-known
*résister* [reziste] to resist  *résister à,* to resist
**le roman** [rɔmɑ̃] novel, romance
roman, -e [rɔmɑ̃, rɔman] Romanesque, Romance (*linguistic term*)
rythmé, -e [ritme] rhythmic
saccager [sakaʒe] to pillage
scandinave [skɑ̃dinav], *adj.* Scandinavian
seul, -e [sœl] *être seul à,* to be the only one to
**la sorte** [sɔrt] *en quelque sorte,* as it were
le territoire [teritwar] territory
le trône [tron] throne
*le troubadour* [trubadur] troubadour
la Westphalie [vɛstfali] Westphalia

## Grammaire

1. Étudiez dans l'appendice grammatical § 52, § 53, § 54, § 55.
2. Étudiez les verbes irréguliers *cueillir, fuir, haïr* (voir tables à la fin de ce livre).

## Exercices

A. Formez des adverbes avec les adjectifs suivants: 1. patient. 2. méticuleux.   3. grand.   4. beau.   5. particulier.   6. cher. 7. faux.   8. nouveau.   9. profond.   10. vrai.

B. Introduisez dans les phrases suivantes les adverbes entre parenthèses en faisant les changements nécessaires: 1. (*Complètement*)
La presqu'île était dépeuplée. 2. (*Très mystérieusement*) Toutes
ces choses étaient arrivées. 3. (*Très*) Il y avait beaucoup de belles
fleurs. 4. (*Puis*) Il a écrit les romans des chevaliers de la Table
Ronde. 5. (*Bien*) Pour parler il faut prononcer soigneusement.
6. (*Aujourd'hui*) Ces paysans ont cessé de parler la langue de leurs
ancêtres. 7. (*Souvent*) Nous avons entendu parler les belles cueilleuses de lavande. 8. (*Peut-être*) Chrestien de Troyes avait entendu chanter des bardes bretons.

C. Traduisez les mots entre parenthèses: 1. _____ (*How
many*) pêcheurs bretons conservent leur langue? 2. Ce pays avait
_____ (*as many*) habitants que le pays voisin. 3. Ces pêcheurs
avaient _____ (*more*) argent que les autres mais ils n'étaient pas
_____ (*more*) intelligents. 4. Avoir _____ (*little*) difficulté
n'est pas la même chose que d'avoir _____ (*a little*) difficulté.
5. Cette leçon est _____ (*too*) compliquée pour moi. 6. _____
(*How many*) ___ avez-vous acheté avec votre argent? 7. _____
(*Most*) Alsaciens résistèrent à l'influence française jusqu'au moment
de la Révolution. 8. J'___ ai vu une quantité considérable.

## *Les Mots Qu'il Faut Savoir*

*Mots nouveaux:*
  forehead, brown, to sleep, storm, to kiss, to smoke, dog.
*Mots anciens:*
  steel, adversary, kind (*n.*), bitter, to apply, to attract, near, ahead
of time, low, white, edge, end, to burn, card, coal, figure, steeple,
janitor, to contain, to cut, pencil, parish priest, tomorrow, finger,
doubt, to light, respect, to use, together, period, staircase, to stretch,
foreign, hunger, fire, faith, brother, rifle, government, to cure, hour,
human, to throw, book, to lodge, wolf, trunk, mixture, piece, to
neglect, night, to offer, to open, sometimes, peasant, lawn, perhaps,
to joke, to push, principle, next, progress, platform, although, to take
refuge, to meet, to resemble, delay, wheel, road, soap, week, sister,
suspicion, to bear, aunt, earth, treasure, to find, useful, quickly, voice.

# TRENTE-NEUVIÈME LEÇON

## Un Militaire

Attablés un jour chez Capoulade devant leur bock habituel, Jacques et Robert virent passer sur le trottoir un jeune militaire qui s'habillait évidemment chez le meilleur tailleur de Paris. Son uniforme kaki, sur lequel s'étalaient deux rangées de décorations, était d'une coupe élégante, et l'angle que faisait la visière de son képi noir à fond rouge orné de trois galons en or semblait un défi autant aux demoiselles de Paris qu'à quelque ennemi imaginaire. Jacques héla ce bel Adonis aux galons de capitaine et le présenta à son ami: «Le capitaine Dutay, nouvellement revenu d'Indo-Chine.» Pour Robert c'était un nouveau type d'homme que ce jeune casse-cou qui, tout idéaliste qu'il fût dans ses idées politiques, avait besoin du danger comme d'un narcotique.

Le capitaine parti, Jacques fit à Robert le récit de la vie de ce guerrier de vingt-cinq ans:

«D'origine bretonne, il a pour ainsi dire débuté dans la vie à quinze ans en volant l'essence de la *Reichswehr* allemande pour ravitailler les bateaux de pêche bretons qui traversaient la Manche toutes les nuits sous le nez des Allemands. Dénoncé par un voisin qui était collaborateur, il s'en est allé lui-même sur un de ces bateaux, s'est enrôlé dans l'armée de la France libre et a fait la campagne d'Afrique comme sergent. A Bir-Hakeim il commandait un char. Il est ensuite retourné en Angleterre comme adjudant chargé de l'entraînement des troupes de la division Leclerc, mais il s'y est vite ennuyé, car le «Jour J» semblait devoir ne jamais venir. Volontaire pour une mission de renseignements en France, ce qui lui donnait automatiquement le grade de sous-lieutenant, il a appris à sauter en parachute, à chiffrer des messages et à les envoyer par deux systèmes de T.S.F. Embarqué une nuit au clair de lune sur un bombardier de l'O.S.S. américain, il a sauté dans le vide avec cinq autres agents de renseignements. Ils n'ont pas eu de chance. Mal lancés, ils sont tombés à côté du terrain dans des arbres, et par-dessus le marché ils ont été très mal reçus par les maquisards, qui trouvaient des hommes à la place des armes qu'ils attendaient. Le colonel américain qui commandait le bombardier s'était trompé de terrain de parachutage.

«Cachés dans une vieille ferme abandonnée, ils ont communiqué par T.S.F. avec l'état-major des services secrets franco-américains. L'ordre était de rejoindre leurs postes sans l'aide prévue. Ils sont donc partis en camion, déguisés en employés français de l'organisation Todt (qui construisait les fortifications allemandes). A Vendôme le camion a été arrêté par la Reichswehr pour le contrôle des papiers, et par malchance une valise contenant un poste de T.S.F. s'est défaite. Dutay a eu la présence d'esprit de se sauver à toutes jambes, mais les autres, qui n'avaient pas réagi assez vite, ont été fusillés le lendemain. Le malheureux Dutay, qui n'avait rien pu faire pour eux, a aidé le maire d'un village voisin à identifier les corps. Puis il a continué son voyage à pied, est allé à une des adresses secrètes qu'il avait apprises par cœur et s'est mis en rapport avec son service.

«On lui a parachuté un assistant et du matériel et il s'est établi à Chartres chez un boulanger. En quelques semaines il avait créé un réseau de renseignements et chaque nuit son *radio* communiquait avec Londres. Le jour le poste était caché dans le four du boulanger. Au bout d'une semaine ils ont remarqué un camion mystérieux qui rôdait dans le quartier. Évidemment c'était la voiture gonio des Allemands qui cherchait à repérer leur poste. Alors ils ont pris l'habitude de transporter leur poste à bicyclette d'un endroit à l'autre. Une nuit pourtant le *radio* a été cerné dans une maison et fait prisonnier. Son sort, hélas, ne faisait pas de doute. Dutay a continué à transmettre par un système radio-téléphonique qui communiquait avec un avion. Mais il a bientôt été pris lui-même en flagrant délit. Alors, il a réussi à sauter par une fenêtre en tuant deux membres de la Gestapo avec son quarante-cinq, puis, blessé et sans moyens de communication, il s'est caché jusqu'à la libération de la ville.

«Par la suite, comme il s'ennuyait de nouveau dans les bureaux militaires de Paris, il s'est offert comme volontaire pour une mission en Allemagne, encore plus dangereuse que la précédente. Il s'en est tiré. Enfin au moment de l'occupation de l'Allemagne, il a été volontaire pour l'Indo-Chine. Raconter toutes ses aventures en Indo-Chine nous entraînerait trop loin. Restons-en là pour le moment.»

## Questionnaire

1. Où est-ce que Jacques et Robert étaient attablés un jour? 2. Quelle impression est-ce que le jeune militaire qui passait leur a faite? 3. Comment était-il habillé? 4. Décrivez son képi. 5. Qu'est-ce qui indiquait son grade? 6. D'où était-il nouvellement

revenu? 7. Quel était le caractère de ce jeune militaire? 8. Comment est-ce que le capitaine avait débuté à quinze ans? 9. Pourquoi volait-il l'essence de la *Reichswehr?* 10. Pourquoi s'en est-il allé sur un bateau de pêche? 11. Qu'est-il devenu ensuite? 12. Était-il à Bir-Hakeim? 13. A quel titre est-il retourné en Angleterre? 14. Pourquoi s'y est-il ennuyé? 15. Comment est-il devenu sous-lieutenant? 16. Qu'est-ce qu'il a appris? 17. Comment a-t-il quitté l'Angleterre? 18. Est-ce que le parachutage a été réussi? 19. Pourquoi ont-ils été mal reçus par les maquisards? 20. Qui s'était trompé? 21. Où se sont-ils cachés? 22. Quel ordre ont-ils reçu de l'état-major? 23. Comment sont-ils partis? 24. Pourquoi le camion a-t-il été arrêté? 25. Qu'est-ce qui est arrivé quand la valise s'est défaite? 26. Que sont devenus les camarades de Dutay? 27. Qui a identifié les corps? 28. Comment s'est-il mis en rapport avec son service? 29. Qu'est-ce qu'on lui a parachuté? 30. Qu'est-ce qu'il avait fait en quelques semaines? 31. Où est-ce que le poste était caché? 32. Qu'est-ce qu'ils ont remarqué au bout d'une semaine? 33. Qu'est-ce que c'était? 34. Qu'ont-ils fait pour tromper la voiture gonio? 35. Qu'est devenu le *radio?* 36. Comment est-ce que Dutay a continué à transmettre? 37. Qu'a-t-il fait quand on l'a pris en flagrant délit? 38. Pourquoi s'est-il offert comme volontaire pour une mission en Allemagne?

## Discussion

1. A quoi reconnaît-on le grade d'un officier français? 2. De quels grades savez-vous les noms? 3. A quoi les reconnaît-on? 4. Racontez la vie de Dutay jusqu'à son arrivée en Angleterre. 5. Racontez sa mission en France. 6. Quels renseignements est-ce que Dutay transmettait à Londres? 7. Comment feriez-vous pour établir un réseau de renseignements si votre région était occupée par l'ennemi? 8. Est-ce que le problème serait le même si on vous envoyait comme agent de renseignements en pays ennemi?

## Vocabulaire

**abandonner** [abɑ̃dɔne] to abandon
**un adjudant** [adჳydɑ̃] master sergeant
**une adresse** [adrɛs] address
**une aide** [ɛd] help
**aller s'en aller** [sɑ̃nale] to go away

**un angle** [ɑ̃gl] angle
**une arme** [arm] arm, weapon, branch of service
**un assistant** [asistɑ̃] assistant
**attabler (s')** [atable] to sit down to table

automatiquement [ɔtɔmatikmɑ̃], *adv.* automatically

une aventure [avɑ̃tyr] adventure

le bock [bɔk] beer glass

le bombardier [bɔ̃bardje] bomber

le camion [kamjɔ̃] truck

le casse-cou [kɑsku] dare-devil

le char [ʃar] tank

chiffrer [ʃifre] to encode

clair, -e [klɛr] clear  *au clair de lune*, by moonlight

le cœur [kœr] heart

*le collaborateur* [kɔlabɔratœr] collaborator

*le colonel* [kɔlɔnɛl] colonel

le contrôle [kɔ̃trol] checking

le corps [kɔr] body

la coupe [kup] cutting, cut

dangereux, -euse [dɑ̃ʒrø, dɑ̃ʒrøz] dangerous

débuter [debyte] to make a start

défaire [defɛr] to undo  *se défaire*, to become undone

le défi [defi] challenge

déguiser [degize] to disguise  *déguiser en*, to disguise as

le délit [deli] misdemeanor  *en flagrant délit*, red-handed

la demoiselle [dəmwazɛl] young lady

dénoncer [denɔ̃se] to denounce

*la division* [divizjɔ̃] division

le doute [dut]  *cela ne fait pas de doute*, there is no doubt about it

ennuyer (s') [ɑ̃nɥije] to become bored

enrôler [ɑ̃role] to enrol

un entraînement [ɑ̃trɛnmɑ̃] training

étaler [etale] to spread out

un état-major [etamaʒɔr] general staff

fusiller [fyzije] to shoot (someone)

le galon [galɔ̃] braid, stripe

le gonio (-mètre) [gɔnjo] [gɔnjɔmɛtr] goniometer  *la voiture gonio*, radio-detector car

le grade [grad], rank

habiller (s') [abije] to dress

héler [ele] (aspirate *h*) to hail

idéaliste [idealist], *adj.* idealistic  *un idéaliste*, an idealist

identifier [idɑ̃tifje] to identify

imaginaire [imaʒinɛr], *adj.* imaginary

Indo-Chine [ɛ̃doʃin], *f.* Indo-China

la jambe [ʒɑ̃b] leg  *à toutes jambes*, at full speed

le jour *le Jour J* [ləʒurʒi], D-Day

kaki [kaki], *adj. invar.* khaki

le képi [kepi] garrison cap

Londres [lɔ̃dr], *m.* London

la lune [lyn] moon

le maire [mɛr] mayor

la malchance [malʃɑ̃s] *par malchance*, as ill luck would have it

le maquisard [makizar] member of the underground

le matériel [materjɛl] equipment

*le message* [mesaʒ] message

militaire [militɛr], *adj.* military  *un militaire*, army man

*un narcotique* [narkɔtik] narcotic

nouvellement [nuvɛlmɑ̃], *adv.* lately

un or [ɔr] gold

orner [ɔrne] to decorate

le papier [papje] paper

*parachuter* [paraʃyte] to parachute

par-dessus [pardəsy], *adv.* over, above  *par-dessus le marché*, into the bargain

la pêche [pɛʃ] fishing

le poste [pɔst] *poste de T.S.F.*, radio set

prévoir [prevwar] to foresee

le radio [radjo] radio operator

radio-téléphonique [radjotelefɔnik], *adj.* radio-telephonic

le rapport [rapɔr] *se mettre en rapport avec*, to get in touch with

ravitailler [ravitaje] to supply

réagir [reaʒir] to react

le récit [resi] narrative  *faire le récit de*, to narrate

rejoindre [rəʒwɛ̃dr] to rejoin, join  *rejoindre son poste*, to go to one's post

le renseignement [rɑ̃sɛɲmɑ̃] information, intelligence

repérer [rəpere] to locate

le réseau [rezo] network

rester [rɛste] *en rester là*, to stop at that point

rôder [rode] to prowl, drive about

sauter [sote] to jump  *sauter en parachute*, to parachute

sauver (se) [sove] to escape, run away

secret [səkre], secrète [səkrɛt] secret

le sergent [sɛrʒɑ̃] sergeant

le sous-lieutenant [suljøtnɑ̃] second lieutenant

la suite [sɥit] *par la suite*, subsequently

le tailleur [tajœr] tailor

le **terrain** [terɛ̃] field, ground   **terrain
de parachutage,** drop zone
**tirer** [tire] **s'en tirer,** to come out of it
all right
**transmettre** [trɑ̃smɛtr] to transmit
le **trottoir** [trɔtwar] sidewalk
**tuer** [tɥe] to kill

un **uniforme** [yniform] uniform
la **valise** [valiz] suitcase
**vide** [vid], *adj.* empty   *le vide,* emptiness, space
la **visière** [vizjɛr] visor
**voler** [vɔle] to steal; to fly
le **volontaire** [vɔlɔ̃tɛr] volunteer

## *Grammaire*

1. Étudiez dans l'appendice grammatical § 56.

2. Étudiez les verbes irréguliers *valoir, suffire, résoudre* (voir tables à la fin de ce livre).

## *Exercices*

A. Traduisez les mots entre parenthèses en faisant tous les changements nécessaires dans les phrases: 1. Je connais (*no*) un jeune
homme qui est aussi casse-cou que Dutay.   2. Il volait l'essence de
la Reichswehr (*only*) pour ravitailler les bateaux de pêche.   3. Il a
eu (*never*) un entraînement très dur dans la division Leclerc.   4. Il
(*only*) court au-devant du danger.   5. (*Only*) Marie admirait ses
rangs de décorations.   6. Il avait (*only*) à sauter en parachute pour
devenir sous-lieutenant.   7. (*Neither . . . nor . . .*). Le colonel et
le co-pilote avaient vu le terrain de parachutage.   8. Quelqu'un (*no
one*) les a arrêtés pour le contrôle des papiers.   9. Tout le monde
(*no one*) voulait faire quelque chose (*nothing*).   10. Il (*never*) a
pu apprendre les choses (*anything*) par cœur.   11. Il prétend (*not*)
les avoir vus.   12. Il y a (*no longer scarcely any but*) des employés
de l'organisation Todt qui voyagent en camion.   13. Il a (*never any
more*) vu rôder une voiture gonio.   14. Il a (*neither*) vu et (*nor*)
entendu les avions ennemis.

B. Traduisez: 1. She is older than I thought.   2. Take care he does
not use his oven.   3. I hadn't seen them for three weeks.   4. Before
the valise became undone, all was going well.

## *Les Mots Qu'il Faut Savoir*

*Mots nouveaux:*
    debt, sky, sweet, ear, to wash, cake, proper.
*Mots anciens:*
    to increase, present-day, help (*n.*), love (*n.*), donkey, not any,
as much, future, battle, job, mouth, bottle, office, horseman, to drive

away, to choose, corner, to condemn, to devote, court, to create, curious, lunch, in front of, flag, to escape, church, to seize, to teach, to marry, error, star, narrow, postman, to speed, function ( *n.* ), to gain, taste ( *n.* ), hardly, hero, outside, insufficient, line, literature, to deliver, heavy, mayor, to be suspicious, furniture, to make fun of, to clean, not at all, onion, bread, among, poor, fishing, fear, beach, tip, to beg, to proclaim, to produce, as for, root, real, refusal, remainder, to withdraw, to laugh, red, scholar, to sow, silk, breath, to suppress, tobacco, to hold, treaty, sidewalk, to unite, to vanquish, to fight, will ( *n.* ).

# QUARANTIÈME LEÇON

## *La Jeune Fille Française*

A part Marie Dalembert, qu'il ne rencontrait que lorsqu'il venait voir son frère à la maison, Robert ne connaissait aucune jeune fille de la bourgeoisie française. Évidemment on ne liait pas connaissance *comme cela* avec les étudiantes de la Sorbonne. Elles allaient toutes par bandes et il n'osait pas leur dire bonjour quand, par hasard, il se trouvait à côté de l'une d'elles sur un banc de l'amphithéâtre Richelieu ou de la salle F. Il prit bientôt l'habitude de sortir avec des Américaines qu'il rencontrait dans des centres américains et qui lui semblaient plus abordables. Envers elles, il ne manquait pas d'audace.

Ayant reçu une invitation pour un bal de la Société des Anciens Boursiers et Boursières, il décida d'y amener Jean Seeley qu'il avait inévitablement rencontrée. Il alla la chercher en taxi suivant la coutume américaine. Quand ils arrivèrent ensemble au bal, une dame qui recevait à l'entrée dit à mi-voix, d'un air pincé, un «Quelle honte!» qui s'adressait évidemment à eux. Ils furent si étonnés qu'ils ne dirent rien, et Jean parut oublier l'incident. Mais Robert continua à s'inquiéter. Quelques jours plus tard il en demanda l'explication à Jacques. Celui-ci, après avoir mis un certain temps à comprendre, éclata de rire et lui expliqua qu'une jeune bourgeoise qui se respecte ne se laisse pas conduire à un bal par un jeune homme. Si ç'avait été une danseuse de l'Opéra et une boîte de nuit, personne n'aurait rien trouvé à redire. Alors Robert se rappela qu'un ami américain lui avait raconté comment, à Nancy, les jeunes filles arrivaient au bal accompagnées de leur mère ou d'une «duègne» quelconque. Et pourtant il n'avait pas remarqué de duègnes à Paris.

Le grand bal de la Sorbonne lui donna l'occasion d'observer la forme moderne de ces mœurs bourgeoises. Normalement les jeunes filles arrivaient par bandes et s'asseyaient autour de la salle. Si un garçon voyait une jeune fille qui lui plaisait, il l'invitait à danser, même sans la connaître. Robert imita l'exemple de ses camarades. La jeune fille accepta mais, quand Robert chercha à se présenter, il comprit tout de suite que c'était contraire à la coutume. De même, après quelques efforts infructueux pour lier conversation, il se rendit compte qu'une danse, en France, n'est pas une conversation. La danse finie, la jeune fille remercia son cavalier et s'en alla. Robert la vit partir à regret mais il se dit que le système avait aussi ses avantages puisqu'on ne risquait pas, comme en Amérique, de passer toute une soirée avec une jeune fille qui dansait mal.

Pendant un séjour à Limoges, Robert eut l'occasion d'assister à un mariage. La cérémonie, qui eut lieu à l'église, ne semblait pas différer essentiellement d'une cérémonie catholique en Amérique, et la seule chose étonnante pour lui fut une série de discours par les représentants des familles, au repas de noces. En discutant avec des amis plus tard la question du mariage, il apprit que la loi française sur le mariage différait fort de la loi américaine. D'abord les fiançailles ne constituent pas un contrat qui pourrait donner lieu à un procès en dommages-intérêts. Par contre la loi prévoit, mais ne prescrit pas, un contrat de mariage où les futurs époux stipulent l'administration de leurs biens suivant le *régime de communauté* (où le mari est chargé de l'administration des biens de sa femme) ou le *régime dotal* (où la femme continue à gérer tous ses biens ou une partie). Le contrat entre en vigueur seulement au moment du mariage et reste immuable. Un extrait de l'acte de publication du mariage reste affiché à la porte de la mairie pendant dix jours, après quoi les futurs époux comparaissent devant l'officier d'état civil avec deux témoins. Alors la cérémonie du mariage a lieu. Seule la cérémonie civile a force légale et par conséquent la cérémonie religieuse, s'il y en a une, doit suivre la cérémonie civile. D'un côté on voit que les lois du mariage sont la conséquence de l'esprit anti-clérical de la Révolution. D'un autre côté on voit qu'elles doivent venir du mercantilisme bourgeois puisque le mariage est conçu comme un marché et que l'épouse est traitée comme un être inférieur qui a pour fonction la perpétuation de l'espèce.

## *Questionnaire*

1. Est-ce que Robert ne connaissait aucune jeune fille de la bourgeoisie française?   2. Était-il facile de lier connaissance avec les
étudiantes de la Sorbonne?   3. Pourquoi était-ce difficile?   4. Quelle
habitude a-t-il bientôt prise?   5. Quelle était son attitude envers les
Américaines?   6. Où a-t-il décidé d'emmener Jean Seeley?   7. Quelle
coutume américaine a-t-il suivie?   8. Qu'est-ce qu'une dame leur a
dit d'un air pincé?   9. Pourquoi n'ont-ils rien répondu?   10. A qui
est-ce que Robert en a demandé l'explication?   11. Qu'est-ce que
Jacques a pensé?   12. Qu'est-ce qu'une bourgeoise qui se respecte
ne fait pas?   13. Où aurait-il pu conduire une danseuse de l'Opéra?
14. Comment est-ce que les jeunes filles arrivaient au bal à Nancy?
15. Qu'est-ce que le grand bal de la Sorbonne lui a donné l'occasion
d'observer?   16. Comment est-ce que les jeunes filles arrivaient au
bal?   17. Que faisait un garçon qui voyait une jeune fille qui lui
plaisait?   18. Qu'est-ce qui est arrivé quand Robert a cherché à se
présenter à une jeune fille?   19. Et quand il a cherché à lier conversation?   20. Qu'est-ce que la jeune fille a fait après la danse?
21. Quel était l'avantage de ce système?   22. Quand est-ce que
Robert a eu l'occasion d'assister à un mariage?   23. A la cérémonie du
mariage quelle était la seule chose étonnante pour lui?   24. Qu'est-ce
qu'il a appris en discutant avec des amis la question du mariage?
25. Est-ce que les fiançailles constituent un contrat?   26. Est-ce
qu'un contrat de mariage est prescrit?   27. Qu'est-ce que le contrat
de mariage stipule?   28. Quelle est la différence entre le *régime de
communauté* et le *régime dotal?*   29. Peut-on changer le contrat?
30. Qu'est-ce qui reste affiché à la porte de la mairie et pendant
combien de temps?   31. Quand a lieu la cérémonie du mariage?
32. Y a-t-il une cérémonie religieuse?   33. De quoi les lois de mariage
sont-elles la conséquence?   34. Quelle en est l'autre origine?
35. Comment le sait-on?

## *Discussion*

1. Comparez la conduite d'une jeune Américaine à un bal à celle
d'une jeune Française. 2. Quels sont les avantages et les désavantages
des deux systèmes et lequel des systèmes préférez-vous? 3. A quels
abus peut mener la loi américaine sur les fiançailles? 4. Pourquoi

est-ce que cette loi n'existe pas en France? 5. Est-ce que le contrat de mariage est une bonne chose? 6. Que pensez-vous du mariage de convenance? 7. Pourquoi est-ce que la cérémonie religieuse n'a pas force légale en France?

## *Vocabulaire*

abordable [abɔrdabl], *adj.* approach-able

un acte [akt] certificate *acte de publi-cation de mariage,* certificate pub-lishing the bans

*une administration* [administrasjɔ̃] ad-ministration, manner of administer-ing

le bal [bal] dance, ball

le banc [bɑ̃] bench

la bande [bɑ̃d] band, troop

le bien [bjɛ̃] possessions, good, good thing

la boîte [bwat] *boîte de nuit,* night club

le boursier [bursje], la boursière [bur-sjɛr] scholarship holder

le cavalier [kavalje] horseman, partner

comparaître [kɔ̃parɛtr] to appear

le compte [kɔ̃t] *se rendre compte,* to realize

*la conséquence* [kɔ̃sekɑ̃s] consequence, result

conséquent, -e consistent *par consé-quent* [par kɔ̃sekɑ̃], consequently

le contrat [kɔ̃tra] contract

le côté [kote] *d'un côté,* on one side

la danse [dɑ̃s] dance

danser [dɑ̃se] to dance

le danseur [dɑ̃sœr], la danseuse [dɑ̃søz] dancer

le discours [diskur] speech

discuter [diskyte] to discuss

le dommage [dɔmaʒ] damage *dom-mages-intérêts,* damages

la duègne [dɥɛɲ] duenna, chaperon

un époux [epu], une épouse [epuz] husband, wife *les deux époux,* the married couple, husband and wife

une espèce [ɛspɛs] kind, species

un état [eta] *officier d'état civil,* mayor (etc.) acting as registrar

un être [ɛtr] being

un extrait [ɛkstrɛ] extract

fiançailles [fjɑ̃saj], *f. pl.* engagement

la fonction [fɔ̃ksjɔ̃] function

*la force* [fɔrs] *avoir force légale,* to be legal

gérer [ʒere] to manage

gros [gro], grosse [gros] big

une habitude [abityd] *prendre l'habi-tude,* to form the habit

le hasard [azar] (aspirate *h*) *par hasard,* by chance

la honte [ɔ̃t] (aspirate *h*) shame

immuable [imɥabl], *adj.* immutable, unchangeable

*un incident* [ɛ̃sidɑ̃] incident

infructueux, -euse [ɛ̃fryktɥø, ɛ̃fryk-tɥøz] fruitless

inquiéter (s') [ɛ̃kjete] to worry

lier [lje] to bind *lier connaissance avec,* to strike up an acquaintance with *lier conversation,* to start a conversation

le lieu [ljø] *avoir lieu,* to take place *donner lieu à,* to give rise to

la mairie [meri] town hall

mal [mal], *adv.* badly

le marché [marʃe] bargain, market *faire marché,* to negotiate

le mariage [marjaʒ] marriage

même [mɛm], *adv. de même,* likewise

*le mercantilisme* [mɛrkɑ̃tilism] mer-cantilism

mettre [mɛtr] *mettre un certain temps à,* to take a certain time to

mi-voix (à) [mivwa], *adv. phr.* in an undertone

la noce [nɔs] wedding *repas de noces,* wedding feast

normalement [nɔrmalmɑ̃], *adv.* nor-mally

*la perpétuation* [pɛrpetɥasjɔ̃] perpetu-ation

pincé, -e [pɛ̃se] tight-lipped, priggish

prescrire [prɛskrir] to prescribe (con-jugated like *écrire*)

quelconque [kɛlkɔ̃k], *adj.* any (whatever), some sort of
redire [rədir] to say again *trouver à redire,* to criticize
le régime [reʒim] *régime de communauté,* system of joint ownership
*régime dotal,* dotal system (with
dowry)
le regret [rəgre] *à regret,* regretfully
remercier [rəmɛrsje] to thank

le représentant [rəprezɑ̃tɑ̃] representative
*respecter* [rɛspɛkte] to respect   *se respecter,* to be respectable
la série [seri] series
la soirée [sware] evening
stipuler [stipyle] to stipulate
le témoin [temwɛ̃] witness
la toilette [twalɛt] dress
la vigueur [vigœr] vigor   *entrer en
vigueur,* to come into force

## *Grammaire*

1. Étudiez dans l'appendice grammatical § 57 et § 58.
2. Étudiez les verbes irréguliers *coudre, croître, vêtir.*

## *Exercice*

Traduisez les prépositions entre parenthèses: 1. C'est un livre
___ (*to*) lire au moins une fois par an.   2. Elle l'a dit _____ (*with*)
un air pincé.   3. Elle n'a jamais cherché ___ (*to*) comprendre.
4. Elle avait perdu une montre ___ (*of*) or.   5. Ils aiment voyager
___ (*by*) avion.   6. Il le faisait toujours _____ (*with*) contre-cœur.
7. L'homme _____ (*with the*) long nez était Cyrano de Bergerac.
8. Il ne goûte pas beaucoup la soupe _____ (*with*) l'oignon.   9. C'est
la plus grande ville _____ (*in the*) monde.   10. ___ (*In*) Espagne
et _____ (*in*) la France méridionale il y a des courses de taureaux.
11. Il est allé la chercher _____ (*in a*) taxi.   12. Il est resté dans
ce pays tropical _____ (*for*) de longues années.   13. Il est facile
___ (*to*) répondre à cette question.   14. C'est une coutume qui nous
vient _____ (*from*) Espagne.   15. Ce qu'il y a ___ étonnant, c'est
la façon dont les jeunes filles vous abandonnent tout de suite.
16. ___ (*By*) y réfléchissant vous trouverez la réponse.   17. Il ne
peut pas le faire ___ (*in*) trois jours.   18. Vous ne partirez pas _____
(*until*) demain.   19. Je l'ai rencontrée _____ (*in the*) jardin.
20. Je n'en avais pas plus _____ (*than*) deux cent trois.   21. _____
(*With*) les Américains on trouve plus de camaraderie.   22. Je vous
verrai _____ (*in*) trois jours.   23. Elle ne veut pas aller ___ (*to*)
France.   24. C'est un roman ___ (*by*) Balzac.   25. J'ai pris le crayon
_____ (*out of*) le tiroir.   26. Ils ont offert un thé _____ (*in*) l'honneur des étudiants étrangers.   27. ___ (*In*) automne les feuilles tombent.   28. Deux Américains _____ (*out of*) trois parlent du nez.
29. Le beurre vaut quatre cents francs _____ (*per*) livre.   30. Ils ont

fait raconter son histoire ———— (*by*) la prisonnière.  31. —— (*On*) un côté il y avait la France, ———— (*on*) l'autre l'Europe.  32. Elles arrivaient toujours ———— (*in*) bandes.  33. Il n'y a guère que l'Espagne qui puisse se comparer ———— (*with*) la France.  34. On a de la difficulté —— (*in*) lui trouver un type distinctif.  35. Ils sont célèbres ———— (*for*) leurs gasconnades.  36. Le mieux serait ———— (*to*) faire enregistrer nos bicyclettes.  37. Ils ont annexé la Lorraine ———— (*on the*) prétexte que c'était territoire allemand.  38. On ne pouvait pas imposer cette coutume ———— (*on the*) reste de la France.  39. Ils seront français le jour ———— (*when*) ils auront oublié leur dialecte allemand.  40. Il a fait la guerre ———— (*on the*) Autrichiens.  41. Il a été décoré —— (*with*) la croix de guerre.  42. Il s'était trompé —— (*in*) terrain de parachutage.  43. Ils ont réussi —— (*in*) sauter à temps.  44. Je m'excuse —— (*for*) cette erreur.  45. Ils le font ———— (*through*) patriotisme.

## Les Mots Qu'il Faut Savoir

*Mots nouveaux:*
   to disturb, anger (*n.*), joy, pride, space, to freeze, to tear.
*Mots anciens:*
   shelter (*n.*), absolute, to acquire, pace, to learn, weapon, author, airplane, to lower, butter, baker shop, purpose, to yield, to sing, thing, heart, to conduct, to conquer, curve (*n.*), to cost, crisis, to get rid of, discovery, to guess, to direct, pupil, to elect, to become bored, to feel, to exhaust, to astonish, to study, European, event, weak, cold, glove, festive, to swell, grey, hate, oil, individual, to worry, to enjoy, to bind, moon, badly, monarch, nose, black, bird, straw, peace, step (*n.*), native land, owner, grandson, to dive, post office, doll, to foresee, deep, to relate, research, formidable, remedy, to thank, information, meeting, curtain, to jump, sense, silent, suddenly, especially, to supervise, witness, soon, to betray, to deceive, factory, value, eve, to steal.

# Huitième Révision

   A. Révision de vocabulaire: 1. An examination.  2. To overheat. 3. Full to overflowing.  4. Unpopulated.  5. To mix.  6. Black. 7. The fisherman.  8. To express.  9. The throne.  10. A training.

11. The body.  12. A master sergeant.  13. The tailor.  14. To steal.
15. The truck.  16. To become bored.  17. A husband.  18. A
habit.  19. The bargain.  20. In an undertone.  21. The bookstore.
22. The life.  23. To tear out.  24. To preside over.  25. To argue.
26. The warrior.  27. To push back.  28. The yoke.  29. The root.
30. Pagan.

B. Révision de verbes: 1. We were fearing.  2. We were fearing
(*subjunctive*).  3. I follow.  4. He will acquire.  5. He picks.  6. It
will be worth.  7. I sew.  8. I sew (*subjunctive*).  9. We opened
(*passé simple*).  10. I laugh (*subjunctive*).  11. We were laughing.
12. I drink.  13. You fled (*passé simple*).  14. It was sufficient.
15. They were increasing.  16. He paints.  17. They will hold.
18. You hated (*passé simple*).  19. We were solving.  20. He had
solved.  21. I dress.  22. We have to (*subjunctive*).  23. I paint
(*subjunctive*).  24. I do (*subjunctive*).  25. Thou wilt sit down.

C. Remplacez les mots en italiques par des pronoms en faisant
les autres changements nécessaires: 1. Envoyez-nous *les paquets*
par la poste.  2. Voulez-vous *du beurre* sur votre pain?  3. Elle a
déjà assez *de pommes de terre*.  4. Il est allé à *Constantinople* par
l'Orient-Express.  5. Nous donnerons *des cadeaux aux enfants*.
6. *Chaque femme* portait un chapeau.  7. J'ai rendu visite à *quelques
amis* pendant que j'étais en ville.

D. Traduisez le pronom réfléchi en faisant tous les changements
nécessaires: 1. Elles ont regardé (*at each other*).  2. Elles ont regardé (*at themselves*).  3. Je les mettrai toutes (*on top of each
other*).  4. Les deux amis ont vu (*each other*).  5. (*Some*) disent
ceci et (*others*) disent cela.

E. Lisez les chiffres suivants: 2.666; 76,3; 81; 391; 1.220.007;
$21^e$; $203^e$; $^{36}/_{89}$; Jacques $I^{er}$; le 2 mai 1952; 3 h. ¼; 23 h. 59;
$9 \times 5 = ?$; $3 - 9 = ?$; $6 + 5 = ?$; $9 \div 3 = ?$

F. Mettez les adverbes dans les phrases suivantes: 1. (*Perhaps,
never*) Il lui a parlé.  2. (*Separately*) Je les ai vus.  3. (*Sufficiently*)
Vous avez mangé.  4. (*More*) Je l'aime chaque jour.  5. (*Well*)
Pour parler.  6. (*Blindly*) Il s'est plongé dans l'analyse du problème.
7. (*Remarkably*) Une belle jeune fille.  8. (*Yesterday*) Je l'ai vue.
9. (*Neither . . . nor*) Il a des amis et des connaissances dans cette
ville.  10. (*Not*) Une phrase comprise.  11. (*Not at all*) Il a fait
semblant de le voir.  12. (*No one*) J'ai vu ce matin.  13. (*No*)
J'ai un ami ici.  14. (*No*) J'ai des amis ici.  15. La leçon est moins
difficile que je —— croyais.

G. Remplacez les blancs par les prépositions qui conviennent:

1. Une tasse _____ (*for*) café.  2. Je pourrai lui parler _____ (*for*) trois jours.  3. Une maison ___ (*of*) pierre.  4. Il arrive _____ (*from*) Japon.  5. Plus _____ (*than*) 99.  6. (*In*) _____ Afrique. 7. (*In*) ___ Afrique Occidentale Française.  8. (*Among*) _____ les Anglais il y a souvent une certaine froideur.  9. Il l'a tué _____ (*with*) un coup de couteau.  10. Il le fera _____ (*with*) soin.

H. Traduisez (*corresponds to Lesson XXXVI*):  1. Luckily I did not pass the written, for I would never have dared take the oral. 2. The first day he could not accustom himself to the *textual explanation* method which was quite mysterious to him.  3. I wondered what I should tell him if I went to knock at his door during office hours.  4. I did not attend the first lecture when he gave an enormous bibliography.  5. The little notice said neither why nor how the professor was delayed.  6. Without their knowledge the Paris professors had corrected a considerable number of provincial essays which had been sent to Paris to get a Parisian grade.  7. When she is acclimatized she will perhaps take a university doctorate. 8. She scarcely apologized for having taken the books before the others had had time to read them.  9. No direct contact with the professor is possible unless one goes to his office hours.  10. Under these conditions an American lecture hall would not have been full to overflowing.

I. Traduisez (*corresponds to Lesson XXXVII*):  1. This race with the long noses and faces is all the more mysterious because they speak a language which resembles no other European language. 2. There is scarcely any other way to represent the French race than by this little gentleman with the black hair and the waxed moustache. 3. It is difficult to discover a distinctive type for the Gauls because the inhabitants of Gaul were already a mixture of races.  4. One must not forget that the tall fair warriors described by Caesar were only the Gallic chieftains, numerically inferior to the conquered races.  5. No one knows whether these Basques are the descendants of prehistoric races pushed back into the mountains by Gallic or Roman invasions. 6. The Franks raised the conquered Gallo-Romans to the rank of the nobility and soon they were themselves completely absorbed. 7. Having become the masters of all Gaul, the Franks instituted the feudal system which was to survive in one form or other until the Revolution.  8. Although the count of Flanders was theoretically a vassal of the king of France, Flanders developed a flourishing civilization which was independent of France.  9. Later Flanders was dominated by Burgundy whose duke, although likewise a theoretical vassal of the king of France, was really the latter's enemy and the most powerful prince in Europe. 10. In Flanders Flemish is spoken by most of the inhabitants.

J. Traduisez (*corresponds to Lesson XXXVIII*): 1. Rollo was the one who acknowledged allegiance to the king of France. 2. In reality no one was more independent than the dukes of Normandy who conquered England for themselves and soon became the hereditary enemies of the king of France. 3. Famous for their shrewdness and economy, the Normans today are known as the Scotchmen of France. 4. As the peninsula of Armorica was completely uninhabited, the Bretons of Cornwall crossed the English Channel in order to establish themselves there. 5. Christian of Troy transformed these mysterious poetic legends into the romances of the knights of the Round Table. 6. Today the Breton fishermen still express themselves in the Breton language. 7. Alsace was originally part of the Germanic federations but was annexed by France after the defeat of Austria in the Thirty Years' War. 8. This old man is not the only one to speak Provençal in this village. 9. On hearing the different dialects spoken one has the feeling that France is a very ancient country. 10. To tell the truth one does not think of *francien* as a dialect since the inhabitants of Touraine, who speak it, seem rather to express themselves in the purest form of modern French.

K. Thème (*corresponds to Lessons XXXIX and XL*): In French society the place of women has changed enormously in the last few generations, but even more so since the liberation. Not only have they now obtained the right to vote but their conduct is not supervised as it was before the war. The story which Robert told Jacques about the lady who was scandalized because he and Jean Seeley had arrived at the dance together would seem extraordinary to many French girls.

But let us not generalize too much. The attitude of French girls may have changed but their conduct still differs from that of young American girls because the tradition of love is different in the two countries. According to the American tradition, to which Hollywood has greatly contributed, the poor but handsome young man meets the beautiful rich girl whose family consents willingly to her marriage when the young man becomes a hero. In the Latin tradition, of which the French tradition is a part, there is a tropical island, a moon and a handsome but cruel young man whom the young lady loves with passion. The American idea of love is essentially bourgeois and would have served perfectly the needs of bourgeois French society. In fact, the French bourgeois may now regret that he did not create a similar myth. It remains to be seen whether the French girl will now be able to create such a myth for her own protection or whether she will prefer the romantic point of view according to which all men are Don Juans. In fact, it will be particularly difficult because the young Frenchman likes to imagine that he is a Don Juan and still tends to consider love and marriage as two separate institutions.

More than anything else, the organization of modern life has transformed the mores of France. Many girls have careers before marriage, just as in America, and this liberty of action reflects itself in their attitude towards men. Under these conditions the attitude of the men must also change because it is difficult to imagine an efficient secretary with glasses, however pretty she may be, succumbing to a moonlight serenade.

Another thing which doubtless contributed much to the changes now taking place was the heroic part which women played in the Resistance. One of the most heroic stories that I know is that of Jeannette who rode her bicycle everywhere in France under the noses of the Gestapo to organize dropping fields for parachuting intelligence agents into France. The men whose missions were made possible thanks to Jeannette admire and respect her. It is the Jeannettes of the Resistance who have perhaps done more than all the others to change the mores of France.

*Lectures Supplémentaires*

# La Politique en France

Quand l'Américain qui n'a jamais quitté son sol natal considère la politique en France, il n'y voit que désordre. Depuis la mort sanglante de Louis XVI les différents gouvernements semblent se succéder à une allure vertigineuse: république en 1792; tribunat en 1799; empire de Napoléon en 1804; restauration avec Louis XVIII en 1814; les cent jours de Napoléon en 1815; nouvelle restauration (Louis XVIII et Charles X) jusqu'en 1830; révolution libérale en 1830, puis Louis-Philippe; nouvelle révolution et république en 1848; Napoléon III, président en 1848, empereur en 1851; nouveaux désordres en 1870 et la Troisième République de 1871 à 1940; Pétain de 1940 à 1944; gouvernement provisoire de de Gaulle, 1944–45; Quatrième République depuis 1945. Et pendant la Troisième et la Quatrième Républiques les cabinets sont renversés tous les quelques mois. Vraiment ces Français sont volages!

Que les Français, individuellement, soient volages, il n'y a rien de plus faux. C'est ce que Robert Martin et Jean Seeley ont appris à force de les connaître. Au lieu d'être morte avec le dernier survivant de l'ancien régime, la clarté française est seulement au service d'une logique individuelle qui s'oppose à celle du voisin. D'où la multiplicité des partis. En nommant les communistes à l'extrême gauche, les socialistes un peu moins à gauche, les radicaux-socialistes plus près du centre, les MRP (Mouvement Républicain Populaire) au centre, et les RPF (Rassemblement du Peuple Français) plus conservateurs à droite, on est loin d'avoir mentionné tous les partis puisque chaque parti en France correspond à une nuance de l'opinion et souvent à toute une théorie politique. Dans ses détails la politique française est très logique. Essayez d'expliquer à un Français la différence entre un républicain et un démocrate aux États-Unis, surtout entre un républicain du Nord et un démocrate du Sud. En Amérique on vote beaucoup plus pour un homme que pour une idée; en France l'idée compte davantage, car, comme on le verra dans une autre leçon, ni le président ni les ministres ne sont élus par le peuple. Pourtant la multiplicité des partis ne s'explique pas par la forme du gouvernement, qui n'en est que le résultat; c'est plutôt que le Français, dans son besoin de clarté et de logique, a créé un système politique qui correspond à son caractère.

L'essentiel est de comprendre pourquoi la logique individuelle d'un Français contredit si vigoureusement celle d'un autre Français. Pour cela il faut remonter à l'époque de Louis XIV, époque à laquelle la France était unie politiquement et moralement. A peu près tout le monde acceptait l'autorité politique du roi et l'autorité morale de l'église catholique. Ensuite vint le XVIIIᵉ siècle qui, au nom du rationalisme français, remit tout en question. Cet esprit de libre examen à base agnostique (car le déisme de l'époque ne correspondait pas à un vrai sentiment religieux) était assez différent du protestantisme qui, à l'intérieur de chacune de ses sectes, était généralement aussi autoritaire que le catholicisme. Par la simple force des choses, cet esprit de libre examen devait inévitablement s'opposer à l'esprit autoritaire. La Révolution n'ayant été qu'une crise et n'ayant rien décidé, l'opposition entre ces deux états d'esprit continua et continue encore aujourd'hui. Voilà pourquoi les Français se querellent politiquement.

En Amérique, par contre, on ne connaît presque pas cette querelle. Les États-Unis, fondés par des sectes protestantes diverses qui devaient bientôt cesser d'être autoritaires pour pouvoir vivre ensemble, n'ont jamais été soumis à un vrai régime autoritaire. Les Américains pour la plupart ignorent cette réaction violente contre l'autorité qu'on appelle l'esprit de libre examen. C'est pourquoi ils ne comprennent rien à la vieille querelle française entre le curé de village et l'instituteur. Pour tout Français, ces deux hommes symbolisent les deux forces opposées: autorité et libre pensée.

Pourtant l'idéologie n'est pas tout. Il y a encore des facteurs économiques qui aggravent cette lutte théorique, en France, depuis la révolution industrielle du XIXᵉ siècle et surtout depuis que le sort de la France ne semble plus dépendre des Français mais plutôt de quelque énorme puissance étrangère. Il est indéniable que si l'ouvrier français gagnait autant que l'ouvrier américain, ou s'il arrivait à joindre convenablement les deux bouts, il serait moins à gauche. La faute en est en partie au capitaliste français qui défend son bien contre l'augmentation des impôts et des salaires. Sous cette pression économique le capitaliste se trouve donc à droite en politique comme l'ouvrier se trouve à gauche. Etre à droite ou à gauche, cela veut dire être partisan de l'autorité ou de la libre pensée. Quand il s'agissait d'une lutte entre royalistes d'un côté et socialistes de l'autre, la terminologie *autorité* et *libre pensée* avait encore un sens. Depuis 1944 le parti royaliste est interdit et les intellectuels qui auraient été peut-être des socialistes sont devenus des communistes. Naturellement le communisme est aussi en un sens une doctrine autoritaire. Néanmoins il est certain que cette mentalité libre penseur explique l'adhésion de beaucoup d'intellectuels français au parti communiste, et c'est pourquoi on dit que la plupart des communistes français ne sont pas de vrais communistes.

En fin de compte il ne faut pas se laisser tromper par des étiquettes. Il y a quelques constantes dans le caractère français qui triomphent de toutes les étiquettes. Même si son raisonnement logique le portait vers les doctrines autoritaires, de droite, ou de gauche, le Français resterait toujours fidèle au principe fondamental de son caractère: l'individualisme. Tout comme le bourgeois protège son bien pour pouvoir le transmettre ensuite à ses enfants, l'ouvrier n'a qu'un rêve, c'est de devenir un bourgeois, d'avoir un petit commerce ou un petit jardin bien à lui. Le Français moyen pourra très bien n'être pas d'accord avec son voisin sur quelque question de principe, cela ne l'empêchera pas de faire ce rêve bourgeois, même quand il se dira communiste. Au fond le Français est réfractaire à tout régime autoritaire. C'est ce qu'on finit par comprendre en examinant de près la politique française depuis 1870. Tous ces renversements de cabinets ne sont pas un passage de l'extrême droite à l'extrême gauche, mais toujours un changement d'orientation du centre. Cette tendance qu'ont les individualistes à se grouper au centre pour défendre leur droit à l'individualité, c'est-à-dire leur liberté personnelle, confère quand même une certaine stabilité à la politique française. Par conséquent tous ces regroupements de cabinet qui ont lieu tout le temps sont moins graves qu'ils n'en ont l'air, et souvent on voit des ministres se succéder à eux-mêmes. Même sans ministres, les différents ministères continuent leur besogne puisque tout le personnel est composé de *fonctionnaires,* c'est-à-dire d'employés permanents du gouvernement.

Si les regroupements de cabinet ne constituent pas nécessairement un indice d'instabilité, il y a un danger permanent pour la Quatrième République. Aux États-Unis et en Angleterre, il n'y a que deux partis, dont l'un fonctionne sous le nom d'*opposition loyale* tant que l'autre est au pouvoir, et ni l'un ni l'autre ne menace de changer radicalement la forme du gouvernement. Il n'y a pas d'opposition loyale en France. Il n'y a que le centre mal uni qui se défend contre l'opposition déloyale de la droite ou de la gauche. Si jamais l'une ou l'autre arrive au pouvoir, c'en est fait de la Quatrième République et de ce que nous appelons la démocratie. Voilà pourquoi la politique est si amère en France et pourquoi la France ne connaît plus la stabilité du XVII$^e$ siècle.

# Le Gouvernement Français

En janvier 1946 le général de Gaulle étonna le monde entier en donnant sa démission comme président du Gouvernement provisoire de la République française. Un peu plus tard l'Assemblée constituante vota une nouvelle constitution qui, malgré quelques changements essentiels, ne touchait pas à l'esprit de la constitution de 1875. Au lieu de commencer une ère nouvelle, la Quatrième République ne faisait que renouer avec les traditions de la Troisième République qu'on avait jusque-là rendue responsable de la défaite de 1940.

Surtout on reprochait à la Troisième République son régime parlementaire. On sait que ce régime est fondé sur le principe que le pouvoir exécutif est confié à un président du Conseil et à un cabinet, nommés par le parlement parmi ses propres membres, et que la majorité du parlement peut toujours renverser ce «gouvernement.» Comme cette majorité en France ne correspondait pas à un seul parti mais à une coalition de partis, il en résultait une très grande instabilité gouvernementale chaque fois qu'il fallait prendre une décision importante. En renouvelant le régime parlementaire contre l'avis du général de Gaulle, l'Assemblée constituante crut obéir à un principe démocratique, et elle eut raison. Néanmoins elle renouvelait le bail d'un régime qui était, historiquement, une monarchie, tandis que le général de Gaulle voulait un retour aux principes républicains du XVIII$^e$ siècle. Voyons l'explication historique de ce paradoxe.

D'abord cette confusion entre les pouvoirs législatif et exécutif, inhérente au régime parlementaire, est contraire à toute la théorie politique française du XVIII$^e$ siècle d'où sont sorties la constitution des États-Unis et celle de la République française de 1792. Ces deux constitutions reposaient sur le principe de la séparation des pouvoirs exécutif, législatif et judiciaire énoncée par Montesquieu dans son *Esprit des lois* (1748). La constitution française fut immédiatement suspendue par le Comité de Salut Public et l'expérience de la séparation des pouvoirs ne fut jamais essayée en France.

Le régime parlementaire actuel date de la restauration de Louis XVIII en 1814. Ce roi n'osait pas reprendre à la bourgeoisie les libertés acquises depuis la Révolution, et force lui fut d'«octroyer,» comme il disait, une charte qui inaugurait en France une monarchie constitutionnelle sur le modèle anglais, composée d'un conseil des ministres nommé par le roi, d'une «Chambre des pairs,» également nommée par le roi et avec pouvoir héréditaire, et d'une «Chambre des Députés» élue par les bourgeois riches. C'étaient les ministres qui présentaient les projets de loi, mais la Chambre pouvait les rejeter par vote, ce qui obligeait le roi à changer de ministres. Sans y être obligé par la charte, Louis XVIII suivit bientôt la pratique de choisir ses ministres parmi les membres du parlement. Peu à peu se confirma le droit pour la majorité de nommer les ministres. Chaque fois qu'un roi (ou plus tard Napoléon III) chercha à s'approprier le droit de nommer les ministres, il se heurta à l'opposition des éléments républicains. Ainsi le régime parlementaire devint peu à peu un principe démocratique fondamental, surtout après 1848 quand on eut institué le suffrage universel.

Après la défaite de 1870 la France hésita pendant cinq ans entre une monarchie et une république. L'Assemblée nationale convoquée pendant l'armistice, alors que Paris était encore bloqué, eut une majorité royaliste. Ce gouvernement provisoire du président Thiers réprima la révolte de la «Commune» dans Paris et inclina encore plus à droite quand Thiers fut remplacé par le maréchal Mac-Mahon, chef d'une coalition monarchique. Le seul obstacle à la restauration de la monarchie fut le refus de «Henri V» d'accepter le drapeau tricolore. La République votée en 1875 devait être un compromis provisoire. A tous les points de vue c'était une monarchie libérale, sauf que le président remplaçait le roi. Ce président, élu pour sept ans par les deux chambres, était une sorte de monarque constitutionnel qui exerçait une autorité uniquement morale. La *Chambre des pairs* devenait un *Sénat* composé en partie de sénateurs à vie, en partie de sénateurs élus pour neuf ans. Seule la *Chambre des députés,* qui retrouvait son ancienne désignation monarchique après avoir été l'*Assemblée nationale* depuis 1848, était réellement une institution démocratique puisqu'elle représentait le peuple. Et dans cette république monarchique il y avait un seul principe vraiment démocratique qui était le droit pour la majorité à la Chambre de nommer les ministres et de les renverser à volonté. Chose extraordinaire, cette constitution de 1875 ne reconnaissait même pas la souveraineté du peuple, principe de la Révolution de 1789 qu'on retrouvait même dans la charte de 1830 qui amena Louis-Philippe au trône.

Lentement la Troisième République évolua mais elle vécut longtemps sous la menace de coups d'état comme ceux qui avaient mis Napoléon Ier et Napoléon III au pouvoir. Ce fut le cas surtout vers 1889 quand le général Boulanger semblait sur le point de s'emparer du gouvernement. Par-dessus tout, le Français moyen craint le pouvoir personnel. Renforcer l'exécutif et le rendre indépendant du pouvoir législatif lui semble préparer l'avènement du pouvoir personnel. En 1946 les adversaires du général de Gaulle, patriote convaincu mais soutenu par des éléments conservateurs, le considéraient comme un nouveau général Boulanger puisqu'il réclamait des pouvoirs comparables à ceux du président des États-Unis.

En 1945 l'Assemblée constituante se trouvait devant un dilemme. Elle voulait sincèrement fonder une France nouvelle mais elle ne trouvait pas d'autre expédient que de reprendre à la Troisième République ce qu'il y avait de plus démocratique dans son système, le régime parlementaire avec une présidence sans autre autorité que morale. On eut beau dire que c'étaient là les deux grandes faiblesses de la Troisième République, mettre en question ces deux principes équivalait à douter de l'efficacité même de la démocratie. C'est ainsi que la Quatrième République, au nom de la démocratie, mit encore une fois à sa tête un président qui n'était réellement qu'un monarque constitutionnel. Bien entendu, ce monarque, élu pour sept ans, ne peut pas être réélu, mais comme il est choisi par le parlement plutôt que par le peuple, son élection rappelle certains procédés des vieilles monarchies électives.

L'Assemblée constituante purgea le gouvernement français de tout autre élément monarchique; ainsi elle se débarrassa du sénat, qui était devenu comme le symbole de la réaction sociale par son opposition fréquente aux réformes approuvées par la Chambre (le vote des femmes, par exemple). Ensuite l'Assemblée constituante rendit à la Chambre des députés son ancien nom républicain d'*Assemblée nationale*. En même temps elle créa le *Conseil de la République* pour examiner les lois votées par l'Assemblée nationale, mais seulement à la demande de celle-ci et sans avoir un vrai droit de véto puisque l'Assemblée peut annuler la décision du Conseil.

La Quatrième République ne toucha pas à l'organisation intérieure de la France, dont le caractère essentiel est la *centralisation*. La royauté avait déjà centralisé le pays en brisant le pouvoir des nobles, et la Révolution consolida son œuvre en remplaçant les vieilles divisions féodales, les provinces, par des départements. Aujourd'hui il y a 90 départements dans la France métropolitaine, plus trois en Algérie, trois en Amérique (la Guyane, la Martinique et la Guadeloupe) et un dans le Pacifique (la Réunion). Le reste de la France d'outre-mer comprend des colonies comme l'Afrique Occidentale ou l'Afrique Équatoriale et des protectorats comme le Maroc, la Tunisie et l'Indo-

Chine. Chaque département est administré par un préfet nommé par le ministre de l'Intérieur et aidé d'un conseil départemental dont les membres sont élus. Les maires et les conseillers municipaux sont élus également, mais le préfet a le droit d'intervenir au besoin dans les affaires de la *commune* et même de relever le maire de ses fonctions. Comme l'Assemblée nationale à Paris vote toutes les lois, les conseils départementaux ou municipaux prennent seulement les décisions relatives à la construction des routes, des écoles, etc. Dans ce domaine aussi le gouvernement de Paris joue un rôle bien plus important que celui de Washington puisque beaucoup des fonctions gouvernementales sont concentrées dans les administrations du gouvernement national. Si les écoles, par exemple, sont construites par les communes, les professeurs et instituteurs sont nommés par les préfets sur les recommandations des inspecteurs de l'Éducation Nationale. Comme toutes les fonctions sont bien délimitées, il n'y a pas en France de conflit de juridiction entre l'état et le gouvernement fédéral, comme aux États-Unis. On peut dire que le résultat est une combinaison assez heureuse de bonne volonté démocratique et de compétence technique. Le citoyen participe aux affaires de la commune et en même temps le préfet sauvegarde les intérêts de la nation. Comme le citoyen participe également aux affaires de la nation par l'intermédiaire de son député, il n'a pas le sentiment que le gouvernement de Paris soit une puissance étrangère. Le système est très logique et répond bien aux problèmes complexes d'une nation moderne.

Dans l'ensemble le gouvernement français est l'expression de cette logique qui fait le fond du caractère français. Si le Français était moins individualiste, il en résulterait une organisation parfaite, mais le Français a toujours été réfractaire à l'esprit d'équipe. Par conséquent on ne peut pas dire que son gouvernement fonctionne mieux que le gouvernement américain. Le Français est plus fort dans la théorie, l'Américain dans la pratique. Des deux côtés il y a peut-être quelque chose qui laisse à désirer.

# La France Contemporaine

Le 10 mai 1940 les Allemands lancèrent un *Blitzkrieg* contre les Pays-Bas. Dix-neuf jours plus tard les alliés étaient acculés à la Manche et commençaient l'évacuation épique de Dunkerque. Le 11 juin le gouvernement français s'établit à Tours et, le 16 juin, à Bordeaux, décida de demander un armistice, qui fut signé le 22 juin à Compiègne dans le wagon même où, vingt-deux ans plus tôt, les alliés avaient reçu la capitulation allemande. La France, jusqu'alors considérée comme une grande puissance militaire, avait succombé en quarante-deux jours.

Partagée en deux, avec une zone occupée au Nord et une zone «libre» au Sud, la France sembla accepter la dictature du maréchal Pétain qui, sous la devise *famille, travail, patrie,* prétendait restaurer les valeurs traditionnelles de la France, tout en collaborant avec l'Allemagne à la création d'une nouvelle Europe. Sous prétexte que la France avait été trahie, on chercha des coupables, et dans le célèbre procès de Riom on voulut prouver que le *Front populaire,* le gouvernement de gauche de Léon Blum, avec sa semaine de quarante heures et ses travaux publics faits aux dépens du réarmement, avait affaibli la France. La brillante défense des inculpés de Riom, pourtant, déjoua tous les projets des Pétainistes.

A l'étranger, on expliquait la défaite française par la «mentalité de la ligne Maginot.» On sait que, forts de leur expérience dans la première guerre mondiale, les Français avaient construit une ligne de fortifications redoutable sur leur frontière commune avec l'Allemagne et on prétend qu'ils s'endormaient derrière ces murailles dans un faux sentiment de sécurité. Ensuite les théoriciens étrangers cherchèrent à prouver, par des statistiques sur la natalité et la productivité françaises, que la France était depuis longtemps destinée à disparaître.

Bien qu'il soit prématuré d'émettre une opinion définitive sur les raisons de la défaite, il semble plus ou moins établi maintenant que le *Front populaire* avait malgré tout réarmé la France qui, en 1940, avait une puissance égale à l'Allemagne dans toutes les armes sauf l'aviation. La défaite s'expliquerait surtout par la désuétude de la stratégie française. Les Français, par exemple, avaient autant de chars que les Allemands mais dispersés dans les régiments d'infanterie pour servir à la reconnaissance. Ils considéraient une bonne ligne de défense comme imprenable, et ils n'avaient pas envisagé une guerre de mouvement où une concentration de chars, une fois la trouée faite, pouvait avancer sans le secours immédiat de l'infanterie. Les Français étaient prêts à faire la guerre mais une guerre défensive comme celle de 1914.

Certains économistes trouvent l'explication de la défaite dans les statistiques, à commencer par celles de la natalité. Alors que la population des autres nations européennes, et surtout de l'Allemagne, avait énormément augmenté, la population française était restée à peu près stationnaire après 1870. Bien que, militairement, la France ait remporté la victoire dans la première guerre mondiale, d'un point de vue démographique elle avait subi une énorme défaite. Non seulement elle avait perdu 1.320.000 soldats et 240.000 civils, mais en comptant la baisse de la natalité ses pertes se chiffraient à de 7 à 8 pour cent de sa population. En 1940 l'Allemagne avait deux fois plus d'hommes entre 20 et 34 ans que la France.

Les statistiques prouvent aussi que les Français n'avaient pas le potentiel industriel de leur adversaire. Au XVII$^e$ et au XVIII$^e$ siècles, la France avait été le pays le plus riche du monde et ses artisans s'étaient fait une réputation dans les industries de luxe qu'ils conservent encore aujourd'hui. Cette tradition de l'*artisanat* retarda les progrès de la révolution industrielle au XIX$^e$ siècle. Aujourd'hui encore les Français s'habillent chez des tailleurs plutôt que d'acheter des costumes tout faits, et une Française mourrait de honte si elle voyait une autre dame porter la même robe qu'elle. Même dans l'industrie automobile c'est la variété qui compte en France et les Français estiment que les voitures américaines manquent d'originalité. Un autre facteur qui a empêché le plein épanouissement de l'industrie lourde a été le manque de charbon (bien que la France eût des gisements de fer en quantité suffisante).

Dans le développement de l'industrie et du commerce français il faut considérer un facteur psychologique qui est lié aux facteurs économiques: la mentalité de l'homme d'affaires français. Alors que le marché américain s'agrandissait avec l'expansion du pays vers l'Ouest, et que l'homme d'affaires américain croyait nécessaire d'oser pour réussir, le marché français restait plutôt statique (puisque la population n'augmentait pas) et l'homme d'affaires français faisait tout avec prudence. En Amérique il fallait un capital énorme pour ces nouvelles industries, d'où les grandes «combines» qui caractérisent l'économie américaine. En France c'est le petit commerçant ou le petit industriel, un patron avec quelques ouvriers, qui est caractéristique. Chaque maison de commerce est une *maison* au vrai sens du mot puisque chaque affaire appartient depuis plusieurs générations à la même famille, et cela est même vrai des plus grandes industries comme celle des Peugeot (automobiles) ou celle des Petits-Fils de François de Wendel (acier). Le chef de famille est prudent et n'ose pas compromettre l'avenir de la famille dans une entreprise d'autant plus douteuse qu'il sait que le marché est limité et statique. Du moment qu'on a une bonne affaire on n'ose pas y toucher. On ne fait pas d'emprunts et on ne fait pas faillite. Mais ce n'est pas ainsi qu'on crée une grande nation industrielle. On raconte l'histoire d'un homme d'affaires américain qui demanda à un collègue français pourquoi les aciéries françaises n'avaient pas adopté le procédé américain du *strip mill* qui avait transformé l'industrie américaine en 1930. La réponse ne se fit pas attendre: «Cela aurait coûté assez cher, pour commencer, mais même si nous avions eu l'argent nécessaire, la création d'une seule aciérie de ce modèle aurait entraîné la fermeture de toutes les autres. Le public ne l'aurait pas permis, et le gouvernement non plus. Ce n'est pas ainsi qu'on fait les affaires en France.»

Naturellement une pareille attitude chez les industriels n'a pas encouragé les développements techniques. Jusqu'en 1940 il n'y avait aucune liaison véritable entre la science et l'industrie. N'ayant aucune raison d'être pratique, la science française resta presque entièrement spéculative, ce qui était d'ailleurs conforme au génie français. L'Amérique devint le pays des inventeurs, la France celui des théoriciens dont les plus grands étaient des mathématiciens. Depuis la Renaissance la contribution des Français aux mathématiques a été capitale. Viète, Descartes, Pascal, Lagrange, Laplace, Caudry, Hermite, Poincaré, Lebesgue et d'Ocagne sont parmi les plus grands mathématiciens de tous les temps. Théoriciens aussi étaient Laplace avec sa *Mécanique céleste,* Carnot avec ses spéculations sur la nature de l'énergie, Jussieu avec son classement des plantes, Cuvier avec ses études comparatives d'anatomie et de paléontologie, Lavoisier avec sa réforme de la chimie. Même les découvertes plus récentes de Pierre et Marie Curie, tout en ayant une application pratique puisque nous leur devons le radium, se rattachent à cette grande tradition de la spéculation. C'est aux Français que nous devons une bonne partie de la spéculation qui précéda la bombe atomique, puisque c'est Jean Perrin qui, à partir de 1895, apporta des preuves de l'existence de l'atome, Louis de Broglie qui inaugura la deuxième étape à partir de 1925 avec la mécanique des ondes, et Frédéric Joliot, marié à Irène Curie, qui commença en 1936 au Collège de France les

expériences qui allaient aboutir en 1939 à la découverte de la réaction
en chaîne, l'origine de la bombe atomique. Forcément, il y a des
exceptions à la règle générale que la science française est spéculative,
et il ne faut pas considérer la France comme absolument dépourvue
d'inventeurs; c'est le manque de liaison entre la science et l'industrie
qu'il faut surtout signaler. Dans un seul domaine, celui de la méde-
cine, il y a des exceptions frappantes, sans doute parce que dans les
grands hôpitaux publics il y avait la possibilité de faire de la science
appliquée. Tout le monde connaît les noms de Claude Bernard et de
Louis Pasteur qui sont célèbres comme expérimentateurs. L'Institut
Pasteur, fondation privée, fut le modèle de l'Institut Rockefeller en
Amérique. Ce seul exemple laisse supposer que, si les hommes de
science français avaient eu les moyens matériels de faire des expériences, la science française n'aurait pas manqué d'applications
pratiques.

Voilà pourquoi la France tomba en 1940: stratégie militaire pé-
rimée; épuisement biologique; incapacité morale et physique de
devenir une puissance industrielle de premier ordre. A cela il faut
ajouter les divisions politiques dont il a été question dans une leçon
antérieure. En 1940 le moral des Français n'était pas bon, car on leur
imposait une guerre dont ils ne voulaient pas, et en même temps ils
n'étaient pas assez perspicaces pour voir le danger dont ils étaient
réellement menacés.

     ❀     ❀     ❀     ❀     ❀

Le 18 juin 1940 le général de Gaulle annonça à la radio de Londres:
«La France a perdu une bataille, elle n'a pas perdu la guerre.» Très
peu de Français écoutèrent cette voix solitaire, car la volonté de
résistance n'existait plus en France. C'est seulement quand les in-
tentions allemandes de réduire la France à l'impuissance devinrent
manifestes que les Français comprirent. Ils comprirent surtout quand
ils s'aperçurent que leurs prisonniers de guerre ne revenaient pas
d'Allemagne et que le gouvernement de Pétain autorisait le réquisitionnement d'ouvriers pour le travail forcé en Allemagne. Jusqu'alors
la résistance avait été plutôt la noncollaboration et nombreux sont
les exemples d'efforts de la part des Français pour faire échouer les
plans des Allemands (comme l'exemple amusant de deux conservateurs du Louvre qui, à l'insu l'un de l'autre, eurent une crise d'appendicite pour éviter de livrer un rétable à Goering). Peu à peu certains
Français, qui n'étaient plus en règle avec les Allemands, furent
obligés de *prendre le maquis.* Les Pétainistes cherchèrent à prouver
que ces *maquisards,* qui faisaient sauter les trains, qui volaient

l'argent du gouvernement français et tuaient ses *miliciens*, étaient des criminels. Évidemment c'étaient des patriotes et des héros, mais néanmoins, quand il s'agit de tuer, de voler et de mentir, il n'y a pas loin d'un vrai criminel à un héros. Cette férocité, nécessaire et inévitable en temps de guerre, et encore plus dans un pays occupé, laissa son empreinte sur l'âme de cette génération.

Jusqu'en 1942 la résistance fut parsemée et mal organisée, malgré l'existence d'une organisation clandestine nombreuse mais impuissante, l'*Armée secrète*. Cette année-là, la plupart des résistants de France reconnurent l'autorité du général de Gaulle à Londres et tout le monde travailla d'un seul élan à la libération de la France. Pendant longtemps les alliés, croyant les Français trop divisés entre eux pour qu'on osât les armer, refusèrent les envois d'armes que les résistants leur demandaient. Quand il devint évident que la plupart des Français avaient abandonné Pétain, ils parachutèrent le matériel nécessaire. Mais on était alors à la veille du «Jour J.»

Un événement qui devait consolider l'opinion française contre Pétain fut le débarquement allié en Afrique du Nord en 1942. Les troupes françaises obéirent à leurs chefs et résistèrent sans enthousiasme au débarquement. Quand l'amiral Darlan, qui commandait en Afrique du Nord, se déclara pour les alliés, sur les ordres secrets du maréchal Pétain, les alliés, et surtout les Américains, l'acceptèrent sans hésitation. Pendant que les Français Libres réclamaient la punition des collaborateurs, les Américains les conservaient au pouvoir. Quand un Français patriote assassina Darlan, les Américains mirent à sa place le général Giraud, évadé de la prison de Koenigsberg, mais les Français d'Afrique du Nord semblaient lui préférer le général de Gaulle qui peu à peu réussit à consolider sa position et à fonder un gouvernement avec un parlement qui représentait tous les territoires français libres. Dans la campagne tunisienne, l'armée française mal équipée se battit héroïquement aux côtés des alliés. Le résultat du débarquement allié en Afrique du Nord fut l'occupation de la zone libre en France par les Allemands. Désormais les Français savaient que Pétain n'était que le prisonnier des occupants. Quand les Allemands voulurent s'emparer de la flotte française, les officiers français, fidèles à la promesse faite aux Anglais par l'amiral Darlan le 19 juin 1940, coulèrent leurs vaisseaux par un geste suprême de défi.

Au moment du débarquement en Normandie le 6 juin 1944, les alliés semblaient se méfier encore des Français puisqu'ils n'avaient pas l'intention de leur confier le gouvernement des pays occupés.

Pour gouverner la France ils avaient recruté tout un personnel
américain de compétence douteuse: ou bien ils étaient sans expérience ou, s'ils avaient l'expérience nécessaire, ils ne savaient pas la
langue française. Heureusement pour l'avenir des relations franco-
américaines, le général de Gaulle, qui n'avait pas de commandement,
trouva un prétexte pour accompagner le débarquement et parvint à
organiser immédiatement un gouvernement civil local dont les alliés
durent s'accommoder. Une fois admis le principe que les Français
pouvaient se gouverner eux-mêmes, les villes se libérèrent d'elles-
mêmes, et à mesure que les alliés avançaient ils trouvaient généralement un gouvernement civil installé par la Résistance. En prenant
ainsi l'initiative, les Français étaient probablement poussés autant
par le désir de racheter leur honneur que de prouver aux alliés et à
eux-mêmes qu'ils avaient la volonté de reconstruire leur nation. Ce
dernier effort fut vraiment héroïque et beaucoup de Français s'y
sacrifièrent. L'histoire du soulèvement de la population parisienne
constitue sans doute le chapitre le plus glorieux de la libération de
la France. Sans s'arrêter, les Français incorporèrent dans les unités
françaises venues d'Angleterre les unités FFI (Forces Françaises
de l'Intérieur, c'est-à-dire les anciens maquisards) et les envoyèrent
toutes, mal entraînées et mal équipées, contre l'Allemagne qui résista
encore pendant neuf mois. Leur effort était si impressionnant, étant
donné qu'ils partaient de zéro, que force fut aux alliés de confier à
la France la zone sud de l'Allemagne après la défaite de ce pays.
Pendant longtemps les alliés refusèrent de croire que la France était
ressuscitée, car ils avaient postulé que les Français étaient sans volonté, divisés entre eux, et qu'il faudrait les rééduquer pendant des
années. Auprès des alliés et surtout auprès du président Roosevelt le
général de Gaulle passait pour un monsieur arrogant qui réclamait
tout le temps pour son pays des privilèges auxquels il n'avait pas
droit. On peut dire que c'est grâce à cette «arrogance» que la France
reprit immédiatement après la guerre la place qui lui était due parmi
les grandes puissances. On apprit tout de suite à traiter la France en
égale et à profiter de son expérience passée. Aujourd'hui on écoute
sa voix aux Nations Unies et dans toutes les réunions où la France
essaie, malgré une forte opposition, de créer les États-Unis d'Europe.

La France se releva, mais elle se releva de ruines, car la destruction,
dans cette deuxième guerre mondiale, avait été deux fois plus sévère
que dans la première guerre mondiale. Les grandes usines étaient
démolies, tous les ponts avaient sauté, les trains ne circulaient plus.
La capacité technique des Français, en cas de grande nécessité, fut

démontrée par la rapidité avec laquelle la SNCF remit en état les voies ferrées. En quelques mois les grandes lignes furent toutes reconstruites avec des ponts de bois qui sont remplacés aujourd'hui par des ponts permanents. Une fois les voies rétablies, la SNCF continua son programme d'électrification, et en 1950 les locomotives électriques circulaient pour la première fois entre Paris et Dijon (Paris-Bordeaux, Marseille-Toulouse et d'autres lignes étaient déjà électrifiées). Avec la même rapidité les usines se remirent sur pied et la production rattrapa bientôt le temps perdu. En 1946 le chiffre de la production atteignit 80 pour cent de celui de 1938; en 1947, 100 p.c.; en 1948, 110 p.c.; en 1949, 125 p.c. (mais en 1949 le chiffre n'avait pas encore atteint celui de l'année 1929, celle où la France avait été le plus prospère). Il faut dire que sans le plan Marshall de 1948 toute cette productivité aurait cessé, car la France n'exportait pas assez et ses crédits étaient épuisés. Le plan Marshall empêcha la France de retomber dans le chaos et, du même coup, enraya les progrès du communisme. Autrement, en désespoir de cause, les Français se seraient jetés aux mains des Russes.

La France semble avoir recouvré son élan vital. C'est vrai aussi d'un point de vue démographique parce que, pour la première fois depuis 1870, le chiffre des naissances, vers 1950, dépassait de loin celui des décès, cela en dépit des pertes de la guerre (540.000) qui n'étaient pourtant que le tiers de ce qu'elles avaient été dans la première guerre mondiale.

La Résistance était animée par la haine contre les mauvais Français et le désir de refaire une nation qui ne serait plus la France faible et divisée de 1940. Le moment venu, elle procéda à une épuration, parfois sanglante mais se tenant généralement dans les limites de la légalité. Dans une large mesure l'effort en commun semble avoir arrêté les différends politiques. Tout le monde tomba d'accord pour approuver le principe que seul le socialisme était capable de reconstruire la France, car il fallait à tout prix établir une économie dirigée où le rôle de chacun serait nettement indiqué. Les socialistes étaient naturellement d'accord et les communistes aussi puisque c'était un premier pas vers la réalisation de leur programme. La droite, de Gaulle surtout, était d'accord parce que les industries françaises ne pouvaient pas se reconstruire toutes seules.

Le socialisme n'était pas inconnu en France. Il y avait l'exemple des PTT (Postes-Télégraphe-Téléphones), de la Régie Nationale du Tabac et de la SNCF (nationalisée pendant la guerre). L'Assemblée constituante décréta la nationalisation de la Banque de

France, de trente-quatre compagnies d'assurances, de l'électricité, du gaz et des mines de charbon. Ce ne devait être que le début d'un énorme programme de nationalisation, mais déjà en 1946 ce mouvement s'arrêta et après cette date, au lieu de nationaliser la Compagnie Générale Transatlantique, la Compagnie des Messageries Maritimes et Air France, comme attendu, on en fit des compagnies privées dont le gouvernement tenait seulement une partie des actions. On n'est pas encore à même d'évaluer les résultats. A l'origine l'influence politique était considérable, car les communistes avaient réussi à mettre leurs hommes de paille aux endroits les plus importants. Depuis qu'il n'y a plus de communistes au cabinet, on a pu réorganiser les administrations avec un personnel plus compétent. En 1949 les Charbonnages de France, le Gaz de France et la Société Nationale des Constructions Aéronautiques du Sud-Est (compagnie confisquée pour collaboration avec les Allemands) étaient en déficit, mais l'Électricité de France, la Banque de France, et la Régie Renault (compagnie d'automobiles confisquée pour collaboration) faisaient des bénéfices. Pourtant les chiffres sont trompeurs, car en refusant d'augmenter les prix et les tarifs, le gouvernement en un sens créait une situation anormale qui rendait les bénéfices impossibles. Il est donc prématuré de conclure à un échec du socialisme en France, et il semble plutôt que la nationalisation de ces industries essentielles ait été indispensable pour coordonner la reconstruction.

La France reconnaît depuis longtemps la responsabilité du gouvernement dans la conduite de la vie quotidienne de l'individu. Par conséquent c'est le gouvernement qui dirige l'enseignement, qui subventionne les théâtres nationaux et la Manufacture de Sèvres (porcelaine) et des Gobelins (tapisseries), comme c'est le gouvernement qui se charge maintenant de la marche des trains et de la livraison du charbon. Logiquement c'est le gouvernement qui se charge de créer ces grands monopoles qui sont contraires à l'esprit des affaires en France. Dans un moment critique comme le temps présent, il est du devoir du gouvernement de relever l'économie. L'exemple américain ayant démontré que l'industrie moderne dépend de la science, la France avait créé déjà en 1939 le Centre National de la Recherche Scientifique où tous les grands hommes de science travaillent ensemble, non seulement pour avancer la science pure mais pour en trouver des applications pratiques susceptibles d'intéresser l'industrie. C'est un programme inspiré de l'exemple américain des laboratoires industriels privés, mais cette fois le laboratoire travaille uniquement dans l'intérêt de la nation. L'expérience socialiste continue en France et, étant donné l'organisation technologique de la civilisation moderne, il semble peu probable qu'on puisse l'arrêter.

Comme nous l'avons déjà dit à plusieurs reprises, ces tendances collectivistes vont à l'encontre de l'individualisme français. Malgré tout, la France est encore une nation bourgeoise et, si l'ouvrier sent une certaine différence entre le bourgeois et lui, son ambition n'en est pas moins de devenir lui-même un bourgeois. En réalité il le devient déjà puisqu'il porte des costumes bourgeois et jouit du *confort* réservé il n'y a pas si longtemps encore à la classe bourgeoise. Au lendemain de la guerre on parlait beaucoup de la faillite de la bourgeoisie et on croyait que seul le peuple était destiné à relever la France. C'est alors que le communisme trouva beaucoup d'adhérents. Il passait pour un mouvement français patriotique, et la participation des communistes au gouvernement semblait toute naturelle. Mais la vraie intention des communistes était de s'emparer du pouvoir et, quand le rétablissement économique de la France déjoua tous leurs projets, ils commencèrent leur campagne de sabotage. Aujourd'hui il n'y a plus de doute: le communisme ne souhaite qu'une chose: la disparition de la classe bourgeoise. Comme le Français moyen, y compris souvent l'ouvrier, a une âme bourgeoise, cela équivaut à souhaiter la disparition du Français moyen. La classe bourgeoise continue à fournir les chefs en France en dépit de toutes les prédictions.

D'un point de vue politique et d'un point de vue économique, la France paraît avoir trouvé un certain équilibre. Il semble peu probable qu'il y ait des changements profonds dans la structure morale et économique de la nation tant que les Russes resteront sur la défensive derrière leur rideau de fer. Mais tant que la menace russe se dressera à l'horizon, la stabilité française sera précaire et exigera l'appui des États-Unis. Cet appui n'est pas seulement affaire de dollars—car le dollar, même librement donné, crée parfois plus d'ennemis que d'amis—, c'est plutôt affaire de compréhension mutuelle. Et le point de départ de cette compréhension est linguistique. Celui qui ne sait pas le français risque fort de ne pas pouvoir comprendre la France.

(*Écrit en 1951*).

*Appendice Grammatical*

# APPENDICE GRAMMATICAL

## § 1 PRESENT INDICATIVE (le présent de l'indicatif)

(A) Compare the French present which has only one form with the English present which has three possible forms:

**Je donne.** I give.        **Est-ce que je donne?** Do I give?
         I do give.                       Am I giving?
         I am giving.

For greater vividness, in any tense, French may use the phrase *être en train de* (to be in the act of).

**Il est en train de donner.** He is giving (i.e. he is in the act of giving).

(B) An action which began in the past but continues in the present is expressed in French by the present tense. In such expressions English sometimes uses the preposition *for* and sometimes the preposition/conjunction *since*. French always requires *depuis* or *depuis que*.

     **Il *est* ici depuis l'arrivée de Marie.**
       He *has been* here since Mary's arrival.
     **Il *est* ici depuis que Marie est arrivée.**
       He *has been* here since Mary arrived.
     **Il *est* ici *depuis* trois jours.**
       He *has been* here *for* three days.

As alternates for the third expression above, French has the following idioms:

     **Il y a trois jours *qu'*il est ici.** ⎫
     **Voilà trois jours *qu'*il est ici.** ⎬ He has been here for
     **Voici trois jours *qu'*il est ici.** ⎭    three days.

Particular note should be taken of the interrogative form of these idioms.

     **Depuis quand est-il ici?** ⎫
     **Combien de temps y a-t-il qu'il est ici?** ⎬ How long has he been here?

Observe that *depuis* and *depuis que* are not restricted to the expressions above but may also occur when the action is not continuous.

**Je ne l'*ai* pas *vu* depuis trois jours.** I *have* not *seen* him for three days.

345

(C) A few other expressions, such as the following, also require the present tense [1] since the action is still going on:

> C'est la première fois qu'il *fait* ce travail.
> It is the first time that he *has done* this work.
> Elle *arrive* de Marseille.
> She *has just arrived* from Marseille.

(D) The historical present occurs commonly in French to give vividness to a narrative.

> Louis allait souvent chez la voisine d'en face, la femme d'un perruquier. Un beau jour, à l'âge de sept ans, il se *réfugie* chez la voisine et *refuse* de retourner chez lui.
> Louis would often go to the house of the neighbor opposite, the wife of a wigmaker. One fine day, at the age of seven, he *took* (takes) refuge at the neighbor's house and *refused* (refuses) to return home.

(E) Present tense is required in a *si* (if) clause whenever the main verb is future or present. See § 3, B, 3.

## § 2 IMPERFECT INDICATIVE (l'imparfait de l'indicatif)

(A) The imperfect tense indicates an action which is imperfect, that is to say incomplete, in the past. French requires the imperfect tense in the following situations:

(1) Corresponding to English imperfect tense.

> Il *interrogeait* ses amis. He *was questioning* his friends.
> Nous *regardions* le livre. We *were looking* at the book.

(2) For an action or state of being going on when another action takes place.

> Elle parlait }
> Elle était là } quand Jean est arrivé.
> She was speaking }
> She was there } when John arrived.
> Jean est arrivé { pendant qu'elle parlait.
> { pendant qu'elle était dehors.
> John arrived { while she was speaking.
> { while she was outside.

Sometimes English will substitute a simple past in such a case. Whenever an imperfect tense can replace a simple past tense in English without change of meaning, French requires the imperfect.

> While she *spoke*, John *arrived* = While she *was speaking*, John arrived.
> I *finished* the book while John *read* the newspaper = I *finished* (completely) the book while John *was reading* the newspaper OR I *was finishing* the book while John *was reading* the newspaper.
> *J'ai fini* le livre pendant que Jean *lisait* le journal.
> Je *finissais* le livre pendant que Jean *lisait* le journal.

1. Present frequently replaces future in a promise, a threat or to imply that a future action is certain to occur. *Un pas de plus et il tombe à l'eau:* One step more and he *will fall* in the water.

(3) For any action or state which is not specific at a specific time.

> **Cela ne lui *disait* rien.**
> That *meant* nothing to him.
> **Les Francs *construisaient* surtout en bois.**
> The Franks *built* things particularly of wood.

Compare the following:

> **La France faisait partie de la civilisation méditerranéenne.**
> France was part (with no specific limits to the time) of Mediterranean civilization.
> **La France a fait partie de la civilisation méditerranéenne.**
> France was (at a particular time but then ceased to be) part of Mediterranean civilization.

For practical purposes it is useful to note that the following situations involve imprecise action or state and therefore require the imperfect tense in the past.

### (a) *Description*

**La maison était bleue.** The house was blue.
**La ville débordait sur les deux rives.** The town overflowed on both banks.

### (b) *Habitual or continually recurring action or state* (any case in which *used to* or *kept [doing]* may be substituted in English).

> **Il répétait souvent les mêmes mots.**
> He often *used to repeat* the same words.
> He often *would repeat* the same words.
> He *kept repeating* the same words often.
> He often *repeated* the same words.
> **Il était souvent fatigué.** He was often tired.

### (c) *Mental state and* être, avoir, devoir, falloir, pouvoir.

> **Il ne connaissait pas le Texas.** He did not know Texas.
> **Il ne pouvait pas le faire.** He could not do it.
> **Il était malade.** He was sick.

Occasionally such verbs will have precise limits for greater vividness.

> **J'ai cru qu'il avait raison.**
> I thought (at a specific time) that he was right (but I ceased to think so).
> **Il a été malade.**
> He has been sick (but he is no longer).
> **Il n'a pas pu le faire.**
> At a particular time he lacked the ability to do it.

(B) In indirect discourse imperfect tense expresses an action which is not previous to that of the main verb in the past.

> **Robert a dit que ses notions de la géographie *se réduisaient* à peu de choses.**
> Robert said that his notions of geography *did not amount* to much.
> BUT: **Robert a dit qu'il *avait vu* Marie.**
> Robert said that he *had seen* Mary.

(C) Imperfect expresses an action begun in the remote past and continuing in the simple past. Note how the illustrations of § 1 (A) can be changed to the past.

> **Il était là depuis l'arrivée de Marie.**
> He had been there since Mary's arrival.
> **Il était là depuis trois jours.**
> He had been there for three days.
> **Il y avait trois jours qu'il était là.**
> He had been there for three days.

(D) Imperfect is required after the conjunction *si* (in the sense of *if* but not in the sense of *whether*) whenever the main verb is conditional. This rule is subject to no exceptions, no matter what the English says. Note carefully the various translations in English.

> **Je le lui donnerais s'il me le *demandait*.**
> I would give it to him if he *asked* me to.
> I would give it to him if he *were to ask* me to.
> I would give it to him if he *should* ask me to.

## § 3 FUTURE TENSE (le futur)

(A) As the main verb of the sentence, the future tense has the following meanings:

(1) It expresses an action which will occur at a future time. For this purpose English has a compound tense with the auxiliaries *shall* or *will*, whereas French has a simple tense.

> **je donnerai**         I will give, I shall give
> **il donnera**          he will give
> **nous donnerons**    we shall give, we will give

If English *will* means *want, wish, be willing*, French does not take the future but rather the present tense of *vouloir* with a dependent infinitive.

>                     ⎧ He will not go.
> **Il ne veut pas y aller.** ⎨ He is not willing to go.
>                     ⎩ He does not wish to go.
>                        He does not want to go.

(2) Sometimes *shall* has an imperative force in English. This usage is more common in French than in English and is the polite way to give orders to subordinates.

> **Vous *irez* ensuite à la poste.** Then you *shall go* to the post office.
>                                Then *go* to the post office.
> **Tu ne *tueras* point.**         Thou *shalt* not *kill*.

(3) The future is used to express probability or conjecture.

> **Cette longue maison en bois? Ce *sera* la maison de Washington.**
> This long wooden house? It *is probably* Washington's house.

(B) As the verb of a subordinate clause, the future tense has the following functions:

(1) It translates English future except in cases where the present subjunctive (see § 12) is required.

> **Il dit qu'il *viendra*.** He says that he *will come*.
> BUT: **Il est douteux qu'il *vienne*.** It is doubtful that he *will come*.

(2) After *quand* (when), *lorsque* (when), *aussitôt que* (as soon as), *dès que* (as soon as), *tant que* (as long as), *après que* (after) or *comme* (as), the future or future perfect is required [1] whenever the main verb is future or imperative.

> **Je le verrai quand il *viendra*.**
> I shall see him when he *comes*.
> **Vous lui parlerez après qu'il *aura fini* son travail.**
> You will speak to him after he *has finished* his work.

(3) Special note should be taken of the rule in § 1, E. Never use future after *si* in the sense of *if*, only after *si* in the sense of *whether*.

> **Je me demande *si* son frère viendra.**
> I wonder *if* (*whether*) his brother will come.
> BUT: **Je le verrai s'il *vient*.**
> I shall see him *if* he *comes*.

## § 4 CONDITIONAL TENSE (le conditionnel)

(A) The conditional tense is essentially a *future in the past*. This is a simple tense in French but a compound tense in English constructed with the auxiliaries *should* or *would*.

> **Il a dit qu'il *viendrait*.**
> He said that he *would come*.
> **J'ai dit que j'*aimerais* beaucoup le voir.**
> I said I *should like* very much to see him.

However, *should* and *would* are not always the sign of the conditional. Note the following rules:

(1) If *should* means *ought*, it is the conditional of *devoir*.

> **Il *devrait* le faire.** He *should* do it.
> He *ought* to do it.

(2) If *would* means *wanted* or *wished*, it is either imperfect or conditional of *vouloir*.

> **Il ne voulait pas la voir.** He would not see her.
> He did not want to see her.

1. There are many analogous cases where, for stylistic reasons, French tends to substitute future in a subordinate clause when the main verb is future. *Il dira ce qu'il voudra:* He will say what he *wishes*.

(3) If *would* means *used to*, it indicates habitual action. See § 2, A, 3, b.

(B) In both English and French, conditional may occur in the main clause of an *if-clause* sentence. Review § 2, D at this point.

> **Il viendrait s'il pouvait.** He would come if he could.

(C) The conditional also expresses implied futurity in the past. Observe that, with a change of the main verb to a conditional, all futures used in the illustrations of § 3, B, 2, become conditionals.

> **Je le verrais quand il *viendrait*.** I would see him when he *came*.
> **Vous lui parleriez après qu'il *aurait fini* son travail.** You would speak to him after he *had finished* his work.

(D) Similarly, probability or conjecture in the past is conveyed by the conditional. Compare § 3, A, 3.

> **Selon lui, cette maison en bois serait celle de Washington.**
> According to him this wooden house was probably Washington's.

> **Le ministre des affaires étrangères aurait fait un rapport.**
> The minister of foreign affairs, according to rumors, has made a report.

(E) *Even if* may be expressed by *même si* with the imperfect (in which case the rule in § 2, D applies) or by a double conditional with *quand même* or *que*.

> **Quand même il le *dirait*, ce ne serait pas vrai.**
> Even if he *said* so it would not be true.
> **Il le *répéterait* toute la journée que je ne le croirais pas.**
> Even if he repeated it all day long I would not believe him.

(F) *Au cas où* (in case) requires the conditional.

> **Au cas où il *serait* malade je ne viendrais pas.**
> In case he *were* sick I would not come.

## § 5 PAST PARTICIPLE (le participe passé)

(A) The past participle may function as a normal adjective, in which case it always follows its noun.

> **un château démoli** a demolished castle

In such a situation, both in English and French, the past participle may have an *agent* (see § 23, B).

> **les châteaux démolis par le roi** the castles demolished by the king

But the French past participle, contrary to English usage, may not have a pronoun object. In such a case a relative clause must be substituted for the participial construction.

> the books given to him **les livres qu'on lui a donnés**

(B) A past participle constructed with the passive present participle *having been* in English will commonly omit the auxiliaries in French.

> **La Rochelle *perdue*, les protestants n'avaient plus de ville à eux.**
> La Rochelle *having been lost*, the Protestants no longer had any city of their own.

Verbs conjugated with *être*, likewise tend to omit auxiliaries in the same situation.

> **Une fois arrivés à Paris, ils ont tous parlé latin.**
> Once having arrived at Paris, they all spoke Latin.

(C) In compound tenses the past participle agrees like an adjective:

(1) With the subject if the auxiliary verb is *être* (exception: reflexive verbs [see § 5, C, 2, b below]).

This will occur in two cases:

(a) In a passive (see § 23, A).

> **La cravate est *perdue*.** The necktie is *lost*.

(b) With the following intransitive verbs:

| | | | |
|---|---|---|---|
| accourir | to run up | naître | to be born |
| aller | to go | partir | to leave |
| arriver | to arrive | rentrer | to go (come) back |
| descendre | to go down | rester | to stay |
| entrer | to enter | retourner | to go back |
| monter | to go up | sortir | to go out |
| mourir | to die | tomber | to fall |
| | | venir | to come |

All of the verbs in the above list indicate the direction of a motion, without describing it. Verbs which describe the motion are conjugated with *avoir* (example: *marcher*).

Some of the above verbs also have a transitive meaning: *descendre* (to carry down, to descend [a stairs, etc.]); *monter* (to carry up, go up [a stair]); *rentrer* (to pull in, carry in); *retourner* (to turn [a thing] around). Since all transitive verbs are conjugated with *avoir*, these verbs are so conjugated in this sense. The verb *passer*, both transitive and intransitive, is usually conjugated with *avoir*, but in certain expressions (*le facteur est passé ce matin*) it is conjugated with *être*.

(2) With the preceding direct object in the following cases:

(a) If the past participle is conjugated with *avoir* (all verbs which are not reflexive or were not mentioned in the list in § 5, C, 1, b above are conjugated with *avoir*).

**Je les ai *vus*.** I saw them.
**Les livres que j'ai *vus*.** The books which I saw.
**Combien de livres avez-vous *lus*?** How many books did you read?

(b) If the verb is reflexive (a verb becomes reflexive whenever a reflexive pronoun occurs before it and in that case the auxiliary is always *être*).

**Elle a coupé le pain.** She cut the bread.
**Elle s'est coupée.** She cut herself.
**Les livres qu'elle s'est achetés.** The books which she bought for herself.
BUT: **Elle s'est coupé le doigt.** She cut her finger.

(D) For some special problems of agreement of past participle, see § 24, H; § 25, E; and § 45, C, 4.

## § 6 PASSÉ COMPOSÉ

(A) The *passé composé*, like English present perfect, expresses an action completed in the past but the effects of which continue in the present.

**J'ai trouvé mon ami.** I have found my friend.

(B) For the *passé composé* in literary style, see § 10, B.

(C) In conversational style, French does not distinguish between English present perfect and English past.

**J'ai terminé mon travail.** {
I have finished my work.
I finished my work.
I did finish my work.
}

## § 7 PLUPERFECT INDICATIVE (le plus-que-parfait)

(A) In English and in French the pluperfect tense expresses an action which had occurred previous to a particular time in the past. The English auxiliary is *had* and the French auxiliary is the imperfect of *avoir* or *être*.

**Il avait parlé.** He had spoken.
**Elle était partie.** She had left.

(B) With its customary laxity, English often fails to express in the pluperfect an action which occurred previous to another action in the past. Such laxity is not possible in French.

She said she did (had done) it. **Elle a dit qu'elle l'avait fait.**

## § 8 FUTURE PERFECT (le futur antérieur)

(A) Future perfect in English and in French expresses an action which will already have occurred when another action takes place.

**Elle aura parlé.** She will have spoken.
**Elle sera partie.** She will have left.
**Il dit qu'il aura fini avant toi.** He says that he will have finished before you (thee).

(B) The future perfect will also occur in cases of implied futurity (see § 3, B, 2) and probability or conjecture (see § 3, A, 3).

## § 9 CONDITIONAL PERFECT (le conditionnel antérieur)

(A) The conditional perfect is a future perfect in the past.

**Il aurait parlé.** He would have spoken.
**Elle serait partie.** She would have left.
**Il a dit qu'il aurait fini avant toi.** He said that he would have finished before you.

(B) Remarks concerning the conditional in § 4, A, D, E, and F also apply to the conditional perfect.

## § 10 PASSÉ SIMPLE

(A) This tense has the following endings:
(a) In the first (*-er*) conjugation:

| | |
|---|---|
| je donn*ai* | nous donn*âmes* |
| tu donn*as* | vous donn*âtes* |
| il donn*a* | ils donn*èrent* |

(b) In the second (*-ir*) and third (*-re*) conjugations:

| | | |
|---|---|---|
| —is | —îmes | EXAMPLES |
| —is | —îtes | vous finîtes |
| —it | —irent | vous vendîtes |

(c) All irregular *-ir, -re* or *-oir* verbs:

| | |
|---|---|
| —(vowel)s | —(v̂owel)mes |
| —(vowel)s | —(v̂owel)tes |
| —(vowel)t | —(vowel)rent |

To determine the vowel, it is necessary to know the first singular *passé simple* of the irregular verb. Once the first singular is known the formation is automatic. Note circumflex accent in first and second plural. In some cases, the vowel may be nazalized, but the system remains the same.

| | |
|---|---|
| faire | je fis, tu fis, il fit, nous fîmes, vous fîtes, ils firent |
| voir | je vis, tu vis, il vit, nous vîmes, vous vîtes, ils virent |
| être | je fus, tu fus, il fut, nous fûmes, vous fûtes, ils furent |
| venir | je vins, tu vins, il vint, nous vînmes, vous vîntes, ils vinrent |

(B) In § 6, C we noted that French conversational style does not distinguish between English present perfect and English past. However, literary style does make this distinction.

| CONVERSATIONAL STYLE | LITERARY STYLE | ENGLISH |
|---|---|---|
| **Il a pris la ville.** | **Il prit la ville.** | He took the city. |
| **Il a pris la ville.** | **Il a pris la ville.** | He has taken the city. |

The *passé simple* can be used only to express a specific action at a specific time in the past. If the time of the action is not sufficiently specific but yet a completed action in the past, literary style requires the *passé composé*. Compare the following illustrations:

> **Montaigne publia *les Essais* en 1580.**
> Montaigne published the *Essays* in 1580.
> BUT:  **Montaigne a écrit *les Essais*.**
> Montaigne wrote the *Essays*.

In the second example the time of writing is not specified. We know only that Montaigne was the author of the *Essays*. Yet the action is complete so that the imperfect tense is inappropriate.

## § 11 PASSÉ SURCOMPOSÉ AND PAST ANTERIOR (passé antérieur)

After *quand, lorsque, après que, aussitôt que, dès que* and *à peine* (which requires also the inversion of the verb; see § 54, A, 6) French has a special tense to indicate that the action of the subordinate clause occurred previous to the action of the main clause. In all other cases, the pluperfect (see § 7) has precisely that function, but in these special cases French can use only the special tense known as the *passé surcomposé* in conversational style and as the past anterior in literary style.

(A) *Passé Surcomposé* (conversational style)

This tense is formed with an auxiliary [1] in the *passé composé* and a past participle.

> **Quand il *a eu donné* l'ordre, il n'a pas voulu en prendre la responsabilité.**
> When he *had given* the order, he did not want to take the responsibility for it.
> **Aussitôt qu'elle *a été partie*, on s'est senti plus libre.**
> As soon as she *had left*, they felt more free.

(B) *Past Anterior* (literary style)

This tense is formed with an auxiliary in the *passé simple* and a past participle.

1. If the verb in question is reflexive, a most unusual form results. *Dès qu'elle s'est eu assise, on s'est mis à l'interroger:* As soon as she had sat down, they began to question her.

Quand il *eut donné* l'ordre, il ne voulut pas en prendre la responsabilité.
Aussitôt qu'elle *fut partie,* on se sentit plus libre.
(Translations are the same as in § A above.)

## § 12 SUBJUNCTIVE IN NOUN CLAUSES

In a noun clause (a clause which begins with *que* in the sense of *that* and which functions as the subject or object of the verb) the subjunctive comes about as the result of a subjective attitude in the main clause. Practically speaking, the problem is solved by knowing how to recognize these situations automatically.

(A) Subjunctive will occur in noun clauses whenever the part of the sentence on which the clause depends expresses the following attitudes:

(1) *Emotion and judgment.*

> **Je suis désolé qu'il ne** *vienne* **pas.**
> I am sorry that he *is* not *coming.*
> **J'ai peur qu'il ne** *vienne* **pas.**
> I am afraid that he *is* not *coming.*
> **Il convient qu'il** *fasse* **ce travail.**
> It is fitting that he *should do* this work.
> **Il est temps qu'il** *fasse* **ce travail.**
> It is time that he *did* this work.
> **Il faut qu'il** *fasse* **ce travail** (see § 24, I, 2).
> It is necessary that he *do* this work.

Expressions of fearing take a pleonastic *ne* (see § 56, F, 2) with the subjunctive.

> **J'ai peur qu'elle** *ne* **vienne.**
> I am afraid that she *will come.*

(2) *Volition.*

> **Je veux qu'il** *fasse* **ce travail.**
> I want him *to do* this work.
> **J'ordonne que le travail** *soit fait* **immédiatement.**
> I order that the work *be done* immediately.
> **Le médecin s'oppose à ce** [1] **qu'il le** *fasse.*
> The doctor is opposed to his *doing* it.

(3) *Doubt, denial, possibility* (see also § 56, F, 3).

> **Je doute qu'il** *vienne.* I doubt that he *will come.*
> **Il se peut que Marie** *vienne.* It is possible that Mary *may come.*
> **Nous nions que ce** *soit* vrai. We deny that it *is* true.
> **Croyez-vous qu'il** *soit* [2] malade? Do you think he *is* sick?

1. Whenever a noun clause follows the preposition *à* in idioms such as *s'opposer à, s'attendre à* (to expect), *tenir à* (to be anxious), the noun clause will be introduced by *ce que* instead of *que.*
2. By using the subjunctive, the speaker implies that there is doubt about his being sick. If he wants the confirmation of what he already knows to be true, he will use an indicative in place of the subjunctive.

(B) Special note must be taken of the following problems of translation in connection with noun clauses:

(1) The verbs *demander, ordonner, commander, conseiller, permettre,* and *défendre* normally take an indirect object (designating the person who is caused to perform the action) and an infinitive introduced by *de* (designating the action to be performed).

> **Je demande à Jean de le faire.** I ask John to do it.
> **Je lui ordonne de le faire.** I order him to do it.

The subjunctive following these verbs increases the force of the verb of ordering.

> **Je demande que Jean le fasse.** I demand that John do it.
> **J'ordonne que Jean le fasse.** It is my will that John do it.

(2) The verbs *empêcher* (prevent) and *persuader* take a direct object and an infinitive introduced by *de.*

> **Il empêche Marie de partir.** He prevents Mary from leaving.
> **Il le persuade de partir.** He persuades him to leave.

(3) Except in the cases just enumerated, a noun clause in French must replace an English infinitive construction having a noun or pronoun subject.

> I want John to do it = I want that John do it =
> **Je veux que Jean le fasse.**
> I want her to do it = I want that she do it =
> **Je veux qu'elle le fasse.**

(4) The choice of verb and tense in connection with the subjunctive is discussed in detail in § 20.

## § 13 SUBJUNCTIVE IN RELATIVE CLAUSES

(A) A relative clause depending on an indefinite antecedent or an antecedent, the existence of which is in doubt, requires a subjunctive in French.

> **Je ne connais personne qui *soit* capable de le faire.**
> I know no one who is capable of doing it.
> **Connaissez-vous un homme qui *puisse* le faire?**
> Do you know a man who can do it?

(There is doubt as to the existence of such a man.)

> **Je cherche un livre qui *puisse* lui plaire.**
> I am looking for a book which may please him.

(There is doubt as to the existence of such a book.)

(B) A relative clause depending on an antecedent modified by a superlative or the words *seul, unique, premier, dernier, ne . . .*

*que,* requires a subjunctive, provided the speaker or writer colors these words with a subjective attitude and does not merely state a fact.

> **C'est la plus grande ville que j'*aie* jamais vue.**
> It is the biggest city I have ever seen.

(The speaker colors *plus grande* with an emotional attitude.)

> **C'est la plus grande ville que nous avons visitée pendant notre voyage.**
> It is the biggest city we have visited during our trip.

(In this case the speaker attaches so much importance to the *fact* of having visited the city that he avoids the subjunctive.)

> **C'est la première personne qui *ait* osé faire cela.**
> This is the first person who dared do that.

(*Première* is said with an emotional attitude.)

> **C'est le premier livre qu'on a publié dans la série.**
> It is the first book which was published in the series.

(The speaker is merely stating a fact. He has no emotional attitude concerning the fact that it is the first book.)

## § 14 SUBJUNCTIVE AFTER CONJUNCTIONS

(A) Certain conjunctions automatically require the subjunctive after them. Memorize the conjunctions italicized in the illustrations below.

> ***Bien qu*'il soit malade, il viendra.**
> *Although* he is sick, he will come.
> **Il viendra *quoiqu*'il soit malade.**
> He will come *although* he is sick.
> **Il parlera lentement *afin que* vous puissiez comprendre.**
> He will speak slowly *so that* you may understand.
> **Vous pouvez partir *pourvu que* vous ne le disiez à personne.**
> You may leave *provided* (*that*) you tell no one.
> **Il l'a fait *sans que* vous le sachiez.**
> He did it *without* your knowing it.
> **On le soignera *jusqu'à ce qu*'il soit rétabli.**
> They will take care of him *until* he is well.
> ***Autant que* je sache, c'est Marie qui l'a fait.**
> *As far as* I know, Mary is the one who did it.
> ***Non que* ce soit faux, mais j'ai de la peine à le croire.**
> *Not that* it is untrue but I have trouble believing it.
> ***Soit qu*'il n'ait pas entendu, *soit qu*'il n'ait pas compris, il n'a pas répondu.**
> He did not answer, *either because* he did not hear *or because* he did not understand.

(B) The following conjunctions require pleonastic *ne* (see § 56, I, 5) as well as a subjunctive in correct French, although modern conversational style frequently omits the pleonasm.

Il viendra *à moins qu*'il *ne* soit malade.
He will come *unless* he is ill.
Il répond *avant que* l'autre *ne* puisse ouvrir la bouche.
He answers *before* the other can open his mouth.
Il ne dira rien *de crainte qu*'on *ne* le punisse.
He will say nothing *for fear that* he may be punished.
Il ne dira rien *de peur qu*'on *ne* le punisse.
He will say nothing *for fear that* he may be punished.

## § 15 SUBJUNCTIVE IN *however* (etc.) CONSTRUCTIONS

In translating English words ending in -*ever*, French usage differs considerably from English usage. The best approach to this intricate problem is to learn as many of the French expressions as possible, treating them more as idioms. In other words, the French expression should be memorized before the English translation is noted.

(A) *Que*-clause modifying interrogative pronoun or adjective.

(1) *Quoi qu*'il fasse, je ne le punirai pas.
Whatever he does, I will not punish him.

(*Whatever* as object of verb = *quoi* + *que* + subject + subjunctive).

(2) *Quelle que* soit la difficulté, je réussirai.
Whatever be the difficulty, I shall succeed.

(*Whatever* with verb *to be* = *quel* + *que* + *être* + subject).

(3) *Qui que* vous soyez, je ne vous obéirai pas.
Whoever you are, I will not obey you.

(*Whoever* in predicate of *to be* = *qui* + *que* + subject + *être* in subjunctive).

(4) *Qui que ce soit qui* ait fait cela, je le punirai.
Whoever did that, I will punish him.

(*Whoever* as subject of *to be* = *whoever it be who* . . .)

(5) *Qui que ce soit qu*'on choisisse, je suis d'accord.
Whomever they choose, I am in agreement.

(*Whomever* = *whoever it be whom* . . .)

(6) *Quoi que ce soit qui* le rende malade, il devrait faire venir le médecin.
Whatever is making him sick, he ought to summon the doctor.

(*Whatever* as subject of verb = *whatever it be which* . . .)

(B) *Qui* or *que* clause modifying an adjective or noun which in turn is modified by *quelque*.

(1) *Quelque* modifying adjective:

*Quelque* [1] *grande* que soit la maison, il n'y aura jamais assez de place.
*However big* the house is, there will never be enough room.

(French says: *However big be the house . . .*).

(2) *Quelque* modifying noun:

*Quelque désir qu'*il ait de bien faire, il ne réussira pas.
*Whatever desire* he has to do well, he will not succeed.
*Quelque idée qu'*il exprime, on le critique.
*Whatever idea* he expresses, he is criticized.

(C) The following are some common expressions which do not fit exactly into the above patterns.

*Où que* vous soyez, je vous trouverai. *Wherever* you are, I shall find you.
**N'en dites rien à *qui que ce soit*.** Say nothing of it to *anyone*.

(D) Not every English pronoun or adverb ending in the suffix *-ever* brings about a subjunctive in French.

(1) *Whoever*, as subject of a verb, is more commonly *quiconque* [rather than the form given in § 15, A] which does not take a subjunctive.

*Quiconque* le dit se trompe. *Whoever* says it is mistaken.

There is also a natural tendency in French to substitute *the one who* for *whoever*, which brings about a demonstrative pronoun (see § 36, C).

**Celui qui le dit se trompe.** *Whoever* (*the one who*) says it is mistaken.

(2) *Whatever* following the word which it modifies in English is rendered as follows:

Give me *any* book (*whatever*). **Donnez-moi *n'importe quel* livre.**
I shall speak to *anyone* (*whatever*). **Je parlerai à *n'importe qui*.**
*Anyone* (*whatever*) can do it. ***N'importe qui*** pourra le faire.
He will do *anything* (*whatever*). **Il fera *n'importe quoi*.**

## § 16 SUBJUNCTIVE AS IMPERATIVE

(A) As noted previously (see § V, h), French has three imperatives whereas English has two.

| . . . . . . . . . . | | **donnons** let us give |
|---|---|---|
| **donne** | give (*tu* form) | **donnez** give (*vous* form) |
| . . . . . . . . . . | | . . . . . . . . . . |

In the first and third persons singular and in the third person plural, French may also express an imperative equivalent to the English phrase *let me, let him, let them*.

1. *Quelque* modifying an adjective is frequently replaced by *si*. *Si grande que soit la maison:* However big the house may be.

| | |
|---|---|
| **que j'aille** let me go | .......... |
| .......... | .......... |
| **qu'il aille** let him go | **qu'ils aillent** let them go |

It must be noted, however, that English *let* may not have the sense of an order but may mean *allow* (*laisser*) or *permit* (*permettre*).

COMMAND: **Qu'il le *fasse* immédiatement.**
Let (have) him do it immediately.
PERMISSION: **Laissez-la le faire maintenant.**
Let (allow) her (to) do it now.

(B) *Que* with the subjunctive as a main verb also expresses a wish.

**que je meure** may I die

(C) In certain expressions the imperative subjunctive occurs without *que*.

**Vive le roi!** Long live the king!
**Puissiez-vous mourir de dépit!** May you die of vexation!
**A Dieu ne plaise!** God forbid!

## § 17 FORMATION OF PERFECT SUBJUNCTIVE (le passé du subjonctif)

This tense is composed in the same manner as the *passé composé*, except that the auxiliary is in the present subjunctive instead of the present indicative.

| | |
|---|---|
| **j'aie donné** | **j'aie fini, etc.** |
| **tu aies donné** | |
| **il ait donné** | **j'aie vendu, etc.** |
| **nous ayons donné** | |
| **vous ayez donné** | **je sois allé, etc.** |
| **ils aient donné** | |

## § 18 FORMATION OF IMPERFECT SUBJUNCTIVE (l'imparfait du subjonctif)

Verbs of the first (*-er*) conjugation have the following endings in the imperfect subjunctive:

| | |
|---|---|
| **je donn*asse*** | **nous donn*assions*** |
| **tu donn*asses*** | **vous donn*assiez*** |
| **il donn*ât*** | **ils donn*assent*** |

Regular verbs of the second (*-ir*) conjugation and the third (*-re*) conjugation have identical endings in the imperfect subjunctive:

| | | |
|---|---|---|
| —i*sse* | —i*ssions* | EXAMPLES |
| —i*sses* | —i*ssiez* | **je fin*isse*** |
| —*ît* | —i*ssent* | **je vend*isse*** |

For all irregular verbs, the endings are:

| | |
|---|---|
| —(vowel)sse | —(vowel)ssions |
| —(vowel)sses | —(vowel)ssiez |
| ∧ | |
| —(vowel)t | —(vowel)ssent |

The imperfect tense of every irregular verb in French is derived from the first singular *passé simple* (see § 10). Remove the first singular ending of the *passé simple* but retain the vowel and add the endings of the imperfect subjunctive indicated above; thus:

| INFINITIVE | PASSÉ SIMPLE | IMPERFECT SUBJUNCTIVE |
|---|---|---|
| faire | je fis | je fisse, tu fisses, il fît, etc. |
| avoir | j'eus | j'eusse, tu eusses, il eût, etc. |
| être | je fus | je fusse, tu fusses, il fût, etc. |
| devoir | je dus | je dusse, tu dusses, il dût, etc. |
| venir | je vins | je vinsse, tu vinsses, il vînt, etc. |

## § 19 PLUPERFECT SUBJUNCTIVE (le plus-que-parfait du subjonctif)

(A) This tense is similar in formation to the pluperfect indicative, except that the auxiliary verb is in the imperfect subjunctive instead of the imperfect indicative.

| | |
|---|---|
| j'eusse donné | je fusse allé(e) |
| tu eusses donné | tu fusses allé(e) |
| il eût donné | il (elle) fût allé(e) |
| nous eussions donné | nous fussions allé(e)s |
| vous eussiez donné | vous fussiez allé(e)(s)(es) |
| ils eussent donné | ils (elles) fussent allé(e)s |

(B) In literary style, pluperfect subjunctive may replace the conditional perfect.[1]

> **Si on le lui avait expliqué, elle *aurait* compris.**
> **Si on le lui avait expliqué, elle *eût* compris.**
> If it had been explained to her, she would have understood.

## § 20 TENSE SEQUENCE IN THE SUBJUNCTIVE

(A) In this connection, review first § 12, B which explains the substitution of a noun clause for the English infinitive construction.

(B) Once the decision has been made to use subjunctive for one of the reasons enumerated in § 12 to § 16, the initial step is to determine what verb to put into the subjunctive since English has

---

1. When the *if* clause is replaced by an inverted word order clause, both verbs are pluperfect subjunctive. *Le lui eût-on expliqué, elle eût compris:* Had it been explained to her, she would have understood.

numerous and sometimes misleading (from the French point of view) constructions in equivalent situations.

| ENGLISH | VERB IN SUBJUNCTIVE |
|---|---|
| I am afraid he *will* not *come*. | Come (*venir*). |
| I am afraid he *may* not *come*. | Come (*venir*). |
| He was afraid he *would* not *come*. | Come (*venir*). |
| He was afraid he *might* not *come*. | Come (*venir*). |
| It is fitting that he *should do* this. | Do (*faire*). |
| It is time that he *did* his work. | Do (*faire*). |
| He did it without your *knowing* it. | Know (*savoir*). |
| He decided to stop before he *should be* sick. | Be (*être*). |

In the above illustrations, *may* or *might* do not translate. However, when *may* or *might* mean *ability*, they will translate by the proper tense of *pouvoir* in the subjunctive.

I am looking for a book which *may* (*will be able to*) please him.
He will speak slowly so that you *may* (*will be able to*) understand.

(C) Once the verb to be put into the subjunctive has been determined, the next problem is to choose the proper tense. The rules differ depending whether conversational or literary style is to be used.

(1) *Conversational Style in Noun Clauses*

(a) When the main verb is present or future, the verb in the noun clause will be present subjunctive if the action is not previous to the action of the main verb. If the action is previous to the action of the main verb, the perfect subjunctive is required.

TIME NOT PREVIOUS (Present Subjunctive)

I am afraid { that he *is coming*.
{ that he *will come*.
**J'ai peur qu'il ne *vienne*.**

TIME PREVIOUS (Perfect Subjunctive)

I am afraid that he *has* already *come*.
**J'ai peur qu'il ne *soit* déjà *venu*.**
I am afraid that he *came* yesterday.
**J'ai peur qu'il ne *soit venu* hier.**

(b) When the main verb is in a past or conditional tense, the verb of the subordinate clause will be present subjunctive if the action is not previous to that of the main verb and perfect subjunctive if it is previous to that of the main verb.

TIME NOT PREVIOUS (Present Subjunctive)

He was afraid that she *would be* sick.
**Il avait peur qu'elle ne *tombe* malade.**

He would have preferred that she *should answer* immediately.
**Il aurait préféré qu'elle *réponde* immédiatement.**

TIME PREVIOUS (Perfect Subjunctive)

He was afraid that she had been sick.
**Il avait peur qu'elle n'*ait été* malade.**

In the last illustration above, note that English pluperfect happens to translate as French perfect subjunctive.

(2) *Literary Style in Noun Clauses*

(a) When the main verb is present or future, the rule is the same as for conversational style (see § 20, C, 1 above).

(b) When the main verb is past or conditional, the verb of the subordinate clause will be imperfect subjunctive if the action is not previous to that of the main verb and pluperfect subjunctive if it is previous to that of the main verb.

TIME NOT PREVIOUS (Imperfect Subjunctive)

**Il nia que ce *fût* vrai.** He denied that it *was* true.

TIME PREVIOUS (Pluperfect Subjunctive)

**Il nia qu'elle *eût dit* la vérité.** He denied that she *had told* the truth.

(3) *Tense Sequence in relative clauses requiring the subjunctive* (see § 13) *and in* qui que, quelque . . . que (*etc.*) *constructions* (see § 15).

In these constructions problems of tense sequence are the same as in noun clauses.

(4) *Tense Sequence After Conjunctions*

Review § 14.

(a) Conversational style

(i) *Main verb present, future or conditional*

In this case usage is the same as with noun clauses (see § 20, C, 1).

**Il ne répond pas bien qu'il *ait compris.***
He does not answer although he *understood.*
**Il ne peut rien faire sans que Marie l'*interrompe.***
He can do nothing without Mary *interrupting* him.
**Il le croirait à moins que vous ne lui *disiez* le contraire.**
He would believe it unless you *told* him the contrary.

(Note present tense in last French example above.)

(ii) *Main verb in any past tense or in conditional perfect tense.*

(x) With *afin que, pour que, de crainte que* and *de peur que,* the notion of tense is adequately conveyed by the main clause and therefore the present subjunctive occurs in the subordinate clause unless (as in noun clauses) it is necessary to indicate that the action of the subordinate clause occurred previous to the action of the main clause.

**Il n'aurait rien dit de peur qu'elle *comprenne*.**
He would have said nothing for fear that she *might understand*.
**Il n'aurait rien dit de peur qu'elle *ait* déjà *compris*.**
He would have said nothing for fear that she *might* already *have understood*.

(y) With the other conjunctions listed in § 14, the verb of the subordinate clause will tend to be in the perfect subjunctive.

**Il a mangé bien qu'il *ait été* malade.**
He ate although he *was* sick.

(z) Since conversational style lacks a pluperfect subjunctive, it is necessary to use perfect subjunctive in situations where English has a pluperfect tense.

**Il a mangé bien qu'il *ait été* malade.**
He ate although he *had been* sick.

(b) Literary style
　(i) *Main verb in present or future*
Usage is same as in noun clauses (see § 20, C, 2).
　(ii) *Main verb in any past tense, conditional or conditional perfect*
Verb of the subordinate clause will be in the imperfect subjunctive unless it is necessary to emphasize previous time, in which case the verb will be in the pluperfect subjunctive.

**Il mangea bien qu'il *fût* malade.** He ate although he *was* sick.
**Il mangea bien qu'il *eût été* malade.** He ate although he *had been* sick.

## § 21 AVOIDANCE OF IDENTICAL SUBJECTS

(A) When the subject of a noun clause in the indicative is the same as the subject of the main verb, French will generally substitute a simple or perfect infinitive for the noun clause whenever the tense is one which can be adequately conveyed by the infinitive.

**Il croit comprendre.** *He* thinks *he* understands.
**Il espère** [1] **pouvoir venir.** *He* hopes *he* will be able to come.

1. In spite of the fact that it seems to express an emotional attitude, *espérer* takes the indicative in a noun clause depending on it. *Il espère que Marie viendra:* He hopes Mary will come. The same is true of *penser* and *croire*. In the negative and interrogative, however, a notion of doubt is introduced, and the noun clause takes a subjunctive. *Croyez-vous qu'elle soit malade?* Do you think she is sick? (A notion of doubt may also be introduced in the affirmative imperative. *Supposez qu'elle vienne:* Suppose she comes.)

**Il dit l'avoir vu.** *He* says *he* has seen him.
**Il prétend l'avoir.** *He* claims *he* has it.
BUT: **Il prétend qu'il ne pourrait jamais le faire.** *He* claims *he* could never do it.

(The infinitive cannot convey the meaning of a conditional.)

(B) Whenever the subject of a noun clause in the subjunctive or of an adverbial clause (beginning with a conjunction) in the subjunctive is identical with the subject of the main verb, an infinitive construction must be substituted for the subordinate clause.

*John* is afraid *he* will be unable to come.
**Jean a peur de ne pouvoir venir.**
*He* spoke before *he* understood the question.
**Il a parlé avant d'avoir compris la question.**
*He* examined it for a long time for fear *he* might be mistaken.
**Il l'a longuement examiné de peur de se tromper.**
*He* leaned over so that *he* might be able to see better.
**Il s'est penché pour mieux voir.**
*He* cannot understand unless *he* has the book.
**Il ne peut comprendre à moins d'avoir le livre.**

Note the following relationships between conjunctions and prepositions:

| CONJUNCTION | PREPOSITION |
|---|---|
| **après que** [1] after | **après** after |
| **avant que** before | **avant de** before |
| **pour que** so that | **pour** in order to |
| **afin que** so that | **afin de** in order to |
| **à moins que** unless | **à moins de** unless [2] |
| **sans que** without | **sans** without |
| **jusqu'à ce que** until | **jusqu'à** [3] up to, until |
| **de peur que** for fear that | **de peur de** for fear of |
| **de crainte que** for fear that | **de crainte de** for fear of |
| **bien que** [4] although | . . . . . . . . . . |
| **quoique** [4] although | . . . . . . . . . . |

1. *Après que* takes indicative, not subjunctive. All other conjunctions in this list take subjunctive.

2. Since *unless* occurs only as a conjunction in English, that language cannot avoid double subjects. Note last example in sentences given as illustrations above.

3. The preposition *jusqu'à*, unlike all the other prepositions in this list, will not usually introduce an infinitive. Hence it should not be used to avoid a double subject. (See Lesson XXV, line 11.)

4. These conjunctions having no equivalent preposition, double subjects cannot be avoided (except in cases with *être*).

## § 22 THE REFLEXIVE VERB (le verbe pronominal)

(A) For a more extensive discussion of the theory of the reflexive verb, turn to § VI, h. Remember the basic definition: *Any verb with a reflexive pronoun object is a reflexive verb.* Compare:

> Elle a coupé le pain. She cut the bread.
> Elle s'est coupée. She cut herself.

Note the conjugation of *se lever* in the present tense and in the *passé composé* (review § 5, C, 2, b for agreement of past participle).

| | |
|---|---|
| je me lève | je me suis levé(e) |
| tu te lèves | tu t'es levé(e) |
| il (elle) se lève | il (elle) s'est levé(e) |
| nous nous levons | nous nous sommes levé(e)s |
| vous vous levez | vous vous êtes levé(e)(s)(es) |
| ils (elles) se lèvent | ils (elles) se sont levé(e)s |

(B) Certain verbs have different meanings when they become reflexive.

| | |
|---|---|
| amuser to amuse | s'amuser to have a good time |
| appeler to call | s'appeler to be named |
| attendre to wait for | s'attendre (à) to expect |
| demander to ask (for) | se demander to wonder |
| douter (de) to doubt | se douter (de) to suspect |
| élever to raise | s'élever to rise |
| jeter to throw | se jeter to empty (of a river) |
| lever to raise up | se lever to get up, rise |
| mettre to put | se mettre (à) to begin |
| passer to pass | se passer de to do without |
| plaindre to pity | se plaindre (de) to complain |
| porter to carry, wear | se porter to be (of health) |
| rappeler to call back | se rappeler to remember |
| retourner to return, turn around (*trans.*) | se retourner to turn around |
| tromper to deceive | se tromper to be mistaken |
| trouver find | se trouver to be situated |

## § 23 THE PASSIVE VOICE AND AVOIDANCE OF PASSIVE

(A) A verb is said to be passive when the subject no longer acts but is acted upon.

> ACTIVE: The dog bites the woman.
> PASSIVE: The woman is bitten by the dog.

Both in English and French the passive is constructed with the verb *to be* (*être*) plus the past participle which agrees like an adjective with the subject (see § 5, C, 1).

**La femme est *mordue* par un chien.** The woman is bitten by a dog.

In translating, the student must first learn to recognize a passive when he sees one. Then he must choose the proper tense. *The tense of the passive is always conveyed by the auxiliary.* In the example above, the action is going on at the present time and therefore the auxiliary (*est*) is in the present tense.

Frequently, in French, the auxiliary of the passive will itself be in two parts, in which case the past participle of the passive, but not that of the auxiliary, agrees with the subject.

> **La femme a été mordue.**
> The woman was bitten.

(Clearly a precise action at a precise time and hence the auxiliary is *passé composé*.)

> **La femme aurait été mordue.**
> The woman would have been bitten.

(B) In a passive construction the person or thing performing the action is called the *agent*.

(1) In English, the agent is usually introduced by the preposition *by* and in French by the corresponding preposition *par*.

> **La femme a été mordue *par le chien*.**
> The woman was bitten *by the dog*.

(2) However, if no real action is indicated by the passive (in other words, when the situation is completely static), the agent will be introduced by *de* which sometimes translates as *by* and sometimes as *with*.

> **La table est couverte *d*'une nappe.**[1]
> The table is covered *with* a tablecloth.
> **Sur l'image on voyait le général suivi *de* son état-major.**
> In the picture one could see the general followed *by* his staff.

(3) English also possesses a *false passive* which is obtained by using an indirect rather than a direct object as subject of the passive. In such cases, the *false passive* must be replaced by a true passive before translating.

> John was given a book = To John a book was given.
> **Un livre a été donné à Jean.**
> **On a donné un livre à Jean.**

The same problem arises when an English transitive verb translates as a French intransitive.

> The letter was answered yesterday.

(*But French says:* The letter was answered *to* yesterday.)

> **On a répondu à la lettre hier.**

1. If a pronoun were to replace the word *nappe*, it would be *en* (see § 45, C). *La table en est couverte:* The table is covered with it.

(C) French tends to avoid the passive whenever possible, but, when the agent is expressed, the passive cannot be avoided. On the other hand, if the agent is not expressed, the passive may be avoided in the following manner:

(1) *If the subject in English is a thing,* there are two possibilities: *on* with an active verb; a reflexive verb.

> **On parle français ici.** ⎫
> **Le français se parle ici.** ⎬ French is spoken here.
>
> **On ne dit pas ces choses ouvertement.** ⎫ These things are not
> **Ces choses ne se disent pas ouvertement.** ⎬ said openly.

However, the *on* construction and the reflexive are not completely interchangeable. In using *on,* it is necessary always to ask: Is this an action which *on* (someone) can perform? Likewise a reflexive is avoided in many cases where the subject is too specific. One would be unlikely to use a reflexive in lieu of the following expression:

> **On démolit ces vieilles maisons maintenant.**
> These old houses are being demolished now.

(2) *If the subject in English is a person,* the *on* construction, but not the reflexive, may be used, provided that the action is logically performed by another person.

> **On m'a reçu à bras ouverts.**
> I was received with open arms.
> BUT:  **J'ai été blessé.** I was wounded.

(More than likely I was wounded by a thing.)

> BUT:  **Elle se comprend.** She understands herself.

(With a person as subject the only possible interpretation is a normal reflexive meaning rather than a passive meaning.)

## § 24 THE INFINITIVE (l'infinitif)

(A) Infinitives occur sometimes in the function of a noun.

> **Le *dire* clairement semblait une chose au-dessus de ses forces.**
> *To say* it clearly seemed to be something beyond his strength.
> ***Parler* n'a jamais été son fort.**
> *Speaking* never was his strong point.

(B) Sometimes the infinitive occurs in written instructions instead of the imperative.

> **Répondre en français.** Answer in French.
> **Ne pas livrer le dimanche.** Not to be delivered on Sunday.

(C) When the infinitive depends directly on another verb there are three possible constructions:

(1) The following verbs take no preposition to introduce a dependent infinitive:

aimer to like
aimer mieux to prefer
aller to go
assurer to assure
avoir beau to be in vain
croire to believe
désirer to desire
devoir to have to
dire to say (in sense of § 21 only)
écouter to listen
entendre to hear
envoyer to send
espérer to hope
faillir to be on the point of
falloir to be necessary
laisser to leave, allow, let
mener to lead, bring
mettre to set, put
monter to go up
oser to dare
paraître to appear

penser to think
pouvoir to be able
préférer to prefer
prétendre to claim
se rappeler to remember
reconnaître to recognize
regarder to look at
rentrer to go home
retourner to return
revenir to come back
savoir to know
sembler to seem
sentir to feel
souhaiter to wish
supposer to suppose
se trouver to be
valoir mieux to be better
venir to come
voir to see
voler to fly
vouloir to want, wish

EXAMPLES:

Il ose le faire. He dares to do it.
Il croit comprendre. He thinks he understands (see § 21, A).

(2) The following verbs take the preposition *de* to introduce a dependent infinitive:

accuser de to accuse of
achever de to finish
admirer de to admire for
s'apercevoir de to notice
s'arrêter de to stop
s'aviser de to take it into one's mind to
avoir peur de to be afraid to
cesser de to cease to
charger de to charge with
choisir de to choose to
commander de to order to
conseiller de to advise to
se contenter de to be satisfied with
convaincre de to convince to
convenir de to agree to
craindre de to fear to
crier de to shout to
décider de to decide to
défendre de to forbid to
demander de to ask (someone) to

se dépêcher de to hurry to
dire de to tell to
se douter de to suspect
écrire de to write to
s'efforcer de to strive to
empêcher de to prevent from
entreprendre de to undertake to
s'étonner de to be astonished
éviter de to avoid
s'excuser de to apologize for
faire bien de to do well to
se fatiguer de to be tired of
finir de to finish
forcer de to force to
se garder de to take care not to
gêner de to embarrass
se hâter de to hasten to
s'impatienter de to be impatient to
inspirer de to inspire to
interdire de to forbid to
jouir de to enjoy

manquer de to come near
se moquer de to make fun
mourir de to die from
négliger de to neglect to
être obligé de to be obliged to
obtenir de to obtain (the right, etc.) to
s'occuper de to take charge of
offrir de to offer to
ordonner de to order to
oublier de to forget to
parler de to talk of
se passer de to go without
permettre de to permit to
persuader de to persuade to
plaindre de to pity for

se plaindre de to complain of
prier de to beg, ask to
promettre de to promise to
proposer de to propose to
punir de to punish for
refuser de to refuse to
regretter de to regret to
remercier de to thank for
reprocher de to reproach with
résoudre de to resolve to
rire de to laugh at
risquer de to risk
sommer de to call upon
souffrir de to suffer from
se souvenir de to remember
tâcher de to try to

EXAMPLES:

> **Elle essaie de parler.**
> She tries to talk.
> **Elle remercie Jean d'avoir répondu à sa lettre.**
> She thanks John for having answered her letter.

(a) In this connection the idiom *venir de* must be mentioned. In the present tense, *venir de* means *to have just done something.*

> **Elle vient de partir.** She has just left.

Instead of a pluperfect tense in such a construction, French will have an imperfect tense.

> **Elle venait de partir.** She had just left.

(3) The following verbs take the preposition *à* to introduce a dependent infinitive.

aider à to help to
amener à to bring to
s'amuser à to amuse oneself in
apprendre à to learn, teach to
arriver à to succeed in
aspirer à to aspire to
s'attendre à to expect to
avoir à to have to
chercher à to seek, try to
commencer à to begin to
se consacrer à to devote oneself to
condamner à to sentence to
conduire à to lead to
consentir à to consent to
continuer à to continue to
décider à to persuade to
se décider à to make up one's mind to

demander à to ask (permission) to
encourager à to encourage to
engager à to urge to
enseigner à to teach to
forcer à to force to
habituer à to accustom to
hésiter à to hesitate to
s'intéresser à to be interested in
inviter à to invite to
se mettre à to begin to
obliger à to oblige to
parvenir à to succeed in
passer (du temps) à to spend (time) in
se plaire à to delight in
pousser à to urge to
recommencer à to begin again to
renoncer à to give up

se **résoudre** à to make up one's mind to
**réussir** à to succeed in
**servir** à to serve to
**songer** à to think of

**suffire** à to suffice to
**tendre** à to tend to
**tarder** à to delay in
**tenir** à to be anxious to
**travailler** à to work to

EXAMPLES: **Il invite Marie à venir.**
He invites Mary to come.
**Il réussit finalement à comprendre.**
He finally succeeds in understanding.

(D) For the use of the infinitive to replace noun or adverbial clauses see § 21, B.

(E) When the infinitive depends on a noun or an adjective, it will be introduced by *de* or *à*.

(1) If the infinitive has a direct object of its own or is intransitive, it will usually be introduced by *de* (see also § 37, C).

**Marie est contente de le voir.** Mary is glad to see him.
**Il est temps de le voir.** It is time to see him.
**Il est facile de le faire.** It is easy to do it.
INTRANSITIVE: **Marie est contente de partir.** Mary is happy to leave.

(2) If the noun or adjective is followed by a passive infinitive or an active infinitive which, although having no object of its own, has a logical object in some word of the main clause, French usually has an active infinitive introduced by *à*.

**Voici les devoirs à préparer.**
Here are the exercises to prepare (to be prepared).
**Ce livre est facile à lire.**
This book is easy to read.
BUT: **Marie est contente de comprendre.**
Mary is glad to understand.

(Although transitive, *to understand* does not logically act upon any word in the main clause of the sentence.)

(3) In the last analysis, since many of these constructions are idiomatic, the student should form the habit of observing all such constructions when they occur in a text. Note the following exceptions to the above rules:

**Prenez la peine de vous asseoir.** Be kind enough to sit down.
BUT: **Il a de la peine à comprendre.** He has trouble understanding.
**Jean est le premier à avoir compris.** John is the first to have understood.
**C'est un livre à lire.** It is a book to be read.

(F) The infinitive, introduced by *to* in English, may stand alone in the sentence and not depend directly on another verb or on a noun or adjective. In that case, the English can be paraphrased as *in order to*, translated as *pour* in French.

**Il me faudra trois heures *pour* finir cette leçon.**
I shall need three hours *to* (*in order to*) finish this lesson.

(G) All prepositions, with the exception of *en* (see § 25, C, 2), govern the infinitive form of the verb and not the present participle as in English.

> **sans nous parler** without speaking to us
> **au lieu de me répondre** instead of answering me

Note the following special problems:

(1) When introducing an infinitive, the preposition *before* translates as *avant de*.

> **avant de partir** before leaving

(2) The preposition *après* requires after it, not the simple infinitive, but the past infinitive.

> **après l'avoir vu** $\left\{\begin{array}{l}\text{after seeing him}\\\text{after having seen him}\end{array}\right.$

(H) *Causal use of* faire.

Followed by a dependent infinitive (with no introductory preposition), *faire* has a causal sense and means *to cause something to be done, to have something done, to make someone do something*. In such cases, the dependent infinitive will always follow *faire* immediately with no intervening words other than a possible adverb. Furthermore the following peculiarities of word order must be noted:

(1) If the dependent infinitive has no other object, the person who is caused to perform the action will be a direct object. If this direct object is a noun, it will follow the dependent infinitive. If it is a pronoun, it will precede *faire*.

> **J'ai fait parler la prisonnière.** $\left\{\begin{array}{l}\text{I made the prisoner talk.}\\\text{I caused the prisoner to talk.}\\\text{I had the prisoner talk.}\end{array}\right.$
> **Je l'ai fait parler.** I made her talk, etc.

There is no agreement of the past participle of *faire* in the causal construction.

(2) If the dependent infinitive acts upon something, the thing acted upon will be the direct object and the person caused to perform the action will be expressed as an indirect object. All pronoun objects will continue to come before *faire*.

> **J'ai fait raconter son histoire à la prisonnière.**
> I made the prisoner tell her story.
> **Je la lui ai fait raconter.**
> I made her tell it.

When the person caused to perform the action is expressed as a noun, *par* may replace *à* to avoid possible ambiguity.

> **J'ai fait raconter l'histoire à la prisonnière.**
> I had the prisoner tell the story.
> I had the story told to the prisoner.
> **J'ai fait raconter l'histoire par la prisonnière.**
> I had the prisoner tell the story.

(I) *Devoir, pouvoir* and *falloir*.

(1) *Devoir* and *pouvoir* correspond to modal auxiliaries in English. In French, *devoir* and *pouvoir* function as main verbs whereas the main verb of the corresponding English becomes a dependent infinitive.

> **Je dois partir.** I must leave.
> **Je peux partir.** I can leave.

For a complete analysis of these verbs, return to § XVII, d and § XVII, b.

(2) The impersonal verb *falloir* (having as its only possible subject the impersonal pronoun *il* [see § 37]) is frequently constructed with a dependent infinitive.

> **Il faut partir.** It is necessary to leave.

In a context, the person involved may be implied but not expressed and then *Il faut partir* will mean *We must leave, I must leave, You must leave* or *One must leave.*

Provided the person involved is expressed as a pronoun, an indirect object of reference may be introduced into the *il faut* expression.

> **Il me faut partir.** $\begin{cases} \text{It is necessary for me to leave.} \\ \text{I must leave.} \end{cases}$

If the person involved is a noun, the only possible construction with *il faut* is a noun clause with the subjunctive (see § 12, A, 1).

> **Il faut que Jean parte.** $\begin{cases} \text{It is necessary that John leave.} \\ \text{John must leave.} \end{cases}$

From the above examples it is apparent that *il faut* frequently has the same translation as *devoir.* From the French point of view, the distinction between these verbs is one of degree, *falloir* expressing greater compulsion than *devoir.*

> **Jean doit partir.** John must leave.
> **Il faut que Jean parte.** It is absolutely necessary that John leave.

Even with *falloir* there is a distinction between the infinitive and the subjunctive construction, the latter expressing greater compulsion. In modern French the subjunctive construction is used almost exclusively.

> **Il me faut partir.** I must leave.
> **Il faut que je parte.** It is necessary that I leave.

## § 25 THE PRESENT PARTICIPLE (le participe présent)

(A) For regular verbs of the second (-*ir*) conjugation, it is necessary to insert -*iss*- between the stem and the participial ending -*ant*.

| | | |
|---|---|---|
| **donn-er** | **donn-ant** | giving |
| **fin-ir** | **fin-iss-ant** | finishing |
| **vend-re** | **vend-ant** | selling |

(B) In the conjugation of irregular verbs, the present participle is the second principal part. For the derivation of other tenses from this principal part, see § XVI, b.

(C) Whenever the English present participle occurs in the function of a present participle (being neither an adjective, part of a tense formed with an auxiliary verb, or the object of a preposition other than those listed in § C, 3 below), it will translate by the French present participle.

(1) If the action of the present participle precedes the action of the main verb, the French present participle will stand alone exactly as in English.

> **Se tournant vers Marie, il s'est mis à lui parler sérieusement.**
> Turning towards Mary, he began to talk to her seriously.

(2) If the action of the present participle is concurrent with the action of the main verb, French requires a present participle introduced by *en*.

> *En* **cherchant l'adresse de Marie, il a trouvé celle de Jean.**
> Looking for Mary's address, he found John's.
> *While* looking for Mary's address, he found John's.
> *When* looking for Mary's address, he found John's.
> *By* looking for Mary's address, he found John's.
> *On* looking for Mary's address, he found John's.
> *In* looking for Mary's address, he found John's.

Whenever *en* occurs with the present participle following a noun or pronoun object, it means that the action is performed by the subject of the sentence.

> **Il a vu Marie en descendant le boulevard.**
> While going down the boulevard, he saw Mary.
> BUT NOT: He saw Mary going down the boulevard.

(3) As previously noted (§ 24, G), all prepositions with the ex

ception of *en* govern the infinitive form of the verb, although the corresponding English form is a present participle.

On the other hand, as illustrated in § 25, C, 2, the English prepositions *while, when, by, on,* and *in* with a present participle translate as *en.*

The only time that *par* will occur with an infinitive in French is in the idioms *finir par* or *commencer par.*

> **Il a fini par partir.** He finally left.
> **Il a commencé par ouvrir le livre.** He began by opening the book.

(D) As in English, the present participle may become an adjective, in which case it will agree like an adjective. Except in rare cases when it has a figurative meaning (see § 31, C), the present participle will follow its noun.

> **une leçon intéressante** an interesting lesson

Note that, whenever the English present participle follows a noun, it is not an adjective but rather a true present participle.

> **L'heure sonnant à l'hôtel de ville. . . .**
> The hour ringing at the town hall. . . .

(E) There is a tendency in French to replace a present participle, modifying the object of a verb, by a relative clause.

> **Je l'ai vu qui descendait la rue.** I saw him going down the street.

After verbs of sensual perception such as *voir, entendre,* and *sentir,* an infinitive may replace a relative clause or a present participle to emphasize the simultaneousness of the two actions. Compare:

> **J'ai entendu Marie qui chantait.** I heard Mary singing.
> **J'ai entendu Marie chanter.** I heard Mary sing.

Note the agreement of the past participle in such constructions (compare with *faire* § 24, H, 1):

> **Je l'ai *vue* partir.** I saw her leave.
> **Je les ai *entendus* chanter.** I heard them sing.

Also note word order and English translation in the following:

> **J'ai vu venir la catastrophe.** I saw the catastrophe coming.
> **J'ai entendu Marie chanter.** I heard Mary sing.
> **J'ai entendu chanter la chanson.** I heard the song sung (compare with § 24, H).

## § 26 THE DEFINITE ARTICLE (l'article défini)

(A) For elision and contraction of the definite article, see § II, a and § II, b.

(B)  The definite article is required in the following cases:

(1)  *Noun in a general or abstract sense.*

> **Jean n'aime pas *le* pain.** John does not like bread.
> ***La* beauté fait rêver *les* poètes.** Beauty makes poets dream.

On rare occasions, even a noun modified by an indefinite article in English will occur in a general sense and will require a definite article in French.

> **Il aime prendre l'apéritif à cinq heures.**
> He likes to take an appetizer (generally speaking) at five o'clock.

(2)  *With names of languages.*

> **Il étudie le français.** He is studying French.

For omission of the article after *parler,* see § 26, C, 3.

(3)  *With names of countries, provinces, regions, continents.*

> ***La* France est un pays d'Europe.**
> France is a European country.
> ***Le* Canada est au nord des États-Unis.**
> Canada is to the north of the United States.

For the omission of this article in certain cases, see § 26, C, 1 and § 26, C, 2, d. Whenever a country is modified, the article will remain in all cases (see § 57, C, 2).

> **Il a voyagé dans l'Afrique Occidentale.**
> He travelled in West Africa.

(4)  *With title or adjective preceding proper name except in direct address.*

> **J'ai vu *le* professeur Landré.** I saw Professor Landré.
> **Il a fait battre *le* jeune Voltaire.** He had young Voltaire beaten.
> BUT:  **Bonjour, Professeur Landré.** How do you do, Professor Landré.

It is more respectful to say:

> **Bonjour, Monsieur le Professeur.**

The titles *monsieur, madame, mademoiselle* do not take an article when used with a proper name.

(5)  *With day of week in a general sense.*

> **Il va toujours au cinéma *le* lundi.**
> He always goes to the movies (on) Monday.

But, in a specific sense, the day of the week takes no article.

> **Je vous verrai lundi.** I shall see you (on) Monday.

Note that in neither case is a preposition used in French.

(6) *Translating the English* per *or an indefinite article in an expression involving quantity when a price is mentioned.*

> **Ces pommes coûtent cinquante francs *la* douzaine.**
> These apples cost fifty francs *a* (*per*) dozen.

But *per* translates as *par* in other constructions.

> **Il prend deux comprimés *par* jour.** He takes two pills per day.

(7) *To replace expected possessive adjective with parts of the body when there is no ambiguity as to possessor.*

> **Il lève *la* main.**
> He raises *his* hand.
> **Son livre à *la* main, il est entré dans la salle.**
> With his book in *his* hand, he entered the hall.
> BUT:  **Sa main saignait.**
> *His* hand was bleeding.

When an action is performed on a part of the body, an additional indirect pronoun object is necessary. If the possessor of the part of the body is identical with the subject, this indirect pronoun object will be reflexive.

> **Elle *s'*est lavé *les* mains.** She washed her (own) hands.

If the possessor of the part of the body is not identical with the subject, an ordinary indirect pronoun object will be used.

> **Elle *lui* a lavé *les* mains.** She washed *his* hands.

(C) The definite article is omitted in the following cases:
(1) *After the preposition* en.

> **en Angleterre** (see § 26, B, 3) in England
> **en italien** (see § 26, B, 2) in Italian
> **en argent comptant** in cash

There are a few expressions using *en* which do not omit the article.

> **en *l'*honneur de** in honor of
> **en *l'*air** in the air
> **en *l'*absence de** in the absence of

For the distinction between *en* and *dans,* see § 57, E and § 57, C. For the use of prepositions with masculine countries, see § 57, A, 3, and with modified feminine countries, see § 57, C, 2.

(2) *After the preposition* de *in the following cases:*
(a) After the idiom *avoir besoin de* when the following noun is used in a general or partitive (see § 27, B) sense.

> **J'ai besoin d'argent.** I need money.

(b) After adverbs (see § 55) and nouns expressing quantity.

> **beaucoup de pommes** many apples
> **une cuillerée de soupe** a spoonful of soup

(c) When *de*, in a passive construction (see § 23, B, 2), introduces an agent used in a general or partitive sense.

> **La table est couverte de fleurs.** The table is covered with flowers.

(d) When *de*, in the sense of *from*, introduces an unmodified feminine country.

> **Il arrive de France.** He has just arrived from France (see § 1, C).

(e) When *de*, meaning *of*, introduces a feminine country in an adjectival phrase (that is to say, a phrase beginning with *of* for which a simple adjective could be substituted without change of meaning).

> **Paris est une ville *de France*.**
> Paris is a city of France.
> **Paris est une ville *française*.**
> Paris is a French city.
> BUT: **Paris est la capitale de *la* France.**
> Paris is the capital of (the country of) France.

(3) The definite article with the name of a language is frequently omitted after *parler*, especially when the name of the language follows the verb directly.

> **Il parle français.** He speaks French.

## § 27 THE INDEFINITE AND PARTITIVE ARTICLE (l'article indéfini et l'article partitif).

(A) The indefinite article *un, une* has as its plural the partitive article. The partitive article is formed with the preposition *de* plus whatever definite article goes correctly with the noun in question. English has no plural indefinite article or any partitive article but uses the adjectives *some* or *any* in that function, although frequently omitting these words altogether.

> SINGULAR: I have *an* apple. **J'ai *une* pomme.**
> PLURAL: I have (*some*) apples. **J'ai *des* pommes.**

(B) The partitive article also exists in the singular in the sense of *some* or *any*, these words being frequently omitted from the English context.

> **Voulez-vous *du* beurre avec votre pain?**
> Do you want (*some*) butter with your bread?
> Do you want (*any*) butter with your bread?

(C) The partitive article is reduced to *de* alone in the following cases.

(1) Whenever the noun in the partitive is the direct object of a negative verb.

> **Il n'a jamais *d*'amis quand il en a besoin.**
> He never has *any* friends when in need.

If the negative verb is also interrogative, the negative force will be lost and the rule for shortening the partitive article will not apply.

> **N'avez-vous pas vu *des* livres intéressants?**
> Didn't you see *some* interesting books?

However, if the speaker anticipates a negative answer, he may violate this rule.

> **N'avez-vous jamais vu jouer *de* tragédie?**
> Haven't you ever seen *any* tragedy played?

(2) Whenever a plural noun in the partitive is modified by a preceding adjective.

> **Elle a *de* très belles robes.**
> She has (*some*) very beautiful dresses.

(3) For a similar use of the short partitive with adverbs of quantity, see § 55, A.

(D) The indefinite or the partitive article are omitted in the following cases:

(1) After *être, devenir* and similar verbs taking a predicate nominative when the unmodified noun in the predicate expresses nationality, profession, title or otherwise functions as a modifier of the subject.

PROFESSION: **Il est médecin.** He is a doctor.
TITLE: **Il est président du comité.** He is chairman of the committee.
ADJECTIVAL: **Nous sommes devenues amies.** We became friends.

If the noun in the predicate is modified, French usage parallels English usage in requiring an indefinite article. Such expressions in the plural require a partitive article in French.

> **Jacques est *un* très bon médecin.**
> James is *a* very good doctor.
> **Ils sont devenus *de* très bons médecins.**
> They have become very good doctors.

(2) A noun in apposition to another noun when complete equality between the nouns is intended.

> **Le comte de Trouville, commandant de la place, a refusé de se rendre.**
> The count of Trouville, commander of the fortress, refused to surrender.

BUT: **Le comte de Trouville, le commandant de la place qui a refusé de se rendre, a été tué sur les murs.**
The count of Trouville, the commander of the fortress who refused to surrender, was killed on the walls.

In the second example, the phrase *le commandant* . . . is a further explanation. The nouns *comte* and *commandant* are no longer equal or interchangeable.

(3) After *sans*.

**Il préfère son vin sans eau.** He prefers his wine without water.

(4) After *avec* in adverbial phrases.

**Il le fait *avec* soin.** He does it *with* care.

(5) After *ni* . . . *ni* . . . (see § 56, B, 1).

**Il *n'a* *ni* pain *ni* eau.** He has neither bread nor water.

## § 28  THE GENDER OF NOUNS (le genre des noms)

Although it is impossible to establish absolute rules, it is useful to know certain general principles which aid in recognizing the gender of nouns.

(A) Nouns ending as follows are generally feminine:

(1) Abstract nouns ending in *-té, -tié* or *-eur*.

**la fierté, l'amitié, la grandeur**

(2) Mute *-e* preceded by a vowel or double consonant.

**la vie, la flamme**

(3) Nouns designating female beings.

**la truie** the sow     **la fille** the girl

(4) Countries, continents, regions and provinces ending in mute *-e*.

**la Russie, la Beauce, la Louisiane** (EXCEPTION: **le Mexique**)

(5) Most nouns ending in *-son, -ion, -ance, -ence, -ière, -oire, -ette, -esse*.

**la maison, la nation, la correspondance, l'indécence, la prière, la baignoire, la cigarette, la finesse**

(B) Nouns ending as follows are generally masculine:

(1) Vowel other than mute *-e*.

**un opéra, un faisceau**

(2) In *-isme* or *-asme*.

**le populisme, un pléonasme**

(3) Names of countries, regions and provinces which do not end in mute -*e*.

**le Canada, le Vermont**

(4) Masculine beings in general.

**le garçon** the boy **le bœuf** the ox
EXCEPTION: **la sentinelle** the sentinel

(5) Ending in -*eur* and designating the "doer" of an action (corresponding to Latin ending -*or* generally found in English).

**le professeur, le facteur, le navigateur**

When such nouns are derived from the present participle of a verb, they will frequently have a separate feminine form ending in -*euse*. Likewise such nouns ending in -*teur*, but not derived from a present participle, will frequently have a separate feminine form ending in -*trice*. Whenever there is no separate feminine form, it will be necessary to use the masculine form to designate a feminine person.

| VERB | PRESENT PARTICIPLE | MASCULINE | FEMININE |
|---|---|---|---|
| servir | servant | serveur, barman | serveuse, barmaid |
| mentir | mentant | menteur, liar | menteuse, liar |
| (agir) | (agissant) | acteur, actor | actrice, actress |
| | BUT: **Madame le Professeur** | | |

(6) Many, but not all, nouns ending in consonants.

**le temps, le hamac, le vol, le prix**

## § 29 PLURAL OF NOUNS (le pluriel des noms)

(A) Most nouns form their plural by adding -*s* to the singular, but those ending in -*s*, -*x*, and -*z* in the singular do not change in the plural.

**le fils—les fils, le prix—les prix, le nez—les nez**

(B) Most nouns ending in -*au* or -*eu* add -*x* instead of -*s* to form the plural.

**le bateau—les bateaux**
**le neveu—les neveux**

Seven nouns in -*ou* also add -*x: bijou* (jewel), *caillou* (pebble), *chou* (cabbage), *genou* (knee), *hibou* (owl), *joujou* (toy), *pou* (louse).

(C) Most nouns ending in -*al* or -*ail* form their plural in -*aux*.

**le journal—les journaux le travail—les travaux**
BUT: **le détail—les détails**

(D) Names of persons or families do not add -*s* in the plural.

**J'ai vu les *Dalembert* ce matin.** I saw the *Dalemberts* this morning.

(E) Compound nouns differ in forming the plural according to the nature of the component parts.

(1) If the compound noun is formed from an adjective and a noun or two nouns, each element of the compound is generally made plural.

> **le gentilhomme—les gentilshommes** gentleman
> **le grand-père—les grands-pères** grandfather
> **la plate-bande—les plates-bandes** flowerbed
> **la porte-fenêtre—les portes-fenêtres** French window

(2) If a preposition is expressed or implied between two nouns in a compound word, only the first noun is made plural.

> **le chef-d'œuvre—les chefs-d'œuvre** masterpiece
> **le timbre-poste—les timbres-poste** stamp

(3) If the compound noun is formed with a verb, an adverb, a preposition or a conjunction:

(a) The compound noun will be treated as one word if spelled without a hyphen.

> **le portemanteau—les portemanteaux** clothes-rack

(b) The noun part of the compound noun will become plural, if the word is written with hyphens, only in cases where the plural idea properly belongs to it; in other cases, the compound noun will be invariable in the plural.

> **le contre-amiral—les contre-*amiraux*** rear admiral
> **le gratte-ciel—les gratte-ciel** skyscraper
> **le porte-monnaie—les porte-monnaie** purse

## § 30 AGREEMENT OF THE ADJECTIVE (accord de l'adjectif)

(A) To form the feminine of an adjective, -*e* is added to the masculine singular unless the adjective already ends in mute -*e*.

| MASCULINE | FEMININE |
| --- | --- |
| petit | petite |
| bleu | bleue |
| facile | facile |
| blasé | blasée |

(B) An *s* is added to the masculine or feminine singular to form the plural. If the masculine singular already ends in -*s*, the masculine plural will be identical.

| MASCULINE | | FEMININE | |
|---|---|---|---|
| *Singular* | *Plural* | *Singular* | *Plural* |
| petit | petits | petite | petites |
| gris | gris | grise | grises |

(C) Adjectives ending in *-el, -eil, -en, -et, -on, -as,* and *-os* double the consonant before adding the feminine *-e.*

| MASCULINE | FEMININE | |
|---|---|---|
| cruel | cruelle | cruel |
| pareil | pareille | like |
| ancien | ancienne | ancient |
| muet | muette | mute |
| bon | bonne | good |
| gras | grasse | fat |
| gros | grosse | big |

(D) Adjectives ending in *-er* do not double the consonant but have a grave accent instead.

| cher | chère | dear |
|---|---|---|
| dernier | dernière | last |

(E) Some adjectives ending in *-et* have a grave accent instead of doubling the consonant. See § C above.

| complet | complète | complete |
|---|---|---|
| secret | secrète | secret |

(F) Adjectives ending in *-f* change *-f* to *-v* before adding the feminine mute *-e.*

| actif | active | active |
|---|---|---|
| neuf | neuve | new |

(G) Adjectives ending in *-x* change the *-x* to *-s* before adding the feminine mute *-e.*

| heureux | heureuse | happy |
|---|---|---|

(H) Most adjectives ending in *-eur* form their plural normally. However, *-eur* nouns (see § 28, B, 5) are sometimes used as adjectives, in which case the adjective will have a separate feminine form whenever the corresponding noun has such a form.

| MASCULINE | FEMININE | |
|---|---|---|
| inférieur | inférieure | inferior |
| menteur | menteuse | lying |
| protecteur | protectrice | protecting |

(I) Adjectives ending in *-eau* or *-al* in the masculine singular form their masculine plural like nouns with similar endings. See § 29, B and C.

| MASCULINE SINGULAR | MASCULINE PLURAL | |
|---|---|---|
| beau | beaux | beautiful |
| égal | égaux | equal |

There are two notable exceptions to the above rule.

| final | finals | final |
|---|---|---|
| fatal | fatals | fatal |

(J) Table of common irregular adjectives:

| SINGULAR | | PLURAL | | |
|---|---|---|---|---|
| *Masculine* | *Feminine* | *Masculine* | *Feminine* | |
| beau (bel) | belle | beaux | belles | beautiful |
| blanc | blanche | blancs | blanches | white |
| bleu | bleue | bleus | bleues | blue |
| bon | bonne | bons | bonnes | good |
| doux | douce | doux | douces | sweet |
| épais | épaisse | épais | épaisses | thick |
| faux | fausse | faux | fausses | false |
| fou (fol) | folle | fous | folles | crazy |
| frais | fraîche | frais | fraîches | cool |
| franc | franche | francs | franches | frank |
| gentil | gentille | gentils | gentilles | nice |
| grec | grecque | grecs | grecques | Greek |
| long | longue | longs | longues | long |
| malin | maligne | malins | malignes | shrewd |
| nouveau (nouvel) | nouvelle | nouveaux | nouvelles | new |
| public | publique | publics | publiques | public |
| roux | rousse | roux | rousses | red-headed |
| sec | sèche | secs | sèches | dry |
| turc | turque | turcs | turques | Turkish |
| vieux (vieil) | vieille | vieux | vieilles | old |

The adjectives *beau, fou, nouveau,* and *vieux* have separate forms (*bel, fol, nouvel,* and *vieil*) which must be used when they modify and also precede masculine nouns beginning with a vowel or mute *h*. Under normal conditions, *beau, nouveau* and *vieux* will precede, whereas *fou* will normally follow. Hence the form *fol* is rare and will occur only in a figurative sense (see § 31, C).

| un beau garçon | un bel homme |
|---|---|
| un vieux garçon | un vieil homme |

## § 31 POSITION OF THE ADJECTIVE

(A) Certain common short adjectives normally precede the noun.

| **autre** other | **haut** high |
|---|---|
| **beau** beautiful | **jeune** young |
| **bon** good | **joli** pretty |
| **grand** great, tall, large | **long** long |
| **gros** big | **mauvais** bad |

| | |
|---|---|
| **méchant** naughty, wicked | **petit** little |
| **meilleur** better, best | **pire** worse, worst |
| **moindre** least | **vieux** old |
| **nouveau** new | **vilain** ugly |

(B) Adjectives in the following categories normally follow their nouns:

(1) Description.

**une robe élégante** an elegant dress

(2) Nationality (also religion, profession and adjectives derived from proper nouns).

**une ville égyptienne** an Egyptian city
**une pièce shakespearienne** a Shakespearean play

(3) Color.

**une maison blanche** a white house

(4) Present participles and past participles (exceptions mentioned under § 31, C).

**le roi bien-aimé** the well-beloved king

(5) Modified by adverbs other than one short common adverb such as *si, très, plus.*

**une séance beaucoup trop longue** a much too long meeting
BUT: **une très longue séance** a very long meeting

However, any adjective modified by even a short adverb may follow its noun even though it is one which normally precedes.

**une séance très longue**

(C) Adjectives expressing an abstract quality or descriptive adjectives used figuratively commonly precede their nouns although they may also follow. In such cases, even present and past participles may precede, although such cases are uncommon.

**une charmante soirée** a charming evening
**un intrépide voyageur** an intrepid traveller
**un noir complot** a black plot

(D) Some adjectives change their meaning according to their position in relation to the noun modified.

**une *ancienne* église** a *former* church
**une église *ancienne*** an *ancient* church
**le *brave* homme** the *good* man
**l'homme *brave*** the *brave* man
**une *certaine* chose** a *certain* thing
**une chose *certaine*** a *sure* thing
***cher* ami** *dear* friend

un costume *cher* an *expensive* suit
*différentes* choses *various* things
des choses *différentes* *different* things
un *grand* homme  a *great* man
un homme *grand*  a *tall* man
les *mêmes* fautes  the *same* mistakes
les fautes *mêmes*  the *very* mistakes
ma *propre* chambre  my *own* room
ma chambre *propre*  my *clean* room
le *pauvre* homme  the *unfortunate* man
l'homme *pauvre*  the *poor* man (without money)

*Prochain* and *dernier* follow the noun in a time expression with *year, month,* etc., but precede in a series.

le mois *prochain*  *next* month
l'an *dernier*  *last* year
la *prochaine* rue  the *next* street
le *dernier* acte  the *last* act

(E) When two adjectives modify the same noun, they are placed in the following manner:

(1) *Two adjectives connected by a conjunction.* If both adjectives normally precede (see list in § 31, A), they will precede in this case also; otherwise they will follow. However, even two preceding adjectives may follow if emphasis is desired.

une grande et belle maison ⎫
une maison grande et belle ⎬ a big and beautiful house
une histoire longue et compliquée a long and complicated story

(2) *Two adjectives (without a conjunction), one of which must precede and one of which may follow.* One will precede and the other will follow.

une vieille maison charmante a charming old house

(3) *Two adjectives (without a conjunction), both of which must precede.* These generally follow an intrinsic (natural) word order similar to that in English.[1]

une jolie petite fille a pretty little girl

(4) *Two adjectives, both of which must follow.* In most cases one of the adjectives logically modifies both the noun and the other adjective and will therefore come second.

un manuscrit médiéval perdu a lost Medieval manuscript
une maison alsacienne rouge a red Alsatian house

1. A difficulty arises, however, in saying a *beautiful old house* (une belle et vieille maison).

In cases where both adjectives modify the noun but neither modifies the other, the conjunction *et* must be inserted.

mysterious poetic legends    **des légendes mystérieuses et poétiques**

## § 32 COMPARISON OF ADJECTIVES

(A) The superlative form of the adjective is distinguished from the comparative form only by the presence of an article before it. This article will always agree with the noun modified.

COMPARATIVE:    **un livre *plus intéressant***   a *more interesting* book
SUPERLATIVE:    **le livre *le plus intéressant***   the *most interesting* book
               **les livres *les plus intéressants***   the *most interesting* books

In the case of a preceding adjective (see § 31, A), the article sign of the superlative will coincide with the definite article belonging with the noun. A possessive adjective will also absorb the article sign of the superlative.

**la plus vieille maison**   the oldest house
**ma plus belle cravate**   my most beautiful necktie

(B) For *de* after a superlative, see § 57, D, 8.

(C) Noun clauses following a comparative with an affirmative verb require a pleonastic *ne*. See § 56, F, 1.

(D) Sometimes English *most* has the force of *very*. In such cases, the French equivalent is the adverb *très* and not a superlative.

**C'est un livre *très* intéressant.**
It is a *most* (*very*) interesting book.

## § 33 INDEFINITE ADJECTIVES

(A) The following indefinite adjectives follow English usage by taking no partitive article.

***Chaque* livre m'intéresse.** *Each* book interests me.
***Certains* critiques le disent.** *Certain* critics say so.

For the pronoun corresponding to *chaque,* see § 48, A.

(B) The plural indefinite adjective *plusieurs* is invariable, which is to say that it has the same form in the masculine as in the feminine.

***plusieurs* hommes** *several* men
***plusieurs* femmes** *several* women

(C) The indefinite adjective *quelque* means *some* or *any*, not in a quantitative sense, but in the sense of *just any, no matter what*. In the plural, it means *a few* or *some* in the sense of *a few*. In any case, this indefinite adjective should not be confused with the partitive article (see § 27).

**Il cherche *quelque* occupation.** He is looking for *some* (*just any*) job.
**Il cherche *quelques* livres.** He is looking for *a few* books.

For corresponding pronoun, see § 48, B.

(D) The indefinite adjective *tout* has the following forms:

**tout** [tu] **le livre** all the book, all of the book, the whole book
**toute** [tut] **la leçon** all the lesson, all of the lesson, the whole lesson
**tous** [1] [tu] **les livres** all the books, all of the books
**toutes** [tut] **les leçons** all the lessons, all of the lessons

As will be seen from the above examples, *all of* and *the whole,* etc., must be replaced by *all the* before translation.

Repetition in time expressions is conveyed by the plural of this adjective, which then has the meaning of *every.*

> ***tous les* jours** every day
> ***toutes les* heures** every hour

Without an article *tout* and *toute* in the singular mean *every.* This sense of *every* should not be confused with *every* meaning *each,* which is *chaque* in French. The first is used in the broadest possible sense, the other in the most specific sense.

> ***Tout* homme qui s'estime dira la vérité.**
> *Every* man with any self-respect will tell the truth.
> BUT: **Vous donnerez trois cents francs à *chaque* homme.**
> You will give three hundred francs to *every* (*each individual*) man.

For *tout* as a pronoun see § 48, C; as an adverb, see § 54, C.

(E) An indefinite article precedes the indefinite adjective *tel.* It does not follow as in English.

> ***un tel* homme** such a man
> ***de tels* hommes** such men
> ***une telle* femme** such a woman
> ***de telles* femmes** such women

## § 34 THE ADJECTIVE AS A SUBSTANTIVE

Most adjectives in French can be transformed into substantives (that is to say, they may function as nouns) by placing an article before them and by giving them the gender of the noun referred to. In such cases, English substitutes *one* or *ones* for the missing nouns. Be sure never to translate *one* or *ones* in this case.

> **Voici trois cravates. Voulez-vous *la rouge?***
> Here are three neckties. Do you want *the red* (one)?

1. In the function of a pronoun (see § 48, C) the *s* of this word is pronounced.

## § 35 DEMONSTRATIVE ADJECTIVE (l'adjectif démonstratif)

(A) The demonstrative adjective has three forms in the singular (masculine before a consonant, masculine before a vowel or mute *h*, and feminine), but in the plural there is only one form.

*ce* garçon this, that boy      *ces* garçons these, those boys
*cet* homme this, that man      *ces* hommes these, those men
*cette* fille this, that girl      *ces* filles these, those girls

(B) To distinguish between *this* or *that, these* or *those,* in the infrequent situations where such distinction is necessary, French adds the suffixes *-ci* and *-là* to the noun.

ce garçon-*ci* this boy      ce garçon-*là* that boy

The same suffixes may be added for emphasis even when no distinction is being made.

## § 36 DEMONSTRATIVE PRONOUN (le pronom démonstratif)

(A) Without a definite antecedent giving number and gender, the demonstrative pronoun is *ceci* or *cela* (familiar style *ça*).

Il dit $\left\{ \begin{matrix} \textbf{ceci} \\ \textbf{cela} \text{ (ça)} \end{matrix} \right.$ à tous ses amis. He says $\left\{ \begin{matrix} \text{this} \\ \text{that} \end{matrix} \right.$ to all his friends.

$\left. \begin{matrix} \textbf{Ceci} \\ \textbf{Cela} \text{ (ça)} \end{matrix} \right\}$ leur fera plaisir. $\left. \begin{matrix} \text{This} \\ \text{That} \end{matrix} \right\}$ will please them.

However, as subject of the verb *être,* the demonstrative is always *ce* (see § 36, F).

**C'est bon.** *This* (*that*) is good.

(B) With a definite antecedent, the demonstrative indicates gender in its form.

|  | SINGULAR | PLURAL |
|---|---|---|
| MASCULINE: | **celui-ci** (-là)<br>this (that) one | **ceux-ci** (-là)<br>these, those |
| FEMININE: | **celle-ci** (-là)<br>this (that) one | **celles-ci** (-là)<br>these, those |

EXAMPLES:

**Comme il a le choix entre plusieurs livres, il prendra *celui-ci.***
As he has a choice among several books, he will take *this one.*
**De toutes les pièces que j'ai vues, c'était *celle-là* la plus intéressante.**
Of all the plays which I saw, *that one* was the most interesting.
**Si vous voulez de bonnes places, prenez *celles-ci.***
If you want some good seats, take *these.*
**Aimez-vous les bonbons? *Ceux-ci* sont délicieux.**
Do you like candy? *These* are delicious.

(C) The suffixes -*ci* and -*là* will usually be omitted when the demonstrative pronoun is modified by a relative clause or a prepositional phrase. Observe particularly the English translations of these forms (review § XI, a).

> Je prendrai *celui* qui est sur la table.
> I will take *the one* which is on the table.
> *Celles* qui parlent s'expriment bien.
> *Those* ⎫
> *The ones* ⎬ who do speak express themselves well.
> *Celui* qui courra le plus vite gagnera le prix.
> *He* ⎫
> *The one* ⎬ who runs the fastest will win the prize.
> *Ceux* de ses amis qui viendront apporteront des cadeaux.
> *Those* of his friends who come will bring presents.
> *Celle* de gauche est la maison de Pierre.
> *The one* [1] on the left is Peter's house.

(D) In an expression of possession the demonstrative pronoun may be substituted for the thing possessed to avoid repetition. The corresponding English, in such a case, expresses only the possessive and leaves blank the place occupied by the thing possessed.

> Voici trois livres. *Celui* de Jean se reconnaît aux taches de graisse.
> Here are three books. John's is recognizable from the spots of grease.

(E) The demonstrative pronoun may have the meaning of *the latter* and *the former*.

> Marie et Jeanne sont arrivées. *Celle-ci* est l'amie de Jean et *celle-là* est l'amie de Robert.
> Mary and Joan have arrived. *The latter* is John's friend and *the former* is Robert's friend.

(F) *The demonstrative pronoun* ce.

(1) Whenever, as subject of the verb *être* or *devoir être,* the pronouns *it, this* or *that* logically have an antecedent which is not precise enough to give number and gender, the French translation will be *ce.*

> Il n'a jamais rien compris. *C'*est pourquoi il ne peut pas répondre maintenant.
> He has never understood anything. *That* is why he cannot answer now.
> Il aime peindre parce que *c'*est un métier intéressant.
> He likes to paint because *it* is an interesting trade.
> BUT: Vous voyez cette maison? *Elle* est bleue, n'est-ce pas?
> You see this house? *It* is blue, isn't it?

(2) The pronouns *it, he, she, they,* as subjects of *être* or *devoir être,* will translate as *ce* whenever the following occur in the predi-

---

1. After the verb *to be* with a person as subject, never use a demonstrative pronoun but reorganize the sentence according to this pattern: *I am the one who will do it = It is I who will do it = C'est moi qui le ferai.*

cate: (a) a modified noun (even modified by an article); (b) a pronoun; (c) a proper noun; (d) a superlative.

MODIFIED NOUN: **C'est *une amie* de Marie.**
*She* is *a friend* of Mary.
PRONOUN: **Reconnaissez-vous ce livre? Oui, *c'est le sien*.**
Do you recognize this book? Yes, *it* is *his*.
PROPER NOUN: **Connaissez-vous cette jeune fille? Oui, c'est *Marie Lambert*.**
Do you know this girl? Yes, *she* is *Mary Lambert*.
SUPERLATIVE: **Allez voir cette pièce. C'est *la meilleure* de l'année.**
Go and see this play. *It* is *the best* of the year.

(3) When the subject is *ce*, for the reasons enumerated in the preceding paragraph, the verb *être* will be third plural whenever it is followed by a plural noun or a third person plural pronoun. In all other cases, *ce* will be followed by a third singular form of *être*.

**Ce sont *des amis* de Jean.** They are *friends* of John.
**Ce sont *eux*.** It is *they*.
BUT: **C'est *nous* qui allons le faire.** It is *we* who are going to do it.

(4) The pronoun *ce* is supplied as subject of the verb *être* or *devoir être* whenever:

(a) The subject of *être* is a clause.

**Ce que je veux dire, c'est qu'il ne faut pas y compter.**
What I mean is that you must not count on it.

(b) A long clause intervenes between *être* and its subject.

**L'ami à qui je parlais, c'était Jean.**
The friend to whom I was speaking was John.

This repetition does not take place when an adjective occurs in the predicate of *être*.

**Ce qu'il dit est absolument juste.** What he says is absolutely correct.

(5) The formula *ce* + *être* is commonly used in idiomatic French to emphasize a word or a clause.

**Jean vient.** John is coming.
**C'est Jean qui vient.** John is the one who is coming.
**Je lui dois tous mes succès.** I owe him all my success.
**C'est à lui que je dois tous mes succès.** To him I owe all my success.

(6) If the conditions are the same as in § 1 and § 4 above but the verb is something other than *être* or *devoir être*, *cela* will replace *ce*.

**Cela ne lui dit rien.** It means nothing to him.

## § 37 THE IMPERSONAL PRONOUN *il*

(A) With certain *impersonal* verbs, *it* is only the functional subject of the verb and has no antecedent whatever. In such cases, the French equivalent of *it* is *il*.

> *Il* **neige.** *It* is snowing.
> *Il* **pleut.** *It* is raining.

(B) The same *il* occurs in expressions involving the hour of the day.

> *Il* **est trois heures.** *It* is three o'clock.

(C) Because it is no more than a functional subject, *il* occurs in the sense of *it* whenever *être* is followed by an adjective and then the real subject in the form of a clause or an infinitive phrase beginning with *de* (see also § 24, E, 1).

> *Il* **est impossible qu'il soit malade.**
> *It* is impossible for him to be sick.
> *Il* **est facile de comprendre cela.**[1]
> *It* is easy to understand that.

(D) In literary style *il* impersonal may be the functional subject of a verb with the real subject following in the form of a noun. In that case, the English equivalent is the adverb *there* followed by an inverted verb and subject. In this situation the French verb never agrees with anything but the impersonal subject *il*.

> *Il* **vient un temps.** *There* comes a time.
> *Il* **survient des difficultés.** *There* arise difficulties.
> *Il* **est**[2] **des hommes qui le croient.** *There* are men who believe it.

## § 38 POSSESSIVE ADJECTIVE (l'adjectif possessif)

(A) The possessive adjective has the following forms:

AS TO NOUN MODIFIED

| | | *Masculine Singular* | *Feminine Singular* | *Plural* (*M. & F.*) |
|---|---|---|---|---|
| AS TO ANTECEDENT | SING. | **mon** (my) | **ma** (mon) | **mes** |
| | | **ton** (thy) | **ta** (ton) | **tes** |
| | | **son** (his, her, its) | **sa** (son) | **ses** |
| | PLUR. | **notre** (our) | **notre** [nɔtr] | **nos** |
| | | **votre** (your) | **votre** [vɔtr] | **vos** |
| | | **leur** (their) | **leur** [lœr] | **leurs** |

The feminine singular has alternate forms to be used before a feminine word beginning with a vowel or mute *h*. Note also that *notre, votre, leur* are identical in both masculine and feminine.

1. Compare this with *C'est facile à faire: It is easy to do.* In this case, *it* logically has an antecedent, however imprecise it may be. Hence *ce* is required (see § 36, F, 1) and the preposition introducing the infinitive will be *à* (see § 24, E, 2).

2. Of course, in conversational style, one says: *Il y a des hommes.*

(B) Like any other adjective, the possessive adjective must agree in gender and number with the noun which it modifies. Such agreements present the following special problems for the English speaking student:

(1) In the third singular English distinguishes the gender of the antecedent, whereas French does not.

> **son chapeau** his hat, her hat, its hat, one's hat
> **sa cravate** his necktie, her necktie, its necktie, one's necktie

Normally this failure to distinguish the gender of the possessor does not create a problem in French since it is assumed that the possessive adjective refers to the nearest possible antecedent.

> **Marie a perdu *son* chapeau.** Mary has lost *her* (not *his*) hat.

(2) If the possessive adjective in the first person singular does not refer to the nearest possible antecedent, the rule in § 41, B, 3, b will apply.

> **Jean a trouvé *son* chapeau *à elle*.** John found *her* hat.

(3) Care should be taken not to confuse:

> **ses livres** his, her, its, one's books
> **leurs livres** their books

Likewise do not confuse formal and informal style:

> FORMAL: **votre livre** your book
> INFORMAL: **ton** [1] **livre** thy book

(4) The possessive adjective corresponding to *on* is *son, sa, ses.*

> **On ne doit pas oublier *ses* gants.** One must not forget *one's* gloves.

(5) Whenever the phrase *of something* can be substituted for *its,* the correct translation is the pronoun *en,* not the possessive adjective.

> ***En* voici l'explication historique.** Here is *its* historical explanation.

(C) For replacement of possessive adjective by article with parts of body, see § VIII, a and § 26, B, 7.

## § 39 POSSESSIVE PRONOUN (le pronom possessif)

(A) The possessive pronoun has the following forms:

1. It should not be forgotten that more than one person addressed as *tu* in the singular will be addressed as *vous.* Speaking to one child, one says *tu;* speaking to more than one child, one says *vous.* When speaking to one child, the teacher may say: As-*tu* perdu *tes* livres? Speaking to more than one child, he will say: Avez-*vous* perdu *vos* livres?

| SINGULAR | | | PLURAL | |
| Person | Masculine | Feminine | Masculine | Feminine |
| --- | --- | --- | --- | --- |
| 1st | le mien mine | la mienne | les miens | les miennes |
| 2nd | le tien thine | la tienne | les tiens | les tiennes |
| 3rd | le sien his, hers, its | la sienne | les siens | les siennes |
| 1st | le nôtre [notr] ours | la nôtre | les nôtres | les nôtres |
| 2nd | le vôtre [votr] yours | la vôtre | les vôtres | les vôtres |
| 3rd | le leur theirs | la leur | les leurs | les leurs |

The article is part of the pronoun and will always occur with it. Care must be taken not to confuse the possessive adjective forms *nos* and *vos* with the corresponding pronoun forms *le nôtre, le vôtre,* etc.

(B) The gender of the possessive pronoun is determined by the antecedent. As in the case of the possessive adjective, the pronoun will express the gender of the antecedent but not the gender of the possessor.

> le sien his, hers, its, one's
> **Plusieurs chapeaux ont été retrouvés, mais Marie n'a pas encore *le sien.***
> Several hats have been found, but Mary doesn't have *hers* yet.

(C) The usual rules of contraction (see § II, b) will apply to the article used with the possessive pronoun.

> **Tout le monde a parlé de ses problèmes, mais vous n'avez pas parlé *des* vôtres.**
> Everyone has spoken of his problems, but you have not spoken of yours.

## § 40 POSSESSION AFTER *être*

(A) Although a noun in the possessive is normally introduced by the preposition *de, à* is required after the verb *être*.[1]

> **J'ai trouvé le livre *de* Jean.** I have found John's book.
> **Ce livre est *à* Jean.** This book is John's.

(B) With a pronoun, possession after the verb *être* is expressed by *à* with the disjunctive, unless a distinction is being made among possessors, in which case the possessive pronoun will be used.

> **Ce livre est *à elle.*** This book belongs to her.
> **Ce livre est *le sien.*** This book is hers (it does not belong to someone else).

## § 41 DISJUNCTIVE PRONOUN (les pronoms absolus)

(A) The disjunctive is an emphatic form of the pronoun to be

1. Note also the interrogative form *A qui est ce livre?* Whose is this book? Whose book is this? This should not be confused with the expression *De qui est ce livre?* which means *By whom is this book?* (Who wrote this book?) For use of *de* in this sense, see § 57, D, 4.

used in stressed position (review § XV, a). The forms of the disjunctive are as follows:

|  | SINGULAR | PLURAL |
|---|---|---|
| 1st Person | **moi** me | **nous** us |
| 2nd Person | **toi** thee, thyself | **vous** you, yourself |
| 3rd Person | **lui** him | **eux** them (*masc.*) |
|  | **elle** her | **elles** them (*fem.*) |
|  | **soi** oneself |  |
| (Interrogative) | (**quoi**) (what) |  |

(B) The disjunctive pronoun is used in the following cases:

(1) *After a preposition* or after *que* in the sense of *than* or *only.*

> **Il est parti *sans elle*.** He left *without her.*
> **Elle est plus grande *que lui*.** She is bigger *than he.*

When the disjunctive pronoun follows *de* in an expression of quantity, the preposition *entre* must be inserted.

> **J'ai consulté trois d'*entre* eux.**
> I consulted three of them.
> **Plusieurs d'*entre* nous partirons ensemble.**
> Several of us will leave together.

(2) *In a defective sentence* (lacking a verb).

> **En voulez-vous? Non, pas *moi*.** Do you want some? No, not *I.*

(3) *Repetition for emphasis.*

> ***Moi, je* suis son ami.** I (emphasized) am his friend.
> **Je *l'*ai vue *elle*.** I have seen her (emphasized).
> **Il *me* l'a donné *à moi*.** He gave it to me (emphasized).

(a) A possessive adjective may be emphasized by repeating with *à* and a disjunctive pronoun.

> ***Mon* livre *à moi*.** My book.

(b) By the same process a possessive adjective may also be clarified when it is necessary to distinguish the possessor.

> **Il a perdu *son* livre *à elle*.** He has lost *her* book.

(4) *Compound subjects and compound objects.*

In such cases the compound subject or object is commonly summarized by a conjunctive [1] pronoun subject or object.

> **Jean et moi allons venir.** ⎫
> **Jean et moi nous allons venir.** ⎬ John and I are coming.
> **J'ai consulté vous et elle.** ⎫
> **Je vous ai consultés vous et elle.** ⎬ I consulted you and her.

(5) *Conjunctive pronoun subject separated from its verb* by anything but *ne* and a pronoun object.

---

1. *Conjunctive* may be defined simply as the opposite of *disjunctive.*

In many cases the same repetition occurs as noted above.

*Moi* seul, *je* le ferai.
I alone will do it.
*Lui* [1] qui a toujours fait son devoir, il n'y manquera pas maintenant.
He,[1] the one who always does his duty, will not fail us now.

(6) *After the verb* être.

C'est *moi.* It is *I.*

(7) *Instead of* me *and* te *in the affirmative imperative.*

Donnez-*moi* une pomme. Give me an apple. (See § 46, B, 2).

(8) *To express the indirect object when there is a direct pronoun object in the first person, second person or reflexive.*

Présentez-moi *à lui.* Present me to him. (See § 46, B, 1).

(C) When *nous* and *vous* have a noun in apposition to them, the adjective *autres* must be inserted.

Nous *autres* Américains. We Americans.

(D) Disjunctive pronouns should not be used after prepositions with a thing as antecedent. In many cases it will be necessary to paraphrase the English in order to avoid such a construction. For example:

I do not find my music but I can sing without it = I do not find my music but I don't need it to sing = Je ne trouve pas ma musique, mais je n'en ai pas besoin pour chanter.

In the following cases, substitutes exist for a preposition plus a pronoun referring to a thing:

(1) *De +* pronoun referring to a thing = *en* (see § 45, C).

J'*en* parle pour votre bien. I am speaking *of it* for your good.

(2) *A +* pronoun referring to a thing = *y* (see § 45, D).

J'*y* ajoute trois gouttes. I add three drops *to it.*

(3) *Dans +* pronoun referring to a thing = *y* or *dedans* (*là-dedans*).

J'*y* ai trouvé mon canif. I found my penknife *in it.*
J'ai trouvé mon canif *là-dedans.* I found my penknife *inside it.*
J'ai trouvé mon canif *dedans.* I found my penknife *inside.*

1. This construction is a type of repetition for emphasis from the French point of view, and is difficult to translate into English. It should not be confused with the usual situation of a pronoun subject modified by a relative clause which produces a demonstrative pronoun (see § 36, C and § XI, a). *He (the one) who does it will be punished:* Celui qui le fera sera puni.

(4)  *Sur* + pronoun referring to a thing = *y* or *dessus* (*là-dessus*).

> **J'y ai trouvé mon canif.** I found my penknife *on it.*
> **J'ai trouvé mon canif *dessus*.** I found my penknife *on it.*

(5)  *Sous* + pronoun referring to a thing = *dessous* (*là-dessous*).

> **J'ai trouvé mon canif *dessous*.** I found my penknife *under it.*

(6)  Certain prepositions are used adverbially in the place of a preposition plus a pronoun referring to a thing.

> **J'ai mis la bougie *devant*.** I put the candle *in front* (*of it, of them*).
> **J'ai mis la bougie *derrière*.** I put the candle *behind* (*it, them*).

Similarly there are other adverbial prepositions and adverbs which avoid a preposition with a pronoun referring to a thing: *dehors* (outside), *après* (afterwards), *autour* (around). In fact, *avec* is sometimes used in the same manner in slang: *Que prenez-vous avec?* (What do you take with it?)

(E)  Whenever, in English, a pronoun referring to a person is introduced by *of*, French requires *de* plus the disjunctive, not *en*.

> **Je parle *d'elle*.** I am speaking *of her.*

(F)  When English has the preposition *to* plus a pronoun referring to a person, a normal indirect pronoun object will usually be required. However, certain common idioms take *à* + *disjunctive* when the pronoun refers to a person but *y* when the pronoun refers to a thing.

> **Je pense *à elle*.** I think *of her.*
> BUT: **J'y pense.** I think *of it.*
> **Je fais attention *à elle*.** I pay attention *to her.*
> BUT: **J'y fais attention.** I pay attention *to it.*

## § 42 RELATIVE PRONOUN (le pronom relatif)

(A)  The relative pronoun has the following forms:

| | PRECISE ANTECEDENT | | IMPRECISE ANTECEDENT |
|---|---|---|---|
| | *Persons* | *Things* | |
| *Subject* | qui (who) | qui (which) | ce qui (which) |
| *Object* | que (whom) | que (which) | ce que (which) |
| *Object of Preposition* | qui (lequel, laquelle, lesquels, lesquelles) (whom) | lequel, laquelle, lesquels, lesquelles (which) | ce (prep.) quoi (which) |
| *Object of Prep. of* | dont, de qui (of whom) | dont (duquel, de laquelle, desquels, desquelles) (of which) | |

(B) A glance at the above chart will disclose that there is no difference between persons and things in the subject or object forms. As object of a preposition, things require the inflected form (*lequel, etc.*), whereas for persons there is a choice between *qui* or *lequel, etc.*

> Le livre *qui* est sur la table . . . The book *which* (*that*) is on the table . . .
> L'homme *que* j'ai vu . . . The man *whom* I met . . .
> L'homme avec *qui* je travaille . . . The man with *whom* I work . . .
> BUT: Le livre avec *lequel* je travaille . . . The book with *which* I work . . .

(C) The inflected form of the relative pronoun (*lequel, etc.*) may be substituted for *qui* or *que* to distinguish antecedents in a way which is impossible in English.

> C'est dans le territoire de cette province, *laquelle* est gouvernée par un préfet.
> This is in the territory of this province *which* is governed by a prefect.

(D) The normal rules of contraction apply to the inflected form of the relative pronoun.

> de + lequel = duquel
> de + lesquels = desquels
> de + lesquelles = desquelles
>
> à + lequel = auquel
> à + lesquels = auxquels
> à + lesquelles = auxquelles

(E) English *of + relative pronoun* will give *dont* or *duquel* (etc.) for things and *dont, de qui* or *duquel* (etc.) for persons.

> Le livre $\begin{cases} dont \\ duquel \end{cases}$ je parlais . . . The book *of which* I was speaking . . .
> L'homme $\begin{cases} dont \\ de qui \\ duquel \end{cases}$ je parlais . . . The man *of whom* I was speaking . . .

The peculiarities of English word order give rise to the following problems of translation (see also § 40, footnote):

(1) Whenever *of which* or *of whom* do not begin the relative clause in English, the word order must be altered as follows:

(a) Modifying subject of clause:

> Here is a house, the door *of which* is red = Here is a house *of which* the door is red = **Voici une maison *dont* la porte est rouge.**

(b) Modifying object of clause:

> Going up the street, you will see the house, the door *of which* I have just painted red = . . . the house, *of which* I have just painted the door red = **En montant la rue, vous verrez la maison *dont* je viens de peindre la porte en rouge.**

(c) With numbers:

You will see three houses, one *of which* is mine = You will see three houses, *of which* one is mine = **Vous verrez trois maisons, *dont* une est la mienne.**

(2) Whenever *of which* or *of whom* modify a noun which depends on a preposition only *de qui* or *duquel*, etc., may be used.

He is a man on *whose* friendship you can always count.
**C'est un homme sur l'amitié *de qui* (*duquel*) vous pouvez toujours compter.**

(3) As indicated in the preceding paragraph, always replace English *whose* by *of which* or *of whom* and reorganize the sentence according to the above principles.[1]

(F) In literary style, inversion of the subject and verb is frequent after *que* when the subject is longer than the verb and particularly when the subject has modifiers.

**Les trois mots qu'a dits Jean à sa mère . . .**
The three words which John said to his mother . . .
**Les difficultés qu'avaient rencontrées tous les généraux qui avaient commandé dans ce secteur . . .**
The difficulties which had been encountered by all generals who had commanded in this sector . . .

(G) The relative pronoun referring to an imprecise antecedent (a previous idea rather than an exact word) is *ce qui* subject, *ce que* object, and *quoi* object of a preposition.

**Il lit seulement des ouvrages édifiants, *ce qui* plaît beaucoup à sa mère.**
He reads only edifying works, *which* pleases his mother very much.
**Il a répondu sans difficulté, *ce qu'*il n'avait jamais fait auparavant.**
He answered without difficulty, *which* he had never done before.
**Un extrait reste affiché, après *quoi* les futurs époux comparaissent devant l'officier d'état civil.**
An extract remains posted, after *which* the bride and groom appear before the representative of the civil authority.

(H) A preposition of location plus a relative pronoun referring to a thing is commonly replaced by the adverb *où*.

**Le livre $\begin{cases} dans\ lequel \\ où \end{cases}$ il a lu ces phrases . . .**
The book *in which* he read these sentences . . .

(I) A common error is to fail to make the verb of a relative clause agree correctly with the antecedent of the relative pronoun.

1. Note what happens when the person to whom *whose* refers is also the object in the clause. *Louis vit une jeune personne que sa position forçait à rester dans cette société réprouvée:* Louis saw a young person whose position forced her to remain in this outcast society.

**C'est nous qui** *allons* **le faire.**
We are the ones who *are going* to do it.

## § 43 INTERROGATIVE ADJECTIVE (l'adjectif interrogatif)

(A) The interrogative adjective has the following forms to agree with the noun modified:

*quel* livre *what* (*which*) book    *quels* livres *what* (*which*) books
*quelle* cravate *what* (*which*) necktie    *quelles* cravates *what* (*which*) neckties

(B) As subject of the verb *to be,* an interrogative adjective, rather than an interrogative pronoun, is required when a thing occurs in the predicate. The adjective then agrees with the noun in the predicate.

*Quelle* **est la leçon?** *What* is the lesson?

In the same situation but with a person in the predicate, the interrogative adjective will have the meaning: *what kind of person?* Otherwise the interrogative pronoun will be used.

*Quelle* **est cette femme?**
*Who* is this woman? (What kind of person is she? Tell me all about her).
BUT: **Qui est cette femme?**
Who is this woman?

(C) When the expected answer is a definition, *what is* translates as *qu'est-ce que c'est que.*

**Qu'est-ce que c'est qu'un lagopède alpin?** What is a ptarmigan?

## § 44 INTERROGATIVE PRONOUN (le pronom interrogatif)

(A) The interrogative pronoun, without a specific antecedent, has the following forms:

|  |  | PERSONS | THINGS |
|---|---|---|---|
| *Direct* | SUBJECT | qui who | qu'est-ce qui what |
| *Question* | OBJECT | qui whom | que what |
|  | OBJECT OF PREP. | qui whom | quoi what |
| *Indirect* | SUBJECT | qui who | ce qui what |
| *Question* | OBJECT | qui whom | ce que what |
|  | OBJECT OF PREP. | qui whom | ce (*prep.*) quoi / (*prep.*) quoi |
|  | OBJECT OF de | qui whom | ce dont / de quoi |

An indirect question is a question contained within a declarative sentence.

DIRECT QUESTION: What are you doing?
INDIRECT QUESTION: I ask him what he is doing.

Study carefully the following illustrations:

*Qui* est ici? *Who* is here?
*Qui* avez-vous vu? *Whom* have you seen?
Avec *qui* est-elle partie? With *whom* did she leave?
*Qu'*est-ce *qui* est sur la table? *What* is on the table?
*Qu'*a-t-il dans sa bouche? *What* does he have in his mouth?
Avec *quoi* écrivez-vous? With *what* do you write?
Je ne sais pas *qui* vous avez vu. I do not know *whom* you saw.
Je me demande *ce que* vous faites. I wonder *what* you are doing.
J'ignore *ce* à *quoi* il pense. ⎰ I do not know *what* he is thinking
J'ignore à *quoi* il pense. ⎱ about.
Je ne sais pas *ce dont* vous parlez. ⎰ I don't know *what* you are
Je ne sais pas *de quoi* vous parlez. ⎱ talking about.

(B) In conversational style "long forms" are frequently substituted for the short interrogative forms given in § A above either for additional emphasis or to avoid complications of interrogative word order. These long forms may be derived by adding *est-ce qui* to an interrogative pronoun subject and *est-ce que* to an interrogative pronoun object. With the long forms as objects the verb is not inverted.

|  | PERSONS | THINGS |
|---|---|---|
| SUBJECT | qui est-ce qui | qu'est-ce qui [1] |
| DIRECT OBJECT | qui est-ce que | qu'est-ce que |
| OBJECT OF PREP. | (à) qui est-ce que | (à) quoi est-ce que |

The above examples then become:

*Qui est-ce qui* est ici? *Who* (emphasized) is here?
*Qui est-ce que* vous avez vu? *Whom* have you seen?
Avec *qui est-ce qu'*elle est partie? With *whom* did she leave?
*Qu'est-ce qui* est sur la table? *What* is on the table?
*Qu'est-ce qu'*il a dans sa bouche? *What* does he have in his mouth?
Avec *quoi est-ce que* vous écrivez? With *what* do you write?

Note that, in each form of the above chart, the initial pronoun distinguishes person (*qui*) from thing (*que, quoi*) as do the short forms, while the final pronoun distinguishes subject (*qui*) from object (*que*) as do the relative pronouns.

(C) The inflected interrogative pronoun (that is to say, indicating gender and number in its form) has the same forms as the inflected relative pronoun (see § 42, A) and corresponds to English *which one or ones* or to *which* in the sense of *which one or ones.*

Voici trois poires. *Laquelle* voulez-vous?
Here are three pears. *Which one* do you want?
De tous ces livres *lesquels* préférez-vous?
Of all these books *which ones* do you prefer?

1. There is no "short" form here. Compare § A above.

## § 45 FORMS OF PERSONAL PRONOUN OBJECTS (pronoms personnels compléments)

| (A) | | | DIRECT OBJECT | INDIRECT OBJECT |
|-----|---|---|---|---|
| 1ST SING. | | | **me** me, myself | **me** to me, to myself |
| 2ND SING. | Informal | { | **te** thee, thyself | **te** to thee, to thyself |
| | Formal | { | **vous** you, yourself | **vous** to you, to yourself |
| 3RD SING. | | { | **le** him, it | **lui** to him, to her |
| | | { | **la** her, it | (use *y* for things; see below) |
| 1ST PLUR. | | | **nous** us, ourselves | **nous** to us, to ourselves |
| 2ND PLUR. | | | **vous** you, yourself | **vous** to you, to yourselves |
| 3RD PLUR. | | | **les** them | **leur** to them (persons only; use *y* for things; see below) |

(B) Reflexive Pronoun Objects (pronoms personnels réfléchis)

A reflexive pronoun object is one which reflects or refers back to the subject of the sentence.

In the first and second person, French does not distinguish between reflexive pronoun objects and ordinary pronoun objects. See illustrations above.

In the third person the reflexive pronoun is *se*.

| DIRECT OBJECT | INDIRECT OBJECT |
|---|---|
| 3RD SING. **se** himself, herself, itself | **se** to himself, to herself, to itself |
| 3RD PLUR. **se** themselves | **se** to themselves |

EXAMPLES:

**Elle *se* regarde dans la glace.** She looks *at herself* in the mirror.
**La pendule *s'*arrête.** The clock stops (*itself*).

(C) Partitive pronoun *en*

(1) This pronoun is basically equivalent to a prepositional phrase beginning with *de* followed by a word designating a thing.

**en** = of it, of them
EXAMPLE: **J'*en* parle.** I am speaking *of it*.

(2) For this reason it is also equivalent to a phrase beginning with a partitive article (see § 27) and comes to mean *some* or *any* standing alone in English. In this sense it may also refer to persons (compare with § 41, E).

**Il a *des* pommes.** He has *some* apples.
**Il *en* a.** He has *some?*
**Y a-t-il *des hommes* capables de le faire? Oui, il y *en* a.**
Are there *some men* capable of doing it? Yes, there are (*some*).

(3) For the automatic insertion of *en* with expressions of quantity, see § 55, C.

(4) There is never any agreement of the past participle with the pronoun *en*.

> **Avez-vous jamais vu des femmes plus belles? Oui, j'en ai *vu*.**
> Have you ever seen more beautiful women? Yes, I have seen some.

(D) The adverbial pronoun *y*.

(1) This pronoun is basically equivalent to a prepositional phrase consisting of *à* plus a thing.

> **Allez-vous *au concert?* Oui, j'y vais demain soir.**
> Are you going *to the concert?* Yes, I am going (*to it*) tomorrow evening.
> **Allez-vous répondre bientôt *à la lettre?* Oui, j'y répondrai demain.**
> Are you going to answer *the letter* soon? Yes, I shall answer *it* tomorrow.

(2) When it replaces *à* plus a place, *y* comes to mean *there* from the English point of view.

> **Allez-vous *à Paris?* Oui, j'y vais demain.**
> Are you going *to Paris?* Yes, I am going *there* tomorrow.

For this reason, French will translate the English adverb *there* as *y* whenever the place has been previously mentioned. In other cases and also for emphasis, the translation will be *là*.

> **L'avez-vous cherché dans la salle à manger? Vous l'*y* avez peut-être laissé.**
> Did you look for it in the dining room? Perhaps you left it *there*.
> BUT: **L'avez-vous laissé *là* sur la table?**
> Did you leave it *there* on the table?

## § 46 POSITION OF PERSONAL PRONOUN OBJECTS

(A) All pronoun objects listed in the chart below occur directly before the verb with the exceptions mentioned in § B below. When two [1] pronoun objects come before the verb, they follow an intrinsic (natural) word order represented by the following chart:

$$\left.\begin{array}{c}\text{me}\\\text{te}\\\text{se}\\\text{nous}\\\text{vous}\end{array}\right\}\text{BEFORE}\left.\begin{array}{c}\text{le}\\\text{la}\\\text{les}\end{array}\right\}\text{BEFORE}\left.\begin{array}{c}\text{lui}\\\text{leur}\end{array}\right\}\text{BEFORE y BEFORE en}$$

Once the forms have been selected according to the meanings given in § 45, they are placed automatically in the order of the chart. With *me, te, se, le, la,* elision will occur when the next word begins with a vowel.

1. It is possible to have three pronoun objects before the verb if two of them are *y* and *en*.

**Il *me les* donne.** He gives *them to me.*
**Il *les leur* donne.** He gives *them to them.*
**Il *m'en* donne.** He gives *me some.*
**Elle ne *l'*aime pas.** She does not love *him.*

Contraction will never occur with a pronoun object. That is to say, if *le,* as the object of an infinitive, directly follows the preposition *à* or *de,* no contraction will result.

**Je lui ai commandé de *le* voir.**
I ordered him to see him.
**Je cherche à *le* comprendre.**
I seek to understand him.

(B) There are two exceptions to the rule of the intrinsic order of pronoun objects before the verb:

(1) If the direct object is *me, te, se, nous* or *vous,* the indirect object must be expressed by *à* + a disjunctive pronoun (see § 41, B, 8).

**Il se présente *à eux.*** He presents himself *to them.*
**Je vous donne *à elle.*** I give you *to her.*

(2) With the affirmative imperative, pronoun objects follow the verb form and are attached to it by hyphens. The rule of intrinsic word order does not apply. Instead the rule is as follows:

**Direct Object** BEFORE **Indirect Object** BEFORE *y* BEFORE *en*

The above diagram indicates that *y* and *en* always come last without considering whether they might be defined as direct or indirect objects. The pronoun objects themselves will have the same form as those listed in § A above, with the following exceptions:

(a) Except before *y* and *en,*[1] *me* will become *moi* and *te* will become *toi.*

**Envoyez-le-moi.** Send it to me.
**Dépêche-toi!** Hurry up!
BUT: **Va-t'en tout de suite!** Go away quickly!

(b) The rule in § 1 above also applies to the affirmative [2] imperative. If the direct object is *me* (*moi*), *te* (*toi*), *nous* or *vous,* the indirect object must be expressed by *à* + the disjunctive.

**Présentez-moi *à eux.*** Introduce me *to them.*

1. In the familiar form of the second person imperative (for imperative forms, see § V, h), before *y* and *en* the *s* is restored to the verb in the first conjugation: *Donne-leur des bonbons:* Give them some candy. BUT: *Donnes-en aux enfants:* Give the children some.

2. The negative imperative is like any other verb form in that pronoun objects precede the verb form according to the rules of § A above. *Donnez-les-moi:* Give them to me. BUT: *Ne me les donnez pas:* Do not give them to me.

## § 47 REFLEXIVE PRONOUN (le pronom réfléchi)

(A) Reflexive pronouns as direct or indirect objects of the verb are described in § 45 and § 46.

(B) For use of auxiliary and agreement of past participle with reflexive verbs, see § 5, C, 2, b.

(C) The reflexive pronoun may have a *reciprocal* force, in which case it translates in English as *each other, to each other.*

Nous nous voyons. $\begin{cases} \text{REFLEXIVE: We see } ourselves. \\ \text{RECIPROCAL: We see } each\ other. \end{cases}$

Usually the context makes the meaning sufficiently clear. However, to clarify the meaning, one may add various forms of the phrase *l'un l'autre* in apposition to the pronoun object.

> **Nous *nous* voyons *l'un l'autre*.**
> We see *each other*. (Two masculine or one masculine and one feminine).
> **Nous *nous* voyons *l'une l'autre*.**
> We see *each other*. (Two feminine).
> **Nous *nous* voyons *les uns les autres*.**
> We see *each other*. (More than two masculine or more than two mixed genders).
> **Vous *vous* parlez *l'un à l'autre*.**
> You speak *to each other*.
> **Vous *vous* parlez *les uns aux autres*.**
> You speak *to each other*.

(D) The phrase *l'un + preposition + l'autre* may also occur in apposition to the subject or the object (including reflexive pronoun objects as noted above). Note carefully the word order of the French examples and also the English translations.

> **Ils sont sortis *les uns après les autres*.**
> They went out *one after the other*.
> **Je les ai trouvés *l'un près de l'autre*.**
> I found them *near each other*.
> **Je les ai trouvées *l'une avec l'autre*.**
> I found them *with each other*.

(E) To translate an English reflexive pronoun which occurs in apposition to another word rather than as the object of the verb, use the disjunctive pronoun with the adjective *même* attached to it by a hyphen. Note the word order and agreements in the following examples:

> **Je le fais *moi-même*.** I am doing it *myself*.
> **Je l'ai vue *elle-même*.** I saw her *herself*.
> **J'ai répondu à Jean *lui-même*.** I answered John *himself*.

Since repetition for emphasis or for clarification is a common device in French, the repetition being a form of apposition, the disjunctive with *même* may occur in apposition to a reflexive pronoun object.

**Elle** *se* **comprend** *elle-même.*
She understands *herself* (emphasized).
**Ils** *se* **parlent** *à eux-mêmes.*
They speak *to themselves* (clarification to avoid possible meaning of *to each other*).

## § 48 INDEFINITE PRONOUNS

(For indefinite adjectives, see § 33).

(A) The pronoun corresponding to the adjective *chaque* (see § 33, A) is *chacun* (masculine), *chacune* (feminine), meaning *each one* or *each* in the sense of *each one.*

**Il a rencontré trois femmes, et** *chacune* **portait un panier.**
He met three women, and *each* (*one*) was carrying a basket.

(B) The pronoun corresponding to the adjective *quelque* (see § 33, C) is *quelqu'un* (masculine singular), *quelqu'une* (feminine singular), *quelques-uns* (masculine plural) and *quelques-unes* (feminine plural). In the singular this pronoun applies only to persons and means *someone.* In the plural it applies to both persons and things and means *a few* or *some* in the sense of *a few* with the nouns which these words modify omitted. Review § XIX, b.

*Quelqu'une* **de ses amies l'attend.**
*Someone* of her friends is waiting for her.
*Quelques-uns* **de ses amis l'attendaient.**
*Some* (*a few*) of his friends were waiting for him.
**J'en**[1] **ai trouvé** *quelques-uns* **sur la table.**
I found *some*[2] (*a few*) on the table.

(C) The pronoun corresponding to the adjective *tout, toute, tous, toutes* (see § 33, D) has precisely the same forms. It presents the following special problems in respect to word order:

(1) This pronoun may stand alone as the subject but more commonly, as in English, it is used in apposition to the subject.

*Tous* [tus] **sont ici.** *All* are here.
**Ils sont** *tous* [tus] **ici.** They are *all* here.

(2) Only the form *tout* in the special meaning of *everything* can stand alone as object of the verb. In all other cases the pronoun must be used in apposition to another pronoun object.

1. For the use of *en* in this construction, see § 55, G.
2. *Some* not in the sense of *a few* is, of course, *en.* Since there is no subject pronoun corresponding to *en*, note how the following sentence is translated: *Some were lost:* Il y en avait qui étaient perdus.

**Il comprend** *tout.* He understands *everything.*
**Je** *les* **vois** *toutes.* I see *all of them.*
**Je** *leur* **parle** *à* **tous.** I am speaking to *all of them.*

(3) In compound tenses this pronoun, as object, takes the position of an adverb (see § 54, A, 4), which is to say that it goes between the auxiliary and the past participle.

**Je** *les* **ai** *toutes* **vues.** I saw *all of them.*

(4) As in the case of the adjective form (see § 33, D), the English phrase *all of* gives trouble in translating. Note carefully the illustrations in § 2 and § 3 above.

(5) When a relative pronoun follows the pronoun *tout,* the compound relative pronoun (usually found with an imprecise antecedent; see § 42, A) is required.

**Tout** *ce que* **j'ai dit est vrai.** All *that* I said is true.

(D) The indefinite pronoun *on,* meaning basically *one* in English, can be translated by a variety of indefinite expressions, including *you* and *we* in an indefinite sense. It is also used to avoid the passive (see § 23, C, 1).

**A Paris** *on* **parle français.**
⎰ In Paris *one* speaks French.
⎪ In Paris *people* speak French.
⎪ In Paris *a man* speaks French.
⎨ In Paris *you* speak French.
⎪ In Paris *we* speak French.
⎩ In Paris French is spoken.

## § 49 NUMBERS (les nombres)

(A) *Cardinal numbers* (les nombres cardinaux)
(1) The cardinal numbers are as follows:

| | | |
|---|---|---|
| 1 un, une | 17 dix-sept [2,4] | 61 soixante et un (une) |
| 2 deux [1] | 18 dix-huit [2,5] | 70 soixante-dix [1,2] |
| 3 trois [1] | 19 dix-neuf [2,5] | 71 soixante et onze |
| 4 quatre | 20 vingt [6,7] | 72 soixante-douze |
| 5 cinq [2] | 21 vingt et un (une) | 73 soixante-treize |
| 6 six [1,2] | 22 vingt-deux [1] | 74 soixante-quatorze |
| 7 sept [2] | 23 vingt-trois, etc. | 75 soixante-quinze |
| 8 huit [2,3] | 30 trente | 76 soixante-seize |
| 9 neuf [1,2] | 31 trente et un (une) | 77 soixante-dix-sept [2] |
| 10 dix [1,2] | 32 trente-deux, etc. | 78 soixante-dix-huit [2,3] |
| 11 onze [3] | 40 quarante | 79 soixante-dix-neuf [1,2] |
| 12 douze | 41 quarante et un (une) | 80 quatre-vingts [6,7] |
| 13 treize | 42 quarante-deux, etc. | 81 quatre-vingt-un (une) |
| 14 quatorze | 50 cinquante | 90 quatre-vingt-dix |
| 15 quinze | 51 cinquante et un (une) | 91 quatre-vingt-onze |
| 16 seize | 60 soixante [8] | 100 cent [9] |

| | |
|---|---|
| 101 cent un (une) | 1001 mille un (une) |
| 200 deux cents | 2000 deux mille |
| 202 deux cent deux | 1.000.000 un million [10] |
| 1000 mille | 1.000.000.000 un milliard [10] |

1. The normal rules of *liaison* apply for *x* or *s* which become [z]. In two expressions only (*neuf ans* [nœ vɑ̃] and *neuf heures* [nœ vœr]), *f* becomes [v].

2. The final consonant is pronounced except before another consonant or an aspirate *h*. Rules of *liaison* apply for *six* and *dix;* in isolation, however, they are pronounced [sis] and [dis].

3. There is never any elision preceding these numbers.

4. The *x* of *dix* is pronounced [s] here: [disset].

5. The *x* is here pronounced as [z].

6. The *t* of *vingt* is pronounced from 21 to 29 but not in 20, 80 to 99.

7. Final consonant pronounced in *liaison.*

8. Note pronunciation: [swasɑ̃t].

9. The *t* of *cent* is not pronounced before *un, une, huit* or *onze.* Otherwise the rules of *liaison* apply.

10. These are collective numbers. See § C below.

(2) Special problems of the cardinal number system:

(a) The conjunction *et,* without hyphens, occurs in 21, 31, 41, 51, 61, 71, but disappears in 81, 91, 101.

(b) In all other cases below 100, hyphens are necessary when spelling out the parts of a number. Hyphens are not used around *cent* or *mille.* When numbers below 100 occur with *cent* or *mille,* they retain their hyphens.

**deux cent soixante-dix-neuf** two hundred sixty-nine

(c) There being no separate word for 70, French says *soixante-dix* (sixty-ten), *soixante et onze* (sixty and eleven), etc. Likewise French says *quatre-vingts* (four twenties) for 80 and *quatre-vingt-dix* for 90, etc.

(d) There is an *s* on *quatre-vingts* and multiples of *cent,* whenever these are the last words in the number; otherwise the *s* disappears.

(e) *Mille* never adds an *s.*

(3) Standing alone in the predicate of the sentence, numbers automatically require the partitive *en* before the verb. (See also adverbs of quantity, § 55, C).

**J'*en* ai trouvé trois.** I found three.

(B) *Ordinal numbers* (les nombres ordinaux)

(1) In English the ordinal numbers are *first, second,* etc. In French they are as follows:

| | |
|---|---|
| 1er, 1e premier, première | 4e quatrième |
| 2e deuxième | 5e cinquième |
| 3e troisième | 6e sixième |

| | | | |
|---|---|---|---|
| 7ᵉ | septième | 16ᵉ | seizième |
| 8ᵉ | huitième | 17ᵉ | dix-septième |
| 9ᵉ | neuvième | 18ᵉ | dix-huitième |
| 10ᵉ | dixième | 19ᵉ | dix-neuvième |
| 11ᵉ | onzième | 20ᵉ | vingtième |
| 12ᵉ | douzième | 21ᵉ | vingt et unième |
| 13ᵉ | treizième | 40ᵉ | quarantième |
| 14ᵉ | quatorzième | 100ᵉ | centième |
| 15ᵉ | quinzième | 200ᵉ | deux centième |

(2) Special problems of ordinal number system:
(a) Note changes in spelling in deriving the following ordinal numbers from the cardinal number.

| | | |
|---|---|---|
| cinq | cinquième | fifth |
| neuf | neuvième | ninth |

(b) Note that *first* is *premier* but that *twenty-first* is *vingt et unième*.

(c) The second in a series of only two is generally expressed as *second, seconde* (pronounced [səgɔ̃], [səgɔ̃d]) instead of *deuxième*.

(3) To express the numerical title of a ruler, the ordinal number designates the first in the series but the cardinal number designates the remainder. Note the absence of an article in these expressions.

| | | |
|---|---|---|
| François 1ᵉʳ | François premier | Francis the first |
| Louis XVIII | Louis dix-huit | Louis the eighteenth |

(C) *Collective numbers* (les nombres collectifs)

(1) Except in the case of *une douzaine* which means precisely *twelve of a kind* like its English equivalent *a dozen*, the French collective numbers mean *an approximate number*, for example *about fifteen: une quinzaine*.

| | |
|---|---|
| une huitaine about eight | une cinquantaine about fifty |
| une dizaine about ten | une soixantaine about sixty |
| une douzaine a dozen | une centaine about a hundred |
| une quinzaine about fifteen | un millier about a thousand |
| une vingtaine about twenty | un million a million |
| une trentaine about thirty | un milliard a billion |
| une quarantaine about forty | |

(2) A collective number, being a quantitative expression like an adverb of quantity (see § 55, C), requires the preposition *de* when used with a noun or the partitive pronoun *en* before the verb when standing alone in the predicate of the sentence.

> **J'ai acheté une douzaine *de* livres.**
> I bought a dozen books.
> **J'*en* ai acheté une quinzaine.**
> I bought about fifteen.

**Il a gagné un million** *de* [1] **francs à la loterie nationale.**
He won a million francs in the national lottery.

(D) *Fractions* (les fractions)

(1) The following fractions have special names:

| | |
|---|---|
| ½ **un demi** | 3½ **trois et demi** |
| ⅓ **un tiers** | 3⅓ **trois (et) un tiers** |
| ⅔ **deux tiers** | 3¼ **trois (et) un quart** |
| ¼ **un quart** | ³⁄₁₀₀₀ **trois millièmes** |
| ¾ **trois quarts** | |

(2) All other fractions are formed with a cardinal number as the numerator and an ordinal number as the denominator, as in English.

⁷⁄₁₆ **sept seizièmes**
³⁄₄₀₇ **trois quatre cent septièmes**

(3) As a noun the word *half* is *moitié.*

**Ils en ont trouvé une moitié dans la rue et l'autre dans un champ.**
They found one half in the street and the other half in a field.

(4) In quantitative expressions or implied quantitative expressions, fractions and the noun *moitié* require a definite article.

**Il a passé** *les* **trois quarts de son temps à ne rien faire.**
He spent three quarters of his time doing nothing.
*La* **moitié ne lui suffira pas.**
Half will not be enough for him.

(5) When a number including the fraction *demi* is used with a noun, *demi* will follow the noun in the phrase *et demi* or *et demie,* depending on the gender of the noun.

**trois jours et demi** 3½ days
**trois heures et demie** 3½ hours

(E) *Mathematical operations and measurements.*

(1) Addition (l'addition)

**3 et 3 font 6** 3 plus 3 is 6

(2) Subtraction (la soustraction)

**3 moins 2 font 1** 3 minus 2 equals 1

(3) Multiplication (la multiplication)

**3 fois 3 font 9** 3 times 3 equals 9

(4) Division (la division)

**6 divisé par 3 fait 2** 6 divided by 3 equals 2

1. If the number is more precise, it ceases to have a quantitative meaning and hence the *de* disappears. 1.500.004 francs: *un million cinq cent quatre francs.*

(5) Measurement (les mesures)

> Quelle est la longueur de cette salle?
> How long is this hall?
> La salle est longue de dix mètres.⎫ The hall is ten
> La salle a dix mètres de long.  ⎭  meters long.

## § 50 DATES (la date)

(A) The year is expressed in the following manner:

> 1932 dix-neuf cent trente-deux
> OR: mille (mil) neuf cent trente-deux

In either case the word *cent* cannot be omitted from the expression. The preposition *en* is used with the year in the sense of *in*.

> en 1932 in 1932

(B) *The months* (les mois)

(1) The names of the months, which are masculine and are always written with a small letter, are as follows:

| | |
|---|---|
| janvier January | juillet July |
| février February | août August |
| mars March | septembre September |
| avril April | octobre October |
| mai May | novembre November |
| juin June | décembre December |

(2) In a date, the first day of the month is designated by the ordinal number but all other days by the cardinal number. A definite article will always precede the date. If the name of the month is included in the date, it will always follow the designation for the day.

> le 1er avril April first
> le 2 avril, le deux avril April 2

(3) The English preposition *on* must not be translated with a day of the week.

> le 27 avril on April 27

(C) *The days of the week* (les jours de la semaine)

(1) The days of the week, which are masculine and are always written with a small letter, are as follows:

| | |
|---|---|
| lundi Monday | vendredi Friday |
| mardi Tuesday | samedi Saturday |
| mercredi Wednesday | dimanche Sunday |
| jeudi Thursday | |

(2) For the use of the article with the day of the week, review § 26, B, 5.

(3) Note the position of the article in the following expressions:

> le lundi 29 avril (on) Monday, April 29
> lundi, le 29 avril 1953 (on) Monday, April 29, 1953

(D) *Special idioms with dates*

> Quel jour est-ce aujourd'hui?
> Quel jour sommes-nous aujourd'hui? } What is the date today?
> C'est aujourd'hui le 12.
> Nous sommes (aujourd'hui) le 12. } Today is the twelfth.
> D'aujourd'hui en huit A week from today
> D'aujourd'hui en quinze Two weeks from today
> D'ici trois semaines Three weeks from now

## § 51 TIME OF THE DAY (l'heure)

Review § IV, c which is summarized in the following expressions:

> 3 h.      Il est trois heures du matin. It is 3 A.M.
> 3 h. ¼    Il est trois heures et quart. It is 3:15.
> 3 h. ½    Il est trois heures et demie. It is 3:30.
> 3 h. 45   Il est quatre heures moins le quart. It is 3:45.
> 3 h. 47   Il est trois heures quarante-sept. It is 3:47.
> 12 h.     Il est midi (minuit). It is noon (midnight).
> 12 h. 30  Il est midi et demi. It is 12:30.
> 23 h. 7   { Il est vingt-trois heures sept.
>             Il est onze heures sept du soir. } It is 11:07 P.M.
> Quelle heure est-il? What time is it?

## § 52 FORMATION OF THE ADVERB

(A) The regular adverb is formed by adding *-ment* to the masculine singular of the adjective if it ends in a vowel and otherwise to the feminine singular.

| ADJECTIVE | ADVERB |
|---|---|
| vrai true | vraiment truly |
| heureux, heureuse happy | heureusement fortunately |
| actif, active active | activement actively |

(B) When the adjective ends in *-ant,* that ending is removed and is replaced by the ending *-amment* to form the adverb. Adjectives ending in *-ent* have *-emment* as an adverbial ending. Both *-amment* and *-emment* are pronounced [amā].

| indépendant independent | indépendamment independently |
|---|---|
| intelligent intelligent | intelligemment intelligently |

(C) Certain adverbs are regularly derived according to the principle defined in § A above except that they take *é* before the adverbial ending *-ment.*

| | |
|---|---|
| **énorme** enormous | **énormément** enormously |
| **précis, précise** precise | **précisément** precisely |
| **aveugle** blind | **aveuglément** blindly |
| **profond, profonde** deep | **profondément** deeply |

(D) In addition there are certain irregular adverbs: *mal* (badly), *peu* (little), *puis* (then), etc.

## § 53 COMPARISON OF ADVERB

(A) The comparison of adverbs resembles the comparison of adjectives except that the article, sign of the superlative, is invariable since adverbs do not have gender.

| POSITIVE | COMPARATIVE | SUPERLATIVE |
|---|---|---|
| **rapidement** rapidly | **plus rapidement** more rapidly | **le plus rapidement** most rapidly |

(B) Certain irregular adverbs have irregular comparisons.

| | | |
|---|---|---|
| **beaucoup** much, a great deal | **plus** more | **le plus** (the) most |
| **mal** badly | { **plus mal** **pis** worse | { **le plus mal** **le pis** (the) worst |
| **bien** well | **mieux** better | **le mieux** (the) best |
| **peu** little | **moins** less | **le moins** least |

(C) As in the case of the adjective (see § 32, C), a clause introduced by *que* in the sense of *than* after the comparative form of the adverb requires a pleonastic *ne* (see § 56, F), provided the verb of the main clause is affirmative.

(D) *Plus* can modify a verb only in the sense of a comparison. In other cases, *more* translates as *davantage*.

> Il l'aime *plus* que Marie. He loves her *more* than Mary.
> Il l'aime *davantage* chaque jour. He loves her *more* each day.

(E) On the other hand, *more and more* is *de plus en plus* and *less and less* is *de moins en moins*.

> Elle l'aime *de plus en plus*. She loves him *more and more*.

The phrases *de plus en plus* and *de moins en moins* can modify an adjective. Note, in that case, the corresponding English.

> Elle devient *de plus en plus belle*.
> She is becoming *prettier and prettier* (*more and more pretty*).

## § 54 POSITION OF THE ADVERB

(A) *Adverb modifying a verb.*

(1) For emphasis, the adverb may be the first or the last word in the sentence or clause in cases where the adverb may occupy the same position in English.

> *Provisoirement* il répondra de moi. *Temporarily* he will answer for me.
> Il répondra de moi *provisoirement*. He will answer for me *temporarily*.

(2) Without emphasis the adverb will tend to follow a simple verb form immediately. Frequently the word order differs from English.

> Il lit *lentement* le français. He reads French *slowly*.

(3) Adverbs which answer the questions *when?* or *where?* are really independent of the verb and tend to move about freely in the sentence, as in English. Examples of such adverbs are:

| WHEN? | WHERE? |
|---|---|
| aujourd'hui today | ici here |
| demain tomorrow | là there |
| hier yesterday | ailleurs elsewhere |
| maintenant now | partout everywhere |
| autrefois formerly | |
| tard late | |
| tôt early | |
| alors then (*in any sense*) | |
| ensuite next *or* then *in sense of* next | |
| puis next (*when first word in sentence*) | |
| après afterwards | |
| avant before | |
| auparavant before, previously | |
| souvent often | |
| toujours always | |
| déjà already | |

> Je verrai Robert *demain*. I will see Robert tomorrow.

(4) Position of adverb in a compound tense:

(a) Short adverbs, except those answering the questions *when?* and *where?*, tend to follow the auxiliary verb.

> Il a *mal* compris la réponse de Marie.
> He did not understand Mary's answer very well.

(b) Adverbs which answer the question *when?* or *where?* tend to follow the past participle except *toujours, souvent, déjà* (before past participle) and *puis* (before verb subject).

> J'ai répondu *aujourd'hui* à votre lettre.
> I answered your letter *today*.
> Il a *souvent* répondu à ses lettres sans le ménager.
> He *often* answered his letters without sparing him in the least.
> *Puis* il a répondu.
> *Then* he answered.

(5) Adverbs tend to follow infinitives, but those which follow the auxiliary in a compound tense sometimes precede an infinitive. *Bien* and *mieux* always precede an infinitive.

> **pour comprendre** *parfaitement* in order to understand *perfectly*
> **pour** *bien* **comprendre** in order to understand *well*

(6) Certain adverbs automatically bring about an inversion of the verb when they are the first word in the sentence.

> *Peut-être* **a-t-il compris sans le vouloir.**
> *Perhaps* he understood without wishing to do so.
> *Aussi* **n'a-t-il rien dit.**
> *So* he said nothing.
> *Du moins* **devra-t-il répondre.**
> *At least* he will have to answer.
> *A peine* **eut-il ouvert son livre qu'il tomba sur le passage qu'il cherchait.**
> *Scarcely* had he opened his book than he came upon the passage he was looking for (see § 11).

(B) Adverbs modifying adjectives or other adverbs precede these forms just as in English. If the adjective follows the noun which it modifies, the adverb will still precede the adjective.

> **une** *très* **grande maison** a very big house
> **une maison** *très* **intéressante** a very interesting house

(C) The adverb *tout* (very, quite, altogether) presents a special problem since it acquires singular or plural adjectival endings before a feminine adjective beginning with a consonant.

> **Les chanteurs sont de** *tout* **petits garçons.**
> The singers are *very* little boys.
> **Les chanteuses sont de** *toutes* **petites filles.**
> The singers are *very* little girls.

## § 55 ADVERBS OF QUANTITY

(A) Certain English adjectives, listed below in § B, correspond to adverbs in French. These are so-called adverbs of quantity which automatically take *de* when introducing a noun. In reality this *de* is the same as the one found after nouns expressing an idea of quantity in a construction paralleling English usage.

> **une quantité** *de* **livres** a quantity *of* books
> **une bouteille** *de* **vin** a bottle *of* wine
> HENCE: **beaucoup** *de* **livres** many books
> **beaucoup** *de* **vin** much wine

(B) The following are the most common adverbs of quantity. Note carefully the translations.

> **J'ai** *assez de* **livres.** I have *enough* books.
> **J'ai** *autant de* **billets que Marie.** I have *as many* tickets as Mary.
> **J'ai** *autant de* **peine que Marie.** I have *as much* trouble as Mary.

J'ai *beaucoup de* **cadeaux.** I have *many* presents.
*Combien de* livres a-t-il? *How many* books does he have?
*Combien d'*argent avait-il? *How much* money did he have?
J'ai *moins* [1] *de* **chevaux que vous.** I have *fewer* horses than you.
J'ai *moins* [1] *de* **peine que vous.** I have *less* trouble than you.
J'ai *peu d'*amis. I have *few* friends.
J'ai *peu de* **difficulté.** I have *little* difficulty.
J'ai *un peu* [2] *de* **difficulté.** I am having *a little* difficulty.
J'ai *plus* [1] *de* **cahiers que vous.** I have *more* notebooks than you.
J'ai *tant de* **crayons!** I have *so many* pencils!
J'ai *tant de* **difficulté!** I have *so much* difficulty!
J'ai *trop de* **bijoux.** I have *too many* jewels.
J'ai *trop de* **confiance.** I have *too much* confidence.

(C) Whenever expressions of quantity, including nouns and adverbs of quantity, numbers of all types, or adjectives modified by a partitive article, stand alone in the predicate of the sentence, they require the partitive pronoun *en* (see § 45, C).

J'*en* **ai vu beaucoup.** I saw many.
J'*en* **ai vu une grande quantité.** I saw a large quantity.
J'*en* **ai vu vingt-sept.** I saw twenty-seven.
J'*en* **ai vu de très beaux.** I saw some very pretty ones (see § 34).

(D) It must not be forgotten that the same adverbs which serve as adverbs of quantity also function as simple adverbs, in which case they take no *de*.

**Je l'aime beaucoup.**[3] I like it very [3] much.
**C'est trop difficile.** It is too difficult.

(E) The quantitative expression *la plupart*, corresponding to the English adjective *most*,[4] is followed by *de + the definite article*. So likewise is the adverb of quantity *bien* when used in literary style as a substitute for the adverb of quantity *beaucoup*.

**La plupart** *des* **invités sont partis.**
Most of the guests have left.
**La plupart** *des* **écrivains écrivent pour être lus.**
Most writers write to be read.
**Vous allez tomber dans bien** *des* **pièges.**
You are going to fall into many traps.

1. When *more* or *less,* in English, modify nouns, they are adverbs of quantity in French. When they modify verbs, other adverbs or adjectives, they are simple adverbs. *I have more money:* J'ai *plus d'*argent. *It is more difficult:* C'est *plus* difficile.

2. Distinguish between *a little* as an adjective and *a little* (*quantity of*). *A little house:* une petite maison. *A little butter:* un peu de beurre.

3. Note that *beaucoup* cannot be modified.

4. The English adjective *most* must not be confused with the adverb. ADVERB: It is *most* difficult: C'est *très* difficile. It is *the most* difficult: C'est *le plus* difficile. ADJECTIVE: *Most* men: *La plupart* des hommes.

(F) Any verbal or adjectival agreement with an expression of quantity must take into consideration the gender and number of the entire expression, even when part of it is omitted.

> **J'ai cherché mes amis à Paris mais il y en avait *beaucoup* qui étaient déjà *partis.***
> I looked for my friends in Paris but *many* had already left.
> **Combien de lettres avez-vous *écrites?***
> How many letters did you write?
> **Il avait lu beaucoup de livres mais *la plupart* ne l'*avaient* pas intéressé.**
> He had read many books but *most* had not interested him.

## § 56 NEGATION (la négation)

### (A) ADVERBIAL NEGATIVES.

(1) *The adverbial negative ne . . . pas.*

(a) A simple verb is made negative by placing *ne* before it and *pas* after it. If a pronoun object must precede the verb, it will take precedence and will occur between *ne* and the verb. If the verb is inverted, the pronoun subject will occur between the verb and the negative *pas*. *Ne* will always elide before a word beginning with a vowel or mute *h*.

> **Vous *ne* voyez *pas.*** You do not see.
> **Vous *ne* le voyez *pas.*** You do not see it.
> ***Ne* voyez-vous *pas?*** Don't you see?
> ***Ne* le voyez-vous *pas?*** Don't you see it?

(b) In a compound tense, all alterations described in § a above will be performed in terms of the auxiliary, after which will come the past participle.

> **Vous *n'*avez *pas* vu.** You have not seen.
> **Vous *ne* l'avez *pas* vu.** You have not seen it.
> ***N'*avez-vous *pas* vu?** Have you not seen?
> ***Ne* l'avez-vous *pas* vu?** Have you not seen it?

(c) An infinitive is made negative by placing both *ne* and *pas* before it. With *avoir* and *être* it is optional whether the negation is placed around the infinitive or before it. When the entire negative precedes the infinitive, pronoun objects will come after the *pas*.

> **pour *ne pas* le voir** in order not to see him
> **pour *ne pas* être vu** ⎫
> **pour *n'*être *pas* vu** ⎬ in order not to be seen

(d) Certain verbs may be made negative without *pas.*

> **Je *n'*ose (*pas*) le faire.** I don't dare do it.
> **Je *ne* sais (*pas*) pourquoi il est parti.** I know not why he left.
> **L'enfant *ne* cesse de pleurer.** The child does not stop crying.
> **Il *ne* peut (*pas*) le faire.** He cannot do it.

(e) In a defective sentence (lacking a verb), *not* will translate merely as *pas* if a verb is implied with it. Sometimes, for further emphasis, *non pas* is preferred in this case. When *not* is an adverb modifying something other than a verb or an implied verb, it is *non*.

> **Vous l'aimez?** *Pas* **moi.**
> You like it? *Not* I.
> **Je vais le donner à Jean,** *non pas* **à Marie.**
> I am going to give it to John, *not* to Mary.
> *Non* **seulement Jean, mais aussi son frère.**
> *Not* only John, but also his brother.

(2) *Other adverbial negatives.*

(a) Other adverbial negatives work the same as *ne . . . pas* with a simple or compound verb.

> **Vous** *ne* **le voyez** *guère.* You *hardly* see it.
> **Vous** *ne* **l'avez** *guère* **vu.** You have *hardly* seen it.
> **Vous** *ne* **le voyez** *plus.* You *no longer* see it.
> **Vous** *ne* **le voyez** *point.* You do *not* see it *at all.*
> **Vous** *ne* **le voyez** *jamais.* You *never* see it.

(b) Quite commonly *jamais* is placed at the beginning of the sentence for emphasis, in which case *ne* is still required before the verb although there is no inversion of the verb as in English.

> *Jamais* **vous** *ne* **l'avez vu.** *Never* have you seen him.

(c) In defective sentences (lacking a verb), only the second half of an adverbial negative may be used since *ne* must always accompany a verb.

> **Vous ne l'avez jamais vue? Non,** *jamais.*
> You have never seen her? No, *never.*
> **Vous ne l'aimez plus?** *Plus* **maintenant.**
> You no longer love him? *Not any more* now.

(d) It should be noted that *jamais* also functions as a simple adverb meaning *ever* but that, as in English, it will occur in that sense only in a sentence containing a verb.

> **L'avez-vous** *jamais* **vu? Non,** *jamais.*
> Have you *ever* seen him? No, *never.*

(B) NEGATIVE CONJUNCTIONS.

(1) *Ni . . . ni:* neither . . . nor

This conjunction may occur in connection with the subject, the object or even the verb. In all cases, *ne* is required before the verb or verbs.

> SUBJECT: *Ni* **Jean** *ni* **Marie** *ne* **viennent.**
> *Neither* John *nor* Mary is coming.

OBJECT: **Je n'ai trouvé ni le livre ni le stylo.**
I found *neither* the book *nor* the fountain pen.
PAST PARTICIPLE: **Il n'a ni vu ni compris.**
He *neither* saw *nor* understood.
TWO VERBS: **Il ne voit ni ne comprend.**
He *neither* sees *nor* understands.

For omission of indefinite and partitive article with *ni . . . ni,* see § 27, D, 5.

(2) *Ne . . . que:* only.

(a) In this construction, *ne* occurs before the verb but *que* in the sense of *only* will introduce any word or phrase in the predicate of the sentence, sometimes with several words intervening between the verb and *que*.

**Je n'ai vu dans cette classe que Jean qui cherchait à comprendre.**
I saw in this class *only* John who was trying to understand.

(b) *Ne . . . que* may even introduce a pronoun object but the pronoun object must be disjunctive (see § 41, B, 1).

**Je ne vois que lui.** I see *only* him.

(c) Although *ne . . . que* cannot introduce the verb in French, the idiom *ne faire que + infinitive* will translate an English verb modified by *only*.

**Il ne fait que parler tout le temps.**
He *only talks* all the time.
He does nothing but talk all the time.

(d) The only case where it is impossible to use *ne . . . que* is with *only* modifying the subject. The translation then becomes the adverb *seulement* or the adjective *seul*.

**Seulement Marie viendra.**
**Marie seule viendra.** } *Only* Mary will come.

(e) *Seulement* may also replace *ne . . . que* when special emphasis is desired. It also serves to avoid more complicated constructions with *ne . . . que*.

EMPHASIS: **J'ai vu seulement Marie.**
I saw *only* Mary.
PREFERRED: **J'ai parlé seulement à Marie.**
 (**Je n'ai parlé qu'à Marie.**) } I spoke *only* to Mary.
**Il voit seulement, il ne comprend pas.**
 (**Il ne fait que voir, il ne comprend pas.**)
He *only* sees, he does not understand.

(C) NEGATIVE PRONOUNS (*rien* and *personne*).
The negative pronouns *rien* (nothing) and *personne* (no one)

may be either subject or object of the verb. Except in a defective sentence (without a verb), they require *ne* before the verb. In a compound tense, *rien* takes the position of an adverb between the auxiliary and the past participle or before an infinitive, whereas *personne* remains in the predicate.

> Je *ne* vois généralement *rien.* I generally see nothing.
> Je *n'*ai *rien* vu qui m'intéresse au cinéma.
>   I have seen nothing which interests me in the movies.
> Les faits *ne* veulent *rien* dire. Facts mean nothing.
> Généralement *personne ne* vient. Generally no one comes.
> On *n'*a vu *personne* dans le train. No one was seen on the train.

(D) NEGATIVE ADJECTIVES (*aucun* and *nul*).

(1) The adjectives *aucun, aucune* and *nul, nulle,* meaning *no,* may modify either the subject or the object, but in either case they require *ne* before the verb.

> *Aucun* ami *ne* vous le dira. *No* friend will tell you.
> Je *ne* vois *nulle* raison pour intervenir. I see *no* reason to intervene.

(2) Like any adjective, the negative adjectives may stand alone (the noun being omitted).

> *Aucun ne* vient. *None* is coming.
> *Nul n'*est possible. *None* is possible.

(3) The negative adjectives will not translate *no* in a quantitative sense. Instead the partitive article (see § 27, C, 1) is required.

> Je n'ai pas *de* beurre pour mon pain. I have *no* butter for my bread.

(4) The negative adjective is an emphatic form and should be avoided unless special emphasis of the negative is desired.

> Je n'ai pas *d'*ami pour m'aider. I have *no* friend to help me.
> Je *n'*ai *aucun* ami pour m'aider. I have *no* friend *at all* to help me.

(E) COMBINATIONS OF NEGATIVES.

(1) Adverbial negatives will precede pronoun negatives when in combination. Note English translation.

> Je *ne* lui ai *jamais rien* donné. I have *never* given him *anything.*

(2) Adverbial negatives in combination with each other follow an intrinsic word order illustrated by the following examples.

> Je *ne* le vois *plus jamais.*
>   I *never* see him *any more.*
> Je *ne* vois *plus guère* de quoi il s'agit.
>   I *scarcely* see *now* what it is all about.

(3) Adverbial negatives are even combined with *ne . . . que.*

**Il n'y a *plus guère que* des ronces.**
*Now* there is *scarcely anything* left *but* brambles.

(F) PLEONASTIC *ne* (*ne* pléonastique).

This type of negation is a vestige of the illogical popular forms of language and has ceased to have meaning in modern French.

(1) Pleonastic *ne* is compulsory with a verb introduced by *que* in the sense of *than* following the comparative form of an adjective or adverb. If the main verb is negative, it will cancel out the pleonastic *ne* in the clause following *que*.

> **Marie est plus grande que je *ne* croyais.**
> Mary is bigger than I thought.
> **Il a répondu plus rapidement que je *n*'aurais voulu.**
> He answered faster than I would have wished.
> BUT: **Marie n'est pas plus grande que je croyais.**
> Mary is not bigger than I thought.

(2) Pleonastic *ne* is compulsory in literary style but optional in conversational style in four cases with the subjunctive:

(a) In a noun clause following an expression of fearing (see § 12, A, 1).

> **J'ai peur qu'il (*ne*) vienne.** I am afraid he will come.
> BUT: **J'ai peur qu'il *ne* vienne *pas*.** I am afraid he will not come.

(b) After expressions of doubt in the negative or interrogative (see § 12, A, 3).

> **Je ne doute pas qu'il (*ne*) vienne.** I do not doubt that he will come.

(c) After expressions of *preventing*, such as *éviter, empêcher, prendre garde* (see § 12, A, 1).

> **Empêchez qu'il *ne* tombe.**
> Prevent him from falling.
> **Il faut prendre garde qu'il *ne* tombe.**
> You must take care that he doesn't fall.

(d) After the conjunctions *à moins que* and *avant que* (see § 14, A).

> **Il viendra à moins que sa mère (*ne*) tombe malade.**
> He will come unless his mother falls ill.
> **Il répond avant que l'autre (*ne*) puisse ouvrir la bouche.**
> He answers before the other can open his mouth.

## § 57 THE PREPOSITION (la préposition)

(A) THE PREPOSITION *à*

(1) This preposition is used to introduce an indirect noun object. It can never be omitted as in English.

**Je donne le livre *à* Jean.** { I give John the book.
{ I give the book *to* John.

(2) With names of cities, *à* translates English *in, to* or *at.*

> **Qu'avez-vous vu** *à* **Paris?** What did you see *in* Paris?

(3) With masculine countries (see § 28, B, 3), *à* translates English *in* or *to.* In this case the article remains with the name of the country (see § 26, B, 3).

> **Marie va** *au* **Canada.** Mary is going *to* Canada.

(4) In certain expressions, *à* has the sense of location.

> **au jardin** in the garden      **à l'école** in school
> **au salon** in the living room      **à la maison** at home

(5) The purpose for which a thing serves is generally indicated by *à.*

> **un verre** *à vin* a *wine* glass
> **une machine** *à écrire* a typewriter

(6) A descriptive phrase which takes *with* in English generally requires *à* in French.

> **l'homme** *à* **la barbe noire** the man *with* the black beard
> **la maison** *au* **toit rouge** the house *with* the red roof

(7) In adverbial phrases English *in* will frequently translate as *à.*

> **à mon avis** in my opinion
> **à voix basse** in a low voice

(8) In the case of a beast or a vehicle which one straddles, *à* has the meaning of *by* or *on.* Compare with § 57, E, 4.

> **un voyage à bicyclette** $\left\{\begin{array}{l}\text{a trip by bicycle}\\ \text{a bicycle trip}\end{array}\right.$
> **une promenade à cheval** a horseback ride

(9) Frequently *à* indicates the ingredients of which a thing is made.

> **tarte** *à* **la crème** cream pie
> **peinture** *à* **l'huile** oil painting

(10) For *à* indicating possession after *être,* see § 40.

(11) For *à* with an infinitive, see § 24, C, 3.

(B) THE PREPOSITION *chez.*

(1) This preposition means *to, at,* or *in.* It is always followed by the possessor of the place as a noun or pronoun but it never specifies the nature of the place. Generally the nature of the place is implied by the remainder of the context.

> **Je vais** *chez* **Alphonse.** I am going to Alphonse's (*place*).
>          (This might mean to Alphonse's
>          house, room, shop, etc.)

(2) This preposition may also have a figurative sense and will mean *with* or *in.*

> **Chez les Américains on trouve des caractéristiques européennes.**
> *In* Americans one finds European characteristics.
> **Chez moi ce n'est pas pareil.**
> *With* me it is not the same thing.

(C) THE PREPOSITION *dans.*

(1) *Dans* indicates physical location and means *in, into, within, inside of.*

> **Je demeure *dans* cette maison.** I live *in* this house.
> **Il va *dans* cette maison.** He goes *into* this house.

(2) For physical location with names of countries modified by an adjective, a prepositional phrase or a relative clause, *dans* is used with the article usually found with names of countries (§ 26, B, 3). In this connection, see also § 57, A, 3 and § 57, E, 3.

> **dans la France méridionale** in southern France

(3) *Dans* translates *in* in the sense of *at the end of a period of time* (see also § 57, E, 6).

> **Je vous verrai *dans* trois jours.** I shall see you *in* three days.

(4) With the verb *prendre, dans* indicates location before an object is moved. In this case it will be noted that English uses a preposition which indicates separation.

> **Je l'ai pris *dans* le tiroir.** I took it *out of* the drawer.

(D) THE PREPOSITION *de.*

(1) *De* indicates simple possession.

> **le livre *de* Marie** Mary's book

Review possession after *être* (see § 40, A).

(2) Whenever a noun modifies another noun in English, it tends, in French, to become a prepositional phrase with *de.*

> **une leçon d'histoire** a history lesson
> **une devanture de magasin** a store window

(3) *De* may also have the original Latin meaning of *from.*

> **Il vient *de* Marseille.** He comes *from* Marseille.

For omission of the article in this case with a feminine country, see § 26, C, 2, d.

(4) To indicate literary or artistic authorship, *de* has the meaning of *by.*

> **un roman *de* Proust** a novel *by* Proust

Compare:

>  *De qui* est cette peinture? *By whom* is this painting?
>  *A qui* est cette peinture? *Whose* is this painting?

(5) The material of which a thing is made is generally expressed by the preposition *de* (see also § 57, E, 5).

>  une montre *d'*or  a gold watch
>  une robe *de* soie  a silk dress

(6) When *quelque chose* (something) and *rien* (nothing) are modified by an adjective or a past participle, the modifiers will be placed in a phrase with *de*. The third example below is a miscellaneous construction of the same type.

>  quelque chose *de bon*  something *good*
>  rien *de perdu*  nothing *lost*
>  Ce qu'il y a *de beau,* c'est . . .  What is beautiful is . . .

(7) Before a number in a comparison, *de* replaces *que* in the sense of *than*.

>  plus *de* trois  more *than* three

(8) After a superlative, *de* has the meaning of *in*.

>  le plus grand *du* monde  the biggest *in* the world

(9) In adverbial phrases where the noun is modified by an indefinite article, *de* has the meaning of *with* or *in*.

>  d'un air pincé  in a squeamish manner

When the noun has no article, the preposition for *with* is *avec* in such adverbial phrases.

>  avec soin  with care

(E) THE PREPOSITION *en*.

(1) *En*, meaning *in* or *into*, occurs before nouns used in a general sense in cases where the corresponding English has no article. Whenever the English makes the noun specific by using a definite or an indefinite article, French requires *dans* (see § 57, C).

>  en prison  in prison          BUT: dans la prison  in the prison
>  en français  in French

(2) For rare expressions having *en* with a definite article, see § 26, C, 1.

(3) With unmodified feminine countries, *to, in* or *into* will translate as *en* (see also § 26, C, 1 and § 57, A, 3).

>  Il est arrivé *en* France le 14 juillet.
>  He arrived *in* France on the 14th of July.

(4) With vehicles, *en* means *by*.

> **un voyage *en* automobile** $\begin{cases} \text{a trip by automobile} \\ \text{an automobile trip} \end{cases}$
> **partir *en* [1] avion** to leave by plane

See also § 57, A, B.

(5) If the material of which a thing is made is a hard substance, *en* is frequently used instead of *de* (see § 57, D, 5).

> **une montre *en* or** a gold watch

(6) In time expressions, *en* means *in the course of* (compare with § 57, C, 3).

> **Je le ferai *en* trois heures.**
> I will do it *in* (*in the course of*) three hours.

(7) With three seasons, *en* translates English *in*. In the fourth case, *à* with the article is required.

> **en été** in summer            **au printemps** in spring
> **en automne** in autumn
> **en hiver** in winter

## (F) THE PREPOSITION *jusqu'à*.

This preposition means *until* in the sense of *up to*, with the action continuous. It must not be confused with *until* in the sense of *before*, in which case the action is not continuous.

> **J'attendrai *jusqu'à* demain.**
> I will wait *until* (*up to*) tomorrow.
> **Je ne le ferai pas *avant* demain.**
> I will not do it *until* (*before*) tomorrow.

## (G) THE PREPOSITION *par*.

Although it normally means *by* and presents no difficulty in translation, *par* has the following special meanings:

(1) *Par* never occurs with an infinitive (see § 25, C, 2) except in the idioms *commencer par* (to begin by) and *finir par* (finally to do) and synonymous expressions.

> **Il a commencé par chanter.** He began by singing.
> **Il a fini par chanter.** He finally sang.

(2) Note the following idiomatic uses of *par:*

> **deux fois *par* jour** twice *per* day
> **tomber *par* terre** to fall *on* (*to*) the ground
> **passer *par* la fenêtre** to go *through* the window
> **regarder *par* la fenêtre** to look *out of* the window
> ***par* un temps pareil** *in* such weather

1. But one says *voyager par avion:* to travel by plane.

(H) THE PREPOSITION *pendant*.

Basically this preposition means *during*. It also translates English *for* in time expressions when the main verb is in a past tense. As in English, the preposition may be omitted altogether in such expressions. See also § I below.

> **J'ai été à Paris *pendant* trois jours.**
> I was in Paris *for* three days.
> **J'ai été trois jours à Paris.**
> I was in Paris three days.

(I) THE PREPOSITION *pour*.

(1) With an infinitive, *pour* means *in order to*.

> ***pour* bien parler** *to (in order to)* speak well

(2) In time expressions, *pour* translates English *for* in the sense of *for a period of* when the main verb is present or future. If duration rather than a unit of time is emphasized, French will say *pendant* (see § H above).

> **Je serai ici *pour* trois jours.**
> I shall be here *for (a period of)* three days.
> **Je serai ici *pendant* trois jours.**
> I shall be here *for (during)* three days.
> **Je pourrai lui parler *pendant* trois jours.**
> I shall be able to speak to him *for* three days.

Both *pour* and *pendant* may be omitted in time expressions.

> **Je serai ici trois jours.** I shall be here three days.

In this connection, review § 1, B.

(J) THE PREPOSITION *sur*.

In addition to the basic meaning of *on*, *sur* has the meaning of *out of* in mathematical expressions.

> **trois *sur* dix** three *out of* ten
> **trois fois *sur* dix** three times *out of* ten

(K) IDIOM WITH *payer*.

Note absence of preposition in French.

> **J'ai payé le livre deux cents francs.**
> I paid two hundred francs *for* the book.

## § 58 THE CONJUNCTION (la conjonction)

(A) The following conjunctions are commonly confused with prepositions:

| PREPOSITION | CONJUNCTION |
|---|---|
| **Je suis parti *après* lui.** | **Je suis parti *après qu*'il a été parti.** |
| I left *after* him. | I left *after* he had left. |

Je suis parti *avant* lui.
  I left *before* him.
Elle est absente *depuis* trois jours.
  She has been absent *for* three days.

Elle est partie *à cause de* lui.
  She left *because of* him.

Je suis parti *avant qu'il* soit parti.
  I left *before* he had left.
Elle est absente *depuis que* son ami est arrivé.
  She has been absent *since* her friend arrived.
Elle est partie *parce qu'il* est arrivé.
  She left *because* he arrived.

(B) The following conjunctions are commonly confused as to meaning.

COMPARE:

> Elle n'a rien fait *depuis qu'*elle est tombée malade.
>   She has done nothing *since* (*the time that*) she fell ill.
> Elle n'a rien fait *puisqu'*elle est tombée malade.
>   She has done nothing *since* (*because*) she fell ill.

COMPARE:

> Elle lira *pendant que* je travaille.
>   She will read *while* I work.
> Elle lira *tandis que* moi, je travaillerai.
>   She will read *while* (*whereas*) I shall work.

(C) To avoid repeating the conjunction in the case of two subordinate clauses connected by *et, que* should replace the second conjunction. If the conjunction to be replaced by *que* happens to be *si*, subjunctive is required in the second clause.

> Quand vous viendrez et *que* vous verrez ce qu'il a fait, vous l'approuverez.
>   When you come and *when* you see what he has done, you will approve of it.
> Si vous venez et *que* vous *voyiez* ce qu'il a fait, vous n'approuverez pas.
>   If you come and *if* you see what he has done, you will not approve.

(D) For conjunctions governing subjunctive see § 14.

# VERBES RÉGULIERS
●●●●●●●●●●●●●●●●●●●●

## *The Three Regular Conjugations*

| | | |
|---|---|---|
| porter | finir | attendre |
| portant | finissant | attendant |
| porté | fini | attendu |
| je porte | je finis | j'attends |
| je portai | je finis | j'attendis |

### PRESENT INDICATIVE (PRÉSENT DE L'INDICATIF)

| | | |
|---|---|---|
| je porte | je finis | j'attends |
| tu portes | tu finis | tu attends |
| il porte | il finit | il attend |
| nous portons | nous finissons | nous attendons |
| vous portez | vous finissez | vous attendez |
| ils portent | ils finissent | ils attendent |

### IMPERATIVE (IMPÉRATIF)

| | | |
|---|---|---|
| porte | finis | attends |
| portons | finissons | attendons |
| portez | finissez | attendez |

### IMPERFECT INDICATIVE (IMPARFAIT DE L'INDICATIF)

| | | |
|---|---|---|
| je portais | je finissais | j'attendais |
| tu portais | tu finissais | tu attendais |
| il portait | il finissait | il attendait |
| nous portions | nous finissions | nous attendions |
| vous portiez | vous finissiez | vous attendiez |
| ils portaient | ils finissaient | ils attendaient |

### FUTURE (FUTUR)

| | | |
|---|---|---|
| je porterai | je finirai | j'attendrai |
| tu porteras | tu finiras | tu attendras |
| il portera | il finira | il attendra |
| nous porterons | nous finirons | nous attendrons |
| vous porterez | vous finirez | vous attendrez |
| ils porteront | ils finiront | ils attendront |

### CONDITIONAL (CONDITIONNEL)

| | | |
|---|---|---|
| je porterais | je finirais | j'attendrais |
| tu porterais | tu finirais | tu attendrais |
| il porterait | il finirait | il attendrait |
| nous porterions | nous finirions | nous attendrions |
| vous porteriez | vous finiriez | vous attendriez |
| ils porteraient | ils finiraient | ils attendraient |

| | | |
|---|---|---|
| je portai | je finis | j'attendis |
| tu portas | tu finis | tu attendis |
| il porta | il finit | il attendit |
| nous portâmes | nous finîmes | nous attendîmes |
| vous portâtes | vous finîtes | vous attendîtes |
| ils portèrent | ils finirent | ils attendirent |

### PRESENT SUBJUNCTIVE (PRÉSENT DU SUBJONCTIF)

| | | |
|---|---|---|
| (que) je porte | (que) je finisse | (que) j'attende |
| (que) tu portes | (que) tu finisses | (que) tu attendes |
| (qu') il porte | (qu') il finisse | (qu') il attende |
| (que) nous portions | (que) nous finissions | (que) nous attendions |
| (que) vous portiez | (que) vous finissiez | (que) vous attendiez |
| (qu') ils portent | (qu') ils finissent | (qu') ils attendent |

### IMPERFECT SUBJUNCTIVE (IMPARFAIT DU SUBJONCTIF)

| | | |
|---|---|---|
| (que) je portasse | (que) je finisse | (que) j'attendisse |
| (que) tu portasses | (que) tu finisses | (que) tu attendisses |
| (qu') il portât | (qu') il finît | (qu') il attendît |
| (que) nous portassions | (que) nous finissions | (que) nous attendissions |
| (que) vous portassiez | (que) vous finissiez | (que) vous attendissiez |
| (qu') ils portassent | (qu') ils finissent | (qu') ils attendissent |

### PASSÉ COMPOSÉ

| | | |
|---|---|---|
| j'ai porté, etc. | j'ai fini, etc. | j'ai attendu, etc. |

### PLUPERFECT (PLUS-QUE-PARFAIT DE L'INDICATIF)

| | | |
|---|---|---|
| j'avais porté, etc. | j'avais fini, etc. | j'avais attendu, etc. |

### PAST ANTERIOR (PASSÉ ANTÉRIEUR)

| | | |
|---|---|---|
| j'eus porté, etc. | j'eus fini, etc. | j'eus attendu, etc. |

### PASSÉ SURCOMPOSÉ

| | | |
|---|---|---|
| j'ai eu porté, etc. | j'ai eu fini, etc. | j'ai eu attendu, etc. |

### FUTURE PERFECT (FUTUR ANTÉRIEUR)

| | | |
|---|---|---|
| j'aurai porté, etc. | j'aurai fini, etc. | j'aurai attendu, etc. |

### CONDITIONAL PERFECT (CONDITIONNEL ANTÉRIEUR

| | | |
|---|---|---|
| j'aurais porté, etc. | j'aurais fini, etc. | j'aurais attendu, etc. |

### PERFECT SUBJUNCTIVE (PASSÉ DU SUBJONCTIF)

| | | |
|---|---|---|
| (que) j'aie porté, etc. | (que) j'aie fini, etc. | (que) j'aie attendu, etc. |

### PLUPERFECT SUBJUNCTIVE (PLUS-QUE-PARFAIT DU SUBJONCTIF)

| | | |
|---|---|---|
| (que) j'eusse porté, etc. | (que) j'eusse fini, etc. | (que) j'eusse attendu, etc. |

# VERBES IRRÉGULIERS
~~~~~~~~~~~~~~~~~~~~~~~~~~~~

## *Note on the Arrangement of Irregular Verb Tables*

Beginning with *acquérir*, the verbs in the following charts are printed so as to bring out the relationships described in § XVI, b.

All forms which would be considered regular if derived according to the system of regular verbs are printed in bold face Roman. Example: **Aller—j'allai; Battre—je battrais.** Forms which are completely irregular (bearing no relationship even to a principal part) are printed in light face Roman preceded by an asterisk. Example: **Acquérir—**\*j'acquière.

All other relationships are shown in terms of the principal parts.

PRESENT INDICATIVE SINGULAR: Treated here as completely irregular.

PRESENT PARTICIPLE: From this form are derived the plural of the present tense, the imperfect indicative, the plural imperative, and the present subjunctive. If the present participle is regularly derived from the infinitive, these forms will be in bold italics, otherwise in light face italics. **Aller—***allant—j'allais*. **Boire—***buvant—je buvais*. Any forms which then do not follow the above system of relationships with the present participle are designated by the usual asterisk and are printed in light face Roman. **Recevoir—***recevant*—\*je reçoive.

INFINITIVE: From this form are derived the future and the conditional. When these tenses are irregular, they will be in light face and will have the usual asterisk.

PAST PARTICIPLE: From this are derived all compound tenses (to save space, only the *passé composé* is given). Frequently the *passé simple* also is formed from the past participle. In that case, the relationship is indicated by the symbol §.

PASSÉ SIMPLE: From this the imperfect subjunctive is always derived without exception. The dagger symbol † emphasizes this relationship if a § is not already present to show the connection with the past participle.

431

## Model 2nd Conjugation Irregular Verb

| INFINITIVE AND PARTICIPLES | INDICATIVE | | | |
|---|---|---|---|---|
| | PRESENT | IMPERFECT | PASSÉ SIMPLE | FUTURE |
| 2d Class -*ir* Verbs **Dormir** (*to sleep*) dormant dormi | dors dors dort dormons dormez dorment | dormais dormais dormait dormions dormiez dormaient | dormis dormis dormit dormîmes dormîtes dormirent | dormirai dormiras dormira dormirons dormirez dormiront |
| | PASSÉ COMPOSÉ | PLUPERFECT | PAST ANTERIOR | FUTURE PERFEC |
| | ai dormi as dormi a dormi avons dormi avez dormi ont dormi | avais dormi avais dormi avait dormi avions dormi aviez dormi avaient dormi | eus dormi eus dormi eut dormi eûmes dormi eûtes dormi eurent dormi | aurai dormi auras dormi aura dormi aurons dormi aurez dormi auront dormi |

## Auxiliary Verbs

| | PRESENT | IMPERFECT | PASSÉ SIMPLE | FUTURE |
|---|---|---|---|---|
| Auxiliary Verb **Avoir** (*to have*) ayant eu | ai as a avons avez ont | avais avais avait avions aviez avaient | eus eus eut eûmes eûtes eurent | aurai auras aura aurons aurez auront |
| | PASSÉ COMPOSÉ | PLUPERFECT | PAST ANTERIOR | FUTURE PERFEC |
| | ai eu as eu a eu avons eu avez eu ont eu | avais eu avais eu avait eu avions eu aviez eu avaient eu | eus eu eus eu eut eu eûmes eu eûtes eu eurent eu | aurai eu auras eu aura eu aurons eu aurez eu auront eu |
| | PRESENT | IMPERFECT | PASSÉ SIMPLE | FUTURE |
| Auxiliary Verb **Etre** (*to be*) étant été | suis es est sommes êtes sont | étais étais était étions étiez étaient | fus fus fut fûmes fûtes furent | serai seras sera serons serez seront |
| | PASSÉ COMPOSÉ | PLUPERFECT | PAST ANTERIOR | FUTURE PERFEC |
| | ai été as été a été avons été avez été ont été | avais été avais été avait été avions été aviez été avaient été | eus été eus été eut été eûmes été eûtes été eurent été | aurai été auras été aura été aurons été aurez été auront été |

## Model 2nd Conjugation Irregular Verb

| CONDITIONAL | IMPERATIVE | SUBJUNCTIVE | |
|---|---|---|---|

| CONDITIONAL | | PRESENT | IMPERFECT |
|---|---|---|---|
| dormirais | | dorme | dormisse |
| dormirais | dors | dormes | dormisses |
| dormirait | | dorme | dormît |
| dormirions | dormons | dormions | dormissions |
| dormiriez | dormez | dormiez | dormissiez |
| dormiraient | | dorment | dormissent |

| CONDITIONAL PERFECT | | PERFECT | PLUPERFECT |
|---|---|---|---|
| aurais dormi | | aie dormi | eusse dormi |
| aurais dormi | | aies dormi | eusses dormi |
| aurait dormi | | ait dormi | eût dormi |
| aurions dormi | | ayons dormi | eussions dormi |
| auriez dormi | | ayez dormi | eussiez dormi |
| auraient dormi | | aient dormi | eussent dormi |

## Auxiliary Verbs

| CONDITIONAL | | PRESENT | IMPERFECT |
|---|---|---|---|
| aurais | | aie | eusse |
| aurais | aie | aies | eusses |
| aurait | | ait | eût |
| aurions | ayons | ayons | eussions |
| auriez | ayez | ayez | eussiez |
| auraient | | aient | eussent |

| CONDITIONAL PERFECT | | PERFECT | PLUPERFECT |
|---|---|---|---|
| aurais eu | | aie eu | eusse eu |
| aurais eu | | aies eu | eusses eu |
| aurait eu | | ait eu | eût eu |
| aurions eu | | ayons eu | eussions eu |
| auriez eu | | ayez eu | eussiez eu |
| auraient eu | | aient eu | eussent eu |

| CONDITIONAL | | PRESENT | IMPERFECT |
|---|---|---|---|
| serais | | sois | fusse |
| serais | sois | sois | fusses |
| serait | | soit | fût |
| serions | soyons | soyons | fussions |
| seriez | soyez | soyez | fussiez |
| seraient | | soient | fussent |

| CONDITIONAL PERFECT | | PERFECT | PLUPERFECT |
|---|---|---|---|
| aurais été | | aie été | eusse été |
| aurais été | | aies été | eusses été |
| aurait été | | ait été | eût été |
| aurions été | | ayons été | eussions été |
| auriez été | | ayez été | eussiez été |
| auraient été | | aient été | eussent été |

## Irregular Verbs

| INFINITIVE AND PARTICIPLES | INDICATIVE | | | |
|---|---|---|---|---|
| | PRESENT | IMPERFECT | PASSÉ SIMPLE | PASSÉ COMPOSÉ |
| 1. **Acquérir** (to acquire) *acquérant* § acquis | *acquiers *acquiers *acquiert acquérons acquérez *acquièrent | *acquérais* *acquérais* *acquérait* *acquérions* *acquériez* *acquéraient* | § acquis acquis acquit acquîmes acquîtes acquirent | ai § acquis as acquis a acquis avons acquis avez acquis ont acquis |
| 2. **Aller** (to go) *allant* allé | *vais *vas *va allons allez *vont | *allais* *allais* *allait* *allions* *alliez* *allaient* | allai allas alla allâmes allâtes allèrent | suis allé(e) es allé(e) est allé(e) sommes allé(e)s êtes allé(e)(s) sont allé(e)s |
| 3. **S'asseoir** (to seat) *asseyant* § assis | *assieds [1] *assieds *assied asseyons asseyez asseyent | *asseyais* [1] *asseyais* *asseyait* *asseyions* *asseyiez* *asseyaient* | § assis assis assit assîmes assîtes assirent | me suis § assis(e) t'es assis(e) s'est assis(e) nous sommes assis(es) vous êtes assis(e)(s) se sont assis(es) |
| *assoyant* [2] | *assois *assois *assoit assoyons assoyez *assoient | *assoyais* *assoyais* *assoyait* *assoyions* *assoyiez* *assoyaient* | | |
| 4. **Battre** (to beat) *battant* § battu | *bats *bats *bat battons battez battent | *battais* *battais* *battait* *battions* *battiez* *battaient* | battis battis battit battîmes battîtes battirent | ai § battu as battu a battu avons battu avez battu ont battu |
| 5. **Boire** (to drink) *buvant* § bu | *bois *bois *boit buvons buvez *boivent | *buvais* *buvais* *buvait* *buvions* *buviez* *buvaient* | § bus bus but bûmes bûtes burent | ai § bu as bu a bu avons bu avez bu ont bu |

[1] For lack of space, the reflexive pronoun objects are omitted. These should be understood to read: *je m'assieds, je m'asseyais,* etc.

[2] This verb has alternate forms.

# Irregular Verbs

| | | IMPERATIVE | SUBJUNCTIVE | |
| | | | PRESENT | IMPERFECT |
| FUTURE | CONDITIONAL | | | |
|---|---|---|---|---|
| *acquerrai | *acquerrais | | *acquière | § acquisse |
| acquerras | acquerrais | *acquiers | *acquières | acquisses |
| acquerra | acquerrait | | *acquière | acquît |
| acquerrons | acquerrions | *acquérons* | *acquérions* | acquissions |
| acquerrez | acquerriez | *acquérez* | *acquériez* | acquissiez |
| acquerront | acquerraient | | *acquièrent | acquissent |
| | | | | |
| *irai | *irais | | *aille | allasse |
| iras | irais | *va | *ailles | allasses |
| ira | irait | | *aille | allât |
| irons | irions | *allons* | *allions* | allassions |
| irez | iriez | *allez* | *alliez* | allassiez |
| iront | iraient | | *aillent | allassent |
| | | | | |
| *assiérai | *assiérais | | *asseye* | § assisse |
| assiéras | assiérais | *assieds-toi | *asseyes* | assisses |
| assiéra | assiérait | | *asseye* | assît |
| assiérons | assiérions | *asseyons*-nous | *asseyions* | assissions |
| assiérez | assiériez | *asseyez*-vous | *asseyiez* | assissiez |
| assiéront | assiéraient | | *asseyent* | assissent |
| | | | | |
| *assoirai | *assoirais | | *assoie* | |
| assoiras | assoirais | *assois-toi | *assoies* | |
| assoira | assoirait | | *assoie* | |
| assoirons | assoirions | *assoyons*-nous | *assoyions* | |
| assoirez | assoiriez | *assoyez*-vous | *assoyiez* | |
| assoiront | assoiraient | | *assoient* | |
| | | | | |
| **battrai** | **battrais** | | *batte* | **battisse** |
| **battras** | **battrais** | *bats | *battes* | **battisses** |
| **battra** | **battrait** | | *batte* | **battît** |
| **battrons** | **battrions** | *battons* | *battions* | **battissions** |
| **battrez** | **battriez** | *battez* | *battiez* | **battissiez** |
| **battront** | **battraient** | | *battent* | **battissent** |
| | | | | |
| **boirai** | **boirais** | | *boive | § **busse** |
| **boiras** | **boirais** | *bois | *boives | **busses** |
| **boira** | **boirait** | | *boive | **bût** |
| **boirons** | **boirions** | *buvons* | *buvions* | **bussions** |
| **boirez** | **boiriez** | *buvez* | *buviez* | **bussiez** |
| **boiront** | **boiraient** | | *boivent | **bussent** |

## Irregular Verbs

| INFINITIVE AND PARTICIPLES | INDICATIVE | | | |
|---|---|---|---|---|
| | PRESENT | IMPERFECT | PASSÉ SIMPLE | PASSÉ COMPOSÉ |
| 6. **Conclure** (to conclude) *concluant* § conclu | *conclus *conclus *conclut concluons concluez concluent | *concluais concluais concluait concluions concluiez concluaient* | § conclus conclus conclut conclûmes conclûtes conclurent | ai § conclu as conclu a conclu avons conclu avez conclu ont conclu |
| 7. **Conduire** (to lead) *conduisant* § conduit | *conduis *conduis *conduit conduisons conduisez conduisent | *conduisais conduisais conduisait conduisions conduisiez conduisaient* | † conduisis conduisis conduisit conduisîmes conduisîtes conduisirent | ai § conduit as conduit a conduit avons conduit avez conduit ont conduit |
| 8. **Connaître** (to be acquainted) *connaissant* § connu | *connais *connais *connaît connaissons connaissez connaissent | *connaissais connaissais connaissait connaissions connaissiez connaissaient* | § connus connus connut connûmes connûtes connurent | ai § connu as connu a connu avons connu avez connu ont connu |
| 9. **Coudre** (to sew) *cousant* § cousu | couds couds coud cousons cousez cousent | *cousais cousais cousait cousions cousiez cousaient* | † cousis cousis cousit cousîmes cousîtes cousirent | ai § cousu as cousu a cousu avons cousu avez cousu ont cousu |
| 10. **Courir** (to run) *courant* § couru | *cours *cours *court courons courez courent | *courais courais courait courions couriez couraient* | § courus courus courut courûmes courûtes coururent | ai § couru as couru a couru avons couru avez couru ont couru |
| 11. **Craindre** (to fear) *craignant* § craint | crains crains craint craignons craignez craignent | *craignais craignais craignait craignions craigniez craignaient* | † craignis craignis craignit craignîmes craignîtes craignirent | ai § craint as craint a craint avons craint avez craint ont craint |

## Irregular Verbs

| FUTURE | CONDITIONAL | IMPERATIVE | SUBJUNCTIVE | |
| | | | PRESENT | IMPERFECT |
|---|---|---|---|---|
| conclurai | conclurais | | *conclue* | § conclusse |
| concluras | conclurais | *conclus | *conclues* | conclusses |
| conclura | conclurait | | *conclue* | conclût |
| conclurons | conclurions | *concluons* | *concluions* | conclussions |
| conclurez | concluriez | *concluez* | *concluiez* | conclussiez |
| concluront | concluraient | | *concluent* | conclussent |
| | | | | |
| conduirai | conduirais | | *conduise* | † conduisisse |
| conduiras | conduirais | *conduis | *conduises* | conduisisses |
| conduira | conduirait | | *conduise* | conduisît |
| conduirons | conduirions | *conduisons* | *conduisions* | conduisissions |
| conduirez | conduiriez | *conduisez* | *conduisiez* | conduisissiez |
| conduiront | conduiraient | | *conduisent* | conduisissent |
| | | | | |
| connaîtrai | connaîtrais | | *connaisse* | § connusse |
| connaîtras | connaîtrais | *connais | *connaisses* | connusses |
| connaîtra | connaîtrait | | *connaisse* | connût |
| connaîtrons | connaîtrions | *connaissons* | *connaissions* | connussions |
| connaîtrez | connaîtriez | *connaissez* | *connaissiez* | connussiez |
| connaîtront | connaîtraient | | *connaissent* | connussent |
| | | | | |
| coudrai | coudrais | | *couse* | † cousisse |
| coudras | coudrais | *couds | *couses* | cousisses |
| coudra | coudrait | | *couse* | cousît |
| coudrons | coudrions | *cousons* | *cousions* | cousissions |
| coudrez | coudriez | *cousez* | *cousiez* | cousissiez |
| coudront | coudraient | | *cousent* | cousissent |
| | | | | |
| *courrai | *courrais | | *coure* | § courusse |
| courras | courrais | *cours | *coures* | courusses |
| courra | courrait | | *coure* | courût |
| courrons | courrions | *courons* | *courions* | courussions |
| courrez | courriez | *courez* | *couriez* | courussiez |
| courront | courraient | | *courent* | courussent |
| | | | | |
| craindrai | craindrais | | *craigne* | † craignisse |
| craindras | craindrais | crains | *craignes* | craignisses |
| craindra | craindrait | | *craigne* | craignît |
| craindrons | craindrions | *craignons* | *craignions* | craignissions |
| craindrez | craindriez | *craignez* | *craigniez* | craignissiez |
| craindront | craindraient | | *craignent* | craignissent |

## *Irregular Verbs*

| INFINITIVE AND PARTICIPLES | INDICATIVE | | | |
|---|---|---|---|---|
| | PRESENT | IMPERFECT | PASSÉ SIMPLE | PASSÉ COMPOSÉ |
| **12. Croire** (to believe) *croyant* § cru | °crois °crois °croit croyons croyez °croient | croyais croyais croyait croyions croyiez croyaient | § crus crus crut crûmes crûtes crurent | ai § cru as cru a cru avons cru avez cru ont cru |
| **13. Croître** (to grow) *croissant* § crû | °croîs °croîs °croît croissons croissez croissent | croissais croissais croissait croissions croissiez croissaient | § crûs crût crût crûmes crûtes crûrent | ai § crû as crû a crû avons crû avez crû ont crû |
| **14. Cueillir** (to pick) *cueillant* **cueilli** | °cueille cueilles cueille cueillons cueillez cueillent | cueillais cueillais cueillait cueillions cueilliez cueillaient | cueillis cueillis cueillit cueillîmes cueillîtes cueillirent | ai cueilli as cueilli a cueilli avons cueilli avez cueilli ont cueilli |
| **15. Devoir** (to owe, have to) *devant* § dû, due [1] | °dois °dois °doit devons devez °doivent | devais devais devait devions deviez devaient | § dus dus dut dûmes dûtes durent | ai § dû as dû a dû avons dû avez dû ont dû |
| **16. Dire** (to say, tell) *disant* § dit | °dis °dis °dit disons °dites disent | disais disais disait disions disiez disaient | § dis dis dit dîmes dîtes dirent | ai § dit as dit a dit avons dit avez dit ont dit |
| **17. Écrire** (to write) *écrivant* § écrit | °écris °écris °écrit écrivons écrivez écrivent | écrivais écrivais écrivait écrivions écriviez écrivaient | † écrivis écrivis écrivit écrivîmes écrivîtes écrivirent | ai § écrit as écrit a écrit avons écrit avez écrit ont écrit |

[1] The masculine singular form of the past participle takes a circumflex accent to distinguish it from the word *du*. The other forms have no accent ( *dû, due, dus, dues* ).

## *Irregular Verbs*

| | | IMPERATIVE | SUBJUNCTIVE | |
|---|---|---|---|---|
| FUTURE | CONDITIONAL | | PRESENT | IMPERFECT |
| croirai | croirais | | *croie | § crusse |
| croiras | croirais | *crois | *croies | crusses |
| croira | croirait | | *croie | crût |
| croirons | croirions | croyons | croyions | crussions |
| croirez | croiriez | croyez | croyiez | crussiez |
| croiront | croiraient | | *croient | crussent |
| | | | | |
| croîtrai | croîtrais | | croisse | § crusse |
| croîtras | croîtrais | *croîs | croisses | crusses |
| croîtra | croîtrait | | croisse | crût |
| croîtrons | croîtrions | croissons | croissions | crussions |
| croîtrez | croîtriez | croissez | croissiez | crussiez |
| croîtront | croîtraient | | croissent | crussent |
| | | | | |
| cueillerai | *cueillerais | | cueille | **cueillisse** |
| cueilleras | cueillerais | *cueille | cueilles | **cueillisses** |
| cueillera | cueillerait | | cueille | **cueillît** |
| cueillerons | cueillerions | cueillons | cueillions | **cueillissions** |
| cueillerez | cueilleriez | cueillez | cueilliez | **cueillissiez** |
| cueilleront | cueilleraient | | cueillent | **cueillissent** |
| | | | | |
| devrai | *devrais | | *doive | § dusse |
| devras | devrais | *dois | *doives | dusses |
| devra | devrait | | *doive | dût |
| devrons | devrions | devons | devions | dussions |
| devrez | devriez | devez | deviez | dussiez |
| devront | devraient | | *doivent | dussent |
| | | | | |
| dirai | dirais | | dise | § disse |
| diras | dirais | *dis | dises | disses |
| dira | dirait | | dise | dît |
| dirons | dirions | disons | disions | dissions |
| direz | diriez | *dites | disiez | dissiez |
| diront | diraient | | disent | dissent |
| | | | | |
| écrirai | écrirais | | écrive | † écrivisse |
| écriras | écrirais | *écris | écrives | écrivisses |
| écrira | écrirait | | écrive | écrivît |
| écrirons | écririons | écrivons | écrivions | écrivissions |
| écrirez | écririez | écrivez | écriviez | écrivissiez |
| écriront | écriraient | | écrivent | écrivissent |

## Irregular Verbs

| INFINITIVE AND PARTICIPLES | INDICATIVE | | | |
|---|---|---|---|---|
| | PRESENT | IMPERFECT | PASSÉ SIMPLE | PASSÉ COMPOSÉ |
| 18. Envoyer (to send) *envoyant* envoyé | *envoie *envoies *envoie envoyons envoyez *envoient | envoyais envoyais envoyait envoyions envoyiez envoyaient | envoyai envoyas envoya envoyâmes envoyâtes envoyèrent | ai envoyé as envoyé a envoyé avons envoyé avez envoyé ont envoyé |
| 19. Faire (to do, make) *faisant* [1] § fait | *fais *fais *fait faisons [1] *faites *font | faisais [1] faisais faisait faisions faisiez faisaient | † fis fis fit fîmes fîtes firent | ai fait as fait a fait avons fait avez fait ont fait |
| 20. Falloir [2] (to be necessary) § fallu | *il faut | il fallait | § il fallut | il a § fallu |
| 21. Fuir (to flee) *fuyant* § fui | *fuis *fuis *fuit fuyons fuyez *fuient | fuyais fuyais fuyait fuyions fuyiez fuyaient | § fuis fuis fuit fuîmes fuîtes fuirent | ai § fui as fui a fui avons fui avez fui ont fui |
| 22. Haïr (to hate) *haïssant* haï | *hais *hais *hait haïssons haïssez haïssent | haïssais haïssais haïssait haïssions haïssiez haïssaient | haïs haïs haït haïmes haïtes haïrent | ai haï as haï a haï avons haï avez haï ont haï |
| 23. Lire (to read) *lisant* § lu | *lis *lis *lit lisons lisez lisent | lisais lisais lisait lisions lisiez lisaient | § lus lus lut lûmes lûtes lurent | ai § lu as lu a lu avons lu avez lu ont lu |

[1] The *ai* of the stem of these forms is pronounced like mute *e* [ʒə fəze].
[2] Used in third person singular only.

## *Irregular Verbs*

| FUTURE | CONDITIONAL | IMPERATIVE | SUBJUNCTIVE | |
| --- | --- | --- | --- | --- |
| | | | PRESENT | IMPERFECT |
| enverrai | *enverrais | | *envoie | envoyasse |
| enverras | enverrais | *envoie | *envoies | envoyasses |
| enverra | enverrait | | *envoie | envoyât |
| enverrons | enverrions | envoyons | envoyions | envoyassions |
| enverrez | enverriez | envoyez | envoyiez | envoyassiez |
| enverront | enverraient | | *envoient | envoyassent |
| | | | | |
| ferai | *ferais | | *fasse | † fisse |
| feras | ferais | *fais | *fasses | fisses |
| fera | ferait | | *fasse | fît |
| ferons | ferions | faisons | *fassions | fissions |
| ferez | feriez | *faites | *fassiez | fissiez |
| feront | feraient | | *fassent | fissent |
| | | | | |
| *il faudra | *il faudrait | | *il faille | § il fallût |
| | | | | |
| fuirai | fuirais | | *fuie | § fuisse |
| fuiras | fuirais | *fuis | *fuies | fuisses |
| fuira | fuirait | | *fuie | fuît |
| fuirons | fuirions | fuyons | fuyions | fuissions |
| fuirez | fuiriez | fuyez | fuyiez | fuissiez |
| fuiront | fuiraient | | *fuient | fuissent |
| | | | | |
| haïrai | haïrais | | haïsse | haïsse |
| haïras | haïrais | *hais | haïsses | haïsses |
| haïra | haïrait | | haïsse | haït |
| haïrons | haïrions | haïssons | haïssions | haïssions |
| haïrez | haïriez | haïssez | haïssiez | haïssiez |
| haïront | haïraient | | haïssent | haïssent |
| | | | | |
| lirai | lirais | | lise | § lusse |
| liras | lirais | *lis | lises | lusses |
| lira | lirait | | lise | lût |
| lirons | lirions | lisons | lisions | lussions |
| lirez | liriez | lisez | lisiez | lussiez |
| liront | liraient | | lisent | lussent |

## Irregular Verbs

| INFINITIVE AND PARTICIPLES | INDICATIVE | | | |
|---|---|---|---|---|
| | PRESENT | IMPERFECT | PASSÉ SIMPLE | PASSÉ COMPOSÉ |
| 24. **Mettre** <br> (to put) <br> *mettant* <br> § mis | \*mets <br> \*mets <br> \*met <br> *mettons* <br> *mettez* <br> *mettent* | *mettais* <br> *mettais* <br> *mettait* <br> *mettions* <br> *mettiez* <br> *mettaient* | § mis <br> mis <br> mit <br> mîmes <br> mîtes <br> mirent | ai   § mis <br> as   mis <br> a   mis <br> avons mis <br> avez mis <br> ont   mis |
| 25. **Mourir** <br> (to die) <br> *mourant* <br> § mort | \*meurs <br> \*meurs <br> \*meurt <br> *mourons* <br> *mourez* <br> \*meurent | *mourais* <br> *mourais* <br> *mourait* <br> *mourions* <br> *mouriez* <br> *mouraient* | † mourus <br> mourus <br> mourut <br> mourûmes <br> mourûtes <br> moururent | suis   § mort(e) <br> es   mort(e) <br> est   mort(e) <br> sommes mort(e)s <br> êtes   mort(e)(s) <br> sont   mort(e)s |
| 26. **Naître** <br> (to be born) <br> *naissant* <br> § né | \*nais <br> \*nais <br> \*naît <br> *naissons* <br> *naissez* <br> *naissent* | *naissais* <br> *naissais* <br> *naissait* <br> *naissions* <br> *naissiez* <br> *naissaient* | † naquis <br> naquis <br> naquit <br> naquîmes <br> naquîtes <br> naquirent | suis   § né(e) <br> es   né(e) <br> est   né(e) <br> sommes né(e)s <br> êtes   né(e)(s) <br> sont   né(e)s |
| 27. **Ouvrir** <br> (to open) <br> *ouvrant* <br> § ouvert | \*ouvre <br> ouvres <br> ouvre <br> *ouvrons* <br> *ouvrez* <br> *ouvrent* | *ouvrais* <br> *ouvrais* <br> *ouvrait* <br> *ouvrions* <br> *ouvriez* <br> *ouvraient* | † ouvris <br> ouvris <br> ouvrit <br> ouvrîmes <br> ouvrîtes <br> ouvrirent | ai   § ouvert <br> as   ouvert <br> a   ouvert <br> avons ouvert <br> avez ouvert <br> ont   ouvert |
| 28. **Peindre** <br> (to paint) <br> *peignant* <br> § peint | peins <br> peins <br> peint <br> *peignons* <br> *peignez* <br> *peignent* | *peignais* <br> *peignais* <br> *peignait* <br> *peignions* <br> *peigniez* <br> *peignaient* | † peignis <br> peignis <br> peignit <br> peignîmes <br> peignîtes <br> peignirent | ai   § peint <br> as   peint <br> a   peint <br> avons peint <br> avez peint <br> ont   peint |
| 29. **Plaire** <br> (to please) <br> *plaisant* <br> § plu | \*plais <br> \*plais <br> \*plaît <br> *plaisons* <br> *plaisez* <br> *plaisent* | *plaisais* <br> *plaisais* <br> *plaisait* <br> *plaisions* <br> *plaisiez* <br> *plaisaient* | § plus <br> plus <br> plut <br> plûmes <br> plûtes <br> plurent | ai   § plu <br> as   plu <br> a   plu <br> avons plu <br> avez plu <br> ont   plu |

## Irregular Verbs

| | | IMPERATIVE | SUBJUNCTIVE | |
|---|---|---|---|---|
| FUTURE | CONDITIONAL | | PRESENT | IMPERFECT |
| mettrai | mettrais | | *mette* | § misse |
| mettras | mettrais | *mets | *mettes* | misses |
| mettra | mettrait | | *mette* | mît |
| mettrons | mettrions | *mettons* | *mettions* | missions |
| mettrez | mettriez | *mettez* | *mettiez* | missiez |
| mettront | mettraient | | *mettent* | missent |
| | | | | |
| *mourrai | *mourrais | | *meure | † mourusse |
| mourras | mourrais | *meurs | *meures | mourusses |
| mourra | mourrait | | *meure | mourût |
| mourrons | mourrions | *mourons* | *mourions* | mourussions |
| mourrez | mourriez | *mourez* | *mouriez* | mourussiez |
| mourront | mourraient | | *meurent | mourussent |
| | | | | |
| naîtrai | naîtrais | | *naisse* | † naquisse |
| naîtras | naîtrais | *nais | *naisses* | naquisses |
| naîtra | naîtrait | | *naisse* | naquît |
| naîtrons | naîtrions | *naissons* | *naissions* | naquissions |
| naîtrez | naîtriez | *naissez* | *naissiez* | naquissiez |
| naîtront | naîtraient | | *naissent* | naquissent |
| | | | | |
| ouvrirai | ouvrirais | | *ouvre* | † ouvrisse |
| ouvriras | ouvrirais | *ouvre* | *ouvres* | ouvrisses |
| ouvrira | ouvrirait | | *ouvre* | ouvrît |
| ouvrirons | ouvririons | *ouvrons* | *ouvrions* | ouvrissions |
| ouvrirez | ouvririez | *ouvrez* | *ouvriez* | ouvrissiez |
| ouvriront | ouvriraient | | *ouvrent* | ouvrissent |
| | | | | |
| peindrai | peindrais | | *peigne* | † peignisse |
| peindras | peindrais | *peins | *peignes* | peignisses |
| peindra | peindrait | | *peigne* | peignît |
| peindrons | peindrions | *peignons* | *peignions* | peignissions |
| peindrez | peindriez | *peignez* | *peigniez* | peignissiez |
| peindront | peindraient | | *peignent* | peignissent |
| | | | | |
| plairai | plairais | | *plaise* | § plusse |
| plairas | plairais | *plais | *plaises* | plusses |
| plaira | plairait | | *plaise* | plût |
| plairons | plairions | *plaisons* | *plaisions* | plussions |
| plairez | plairiez | *plaisez* | *plaisiez* | plussiez |
| plairont | plairaient | | *plaisent* | plussent |

## Irregular Verbs

| INFINITIVE AND PARTICIPLES | INDICATIVE | | | |
|---|---|---|---|---|
| | PRESENT | IMPERFECT | PASSÉ SIMPLE | PASSÉ COMPOSÉ |
| **30. Pleuvoir** [1] (to rain) *pleuvant* § plu | *il pleut | *il pleuvait* | il § plut | il a § plu |
| **31. Pouvoir** (to be able) *pouvant* § pu | *peux, puis *peux *peut pouvons pouvez *peuvent | *pouvais* *pouvais* *pouvait* *pouvions* *pouviez* *pouvaient* | § pus pus put pûmes pûtes purent | ai § pu as pu a pu avons pu avez pu ont pu |
| **32. Prendre** (to take) *prenant* § pris | prends prends prend prenons prenez *prennent | *prenais* *prenais* *prenait* *prenions* *preniez* *prenaient* | § pris pris prit prîmes prîtes prirent | ai § pris as pris a pris avons pris avez pris ont pris |
| **33. Recevoir** (to receive) *recevant* § reçu | *reçois *reçois *reçoit recevons recevez *reçoivent | *recevais* *recevais* *recevait* *recevions* *receviez* *recevaient* | § reçus reçus reçut reçûmes reçûtes reçurent | ai § reçu as reçu a reçu avons reçu avez reçu ont reçu |
| **34. Résoudre** (to resolve, to solve) *résolvant* § résolu | *résous *résous *résout résolvons résolvez résolvent | *résolvais* *résolvais* *résolvait* *résolvions* *résolviez* *résolvaient* | § résolus résolus résolut résolûmes résolûtes résolurent | ai § résolu as résolu a résolu avons résolu avez résolu ont résolu |
| **35. Rire** (to laugh) *riant* § ri | *ris *ris *rit rions riez rient | *riais* *riais* *riait* *riions* *riiez* *riaient* | § ris ris rit rîmes rîtes rirent | ai § ri as ri a ri avons ri avez ri ont ri |

[1] Used only in third person singular.

## Irregular Verbs

| FUTURE | CONDITIONAL | IMPERATIVE | SUBJUNCTIVE PRESENT | IMPERFECT |
|--------|-------------|------------|---------------------|-----------|
| *il pleuvra | *il pleuvrait | | *il pleuve* | il § plut |
| | | | | |
| *pourrai | *pourrais | | *puisse | § pusse |
| pourras | pourrais | | *puisses | pusses |
| pourra | pourrait | | *puisse | pût |
| pourrons | pourrions | | *puissions | pussions |
| pourrez | pourriez | | *puissiez | pussiez |
| pourront | pourraient | | *puissent | pussent |
| | | | | |
| prendrai | prendrais | | *prenne | § prisse |
| prendras | prendrais | prends | *prennes | prisses |
| prendra | prendrait | | *prenne | prît |
| prendrons | prendrions | *prenons* | *prenions* | prissions |
| prendrez | prendriez | *prenez* | *preniez* | prissiez |
| prendront | prendraient | | *prennent | prissent |
| | | | | |
| *recevrai | *recevrais | | *reçoive | § reçusse |
| recevras | recevrais | *reçois | *reçoives | reçusses |
| recevra | recevrait | | *reçoive | reçût |
| recevrons | recevrions | *recevons* | *recevions* | reçussions |
| recevrez | recevriez | *recevez* | *receviez* | reçussiez |
| recevront | recevraient | | *reçoivent | reçussent |
| | | | | |
| *résoudrai | *résoudrais | | *résolve* | § résolusse |
| résoudras | résoudrais | *résous | *résolves* | résolusses |
| résoudra | résoudrait | | *résolve* | résolût |
| résoudrons | résoudrions | *résolvons* | *résolvions* | résolussions |
| résoudrez | résoudriez | *résolvez* | *résolviez* | résolussiez |
| résoudront | résoudraient | | *résolvent* | résolussent |
| | | | | |
| rirai | rirais | | *rie* | § risse |
| riras | rirais | *ris | *ries* | risses |
| rira | rirait | | *rie* | rît |
| rirons | ririons | *rions* | *riions* | rissions |
| rirez | ririez | *riez* | *riiez* | rissiez |
| riront | riraient | | *rient* | rissent |

## *Irregular Verbs*

| INFINITIVE AND PARTICIPLES | INDICATIVE | | | |
|---|---|---|---|---|
| | PRESENT | IMPERFECT | PASSÉ SIMPLE | PASSÉ COMPOSÉ |
| **36. Savoir** (to know) *sachant* § su | °sais °sais °sait savons savez savent | savais savais savait savions saviez savaient | § sus sus sut sûmes sûtes surent | ai §su as su a su avons su avez su ont su |
| **37. Suffire** (to be sufficient) *suffisant* **suffi** | °suffis °suffis °suffit suffisons suffisez suffisent | *suffisais suffisais suffisait suffisions suffisiez suffisaient* | suffis suffis suffit suffîmes suffîtes suffirent | ai suffi as suffi a suffi avons suffi avez suffi ont suffi |
| **38. Suivre** (to follow) *suivant* § suivi | °suis °suis °suit *suivons suivez suivent* | *suivais suivais suivait suivions suiviez suivaient* | § suivis suivis suivit suivîmes suivîtes suivirent | ai § suivi as suivi a suivi avons suivi avez suivi ont suivi |
| **39. Tenir** (to hold, keep) *tenant* § tenu | °tiens °tiens °tient *tenons tenez* °tiennent | *tenais tenais tenait tenions teniez tenaient* | † tins tins tint tînmes tîntes tinrent | ai § tenu as tenu a tenu avons tenu avez tenu ont tenu |
| **40. Vaincre** (to conquer) *vainquant* § vaincu | °vaincs °vaincs °vainc *vainquons vainquez vainquent* | *vainquais vainquais vainquait vainquions vainquiez vainquaient* | † vainquis vainquis vainquit vainquîmes vainquîtes vainquirent | ai § vaincu as vaincu a vaincu avons vaincu avez vaincu ont vaincu |
| **41. Valoir** (to be worth) *valant* § valu | °vaux °vaux °vaut *valons valez valent* | *valais valais valait valions valiez valaient* | § valus valus valut valûmes valûtes valurent | ai § valu as valu a valu avons valu avez valu ont valu |

## *Irregular Verbs*

| FUTURE | CONDITIONAL | IMPERATIVE | SUBJUNCTIVE | |
|---|---|---|---|---|
| | | | PRESENT | IMPERFECT |
| *saurai | *saurais | | sache | § susse |
| sauras | saurais | sache | saches | susses |
| saura | saurait | | sache | sût |
| saurons | saurions | sachons | sachions | sussions |
| saurez | sauriez | sachez | sachiez | sussiez |
| sauront | sauraient | | sachent | sussent |
| suffirai | suffirais | | suffise | suffisse |
| suffiras | suffirais | *suffis | suffises | suffisses |
| suffira | suffirait | | suffise | suffit |
| suffirons | suffirions | suffisons | suffisions | suffissions |
| suffirez | suffiriez | suffisez | suffisiez | suffissiez |
| suffiront | suffiraient | | suffisent | suffissent |
| suivrai | suivrais | | suive | § suivisse |
| suivras | suivrais | *suis | suives | suivisses |
| suivra | suivrait | | suive | suivît |
| suivrons | suivrions | suivons | suivions | suivissions |
| suivrez | suivriez | suivez | suiviez | suivissiez |
| suivront | suivraient | | suivent | suivissent |
| *tiendrai | *tiendrais | | *tienne | † tinsse |
| tiendras | tiendrais | *tiens | *tiennes | tinsses |
| tiendra | tiendrait | | *tienne | tînt |
| tiendrons | tiendrions | tenons | tenions | tinssions |
| tiendrez | tiendriez | tenez | teniez | tinssiez |
| tiendront | tiendraient | | *tiennent | tinssent |
| vaincrai | vaincrais | | vainque | † vainquisse |
| vaincras | vaincrais | *vaincs | vainques | vainquisses |
| vaincra | vaincrait | | vainque | vainquît |
| vaincrons | vaincrions | vainquons | vainquions | vainquissions |
| vaincrez | vaincriez | vainquez | vainquiez | vainquissiez |
| vaincront | vaincraient | | vainquent | vainquissent |
| *vaudrai | *vaudrais | | *vaille | § valusse |
| vaudras | vaudrais | *vaux | *vailles | valusses |
| vaudra | vaudrait | | *vaille | valût |
| vaudrons | vaudrions | valons | valions | valussions |
| vaudrez | vaudriez | valez | valiez | valussiez |
| vaudront | vaudraient | | *vaillent | valussent |

## Irregular Verbs

| INFINITIVE AND PARTICIPLES | INDICATIVE | | | |
|---|---|---|---|---|
| | PRESENT | IMPERFECT | PASSÉ SIMPLE | PASSÉ COMPOSÉ |
| **42. Venir**<br>(to come)<br>*venant*<br>§ venu | \*viens<br>\*viens<br>\*vient<br>venons<br>venez<br>\*viennent | *venais*<br>*venais*<br>*venait*<br>*venions*<br>*veniez*<br>*venaient* | † vins<br>vins<br>vint<br>vînmes<br>vîntes<br>vinrent | suis § venu(e)<br>es venu(e)<br>est venu(e)<br>sommes venu(e)s<br>êtes venu(e)(s)<br>sont venu(e)s |
| **43. Vêtir**<br>(to dress)<br>*vêtant*<br>§ vêtu | \*vêts<br>\*vêts<br>\*vêt<br>vêtons<br>vêtez<br>vêtent | *vêtais*<br>*vêtais*<br>*vêtait*<br>*vêtions*<br>*vêtiez*<br>*vêtaient* | vêtis<br>vêtis<br>vêtit<br>vêtîmes<br>vêtîtes<br>vêtirent | ai § vêtu<br>as vêtu<br>a vêtu<br>avons vêtu<br>avez vêtu<br>ont vêtu |
| **44. Vivre**<br>(to live)<br>*vivant*<br>§ vécu | \*vis<br>\*vis<br>\*vit<br>vivons<br>vivez<br>vivent | *vivais*<br>*vivais*<br>*vivait*<br>*vivions*<br>*viviez*<br>*vivaient* | § vécus<br>vécus<br>vécut<br>vécûmes<br>vécûtes<br>vécurent | ai § vécu<br>as vécu<br>a vécu<br>avons vécu<br>avez vécu<br>ont vécu |
| **45. Voir**<br>(to see)<br>*voyant*<br>§ vu | \*vois<br>\*vois<br>\*voit<br>voyons<br>voyez<br>\*voient | *voyais*<br>*voyais*<br>*voyait*<br>*voyions*<br>*voyiez*<br>*voyaient* | † vis<br>vis<br>vit<br>vîmes<br>vîtes<br>virent | ai § vu<br>as vu<br>a vu<br>avons vu<br>avez vu<br>ont vu |
| **46. Vouloir**<br>(to wish,<br>want)<br>*voulant*<br>§ voulu | \*veux<br>\*veux<br>\*veut<br>voulons<br>voulez<br>\*veulent | *voulais*<br>*voulais*<br>*voulait*<br>*voulions*<br>*vouliez*<br>*voulaient* | § voulus<br>voulus<br>voulut<br>voulûmes<br>voulûtes<br>voulurent | ai § voulu<br>as voulu<br>a voulu<br>avons voulu<br>avez voulu<br>ont voulu |

## Irregular Verbs

| FUTURE | CONDITIONAL | IMPERATIVE | SUBJUNCTIVE | |
|--------|-------------|------------|-------------|---|
| | | | PRESENT | IMPERFECT |
| *viendrai | *viendrais | | *vienne | † vinsse |
| viendras | viendrais | *viens | *viennes | vinsses |
| viendra | viendrait | | *vienne | vînt |
| viendrons | viendrions | venons | venions | vinssions |
| viendrez | viendriez | venez | veniez | vinssiez |
| viendront | viendraient | | *viennent | vinssent |
| | | | | |
| vêtirai | vêtirais | | vête | vêtisse |
| vêtiras | vêtirais | *vêts | vêtes | vêtisses |
| vêtira | vêtirait | | vête | vêtît |
| vêtirons | vêtirions | vêtons | vêtions | vêtissions |
| vêtirez | vêtiriez | vêtez | vêtiez | vêtissiez |
| vêtiront | vêtiraient | | vêtent | vêtissent |
| | | | | |
| vivrai | vivrais | | vive | § vécusse |
| vivras | vivrais | *vis | vives | vécusses |
| vivra | vivrait | | vive | vécût |
| vivrons | vivrions | vivons | vivions | vécussions |
| vivrez | vivriez | vivez | viviez | vécussiez |
| vivront | vivraient | | vivent | vécussent |
| | | | | |
| *verrai | *verrais | | *voie | † visse |
| verras | verrais | vois | *voies | visses |
| verra | verrait | | *voie | vît |
| verrons | verrions | voyons | voyions | vissions |
| verrez | verriez | voyez | voyiez | vissiez |
| verront | verraient | | *voient | vissent |
| | | | | |
| *voudrai | *voudrais | | *veuille | § voulusse |
| voudras | voudrais | *veuille | *veuilles | voulusses |
| voudra | voudrait | | *veuille | voulût |
| voudrons | voudrions | voulions | voulions | voulussions |
| voudrez | voudriez | *veuillez | vouliez | voulussiez |
| voudront | voudraient | | *veuillent | voulussent |

*Vocabulaire Général*

# VOCABULAIRE GÉNÉRAL

## *Français-Anglais*

Basic words are in bold face type, less common words in light face. Italics at beginning of entry indicate close cognates.

Numbers with each entry designate lesson in which word first occurred. Refer to these lessons for pronunciation. (Words without numbers occur only in *Lectures Supplémentaires*).

**à,** *prep.* to, at 1  *je suis à vous,* I'll be with you 5d
*abandonner* to abandon 39
*abjurer* to abjure, recant 28
**abord,** *m.* access  *d'abord,* first 11d
abordable, *adj.* approachable 40
**aboutir** to end, lead to something
**abri,** *m.* shelter  *à l'abri de,* sheltered from 32
abriter to shelter 18
**absolu, -e** absolute
absolument, *adv.* absolutely
*absorber* to absorb 37
abstrait, -e abstract 34
abus, *m.* abuse 40
académicien, *m.* academician 34
*académie, f.* academy 32
acariâtre, *adj.* cantankerous 32
*accent, m.* accent 38, emphasis
*accepter* to accept 11
acclamer to acclaim 32
acclimater to acclimatize 36
accommoder (s') de to make the best of
**accompagner** to accompany 31
**accomplir** to accomplish 27
**accord,** *m.* agreement  *d'accord,* agreed 19d, in agreement
**accroître** to increase  *accru, past. part.* 32
accueil, *m.* welcome 11d
**accueillir** to welcome, greet 26
acculer to back up
**accuser** to accuse 15
**achat,** *m.* purchase 5
**acheter** to buy 3d, 5
**achever** to finish
**acier,** *m.* steel 30
aciérie, *f.* steel mill

**acquérir** to acquire  *acquis, past. part.*
*acquisition, f.* acquisition, purchase
**acte,** *m.* certificate  *acte de publication du mariage,* certificate publishing the bans 40
**action,** *f.* action, share
*activité, f.* activity 32
**actuel, -le** present-day 19d, 24, present
**addition,** *f.* addition, bill 14d
adhérent, *m.* supporter
adhésion, *f.* adherence
adjudant, *m.* master sergeant 39
admettre to admit
*administration, f.* administration, manner of administering 40
administrer to administer
*admirer* to admire
admissible, *adj.* admissible, qualified 36
*adopter* to adopt 15
**adresse,** *f.* address 8d, 39
**adresser** to address 35
**adversaire,** *m.* adversary 26
aérodrome, *m.* airport 20
aérogare, *f.* air terminal 20d
aéronautique, *adj.* aeronautical
affaiblir to weaken
**affaire,** *f.* affair, business, concern 27, matter  *avoir affaire à,* to deal with 27  *faire des affaires,* to do business
affiche, *f.* poster 36
afficher to stick up, display 12
affluence, *f. heures d'affluence,* rush hour 10
**affreux, -se** frightful
**afin de,** *prep.* in order to 30
Afrique, *f.* Africa 21
**âge,** *m.* age  *moyen âge,* Middle Ages 23

453

agence, *f.* agency 29

*agent, m.* agent, policeman

agglomération, *f.* built-up area 23

aggraver to aggravate

agir to act *il s'agit de,* it is a matter of

*agnostique, adj.* [agnɔstik] agnostic

agrandir to enlarge 25 *s'agrandir,* to grow larger

agréable, *adj.* pleasant 20

ahurir to bewilder *ahurissant, pres. part.* 37

aide, *f.* help 39

aider to help 16d, 26

aile, *f.* wing 19

ailleurs, *adv.* elsewhere d'ailleurs, besides 13, moreover

aimable, *adi.* kind, nice 6d, 20

aimer to like 3, love

ainsi, *adv.* thus 13 *ainsi de suite,* and so forth 23 *pour ainsi dire,* so to speak 33

*air, m.* air, manner 40 *en plein air,* in the open air 25 *avoir l'air,* to appear

aise, *f.* ease

ajouter to add

Algérie, *f.* Algeria

aligner to align 22

aliment, *m.* food 35

allée, *f.* path 22

allié, *m.* ally

Allemagne, *f.* Germany 21

allemand, -e German

aller to go 2d, to be 2d *comment allez-vous,* how are you 2d *aller et retour,* round trip 18d *s'en aller,* to go away 39 (je vais 5d, il va 4, ils vont 4, il ira 7, ils iront 7)

allô, *interj.* hello 17d

allumette, *f.* match 16

allure, *f.* pace, speed

alors, *adv.* then 7d *alors que, conj.,* when 34, whereas

Alpe, *f.* Alp 21

alsacien, -ne Alsatian 14

*ambassadeur, m.* ambassador 29

âme, *f.* soul

amener to bring, 19d, lead 21

amer [amɛr], amère bitter

américain, -e American 1d

Amérique, *f.* America 13d

ami, *m.* friend 2 *une amie* 13

amical, -e friendly 36

amour, *m.* love

*amphithéâtre, m.* amphitheatre 40

amuser (s') to have a good time

an, *m.* year 24

*anatomie, f.* anatomy

ancêtre, *m.* ancestor 37

ancien, -ne ancient, old 4d, former 29

ange, *m.* angel 26

anglais, -e English 20

*angle, m.* angle 39

Angleterre, *f.* England 20

animer to animate

année, *f.* year 19d, 23

*annexer* to annex 38

annoncer to announce 6

annuaire, *m.* annual, directory 17

*annuler* to annul

anormal, -e abnormal

antérieur, -e previous 24

*anticlérical, -e* anticlerical 40

*antiquité, f.* antiquity 34

août, *m.* August

apercevoir to perceive *aperçu, past part.* 13d, 18 *s'apercevoir de quelque chose,* to notice something

apéritif, *m.* appetizer 14

apparaître to appear 28

appareil, *m.* apparatus, appliance 16d, machine, instrument 17

apparemment, *adv.* apparently 30

appartement, *m.* apartment 1

appartenir to belong 27

appeler to call *s'appeler,* to be called, be named 13

appendicite, *f.* appendicitis 8

appliquer to apply 22

apporter to bring 6

apprendre to learn 20

approprier (s') to appropriate

approuver to approve

approvisionnement, *m.* supplying 19

appui, *m.* support 26

après, *prep.* after 5 *d'après,* according to 36

après-guerre, *m.* postwar period 15d

après-midi, *m.* afternoon 5

*aquarium, m.* aquarium 12

arbre, *m.* tree 22

arc, *m.* arch 24

*arcade, f.* arcade 29

arc-boutant, *m.* flying-buttress 25

archéologique, *adj.* archeological 18

*architectural, -e* architectural 29

*architecture, f.* architecture 24

arène, *f.* arena 24

argent, *m.* money 16d, silver

*aristocratique, adj.* aristocratic 23
**arme,** *f.* arm, weapon 39
**armée,** *f.* army 27
*armer* to arm
*armistice, m.* armistice
**armoire,** *f.* clothespress   **armoire à glace,** mirror wardrobe 3
**arracher** to tear (out, away)   *s'arracher quelque chose,* to snatch something from each other's hands 36
*arranger* to arrange, set in order, repair 9d
**arrêt,** *m.* stop 10   *sans arrêt,* without stopping 19d
**arrêter** to stop (*transitive*)   *s'arrêter,* to stop (*intransitive*) 9
**arrière,** *m.* rear   *à l'arrière,* in the back seat 9
**arrivée,** *f.* arrival 12
**arriver** to arrive 2, happen, succeed
*arrogant, -e* arrogant
*art, m.* art 30
*article, m.* article   *article de toilette,* toilet article 3
**artisan,** *m.* craftsman
**artisanat,** *m.* craftsmanship
*artiste, m.* artist 33
*artistique, adj.* artistic 33
**aspect,** *m.* appearance 23
**assassiner** to assassinate, murder 28
**assemblée,** *f.* assembly 22
**asseoir** (s') to sit down 8   *assis, past part.,* 9 (asseyez-vous 8d)
**assez,** *adv.* enough 9d, rather 17
**assiégeant,** *m.* besieger 28
**assiette,** *f.* plate 6
**assimiler** to assimilate 34
*assistant, m.* assistant 39
**assister** *assister à,* to attend, be present at, 36
*assurance, f.* assurance, insurance
**assurer** to assure   *s'assurer,* to make sure 27
**astronomique,** *adj.* astronomical 14d
**Atlantique,** *m.* Atlantic 21
*atmosphère, f.* atmosphere 29
**atome,** *m.* atom
**atomique,** *adj.* atomic
**attabler** (s') to sit down to table 39
*attacher* to attach 10
**attaque,** *f.* attack 28
**attaquer** to attack 26
**atteindre** to attain, reach 14d
**attendre** to wait, await, wait for 2, ex-

pect 39   *en attendant,* meanwhile 36   *en attendant de,* pending the time when 21   *s'attendre à,* to expect
**attente,** *f.* wait, waiting   *salle d'attente,* waiting room 8
*attention, f.* attention   *faire attention,* to pay attention 30
**atterrissage,** *m.* landing 20
**attirer** to attract
**aucun, -e** any   *ne . . . aucun,* no, not any 24
**audace,** *f.* audacity 31
**augmentation,** *f.* increase
**augmenter** to increase
**aujourd'hui,** *adv.* today 23
**auparavant,** *adv.* before, previously 28
**auprès de,** *prep.* near, to (*diplomatic terminology*) 32, with
**ausculter** to examine someone by auscultation 8
**aussi,** *adv.* also 3   *aussi . . . que,* as . . . as 15
**autant,** *adv.* as much   *d'autant plus que,* all the more so because 37
**autel,** *m.* altar 34
**auteur,** *m.* author 30
*authentique, adj.* authentic 22
*auto, f.* auto, car 9
**autobus,** *m.* bus 7
*automatique, adj.* automatic 12d   *le téléphone automatique,* dial telephone 17
**automatiquement,** *adv.* automatically 39
**autoriser** to authorize
**autoritaire,** *adj.* dictatorial
**autorité,** *f.* authority 28
**autour,** *adv.* around   *autour de, prep.,* around 23
**autre,** *adj.* other 7
**autrefois,** *adv.* formerly 18
**autrement,** *adv.* otherwise 14d
**Autriche,** *f.* Austria 38
**avaler** to swallow 14d
**avance,** *f.* advance   *d'avance,* ahead of time 7
**avancer** to advance   *cela ne l'avançait guère,* that didn't help much 21   *s'avancer,* to move forward 30
**avant,** *prep.* before 5d, 6, above 35   *avant que, conj.,* before 27
**avantage,** *m.* advantage   *il y avantage à,* there is an advantage to 35
**avantageux, -se** advantageous 10d

avant-guerre, *m.* prewar period 15
  *d'avant-guerre,* prewar
avec, *prep.* with 3
avènement, *m.* advent
avenir, *m.* future 32
aventure, *f.* adventure 20d, 39
*avenue, f.* avenue, drive 13
*aviation, f.* aviation
*avion, m.* airplane 20
avis, *m.* opinion 11    *changer d'avis,*
  to change one's mind
aviser to inform    *s'aviser de,* to take it
  into one's head to 10
avoir to have    *il y a,* there is, there are
  3, ago 24    *ayant, pres. part.* 21    *il y
  a que,* the trouble is that 9d
avoué, *m.* attorney 31
avouer to acknowledge, admit 13
avril, *m.* April
azur, -e azure, blue 19


baccalauréat, *m.* bachelor's examination 19d, b.'s degree 36
bachot, *m.* slang for *baccalauréat* 19d
baigner to bathe 34
baignoire, *f.* bath tub 19
bail, *m.* (*pl.:* baux) [baj, bo] lease
baiser, *m.* kiss
baisse, *f.* decrease
baisser to lower
bal, *m.* dance, ball 40
balcon, *m.* balcony 7d
balle, *f.* ball
*balustrade, f.* balustrade 30
banc, *m.* bench 40
bande, *f.* band, troop 40
banlieue, *f.* suburbs 9
banque, *f.* bank
*baptiser* to baptize 6d, 31
barbare, *m.* barbarian 28
barbe, *f.* beard 26
*baron, m.* baron 24
barrière, *f.* barrier 21, gate 18d
bas, *m.* lower part    *celui d'en bas,* the
  bottom one 8d
bas, -se low
bas-côté, *m.* side-aisle 24
*base, f.* base, basis
*baser* to base 32
bastille, *f.* small fortress 27
bataille, *f.* battle
bâtard, *m.* bastard 26
bateau, *m.* boat 20d, 39

bâtiment, *m.* building 29
bâtisse, *f.* ramshackle building 29
bâtonnade, *f.* cudgeling 31
bâtonner to cudgel 31
battre to beat 29    *se battre,* to fight 31
beau, bel, belle, beaux, belles beautiful 9    *avoir beau faire quelque
  chose,* to do something in vain 19d
beaucoup, *adv.* much, very much 3,
  many 5
*beauté, f.* beauty
Belgique, *f.* Belgium 21
bénéfice, *m.* profit
berceau, *m.* cradle 23
berger, bergère, *m. & f.* shepherd,
  shepherdess 26
besogne, *f.* job, task
besoin, *m.* need    *avoir besoin,* to need
  5    *au besoin,* if need be
bête, *f.* beast, animal
beurre, *m.* butter 6d
*bibliographie, f.* bibliography 36
bibliothèque, *f.* bookcase 3, library 29
bicyclette, *f.* bicycle    *à bicyclette,* on a
  bicycle, on bicycles 9
bien, *adv.* well, very 1d, real¹y 2d    *eh
  bien!* well 4d    *bien, Monsieur,* very
  good, sir 5d    *ou bien,* or else    *C'est
  bien cela?* Is that right? 7d    *bien
  des fois,* many a time 13d, 35    *bien
  que, conj.,* although 19
bien, *m.* possessions 40, good thing
bientôt, *adv.* soon 6
billet, *m.* bill, banknote 5, ticket 7
biologique, *adj.* biological
bizarre, *adj.* queer 13
blanc, blanche white
*blanc, m.* blank
blanchir to whiten, wash, launder
  20
blesser to wound 27
bleu, -e blue 11
blond, -e fair 37
bloquer to block, blockade
bock, *m.* beer glass 39
bœuf, *m.* ox 19
boire to drink 14d (il boit 14d, vous
  buvez 14d)
bois, *m.* wood 3
boîte, *f.* box, 10    *boîte de nuit,* night
  club 40
bombardier, *m.* bomber 39
bombe, *f.* bomb 32
bon, -ne good 7    *la bonne,* maid 2

**bonheur,** *m.* happiness
**bonjour,** *m.* good day, hello 1d, 12
**bonsoir,** *m.* good evening
**bonté,** *f.* kindness
**bord,** *m.* edge
**borner** to limit, bound 21
**bouche,** *f.* mouth 38
boucher, *m.* butcher 16
**bougie,** *f.* candle, spark plug 9d
**bouillir** to boil
**boulanger,** *m.* baker, 16
*boulevard,* *m.* boulevard 10
**bouleverser** to upset 14d
bourdonnement, *m.* humming 17d
**bourgeois, -e,** *m. & f.* middle-class person, commoner 11
bourgeoisie, *f.* middle class 40
Bourgogne, *f.* Burgundy 28
Bourguignon, *m.* Burgundian 28
bourreau, *m.* executioner 28
**bourse,** *f.* purse, scholarship *la Bourse,* the Stock Exchange 23
boursier, boursière, *m. & f.* scholarship holder 40
**bout,** *m.* end 22
**bouteille,** *f.* bottle 5
**boutique,** *f.* shop 5, store
**bouton,** *m.* button 10d
**bras,** *m.* arm *au bras,* on one's arm 16
bravoure, *f.* bravery, gallantry 37
Bretagne, *f.* Brittany 38 *Grande Bretagne,* Great Britain 38
*brigand,* *m.* brigand, robber 26
**brillant, -e** brilliant
**brique,** *f.* brick 29
**briser** to break
brochure, *f.* pamphlet 29
**brosse,** *f.* brush *brosse à dents,* toothbrush 3 *brosse à cheveux,* hairbrush 3 *couper les cheveux en brosse,* to give a crew haircut 15
**brouillard,** *m.* fog, mist, haze 20d
brouille, *f.* estrangement 32
**bruit,** *m.* noise 13
**brûler** to burn 28
**brun, -e** brown
bûcher, *m.* funeral pyre, stake 28
buffet, *m.* sideboard 6
**bureau,** *m.* office *bureau de location,* box-office 7 *bureau de poste,* post office 17 *bureau de tabac,* tobacco shop 16
**but,** *m.* purpose
buvard, *m.* blotter 5

**ça,** *pro.* Contraction of *cela* 10d
cabine, *f.* cabin 13d, booth 17
**cabinet,** *m.* cabinet, office (of a doctor) 8
**cacher** to hide (*transitive*) *se cacher,* to hide (*intransitive*) 26
**cadeau,** *m.* gift 25
cadran, *m.* dial 17
**café,** *m.* coffee 14, café 15
**cahier,** *m.* notebook 5
caler to stall 9d
*Californie,* *f.* California 21
*calorie,* *f.* calory 13d
**camarade,** *m.* comrade, fellow student 36
camion, *m.* truck 39
*camp,* *m.* camp 27
**campagne,** *f.* country 9, campaign 39 *à la campagne,* in the country 9
*capable,* *adj.* capable 28
*capacité,* *f.* capacity
**capitaine,** *m.* captain 26
*capital,* *m.* capital (*finance*)
**capitale,** *f.* capital 18 (*city*)
*capitaliste,* *adj.* capitalistic
*capitulation,* *f.* capitulation
**car,** *conj.* for 3
car, *m.* bus 20d
**caractère,** *m.* character
caractériser to characterize 35
caractéristique, *adj.* characteristic
carburateur, *m.* carburetor 9d
*cardinal,* *m.* cardinal 28
*caricaturer* to caricature 37
carnet, *m.* notebook, book of tickets 10
carolingien, -ne Carolingian 24
**carré, -e** square
carrousel, *m.* merry-go-round 22
**carte,** *f.* card *carte de visite,* calling card 11 *carte des vins,* wine list 14d
**cas,** *m.* case 13d, 33 *en ce cas,* in this case 13d
casse-cou, *m.* dare-devil 39
**casser** to break
*catalogue,* *m.* catalogue 35
*cathédrale,* *f.* cathedral 24
*catholique,* *adj.* Catholic 40
*cause,* *f.* cause *à cause de,* because of 14
*causer* to cause, chat
**cavalier,** *m.* horseman, partner 40
**ce,** *pro.* it 2d

**ce, cet, cette, ces,** *adj.* this, that, these, those 6   *à ce que je vois,* so I see 3d

**céder** to give up, yield   *céder la place à,* to be second to 34

**cela,** *pro.* that 5   *c'est cela,* that's right *en cela,* in that respect 24

**célèbre,** *adj.* famous 7

céleste, *adj.* celestial

*celtique, adj.* Celtic 37

**celui, celle, ceux, celles,** *pro.* this one, that one, these, those, the one, the ones

**cent,** *adj. invar.* hundred   *pour cent,* per cent

**centaine,** *f.* about a hundred, hundreds (*in pl.*) 19

*centralisation, f.* centralization

**centre,** *m.* center 21

**cependant,** *adv.* however, meanwhile 28

**cercle,** *m.* circle 23

*cérémonie, f.* ceremony 27

cerner to surround 28

*certain, -e* certain 4d, 8

**certainement,** *adv.* certainly 5d

**cesser** to cease 37

**chacun, -e** each one 6

**chaîne,** *f.* chain *réaction en chaîne,* chain reaction

**chaise,** *f.* chair 3

chambellan, *m.* chamberlain 32

**chambre,** *f.* room 2, bedroom, chamber 30

**champ,** *m.* field 19

**Champenois,** *m.* inhabitant of Champagne 38

**chance,** *f.* luck   *ce n'est pas de chance,* it's hard luck 9

**changement,** *m.* change 12d, 18

*changer* to change 11

**chanter** to sing 37

*chaos, m.* [kao] chaos

**chapeau,** *m.* hat 11

**chapelle,** *f.* chapel 25

chapiteau, *m.* capital (of column) 24

**chapitre,** *m.* chapter

**chaque,** *adj.* each 5

char, *m.* tank 39

**charbon,** *m.* coal

charbonnage, *m.* colliery

charcutier, *m.* pork-butcher 16

**charger** to charge, load   *charger de,* to charge with 16   *se charger de,* to take charge of 16d

charivari, *m.* tin-kettle music 15

**charme,** *m.* charm 30

charte, *f.* charter

**chasser** to drive (away) 38

**chat,** *m.* cat

châtain, -e chestnut-brown 37

**château,** *m.* castle 11

châtelain, *m.* lord of the manor 19d

**chaud, -e** warm, hot

**chaussure,** *f.* footwear, shoe 11

**chef,** *m.* chief, leader 37

**chef-d'œuvre,** *m.* masterpiece 25

**chemin,** *m.* road, way, path 29   *chemin de fer,* railroad 30

**chemise,** *f.* shirt 8d

**cher, chère** dear, expensive 7

**chercher** to look for 5   *chercher à,* to seek to 35

**cheval,** *m.* horse 19

**chevalier,** *m.* knight 31

**cheveux,** *m. pl.* hair 3

**chez,** *prep.* to, at, in (followed by owner of place in possessive) 6

**chien,** *m.* dog

**chiffre,** *m.* figure 14d

chiffrer to encipher 39, figure

chimie, *f.* [ʃimi] chemistry

**choisir** to choose 5

**choix,** *m.* choice 18

choquer to shock 16

**chose,** *f.* thing 5   *Y a-t-il autre chose?* Is there something else? 9d

**choucroute,** *f.* sauerkraut 14   *choucroute garnie,* sauerkraut with sausages 14

**chrétien, -ne,** *m. & f.* Christian 28

**chrétienté,** *f.* Christendom 23

**chute,** *f.* fall 24

**ciel,** *m.* (*pl.:* cieux) sky, heaven

ci-joint, -e herewith 29

**cinéma,** *m.* cinema, movies, moving picture house 7

**cinq,** *adj. invar.* five

**cinquante,** *adj. invar.* fifty

cintre, *m.* concave surface *arc en plein cintre,* semicircular arch 24

**circonstance,** *f.* circumstance 31

circuler to circulate, run

**cirer** to wax 37

**cité,** *f.* city (originally in sense of fortified city) 23

citoyen, *m.* citizen

*civil, -e* civil 25   *un civil,* a civilian

*civilisation, f.* civilization 21

**clair, -e** clear 21   *au clair de lune,* by moonlight 39

*clandestin, -e* clandestine, secret

clandestinement, *adv.* clandestinely 20d, 32

clarté, *f.* clarity

clas-e, *f.* class *aller en classe,* to go to school 4d

classement, *m.* classification

classer to classify 19

classique, *adj.* classical 7d, 22

client, *m.* customer, 5

climat, *m.* climate 21

clocher, *m.* steeple 24

*coalition, f.* coalition

cœur, *m.* heart 39

coiffeur, *m.* hairdresser, barber 15

coin, *m.* corner 29, spot

colère, *f.* anger

*collaborateur, m.* collaborator 39

collaborer to collaborate

collectiviste, *adj.* collectivistic

collège, *m.* secondary school, college 35

collègue, *m.* colleague

colline, *f.* hill 23

*colonel, m.* colonel 39

combien, *adv.* how much 5d, how, to what extent 30, how many

combinaison, *f.* combination

combine, *f.* combination, trust

comble, *adj.* full to overflowing 36

comédie, *f.* comedy, play 7 *jouer la comédie,* to act a part, to perform a play 32

comité, *m.* committee 11d, 13

commandement, *m.* command

commander to command, order 14

comme, *adv.* like 4, how 3d *comme, conj.,* as, since 3

commencer to begin 14d, 15

comment, *adv.* how 2d, 11

*commenter* to comment on 36

commerçant, *m.* tradesman

*commerce, m.* commerce 21, business

*commercial, -e* commercial 23

*commissaire, m.* commissioner, super-intendent 31

commission, *f.* commission, errand 16

commode, *adj.* convenient 16d

commun, -e common *en commun,* in common, jointly 19

commune, *f.* municipality 19

*communication, f.* communication, call 17

communiquer to communicate 2

*communiste, m.* communist

compagnie, *f.* company *en compagnie de,* accompanied by 20

*comparable, adj.* comparable 29

comparaison, *f.* comparison *en comparaison de,* in comparison with 20d

comparaître to appear (before) 40

comparatif, -ve comparative

*comparer* to compare 20

compartiment, *m.* compartment 18

complaisant, -e obliging 32

complet, complète complete, full 10d

complètement, *adv.* completely 34

complexe, *adj.* complex

comp'iquer to complicate 10d

comporter to call for 36

composer to compose 36

*composition, f.* essay 36, test

comprendre to understand 10, comprise 19 *compris, past part.* 10 *y compris,* including

compromettre to compromise

compromis, *m.* compromise

compte, *m.* account *faire le compte,* to add (it) up 5d *se rendre compte,* to realize 40

compter to count

comte, *m.* count 13

comtesse, *f.* countess 11

concentrer to concentrate

*concert, m.* concert 16d

concevoir to conceive *conçu, past part.* 35

concierge, *m. & f.* janitor, lodgekeeper 2d

conclure to conclude *conclure à,* to conclude that there is (has been)

concorde, *f.* concord, harmony 22

condamner to condemn, sentence 28 *condamné,* destined 38 *condamner à la prison perpétuelle,* to sentence to life imprisonment 28

*condition, f.* condition 36

conduire to conduct, drive, take driving 9 (il conduisait 9)

conduite, *f.* conduct, pipe 19

confédération, *f.* federation 38

*conférer* to confer

confier to entrust 29

*confirmer* to confirm 26

confisquer to confiscate

conflit, *m.* conflict

confondre to confuse, mistake 28

conformation, *f.* shape 21

conforme (à) in conformity with

conformer (se) to conform 35

confort, *m.* comfort, modern conveniences

confortable, *adj.* comfortable 3d

confortablement, *adv.* comfortably 3d

*confusion, f.* confusion

congé, *m.* leave (of absence) *jour de congé,* holiday 4

conjugaison, *f.* conjugation

conjuguer to conjugate

connaissance, *f.* acquaintance 13d, knowledge 21

connaître to know, be acquainted with 10   *s'y connaître,* to know all about it, to be an expert in it 20d

conquérir to conquer   *conquérant, pres. part.* 37   *conquis, past part.* 37

conquête, *f.* conquest 38

consacrer to devote 36

conseil, *m.* advice 16d, council 22

conseiller to advise 14d

conseiller, *m.* counselor

*conséquence, f.* consequence, result 40

conséquent, -e *par conséquent,* consequently 40

conservateur, -trice conservative

conservateur, *m.* curator

conserve, *f.* preserve, canned goods 16d

conserver to preserve 16

*considérer* to consider 18

consolider to consolidate

constante, *f.* constant

constatation, *f.* verification, fact 21

constater to notice 15d, ascertain

constituant, -e constitutional

constituer to constitute 35

*constitution, f.* constitution

constitutionnel, -le constitutional

construire to construct   *construit, past part.* 23 (ils construisaient 24)

*consultation, f.* consultation *heure de consultation,* office hour 36

*consulter* to consult 8

*contact, m.* contact   *prendre contact,* to make contact 35

conte, *m.* story, tale

contempler to contemplate, behold 22

contemporain, -e contemporary 28

contenir to contain 25

content, -e glad

contenter to satisfy   *se contenter de,* to be satisfied with 14

*continent, m.* continent 21

*continental,* -e continental 21

*continuer* to continue 12

*continuité, f.* continuity 37

contraire, *adj.* contrary 40   *le contraire,* contrary   *au contraire,* on the contrary 20d, 24

*contraste, m.* contrast

contrat, *m.* contract 40

contre, *prep.* against   *par contre,* on the other hand 21

contredire to contradict 31

contrefaçon, *f.* fraudulent imitation, pirated edition 32

contrôle, *m.* checking 39

contrôler to inspect 10d

contrôleur, *m.* conductor, ticket collector 10

convaincre to convince   *convaincant, pres. part.* 28

convenable, *adj.* proper

convenir to agree 14

*conviction, f.* conviction 38

convoquer to convoke, call together

coordonner to coördinate

corbeille, *f.* basket 6

cordialement, *adv.* cordially 31

Cornouailles, *f.* Cornwall 38

corps, *m.* body 39

correspondance, *f.* correspondence, interchange 12d

correspondre to correspond 35

corriger to correct 36

*cosmétique, m.* cosmetic, hair tonic 15

costume, *m.* suit

côte, *f.* coast 19   *Côte d'Azur,* French Riviera 21

côté, *m.* side   *à côté de,* beside 18d   *du côté de,* in the direction of   *de l'autre côté,* on the other side 13   *d'un côté,* on one hand 40   *le guichet d'à côté,* the next window 7d

cou, *m.* neck

coucher to put to bed 27, to sleep   *couché,* in bed 27   *se coucher,* to go to bed 27

couchette, *f.* berth 20

coudre to sew 26

couler to flow, to sink

couleur, *f.* color 25

couloir, *m.* corridor 12d

coup, *m.* blow 32   *coup de téléphone,* telephone call 17

coupable, *adj.* guilty

coupe, *f.* cutting, cut 39 *coupe de cheveux,* haircut 15d

couper to cut 6

cour, *f.* court, courtyard 13

*courage*, *m.* courage 26

courageusement, *adv.* courageously 32

courant see *courir*

courbe, *f.* curve 23

courir to run *courant*, *pres. part.*, running 3, current, common 35 *couru*, *past part.* 16

couronne, *f.* crown 25

couronner to crown 27

cours, *m.* course, class 4 *en cours de route*, on the way 10d

course, *f.* running, errand, dash 16

court, -e short 15d, 20

courtisan, *m.* courtier 30

couteau, *m.* knife 6

coûter to cost *coûter cher*, to be expensive

coûteux, -se costly 19

coutume, *f.* custom 7

coutumier, coutumière customary 32

couvrir to cover *couvert*, *past part.* 22 *le couvert est mis*, the table is set 6

craindre to fear

cravate, *f.* necktie

crayon, *m.* pencil 5

*création*, *f.* creation 34

crédule, *adj.* credulous 26

*crédulité*, *f.* credulity 28

créer to create 33

crème, *f.* cream 19d

crénelé, -e crenelated 25

creuser to dig

crevaison, *f.* puncture 9

crever to burst *pneu crevé*, flat tire 9d

crier to shout 10d, 31

*crime*, *m.* crime 28

criminel, *m.* criminal

crise, *f.* crisis, attack

critique, *adj.* critical 27

croire to believe, think *croyant*, *pres. part.* 10 *cru*, *past part.* 13 (je crois 13d, il croyait 14, il crut 26)

croître to increase, grow

croix, *f.* cross 25

cueilleur, cueilleuse, *m. & f.* picker 38

cueillir to pick 38

cuiller, *f.* spoon 6

cuire to cook

cuisine, *f.* kitchen, cooking 14

cuivre, *m.* copper, brass 8

cultiver to cultivate 30

curé, *m.* parish priest

curieux, -se curious, odd 29

cuvette, *f.* washbasin 3

daim, *m.* deer, suede 11

dame, *f.* lady 11d, 13

*danger*, *m.* danger 39

dangereux, -se dangerous 39

dans, *prep.* in, into 1

danse, *f.* dance 40

danser to dance 40

danseur, danseuse, *m. & f.* dancer 40

date, *f.* date 32

dauphin, *m.* crown prince 26

davantage, *adv.* more

de, *prep.* of 1

débarquement, *m.* landing

débarquer to land 20

débarrasser *se débarrasser de*, to get rid of

déborder to overflow 23

debout, *adv.* standing *se tenir debout*, to stand 18

début, *m.* beginning 23

débuter to make a start 39

*décadence*, *f.* decadence 31

décembre, *m.* December

*décentralisation*, *f.* decentralization 16

déception, *f.* disappointment 30

décès, *m.* death

déchiffrer to decipher 12

déchirer to tear

décidément, *adv.* positively 11

*décider* to decide 10 *décider de*, to decide to 27 *se décider à*, to make up one's mind to 27 *décider quelqu'un à*, to persuade someone to 26

décisif, -ve decisive 21

*décision*, *f.* decision *prendre une décision*, to make a decision

*déclarer* to declare 8

décollage, *m.* take-off 20

décoller to take off 20d

déconseiller to advise someone against something 35

*décoration*, *f.* decoration 25

décorer to decorate 33

découverte, *f.* discovery

découvrir to discover 21 *découvert*, *past part.* 25 (il découvre 21)

décréter to decree

décrier to disparage 28

décrire to describe 23 (il décrit 23)

décrocher to unhook 17

dédier to dedicate 24

déesse, *f.* goddess 34

défaire to undo *se défaire*, to become undone 39

défaite, *f.* defeat

**défaut,** *m.* lack, defect *à défaut de,* for lack of 25, lacking

**défendre** to defend 28, forbid

*défense, f.* defense, prohibition

**défi,** *m.* challenge 39, defiance

*déficit, m.* [-sit] deficit

**défiler** to parade 24

**définitif, -ve** definitive

*déformation, f.* deformation 31

**déguiser** to disguise *déguiser en,* to disguise as 39

**déguster** to taste, sip 14

**dehors,** *adv.* outside *en dehors de, prep.,* outside 23

*déisme, m.* deism

**déjà,** *adv.* already 5

**déjeuner,** *m.* lunch 4 *le petit déjeuner,* breakfast 4

**déjouer** to thwart

**delà,** *adv.* *au delà de,* beyond 21

**délabrement,** *m.* disrepair 29

**délabrer** to dilapidate 18

**délicieux, -se** delicious 19d

**délimiter** to demarcate

**délire,** *m.* delirium *en délire,* delirious 32

**délit,** *m.* misdemeanor *en flagrant délit,* red-handed 39

**délivrer** to deliver 27

**déloyal, -e** disloyal

**demain,** *adv.* tomorrow

**demande,** *f.* request 20

**demander** to ask 2, ask for 7 *se demander,* to ask oneself, wonder 11

**demeure,** *f.* residence 19d

**demeurer** to live 1

**demi, -e** half *une demi-heure,* a half hour *une heure et demie,* an hour and a half 12d *à demi, adv. phr.,* half 27

**démission,** *f.* resignation

**démocrate,** *m.* democrat

**démocratie,** *f.* [-krasi] democracy

*démocratique, adj.* democratic 38

*démographique, adj.* demographic

**demoiselle,** *f.* young lady 39

**démolir** to demolish 29

**démontrer** to demonstrate

**dénoncer** to denounce 39

**dent,** *f.* tooth 3

**dentifrice,** *f.* tooth paste 3

**départ,** *m.* departure 18

**département,** *m.* department 38

**départemental, -e** departmental

**dépasser** to go beyond, surpass

**dépayser** *se sentir dépaysé,* to feel out of place 24

**dépêcher (se)** to hurry 12d

**dépendre** to depend 7d, 21 *dépendre de,* to be a dependency of 34, depend on 21

**dépens,** *m. pl.* *aux dépens de,* at the expense of

**dépenser** to spend 5

**dépeuplé, -e** unpopulated 37

**dépit,** *m.* *en dépit de,* in spite of 26

**déplacer** to move (*transitive*) *se déplacer,* to move (*intransitive*), change place 23

**dépourvu, -e** devoid

**depuis,** *prep.* since, for, from 22 *depuis longtemps,* for a long time 9d *depuis que, conj.,* since 19

**député,** *m.* deputy

**déranger** to disturb

**dernier, dernière** last 15, latter 23

**derrière,** *prep.* behind 29

**dès,** *prep.* as early as *dès le matin,* as soon as morning 9 *dès que, conj.* as soon as 12d

*descendant, m.* descendant 37

**descendre** to descend, go down, get off 12

*description, f.* description 29

**désespoir,** *m.* despair *en désespoir de cause,* in desperation

**déshérité, -e** disinherited 26

*désignation, f.* designation

**désigner** to designate 26

**désir,** *m.* desire 28

*désirer* to desire, wish 5

**désordre,** *m.* disorder 27

**désormais,** *adv.* henceforth 27

*despotique, adj.* despotic 30

*dessert, m.* dessert 6d

**dessiner** to draw

**dessous,** *adv.* underneath *en dessous,* underneath

**dessus,** *m.* top 15d

*destination, f.* destination 10

**destinée,** *f.* destiny 21

**désuétude,** *f.* disuse, obsolescence

*destiner* to destine, intend 34

*détail, m.* (*pl.: détails*) [detaj] detail

*détour, m.* detour 17

**détrempe,** *f.* distemper (painting term) 34

**dette,** *f.* debt

**deux,** *adj. invar.* two 4 *tous deux, toutes deux,* both 13 deuxième, *adj.* second 12

devant, *prep.* in front of, before 18

dévaster to lay waste 26

développement, *m.* development 34

développer to develop (*transitive*) se développer, to develop (*intransitive*) 23

devenir to become 16 **Que devient-il?** What has become of him? 19d (ils deviendront 19d)

deviner to guess

devise, *f.* motto

devoir to be obliged to, have to 10, owe 15d (je dois 15d, il doit 11d, il devait 10, je devrais 19, il a dû 13)

devoir, *m.* duty, exercise **les devoirs**, homework 5 **il est de son devoir de,** it is his duty to

diable, *m.* devil

dialecte, *m.* dialect 38

dictature, *f.* dictatorship

dicter to dictate

dieu, *m.* god 27

*différence, f.* difference

*différent, -e* different, various 5d

*différer* to differ 30

difficile, *adj.* difficult

*difficulté, f.* difficulty 37

digne, *adj.* worthy, dignified 23

dignement, *adv.* with dignity 13

*dignité, f.* dignity 30

dilemme, *m.* dilemma

dimanche, *m.* Sunday

*dimension, f.* dimension 21

dîner to dine 6

*diplomatique, adj.* diplomatic 32

dire to say 4 **dit, past part.,** said 8 c'est-à-dire, that is to say 4 **au dire de,** according to 26 **dire que!** imagine that! 25

*direct, -e* direct 30

*direction, f.* direction 12

diriger to direct

discours, *m.* speech 40

discuter to discuss 40

disparaître to disappear 19d

disparition, *f.* disappearance

*disperser* to disperse

disputer (se) to argue 37

*distance, f.* distance 12d, 18

*distinct, -e* distinct 37

distinctif, -ve distinctive 37

distinguer to distinguish 8d, 11

divers, -e varied

*diversité, f.* diversity 21

divin, -e divine 26

diviser to divide

*division, f.* division 39

dix, *adj. invar.* ten **dix-huit,** eighteen **dix-neuf,** nineteen **dix-sept,** seventeen

dixième, *adj.* tenth 7d

*docteur, m.* doctor 8

doctorat, *m.* doctorate **doctorat d'université,** university doctorate 36

*doctrine, f.* doctrine

doigt, *m.* finger 17

domaine, *m.* estate 19, domain 34

dominer to dominate 34

dommage, *m.* damage **c'est dommage,** it is a pity 20d **dommages-intérêts,** damages 40

don, *m.* gift 35

donc, *adv.* just 3d, therefore 18, so

donjon, *m.* keep 18

donner to give 2 **donner sur,** to open onto 2

dont, *pro.* of which, of whom, whose **la façon dont,** the manner in which 14

dorer to gild 13

dormir to sleep

dos, *m.* back 32

*double, adj.* double 17

doute, *m.* doubt 26 **sans doute,** no doubt 29 **cela ne fait pas de doute,** there is no doubt about that 39

douter to doubt (*intransitive*) **douter de,** to doubt (*transitive*) **il en doute,** he doubts it **il doute que,** he doubts that **se douter de,** to suspect 24

doux, douce sweet, gentle

douze, *adj. invar.* twelve

drapeau, *m.* flag

dresser to erect, set up 26 **se dresser,** to rise up 22

droit, -e right, straight **droit, adv. droit, m.** right 10d, law **droite, f.** right 15d **à droite,** on the right, to the right 15d

du Contraction of *de + le* 1

dû See *devoir*

duc, *m.* duke 28

*ducal, -e* ducal 34

*duché, m.* duchy 32

*duchesse, f.* duchess 29

duègne, *f.* duenna, chaperon 40

dur, -e hard

durer to last 32

**eau,** *f.* water 3  *jour de grandes eaux,* day when all fountains play 30
**éblouir** to dazzle 34
**écarter** to separate
**ecclésiastique,** *adj.* ecclesiastical 24
**échafaud,** *m.* scaffold 28
**échange,** *m.* exchange  *en échange de,* in exchange for 20
**échanger** to exchange
**échapper** to escape 26
**échec,** *m.* failure
**échouer** to fail 28
**éclairer** to light, illuminate 12
**éclater** to burst, burst out 32
**école,** *f.* school 22
**écolier, écolière,** *m. & f.* school boy (girl) 37
**économie,** *f.* economy 13
**économique,** *adj.* economical
*économiste, m.* economist
**Écossais,** *m.* Scotchman 38
**écouter** to listen 17d, listen to 38
**écraser** to crush 13, run over 24  *s'écraser,* to crowd in 13
**écrire** to write 7d, 28  *écrit, past part.* 7d
**écriteau,** *m.* sign 12d
**écrivain,** *m.* writer
**édifiant, -e** edifying 15
*édifice, m.* edifice, building 29
**éditeur,** *m.* publisher 32
*édition, f.* edition 36
*éducation, f.* education 31
**effacer** to erase
**effarer** to frighten, scare *effarant, pres. part.* 16d
**effet,** *m.* effect  *en effet,* as a matter of fact 11d, 13, to be sure 19d
**efficacité,** *f.* effectiveness
**effondrer** (s') to collapse 37
**efforcer** (s') to strive 13
*effort, m.* effort 24
**effrayer** to frighten 26
**égal, -e** equal 31
**également,** *adv.* likewise
**égaler** to equal 25
**égalité,** *f.* equality 31
**égard,** *m.* respect
**église,** *f.* church 22
**égorger** to cut the throat of 26
**Égypte,** *f.* Egypt 21
**élan,** *m.* dash, burst  *d'un seul élan,* with the same impetus  *élan vital,* vital impulse
**électif, -ve** elective

*élection, f.* election
*électricité, f.* electricity
**électrifier** to electrify 30
*électrique, adj.* electric 30
*élégant, -e* elegant 39
*élément, m.* element
**élève,** *m. & f.* pupil 34
**élever** to raise  *élevé, past part.,* high 10d, 21
**élire** to elect  *élu, past part.*
**elle,** *pro.* she, it 3
**élucubration,** *f.* brain storm 29
**embarquer** to embark, put on board 39  *s'embarquer,* to go on board ship, set sail 25
**embarras,** *m.* embarrassment 13
**embrasser** to kiss
**embuscade,** *f.* ambush 26
**émettre** to emit, express
**emmener** to take (a person to a place) 2
**emparer** *s'emparer de,* to seize
**empêchement,** *m. avoir un empêchement,* to be delayed 36
**empêcher** to prevent 12
**empereur,** *m.* emperor 25
*empire, m.* empire 24
**emplacement,** *m.* site 35
**employer** to use 17  *employé, -e, m. & f.,* employee 7d
**empoisonner** to poison 28
**emporter** to carry away 27
**empreinte,** *f.* impression
**emprunt,** *m.* loan
**emprunter** to borrow 11
**en,** *prep.* in, into 4
**en,** *pro.* some, any, of it, of them 5
**encadrer** to frame 22
**enchanter** to delight 13d
**encontre** (à l') contrary
**encore,** *adv.* still 4d, again 23, what is more 36  *pas encore,* not yet 13d  *encore plus,* even more 25  *et encore,* they don't begin to go around 19d
**encre,** *f.* ink 5
**endormir** *s'endormir,* to go to sleep
**endroit,** *m.* place 11
**enfant,** *m. & f.* child 20
**enfermer** to shut, confine
**enfin,** *adv.* at last, after all 5d, finally 21, in a word
**engager** to engage  *engager quelqu'un à,* to urge someone to 18
**enjoué, -e** playful 32

**enlever** to take off 8d
**enluminer** to illuminate (a manuscript) 33
**enluminure,** *f.* illumination (of manuscript) 33
**ennemi, -e,** *m. & f.* enemy 27
**ennuyer (s')** to become bored 39
**énoncer** to set forth, state
**énorme,** *adj.* enormous 12
**énormément,** *adv.* enormously
**enrayer** to check
**enrhumer (s')** to get a cold 8d
*enrôler* to enrol 39
**enseignement,** *m.* teaching, education 35, educational system
**ensemble,** *adv.* together 30 *ensemble, m.,* whole 21
**ensuite,** *adv.* next, then 11d, 22
**entendre** to hear 13 *bien entendu,* to be sure
**enterrer** to bury 30
**enthousiasme,** *m.* enthusiasm 27
**enthousiasmer (s')** to become enthusiastic 27
**entier, entière** entire 33
**entièrement,** *adv.* entirely
*entourage, m.* entourage 26
**entourer** to surround 18
**entraînement,** *m.* training 39
**entraîner** to drag, draw 30, entail, train *entraîner trop loin,* to take too far 39
**entre,** *prep.* between, among 20d, in 29
**entrée,** *f.* entrance 12
**entreprendre** to undertake 32
**entreprise,** *f.* enterprise
**entrer** to enter 2d, 5
**entretenir** to keep up 19d
**entretien,** *m.* upkeep 19, conversation
**entrevoir** to catch a glimpse of 29
*énumération, f.* enumeration 29
**énumérer** to enumerate 28
**envahir** to invade 34
**enveloppe,** *f.* envelope 11d
**envers,** *prep.* towards 31
**envie,** *f.* desire
*envisager* to envisage, imagine
**envoi,** *m.* shipment
**envoyer** to send 26
**épais, -se** thick 24
**épanouissement,** *m.* blooming
**épatant, -e** swell (*slang*) 20d
**épaule,** *f.* shoulder
*épée, f.* sword

**épicier,** *m.* grocer 16
**épine,** *f.* thorn 25
**épique,** *adj.* epic
**épître,** *f.* epistle 32
**époque,** *f.* period, time 27
**épouser** to marry, wed 26
**époux, épouse,** *m. & f.* husband, wife *les deux époux,* the married couple, husband and wife 40
**éprouver** to feel 30
**épuisement,** *m.* exhaustion
**épuiser** to exhaust
**épuration,** *f.* purge
*équatorial, -e* [ekwa-] equatorial
**équilibrer** to balance
**équipe,** *f.* team *esprit d'équipe,* teamwork
*équiper* to equip
**équivaloir** to be equivalent
**ère,** *f.* era
**erreur,** *f.* error, mistake 13d
**érudit, -e** erudite *un érudit,* a scholar 29
**escalier,** *m.* staircase 12d
**escrime,** *f.* fencing 31
**espace,** *m.* space
**Espagne,** *f.* Spain 37
**espagnol, -e** Spanish 33
**espèce,** *f.* kind, species 40
**espérer** to hope
**espoir,** *m.* hope 28
**esprit,** *m.* mind 28, spirit 35, wit 36 *un bel esprit,* a wit 31
**essai,** *m.* essay 36, attempt
**essayer** to try 12d, 13
**essence,** *f.* gasoline 9
**essentiel, -le** essential *l'essentiel,* the important thing
**essentiellement,** *adv.* essentially 34
**essuyer** to wipe
**est,** *m.* east 21
**estimer** to estimate, be of the opinion that
**estomac,** *m.* stomach
**estuaire,** *m.* estuary 21
**estudiantin, -e** student 35
**et,** *conj.* and 1
**établir** to establish 32, prove
**étaler** to spread out 39
**étang,** *m.* pond 19
**étape,** *f.* stage
**état,** *m.* state 19, profession, trade 31 *l'État,* the government 19 *officier d'état civil,* mayor (etc.) acting as registrar 40 *remettre en état,* to re-

pair   *les États-Unis,* the United States 17

état-major, *m.* general staff 39

été, *m.* summer 19

été See *être*

éteindre to extinguish

**étendre** to stretch 8d   *s'étendre,* to extend 22, stretch out 8d

éterniser (s') to last forever 14

ethnologique, *adj.* ethnological 37

étiquette, *f.* label

étoile, *f.* star 22

étonnement, *m.* astonishment 12d

étonner to astonish 6   *s'étonner de,* to be astonished at 12

étouffer to stifle

étranger, étrangère foreign 11

être to be 1   *soyez* (*imperative*), be 5d   *nous sommes deux,* there are two of us 14d   *si ce n'est,* except for 24

être, *m.* being 40

étroit, -e narrow

étudiant, -e, *m. & f.* student 11

étudier to study 7

eu See *avoir*

*Europe,* f. Europe 21

européen, -ne European 37

évader (s') to escape

évaluer to evaluate

évanouir (s') to faint

événement, *m.* [evɛnmã] event

évêque, *m.* bishop 28

évidemment, *adv.* obviously, evidently 19d, 29

éviter to avoid

évoluer to evolve

*évolution,* f. evolution 34

évoquer to evoke 29

exactement, *adv.* exactly 20

examen, *m.* examination 36

*examiner* to examine

*excellent,* -e excellent 20

excepté, *prep.,* except 4

exception, *f.* exception   *à l'exception de,* with the exception of 24

excursion, *f.* excursion 9

excuser to excuse 17d   *s'excuser,* to apologize 36

exécutif, -ve executive

exemplaire, *adj.* exemplary 26

exemple, *m.* example   *par exemple,* for example 16d, 19

exercer to exercise 28

exiger to demand, insist, require 28

*exiler* to exile 32

existence, *f.* existence 35

**exister** to exist 23

*expédient,* m. expedient

expédier to dispatch, expedite 28

*expérience,* f. experience, experiment 32

*expérimental,* -e experimental 32

explication, *f.* explanation 14

expliquer to explain 10

explorer to explore 20

exposition, *f.* exposition, exhibition 35

exprès, *adv.* intentionally

*expression,* f. expression 22

exprimer to express 38

*extérieur,* m. exterior 24

externe, *m.* day pupil 4

extrait, *m.* extract 40   *extrait de naissance,* birth certificate

extraordinaire, *adj.* extraordinary 15

*extrême,* adj. extreme

extrêmement, *adv.* extremely 20

*extrémité,* f. extremity 30

façade, *f.* façade, front of building 22

face, *f. en face de,* opposite 3

fâcher (se) to get angry

facile, *adj.* easy 9d

facilement, *adv.* easily 8

façon, *f.* manner, way 14   *d'une façon ou d'une autre,* in one way or another

facteur, *m.* factor, postman

faculté, *f.* faculty (subdivision of university) 35

faible, *adj.* weak

faiblesse, *f.* weakness

faillir to fail   *elle a failli tomber,* she nearly fell 18

faillite, *f.* failure

faim, *f.* hunger 26

faire to make, do 5   *fait, past part.* 9d   *il fait beau,* the weather is fine 9   *c'en est fait de,* it is all up with 27   *faire très bien,* to look fine   *se faire une idée,* to get an idea 21 (il fait 12d, ils font 9, il ferait 9) See also § 56, B, 2, c.

fait, *m.* fact 21   *en fait de,* as regards 25   *au fait,* by the way

falloir to be necessary   *il faut du beurre,* butter is needed 6d (il fallait 8, il faudra 8d, 11, il a fallu 14)

famille, *f.* family 6

fanatisme, *m.* fanaticism 32

fastidieux, -se tedious 29

*fatiguer* to fatigue, tire 29

faubourg, *m.* suburb 23

**faute**, *f.* fault, mistake *c'est de sa faute*, it is his fault 14 *la faute en est au capitaliste*, the fault is the capitalist's

**fauteuil**, *m.* armchair 3 *fauteuil d'orchestre*, orchestra seat 7

**faux**, fausse false 37 *un faux numéro*, a wrong number 17d

*favorable*, *adj.* favorable 9

féerique, *adj.* fairy-like 25

**femme**, *f.* woman 26

fenêtre, *f.* window 2

féodal, -e feudal 37

fer, *m.* iron 28

**ferme**, *f.* farm 19

**fermer** to close 12d, 35

fermeture, *f.* closing 12d

*férocité*, *f.* ferocity

fête, *f.* festival, party, birthday

feu, *m.* fire

feu, -e late 26 *feu le roi*, the late king 26

**feuille**, *f.* leaf 22, piece of paper

février, *m.* February

fiançailles, *f. pl.* engagement 40

fiacre, *m.* cab 31

fiche, *f.* slip, filing card 8

**fidèle**, *adj.* faithful

fier [fjɛr], fière proud

**fille**, *f.* girl 1, daughter 26 *jeune fille*, girl 9

**fils**, *m.* son 26

**fin**, *f.* end 25 *en fin de compte*, in the end

finalement, *adv.* finally 10

finesse, *f.* shrewdness 38

**finir** to finish 4 *finir par*, to do something finally 8 *cela n'en finit pas*, there is never an end to it 33

flamand, -e Flemish 33

flamme, *f.* flame 28

Flandre, *f.* Flanders 34

flèche, *f.* arrow 18

fleur, *f.* flower 13

fleuve, *m.* river 21

floraison, *f.* flourishing 34

flotte, *f.* fleet

**foi**, *f.* faith 32

**fois**, *f.* time *une fois*, once *une fois que*, once 5 *à la fois*, at the same time 13d, both

**fonction**, *f.* function 40

fonctionnaire, *m.* civil servant

fonctionner to function 13

**fond**, *m.* bottom, end 13, basis *au fond*, in the back 14d, in the background 22, basically

fondamental, -e fundamental

fondation, *f.* foundation

fondement, *m.* foundation 32

fonder to found 24

fondre to melt

fontaine, *f.* fountain 22

*force*, *f.* force, strength *la force des choses*, the force of circumstances *force leur fut de*, they had no alternative but to 27 *avoir force légale*, to be legal 40 *à force de*, by dint of *de force*, forcibly 26

forcément, *adv.* necessarily

*forcer* to force 28

forêt, *f.* forest 9

*formation*, *f.* formation 37

forme, *f.* form 22

*former* to form 22

formule, *f.* formula

**fort**, -e strong, bad 8, capable

**fort**, *adv.* hard 8d, very 31, very much 40 *fort de son expérience*, convinced by his experience

forteresse, *f.* fortress 25

*fortif*, *f.* Slang for *fortification* 23

*fortification*, *f.* fortification 23

fortifier to fortify 25

*fortune*, *f.* fortune 19d, 32

fortuné, -e well-to-do 39

fossé, *m.* ditch, moat

fou, fol, folle mad 18

foule, *f.* crowd 32

four, *m.* oven 39 *petits fours*, fancy cakes 13

fourchette, *f.* fork 6

fournir to furnish *fournir quelque chose à quelqu'un*, to supply someone with something 19

fourvoyer to mislead *se fourvoyer*, to stick one's nose 11

*fragment*, *m.* fragment 36

frais, fraîche fresh 16d

frais, *m. pl.* expenses 19

*franc*, *m.* franc 5 *Franc*, Frank 24

franc, franche frank

français, -e French 1

franchir to cross (over) 30

franco-suisse, *adj.* Franco-Swiss 32

**frapper** to strike 21, knock 32

*fraternité*, *f.* fraternity 31

*fréquent, -e* frequent 16
*fréquenter* to frequent 11d, 31
**frère,** *m.* brother 1
fresque, *f.* fresco 29
friction, *f.* scalp massage 15
frigidaire, *m.* electric ice box 16
frire to fry *frit, past part.,* fried 14
  *frites,* French fried potatoes 14d
**froid, -e** cold 37
**fromage,** *m.* cheese 6d, 19
**front,** *m.* front, forehead
**frontière,** *f.* frontier 32
*fruit, m.* fruit *des fruits,* fruit 6d
fruitier, *m.* green grocer 16
fugitif, -ve fugitive 26
**fuir** to flee 27 (il fuyait 27)
**fumer** to smoke
**furieux, -se** furious 28
**fusil,** *m.* rifle
fusiller to shoot (someone) 39
**futur, -e** future 32


gaffe, *f.* boner 12d
**gagner** to gain, earn, win *se laisser gagner,* to let oneself be caught up 30
galerie, *f.* gallery, hall 33
Gallois, *m.* Welshman 38
**gallo-romain, -e** Gallo-Roman 24
galon, *m.* braid, stripe 39
**gant,** *m.* glove 11
garagiste, *m.* garage man 9d
**garçon,** *m.* boy 1, waiter 14, young man 40 *garçon de cabine,* steward 13d, 20
**garder** to keep 10d *garder à vue,* to keep a close watch on 28
**gare,** *f.* station 18
**gâteau,** *m.* cake
**gâter** to spoil 25
**gauche,** *f.* left *à gauche,* on the left 2
Gaule, *f.* Gaul 37
gaulois, -e Gallic 24 *Gaulois, m.,* Gaul 37
**gaz,** *m.* gas
**geler** to freeze
**gêner** to cramp, embarrass, hinder, obstruct 12d *gênant, pres. part.,* embarrassing 17
*général, m.* general 35
généralement, *adv.* generally 24
Genève, *f.* Geneva 32
**génie,** *m.* genius *avoir le génie de,* to have a genius for 30

**genou,** *m.* knee
**genre,** *m.* kind 36 *dans le genre de,* like
**gens,** *m. pl.* people 10
**gentil, -le** nice 11d, gentle 27
gentilhomme, *m.* gentleman 30
*géographie, f.* geography 21
*géographique, adj.* geographical 23
*géométrique, adj.* geometrical 22
gérer to manage 40
*germanique, adj.* Germanic 37
germanisation, *f.* Germanizing 38
*Gestapo, f.* [gɛstapo] Gestapo (German secret police)
**geste,** *m.* gesture
gisement, *m.* deposit
**glace,** *f.* mirror 3, ice
**glisser** to slide
**glorieux, -se** glorious
gomme, *f.* eraser 5
**gonfler** (se) to swell
gonio, *m.* slang for *goniomètre* (goniometer) *voiture gonio,* radio-detector car 39
**gorge,** *f.* throat
*gothique, adj.* Gothic 33
**goût,** *m.* taste 16d, 22 *prendre goût à,* to develop a taste for 32
**gouvernement,** *m.* government 31
**gouvernemental, -e** governmental
**gouverner** to govern 32
gouverneur, *m.* governor 28
**grâce,** *f. grâce à,* thanks to 21 *rentrer en grâce,* to return to favor 32
**gracieux, -se** graceful 29
grade, *m.* degree, rank 39
**grand, -e** big 2, tall 37, great
**grandeur,** *f.* grandeur, greatness 34
*grandiose, adj.* grandiose 30
**grand'mère,** *f.* grandmother 3d
grange, *f.* barn 19
*grave, adj.* grave, serious
grec, -que Greek 22
Grèce, *f.* Greece 21
**gréco-romain, -e** Greco-Roman 34
grenier, *m.* garret 29
grièvement, *adv.* seriously 27
grille, *f.* iron gate 30
**gris, -e** grey
**gros, -se** big 40
*grotesque, adj.* grotesque 33
**groupe,** *m.* group 38
groupement, *m.* group 37
*grouper* to group
**guère,** *adv. ne . . . guère,* hardly 19

guérir to cure 28
guerre, *f.* war 26
guerrier, *m.* warrior 37
guichet, *m.* ticket window 7
*guider* to guide 32
Guyane, *f.* Guiana

habiller to dress *habillé, past part.,* smart 11 *s'habiller,* to dress 39
habitant, *m.* inhabitant 18
*habitation, f.* habitation, dwelling 19d
habiter to live 4, inhabit 11d
habitude, *f.* habit 14 *comme d'habitude,* as usual 15 *prendre l'habitude,* to form the habit 40
habituel, -le habitual, customary 31
habituer to accustom 14
haine, *f.* (*asp. h*) hate
haïr (*asp. h*) to hate
hangar, *m.* (*asp. h*) shed 29
haricot, *m.* (*asp. h*) bean *haricot vert,* string bean 14
*harmonie, f.* harmony 30
harmonieux, -se harmonious 30
harnais, *m.* (*asp. h*) harness, armor 24
hasard, *m.* (*asp. h*) chance *par hasard,* by chance 40
hâter (se) (*asp. h*) to hasten 29
haut, -e (*asp. h*) high 11d, 25 *haut, adv.,* loudly
hautain, -e (*asp. h*) haughty 30
hautement, *adv.* (*asp. h*) highly, loudly 28
hauteur, *f.* (*asp. h*) height 25 *être à la hauteur,* to be equal to something 35
hélas, *interj.* alas 3d, 18
héler (*asp. h*) to hail 39
herbe, *f.* grass
héréditaire, *adj.* hereditary
*hérétique, m.* heretic 28
hériter to inherit 32
*hermétique, adj.* hermetic, air-tight 20
héroïque, *adj.* heroic
héros, *m.* (*asp. h*) hero
*hésitation, f.* hesitation
*hésiter* to hesitate 28
heure, *f.* hour *une heure,* one o'clock 4 *tout à l'heure,* presently 33, just now
heureusement, *adv.* luckily 19, 36
heureux, -se happy 13d, 32, fortunate
heurter (*asp. h*) *se heurter à,* to run into
hier, *adv.* yesterday

hi~toire, *f.* history 5d, 21, story
historiographe, *m.* historiographer 32
historique, *adj.* historical 19
historiquement, *adv.* historically
hiver, *m.* winter
homard, *m.* (*asp. h*) lobster 14d
homme, *m.* man 13d, 26
honnête, *adj.* honest 26
honneur, *m.* honor *en l'honneur de,* in honor of 11
*honorer* to honor 30
honte, *f.* (*asp. h*) shame 40
hôpital, *m.* hospital
*horizon, m.* horizon *à l'horizon,* on the horizon
hors de, *prep. phr.* (*asp. h*) outside
hors-d'œuvre, *m. invar.* (*asp. h*) relish 14
*hospitalité, f.* hospitality 32
*hostile, adj.* hostile 26
hôtel, *m.* hotel, mansion 25 *hôtel de ville,* city hall 29
huile, *f.* oil 9
huit, *adj.* (*asp. h*) eight 4
humain, -e human
*hygiène, f.* hygiene 29

ici, *adv.* here 1d *d'ici quelques minutes,* a few minutes from now 18d
*idéal, -e* ideal 34
idéaliste, *adj.* idealistic *idéaliste, m. & f.,* idealist 39
idée, *f.* idea 9 *se faire une idée,* to get an idea
identifier to identify 39
*idéologie, f.* ideology
*idéologique, adj.* ideological
idole, *f.* idol 32
ignorer not to know 18
il, *pro.* he, it 2
île, *f.* isle, island 23
ils, *pro.* they 1
image, *f.* picture
imaginaire, *adj.* imaginary 39
imiter to imitate 22
immédiat, -e immediate
immédiatement, *adv.* immediately 32
*immense, adj.* immense 25
immeuble, *m.* building 1
immuable, *adj.* immutable 40
impatienter (s') to lose patience 14
*impeccable, adj.* impeccable 36
*impertinence, f.* impertinence 31
*impiété, f.* impiety 28

**importer** to be of importance, import *n'importe quel,* any . . . whatever 30

*imposer* to impose 37 *imposer à,* to impose on 38

impôt, *m.* tax

imprenable, *adj.* impregnable 28

*impression,* f. impression 11d, 20

impressionnant, -e impressive 33

impressionniste, *adj.* impressionistic, impressionist 34

imprimer to print

impuissance, *f.* impotence

impuissant, -e powerless, impotent

*inaccessible, adj.* inaccessible 37

inaugurer to inaugurate

incapacité, *f.* inability

incendier to set fire to, burn

incertitude, *f.* uncertainty 28

*incident, m.* incident 40

incliner to incline *s'incliner,* to give in 14d, lean

inconcevable, *adj.* inconceivable 35

**inconnu, -e** unknown 31

incorporer to incorporate

incroyable, *adj.* unbelievable 25

inculpé, *m.* accused

indéfrisable, *m.* permanent wave 15

indéniable, *adj.* undeniable

**indépendant, -e** independent 32

*indication,* f. indication 12

indice, *m.* indication

*indigestion,* f. indigestion 8d

*indignité,* indignity 28

**indiquer** to indicate *comme il était indiqué,* as the sign said 8

indiscrètement, *adv.* indiscreetly 29

*indispensable, adj.* indispensable 35

**individu,** *m.* individual

*individualisme, m.* individualism

individualiste, *adj.* individualistic 40 *individualiste, m.,* individualist

*individualité,* f. individuality

individuel, -le individual

individuellement, *adv.* individually

Indo-Chine, *f.* Indo-China 39

*industrie,* f. industry

**industriel, -le** industrial 34 *industriel, m.* industrialist

inévitablement, *adv.* inevitably 40

infâme, *adj.* infamous 26

infanterie, *f.* infantry

*inférieur, -e* inferior 37

infiltrer (s') to infiltrate 37

infirmière, *f.* nurse 8

*influence,* f. influence 38

infructueux, -se fruitless 40

ingénieur, *m.* engineer 22

*ingratitude,* f. ingratitude 32

*inhérent, -e* inherent

injure, *f.* insult 27

innombrable, *adj.* innumerable 13

inoxydable, *adj.* unoxidizable *acier inoxydable,* stainless steel 30

**inquiéter** (s') to worry 40

inscrire to inscribe **inscrire un nom sur une fiche,** to write a name on a slip 8 *s'inscrire à,* to enrol in 35

*insister* to insist *insister pour faire,* to insist on doing 28

inspecteur, *m.* inspector

*inspirer* to inspire 35

*instabilité,* f. instability

*installer* to install 3d

*instant, m.* instant, moment 5d

instituer to institute 37

instituteur, *m.* school teacher

**instruire** to educate *instruit, past part.* 38

insu, *m. à l'insu de,* without the knowledge of 36

*insulter* to insult 31

intellectuel, -le intellectual 32

*intelligent, -e* intelligent 31

*intention,* f. intention 35

interdire to forbid *interdit, past part.* 20

**intéressant, -e** interesting 24

**intéresser** to interest *s'intéresser à,* to be interested in

**intérêt,** *m.* interest 29

*intérieur, m.* interior 11d, 30 *à l'intérieur de,* inside

intérieurement, *adv.* inwardly 16

intermédiaire, *adj.* intermediary *par l'intermédiaire de,* through

*interminable, adj.* interminable 16d

*international, -e* international 35

interne, *m.* boarder (in school) 4, intern

**interroger** to examine, question 21

**interrompre** to interrupt 25

intervenir to intervene

*intervention,* f. intervention 26

**intime,** *adj.* intimate

intimider to intimidate 26

intrus, -e intruding 30

**inutile,** *adj.* useless 17, needless 36

invalide, *m.* invalid 20d

*invasion,* f. invasion 37

*inventer* to invent 24
inventeur, *m.* inventor
*invention,* f. invention 25
*invitation,* f. invitation 11d
*inviter* to invite 6    *invité, -e, m. & f.,* guest 13
Irlandais, *m.* Irishman 38
*ironie,* f. irony 32
ironique, *adj.* ironical 32
irréligieux, -se irreligious 31
issu, -e descended 38
*Italie,* f. Italy 21
italien, -ne Italian 33

jamais, *adv.* ever    *ne . . . jamais,* never 8d
jambe, f. leg    *à toutes jambes,* at full speed 39
janvier, *m.* January
jardin, *m.* garden 1
jaune, *adj.* yellow
Jésuite, *m.* Jesuit 31
jet, *m. jet d'eau,* fountain 13
jeter to throw, lay 32    *se jeter,* to empty 21
jeton, *m.* token 17
jeu, *m.* game    *entrer en jeu,* to become a factor 26
jeudi, *m.* Thursday 4
jeune, *adj.* young 2
jeunesse, f. youth, young people 31
joie, f. joy
joindre to join    *ci-joint, -e* attached 29
joli, -e pretty 11
jouer to play 7
joug, *m.* yoke 38
jouir *jouir de,* to enjoy
jour, *m.* day    *tous les jours,* every day 4    *Jour J,* D Day 39
journal, *m.* newspaper 15
journée, f. day 18
judiciaire, *adj.* judicial
juge, *m.* judge
juillet, *m.* July
juin, *m.* June
juridiction, f. jurisdiction
juridique, *adj.* juridical 28
jusque, *prep. jusqu'à,* as far as 7, up to 22, to the point of 25    *jusque-là,* until then 14    *jusqu'ici,* until now
justement, *adv.* precisely 3d
justice, f. justice, law    *palais de justice,* law courts 25

kaki, *adj. invar.* khaki 39
képi, *m.* garrison cap 39

la, *adj.* f. the 1
là, *adv.* there 5
là-bas, *adv.* yonder, over there 8d, 35
laboratoire, *m.* laboratory
laboureur, *m.* tillage farmer 26
lâchement, *adv.* in a cowardly manner 28
laid, -e ugly
laisser to leave 16, allow 30 *laisser à désirer,* to be wanting
lait, *m.* milk 14d, 19
laitier, *m.* milkman 16
lambris, *m.* wainscoting 13
lancer to throw, launch 39    *se lancer,* to launch 14
langouste, f. spiny lobster 14
langue, f. tongue, language 8    *mauvaise langue,* mischief-maker 32
lapin, *m.* rabbit
laps, *m.* lapse 36
large, *adj.* broad 34
latin, -e Latin 23    *latin, m.,* Latin language 23
lavande, f. lavender 38
laver to wash    *se laver,* to wash
leçon, f. lesson 20
lecture, f. reading 30
*légal, -e* legal 40
*légalité,* f. legality 28
légende, f. legend 38
léger, légère light, slight
législatif, -ve legislative
légitime, *adj.* legitimate 26
légitimité, f. legitimacy 26
légume, *m.* vegetable 6
lendemain, *m.* the next day 20
lent, -e slow 12d
lenteur, f. slowness 14
lequel, laquelle, lesquels, lesquelles which
les, *adj. pl.* the 1
lettre, f. letter 8d, 25
leur, *poss. adj.* their 4    *leur, pro.,* to them
lever to raise 27    *se lever,* to get up *le lever,* levee (of sovereign) 30
liaison, f. link
*libéral, -e* liberal
*libération,* f. liberation 39
libérer to liberate 38
*liberté,* f. liberty 20

libertin, -e libertine 31
libraire, *m.* bookseller 32
librairie, *f.* bookstore 36
libre, *adj.* free 13d
librement, *adv.* freely 27
licence, *f.* licence (equivalent to master's degree) 35 *faire une licence,* to take a licence 36
lier to bind 40, link, tie *lier connaissance avec,* to strike up an acquaintance with 40 *lier conversation,* to start a conversation 40
lieu, *m.* place *au lieu de,* instead of 20d, 30 *avoir lieu,* to take place 40 *donner lieu,* to give rise to 40 *s'il y a lieu,* if need be
ligne, *f.* line 12 *grande ligne,* main line 18
Lillois, *m.* inhabitant of Lille 37
limite, *f.* limit 23
*linguistique, adj.* linguistic
lire to read 8d *lu, past part.* 30 (il lit 15, il lisait 12)
liste, *f.* list 13
lit, *m.* bed 3
litre, *m.* litre (1.0567 quarts) 9d
littéraire, *adj.* literary 32
littérature, *f.* literature 34
livraison, *f.* delivery
livre, *m.* book 3
livre, *f.* pound 32
livrer to deliver 28
livret, *m.* handbook 35
location, *f.* renting 7
loge, *f.* box (in theatre) 7
loger to lodge 20, house
logique, *adj.* logical *logique, f.,* logic
loi, *f.* law 34
loin, *adv.* far *plus loin,* farther (on) 9 *de loin,* from far off 31 *il y a loin de,* it is a far cry from 25
lointain, -e distant 19
Londres, *m.* London 39
long, -ue long 13 *le long de,* along 22
longtemps, *adv.* long, a long time 9d, 14 *il y a longtemps que je ne vous ai vu,* it has been a long time since I saw you 19d
lorsque, *conj.* when 14
louer to rent *louer une place,* to book a seat, buy a (theatre) ticket 7
loup, *m.* wolf 26
lourd, -e heavy 16
lourdeur, *f.* heaviness 25
*loyal, -e* loyal

lui, *pro.* to him, to her 5 *lui-même,* himself 26
lumière, *f.* light
lundi, *m.* Monday
lune, *f.* moon 39
lutte, *f.* struggle
luxe, *m.* luxury *de luxe,* high class, expensive 40
lycée, *m.* Lyceum (secondary school) 4
lycéen, *m.* Lyceum pupil 36

ma See *mon*
*machine, f.* machine 10d
madame, *f.* madame 2d, Mrs.
mademoiselle, *f.* miss 5d, young lady 13d *mesdemoiselles, pl.* 13d
magasin, *m.* store
magicien, -ne, *m. & f.* magician 28
magnifique, *adj.* magnificent 20d, 33
mai, *m.* May
main, *f.* hand 13 *à la main,* in his hand 13
maintenant, *adv.* now 8d, 21
maire, *m.* mayor 39
mairie, *f.* town hall 40
mais, *adv.* but 3d
maison, *f.* house 1 *à la maison,* at home 2
maître, *m.* master *maître d'hôtel,* butler, head waiter 13
*majorité, f.* majority
mal, *adv.* badly 40
mal, *m.* evil, hurt 8 *le mal de l'air,* airsickness 20 *il a mal à la tête,* his head hurts
malade, *adj.* sick, ill 30
maladie, *f.* illness 8d
malaise, *m.* uneasiness, discomfort 20d
malchance, *f. par malchance,* as ill luck would have it 39
malgré, *prep.* in spite of 12d *malgré tout,* in spite of everything 21
malheureusement, *adv.* unfortunately 10
malheureux, -se unfortunate 19d, 26, unhappy
malle, *f.* trunk *malle-arrière,* luggage compartment 9d
maman, *f.* mother 11d
manche, *f.* sleeve 15d *la Manche,* the English Channel 20
manger to eat 2
manière, *f.* manner

manifeste, *adj.* manifest
*manifester* to manifest 34
manque, *m.* lack 31
**manquer** to miss 5d, to be lacking 26
*manquer de,* to lack 23 *manquer
de + infinitive,* almost to 24 *ne
manquez pas de,* do not fail to 25
*quelque chose manque à quelqu'un,*
somebody lacks something 34
manufacture, *f.* manufacture, manu-
factory
manuscrit, *m.* manuscript 29
maquis, *m.* bush, underground *prendre le maquis,* to take to the maquis
maquisard, *m.* member of underground 39
marais, *m.* marsh 23
**marchand**, *m.* merchant 16
**marchandise**, *f.* merchandise
**marche**, *f.* walking, march, running
*mettre en marche,* to start 9d
marché, *m.* market 16, bargain 40
*meilleur marché,* cheaper 7d *faire
marché,* negotiate 40
mardi, *m.* Tuesday
maréchal, *m.* marshal
marge, *f.* margin *en marge de,* on the
fringe of, just outside 35
mari, *m.* husband 19
**mariage**, *m.* marriage 40
**marier** to marry 26
*maritime, adj.* maritime
Maroc, *m.* Morocco
**marque**, *f.* mark
mars, *m.* March
*martyr, m.* martyr 31
masse, *f.* mass
massif, *m.* clump (of shrubs) 22
matérialiste, *adj.* materialistic 32
**matériel**, *m.* equipment 39
matériel, -le material
mathématicien, *m.* mathematician
matière, *f.* material, subject 35
**matin**, *m.* morning 9 *de bon matin,*
early 20
**matinée**, *f.* morning, matinee 7d
maudire to rave at, curse 16
mauvais, -e bad 32
mécanique, *adj.* mechanical 10 *mécanique, f.* mechanics
**médecin**, *m.* doctor 8
*médiéval, -e* medieval 35
Méditerranée, *f.* Mediterranean 21
méditerranéen, -ne Mediterranean 21
méfiance, *f.* mistrust 31

méfier (se) to be suspicious of, to mistrust
**meilleur, -e** better 7d, best 39
**mélange**, *m.* mixture 37
mélanger to mix 37
mêler to mix
**membre**, *m.* member 13d, 32
**même**, *adj.* same 4d, 24 *même, adv.,*
even 4 *de même,* likewise 40
*tout de même,* just the same 10d
*être à même de faire quelque chose,*
to be in a position to do something
*quand même,* just the same
*mémoire, f.* memory
*mémorable, adj.* memorable 37
**menace**, *f.* menace, threat 28
**menacer** to threaten 14
**mener** to lead 13 *mener à bien,* to
carry out 26
mensonge, *m.* lie
*mentalité, f.* mentality 30
mentionner to mention
mentir to lie
menu, *m.* menu 14
menuisier, *m.* joiner 29
mer, *f.* sea 20
*mercantilisme, m.* mercantilism 40
**merci**, *interj.* thank you 2d, no thank
you 16d
**mercredi**, *m.* Wednesday
**mère**, *f.* mother 16
méridional, -e southern 37
mérovingien, -ne Merovingian 24
*message, m.* message 39
messageries, *f. pl.* transport
**mesure**, *f.* measure 13 *à mesure que,*
in the measure that, as
métayer, *m.* share-cropper 19
**méthode**, *f.* method 32
métier, *m.* trade
métro, *m.* subway 12
**métropole**, *f.* metropolis 23
métropolitain, -e metropolitan
**mettre** to put 6, put on 11 *mis, past
part.,* put, placed, set 6 *mettre un
certain temps à,* to take a certain
time to 40 *se mettre à,* to begin 6
*se mettre à table,* to sit down to
table 6 *se mettre en route,* to set
out 9 (il met 11, ils mettent 6d, mets
11d)
**meuble**, *m.* piece of furniture
Michel, *m.* Michael 26
*Michel-Ange,* Michelangelo 34
**midi**, *m.* noon 4 *Midi,* south

**mien (le), la mienne, les miens, les miennes** mine
**mieux,** *adv.* better 10 *aimer mieux,* to prefer 16d *il ne demande pas mieux,* he asks nothing better 19d
**mignon, -ne** dainty 13
**migraine,** *f.* headache 8
**milicien,** *m.* militiaman
**milieu,** *m.* middle 17
**militaire,** *adj.* military 22 *militaire, m.,* army man 39, soldier
**militairement,** *adv.* militarily
**mille,** *adj. invar.* thousand
**millier,** *m.* about a thousand
*mine, f.* mine
**ministère,** *m.* ministry, governmental department
**ministre,** *m.* minister
**minuit,** *m.* midnight 20
*minute, f.* minute 17d
*miracle, m.* miracle 26
*mission, f.* mission 26
**mi-voix (à),** *adv. phr.* in an undertone 40
**mixte,** *adj.* mixed, coeducational 4d
**mode,** *f.* style
**modèle,** *m.* model 34
**moderne,** *adj.* modern 3d, 22
**modifier** to modify 26
**mœurs,** *f. pl.* morals, manners 31
**moi,** *pro.* me, I 4d
**moindre,** *adj.* least
**moins,** *adv.* less, least 7 *au moins,* at least 13d
**mois,** *m.* month 22
**moitié,** *f.* half 23
*moment, m.* moment *à tout moment,* constantly 12 *en ce moment,* right now 19d *du moment que,* the moment that 29
**mon, ma, mes,** *adj.* my
**monarchie,** *f.* monarchy
**monarque,** *m.* monarch
**monde,** *m.* world 26 *tout le monde,* everybody 6
**mondial, -e** world-wide, of the world 34 *guerre mondiale,* world war
**monnaie,** *f.* change 5d
**monopole,** *m.* monopoly
**monsieur,** *m.* mister, sir 2d, 5 *messieurs, pl.,* gentlemen 14d
**mont,** *m.* mount
**montagne,** *f.* mountain 21
**monter** to go up 2d, get on 10 *monter dans,* to get on 10

**montre,** *f.* watch
**montrer** to show 12
**monument,** *m.* monument, public or historic building *monument historique,* national monument 19
**moquer (se)** to make fun
*moral, -e* moral *moral, m.,* morale
**moralement,** *adv.* morally 31
**morceau,** *m.* piece 6
**mort** See *mourir*
**mort,** *f.* death 26
**mot,** *m.* word 11
**moteur,** *m.* motor 9
**mourir** to die 26 (il mourut 28) *mort, past part.* 25
*moustache, f.* moustache *moustaches, pl.,* moustache 37
**mouvement,** *m.* movement
**moyen, -ne** average *moyen, m.,* means 20
**moyenâgeux, -se** medieval looking 18
**muet, -te** mute, dumb
*multiplicité, f.* multiplicity
*municipal, -e* municipal
**mur,** *m.* wall 24
**muraille,** *f.* high defensive wall, rampart
*mural, -e* mural 25
**musée,** *m.* museum 29
**musique,** *f.* music
**mutuel, -le** mutual
**mystère,** *m.* mystery 25
*mystérieux, -se* mysterious 36
*mysticisme, m.* mysticism 38
**mystique,** *adj.* mystical *mystique, m.,* mystic 26

**nager** to swim
**naïf, -ve** naive 26
**naissance,** *f.* birth 21
**naître** to be born *né, past part.* 31
*narcotique, m.* narcotic 39
**natal, -e** native
**natalité,** *f.* birth rate
*nation, f.* nation 34
*national, -e* national 22
*nativité, f.* nativity 28
*nature, f.* nature 34
**naturellement,** *adv.* naturally 20
**ne,** *adv.* See *pas*
**né** See *naître*
**néanmoins,** *adv.* nevertheless 29
**nécessaire,** *adj.* necessary 12d
**nécessairement,** *adv.* necessarily 10d

*nécessité*, *f.* necessity

nef, *f.* nave 25

neige, *f.* snow

négliger to neglect

néo-classique, *adj.* neo-classical 34

net, -te clean, clear 21

nettement, *adv.* clearly 23

nettoyer to clean 9d

neuf, *adj. invar.* nine

neuf, -ve new 18

nez, *m.* nose 37

ni, *conj. ni . . . ni,* neither . . . nor 13d, 16

niveau, *m.* level 9

*noble, adj.* noble 23

noblesse, *f.* nobility 31

noce, *f.* wedding *repas de noces,* wedding feast 40

Noël, *m.* Christmas *le père Noël,* Santa Claus 36

noir, -e black 37

nom, *m.* name 8 *au nom de,* in the name of

nombre, *m.* number 8

nombreux, -se numerous 32

nommer to name, appoint 32

non, *adv.* no 1d, not

nord, *m.* north 19

*nordique, adj.* Nordic 38

normalement, *adv.* normally 40

Normand, *m.* Norman 38

note, *f.* note, grade, mark *prendre note de,* to take note of 36

noter to take note of, mark 36

*notion, f.* notion 21

notre, nos, *adj.* our 6d

nourrir to nourish, board 20

nourriture, *f.* food 16

nous, *pro.* we, us

nouveau, nouvel, nouvelle, nouveaux, nouvelles new 3d, 21 *de nouveau,* again 31

nouvellement, *adv.* lately 39

novembre, *m.* November

noyer to drown

nu, -e naked 28

nuage, *m.* cloud 20

nuance, *f.* shading

nuit, *f.* night 20

nullement, *adv.* not at all

numériquement, *adv.* numerically 37

numéro, *m.* number 7d, copy (of periodical) 15

numéroter to number 10

nuque, *f.* nape of the neck 15

obéir to obey *obéir à quelqu'un,* to obey someone 27

obélisque, *m.* obelisk 22

objet, *m.* object

obligatoire, *adj.* obligatory, compulsory 7

*obliger* to oblige

observatoire, *m.* observatory 22

*observer* to observe 40

*obstacle, m.* obstacle 26

obtenir to obtain *obtenu, past part.,* obtained 7 (il obtint 32)

oc, *interj.* yes (Old French) 38

*occasion, f.* occasion, opportunity 11d, 28

occidental, -e western

*occupation, f.* occupation 39

occuper to occupy 17, to busy 17d *s'occuper de,* to take charge of, see about 16 *occupant, m.,* occupier

octobre, *m.* October

octroyer to bestow

*oculiste, m.* oculist 8

œil, *m.* (*pl.:* les yeux) eye 8d

œil-de-bœuf, *m.* bull's eye 30

œuf, *m.* egg

œuvre, *f.* work 22

officiel, -le official 23

officier, *m.* officer 30

offrir to offer *offert, past part.* 13

ogive, *f.* pointed arch 25

oignon, *m.* onion 14

oïl, *interj.* yes (Old French) 38

oiseau, *m.* bird 23

ombre, *f.* shade 30

omnibus, *m. train omnibus,* local train 18

on, *pro.* one 7

oncle, *m.* uncle 19

onde, *f.* wave

onze, *adj. invar.* eleven

*opéra, m.* opera 22

*opinion, f.* opinion

*opposer* to oppose *s'opposer à,* to be opposed to, oppose

*opposition, f.* opposition

opter *opter pour,* to decide in favor of 18

or, *conj.* now

or, *m.* gold 39

orage, *m.* storm

*oral, -e* oral 36

orchestre, *m.* orchestra 7

ordinaire, *adj.* ordinary

ordre, *m.* order 25

**oreille,** *f.* ear
*organisation,* *f.* organization 30
**organiser** to organize 11d, 40
**orgueil,** *m.* pride
*orientation,* *f.* orientation
orienter to orient 21
*original, -e* original 25
*originalité,* *f.* originality 33
**origine,** *f.* origin 34    *à l'origine,* in the beginning
Orléanais, -e, *m. & f.* inhabitant of Orléans 27
**orner** to decorate 39
**os,** *m.* [ɔs; *pl.* o] bone
**oser** to dare 11
**ou,** *conj.* or 3
**où,** *adv.* where 1
**oublier** to forget 7
**ouest,** *m.* west 22
**oui,** *adv.* yes 1d
**outre,** *prep.* beyond    *outre-Rhin,* beyond the Rhine 21    *outre-mer (d')* overseas
ouvreuse, *f.* usher 7
**ouvrier, ouvrière,** *m. & f.* worker
**ouvrir** to open 2    *ouvert, past part.* 11d (il ouvre 2, il ouvrit 27)

Pacifique, *m.* Pacific
*page,* *f.* page 29
païen, -ne pagan 38
**paille,** *f.* straw    *homme de paille,* puppet
**pain,** *m.* bread 6
**pair,** *m.* peer *au pair,* on mutual terms 20
**paisible,** *adj.* peaceful 23
**paix,** *f.* peace
**palais,** *m.* palace 16d, 22
*paléontologie,* *f.* paleontology
**panier,** *m.* basket 16
panne, *f.* *panne de moteur,* engine trouble 9
panneau, *m.* panel 12
papeterie, *f.* stationery shop 5
**papier,** *m.* paper 20d, 39
paquebot, *m.* steamer, liner 20d
**paquet,** *m.* package    *faire le paquet,* to wrap up the package 5
**par,** *prep.,* by 2
*parachuter* to parachute 39
paradoxe, *m.* paradox
**paraître** to appear 2d (il paraît 2d, il parut 32)

**parce que,** *conj.* because 3
**par-dessus,** *adv.* over,   above *pardessus le marché,* into the bargain 39
**pardessus,** *m.* overcoat
**pardon,** *m.* pardon 10d, I beg your pardon
**pareil, -le** like, such a 11, the same
*parent,* *m.* parent 4, relative
**parenthèse,** *f.* parenthesis   *entre parenthèses,* parenthetically 33
**parfait, -e** perfect 34  *c'est parfait,* that's fine 7d
**parfaitement,** *adv.* perfectly, exactly 15d, 28
**parfois,** *adv.* sometimes 26
**parisien, -ne** Parisian 9
parlement, *m.* parliament
**parlementaire,** *adj.* parliamentary
**parler** to speak   *sans parler de,* without mentioning 16
**parmi,** *prep.* among 27
paroi, *f.* wall 12
paroisse, *f.* parish 24
parsemé, -e sporadic
**part,** *f.* share   *prendre sa part de,* to share in 19d   *quelque part,* somewhere   *à part,* besides, aside from 26 *à part ça,* except for that 20
**partager** to share 21, divide
parterre, *m.* flower bed 13
**parti,** *m.* party 26   *tirer parti de,* to turn to account 28
**participer** to participate (*à:* in) 35
**particulier, -ière** private 1, special *particulier, m.,* private individual 19
**partie,** *f.* part 18   *faire partie de,* to be part of 21
**partir** to leave, go off 9 *à partir de,* beginning with 24 (il part 12d, il partait 12)
**partout,** *adv.* everywhere 26
**parvenir** to succeed 16   *parvenir à,* to succeed in 16, arrive at 21
parvis, *m.* parvis (square in front of a church) 24
**pas,** *m.* step
**pas,** *adv.* not 4d   *ne . . . pas,* not *pas du tout,* not at all 4d
*passage,* *m.* passage, passing 24 *être de passage,* to be passing through 32
**passé,** *m.* past 38
**passer** to pass 6   *passer son temps,* to spend one's time 20   *passer un exa-*

men, to take an examination 36
*passer à,* to go to 7d *se passer,* to
take place 20d *se passer de,* to do
without 16d *tout s'est bien passé,*
all went off well 20d *faire passer le
pain,* to pass the bread 6
*passion, f.* passion 25
passivement, *adv.* passively 38
*pâte, f.* paste *pâte dentifrice,* tooth
paste 3
*patient, -e* patient 5d
pâtissier, *m.* pastry-cook 16
patrie, *f.* native land
patriote, *m.* patriot
**patron,** *m.* owner
**pauvre,** *adj.* poor 24
*paver* to pave 13
pavillon, *m.* pavilion 29
*payer* to pay 17 *se payer quelque
chose,* to treat oneself to something
7d, afford
**pays,** *m.* country 21
paysagiste, *m.* landscape painter 34
**paysan, -ne,** *m. & f.* peasant 19d, 26
*pêche, f.* fishing 39
pêcheur, *m.* fisherman 38
peigne, *m.* comb 3
peignoir, *m.* dressing gown, smock
15d
**peindre** to paint 34 ( ils peignent 34)
peine, *f.* trouble 30 *à peine,* hardly 36
peintre, *m.* painter 34
peinture, *f.* painting 33
pelouse, *f.* lawn
pendant, *prep.* during 6 *pendant que,
conj.,* while 12d
pénétrer to penetrate *pénétré,* imbued 30
péniblement, *adv.* painfully 30
pensée, *f.* thought 36
penser to think 9 *vous pensez bien,*
you can well imagine 13d, 36 *penser à,* to think about *penser de,* to
have an opinion of
penseur, *m.* thinker
*pension, f.* pension 32
perdre to lose 26, ruin 28
père, *m.* father 8
*perfection, f.* perfection 25
perfectionner to perfect 34
périmé, -e out of date, outmoded
périmètre, *m.* perimeter 23
*période, f.* period 24
*permanent, -e* permanent
**permettre** to permit 6d *permis, past*

part., 25 *se permettre de,* to take
it upon oneself to 30
*permission, f.* permission 32, leave
*perpétuation, f.* perpetuation 40
personnage, *m.* character 33
personne, *f.* person, people (*in pl.*) 8
*ne . . . personne,* no one 13
personnel, -le personal *personnel, m.*
personnel
perspective, *f.* view 22, perspective 34
*persuader* to persuade 26
perte, *f.* loss
petit, -e little 1
petit-fils, *m.* grandson
pétrole, *m.* oil *roi du pétrole,* oil baron
30
peu, *adv.* little, scarcely 15 *peu à peu,*
little by little 30 *peu, m.* little 8d
*un peu* (with imperative), just 8d
peuple, *m.* people 21, common people
27
peur, *f.* fear 28
peut-être, *adv.* perhaps 9d, 21
philosophe, *m.* philosopher 32
*philosophie, f.* philosophy 32
*philosophique, adj.* philosophical 32
phrase, *f.* sentence 37
physique, *adj.* physical
pièce, *f.* play, room
pied, *m.* foot 9 *à pied,* on foot 9 *se
remettre sur pied,* to stand up again
pierre, *f.* stone 13
*piété, f.* piety 26
pincé, -e tight-lipped, priggish 40
pique-nique, *m.* picnic *faire un pique-
nique,* to picnic 9
pirate, *m.* pirate 38
pire, *adj. comp.* worse 26
piscine, *f.* swimming pool 35
pittoresque, *adj.* picturesque 29 *pittoresque, m.,* picturesqueness 23
place, *f.* place, space 3, seat, square 7
*place forte,* fortified place 28
placement, *m.* investment 32
*placer* to place 12, invest
plafond, *m.* ceiling
plage, *f.* beach
plaindre to pity *se plaindre,* to complain
plainte, *f.* complaint *porter plainte,*
to lodge a complaint 31
plaire to please 2d *plu, past part.
s'il vous plaît,* if you please 2d *se
plaire,* to enjoy oneself
plaisanter to joke

**plaisir,** *m.* pleasure *faire plaisir à quelqu'un,* to please someone 9

**plan,** *m.* diagram 7d, map 12, plan *premier plan,* foreground 30

**plante,** *f.* plant *Jardin des Plantes,* Botanical Garden 24

**plaque,** *f.* plate, tablet 8

**plat,** *m.* course 14

plate-bande, *f.* flower bed 22

**plein, -e** full 3 *faire le plein,* to fill up 9

**pleuvoir** to rain

**plomb,** *m.* lead

**plonger** to plunge 38, dive

**pluie,** *f.* rain

**plume,** *f.* pen 31, feather

**plupart,** *f.* *la plupart des,* most (of) 17

**plus,** *adv.* more, most 7d *non plus,* either, neither 11 *ne . . . plus,* no more, no longer 15d *de plus en plus,* more and more 16 *plus de,* no more 15d

**plusieurs,** *adv. invar.* several 9d, 19

**plutôt,** *adv.* rather 3

pneu, *m.* tire 9d

**pneumatique,** *m.* express letter 17

poêle, *f.* frying pan 16

**poésie,** *f.* poetry 34

**poète,** *m.* poet 31

*poétique, adj.* poetic 38

poinçonner to punch 12

**point,** *m.* point 24

*polémiste, m.* polemist 31

*police, f.* police 31

**politesse,** *f.* politeness

**politique,** *adj.* political *politique, f.* politics 19d, 26

politiquement, *adv.* politically

**pomme,** *f.* apple *pomme de terre,* potato 14

**pompeux, -se** pompous 34

**pont,** *m.* bridge

*populace, f.* populace 27

**populaire,** *adj.* popular, working-class 23

*population, f.* population 37

porcelaine, *f.* china

**porte,** *f.* door 2, gate 12 *porte cochère,* carriage gateway 29

**porter** to carry, wear 11, bear

portière, *f.* door (automobile, railway car) 18

portillon, *m.* wicket gate 12d

*portrait, m.* portrait 13

**poser,** put, lay *poser une question,* to ask a question

*possibilité, f.* possibility

*possible, adj.* possible 15d

*poste, m.* post, position 39 *poste d'essence,* gasoline station 9 *poste de T.S.F.,* radio set 39

**poste,** *f.* post (office)

postuler to postulate

**pot,** *m.* pot *pot à eau,* water pitcher 3

potage, *m.* soup 6

**potager, -ère** *jardin potager,* vegetable garden 19

**poteau,** *m.* post 10

potentiel, *m.* potential

poulailler, *m.* chicken house 19

**poule,** *f.* hen 19

**poupée,** *f.* doll

**pour,** *prep.* for 3, in order to 4, only to 23

**pourboire,** *m.* tip 7

**pourquoi,** *adv.* why 12d

**pourtant,** *adv.* nevertheless, however 25

pourtour, *m.* periphery 23

**pousser** to push 12d, impel, grow 15

**poussière,** *f.* dust 29

poussiéreux, -se dusty 18

**pouvoir** to be able *si l'on peut dire,* if one may say so 20 (je peux 7d, nous pouvons 12d, vous pouvez 8d, je pourrai 7d, il pouvait 10, je pourrais 15d, vous pourriez 9d, il a pu 16, ils pussent 27)

**pouvoir,** *m.* power 28 *au pouvoir,* in power

**pratique,** *adj.* practical *pratique, f.* practice 35

**pré,** *m.* meadow 24

**précaire,** *adj.* precarious

**précédent, -e** preceding 15

*précéder* to precede

**précipiter** (**se**) to dash 18

*précision, f.* precision *demander des précisions,* to ask for full particulars 28

*précurseur, m.* precursor 31

*préférence, f.* preference *de préférence,* preferably 24

*préférer* to prefer 6d, 16

préfet, *m.* prefect

*préhistorique, adj.* prehistoric 16d

prématuré, -e premature

**premier, -ère** first *au premier,* on the second floor 2

**prendre** to take *pris, past part.* 3 *prendre place,* to sit down 14d (ils prennent 9, prenez 3d)

**prénom,** *m.* first name 13

*préparer* to prepare

**près de,** *prep.* near 1 *à peu près,* nearly *de près,* closely

**prescrire** to prescribe 40

**présence,** *f.* attendance 36, presence

**présenter** to present 7, introduce 39 *se présenter,* to appear, to introduce oneself 40 *se présenter à un examen,* to sit for (take) an examination 19d

**présidence,** *f.* presidency

*président,* *m.* president *premier président,* chief justice 30 *président du conseil,* prime minister

**présider** to preside over 36

**presqu'île,** *f.* peninsula 38

**pressentir** to have a presentiment of 27

**presser** to press *pressé,* in a hurry 5d, 14

**pression,** *f.* pressure

**prêt, -e** ready 28

**prétendre** to claim *prétendu, past part.,* alleged 26

**prêter** to lend

**prétexte,** *m.* excuse *sous prétexte de,* on pretext of 32

**prêtre,** *m.* priest 27

**preuve,** *f.* proof 28

**prévenir** to warn 27

**prévoir** to foresee 39

**prier** to ask, beg, request 8, pray 28

**primitif, -ve** primitive 34

*prince,* *m.* prince 26

**principe,** *m.* principle 12d, 22 *en principe,* in principle 12d

**printemps,** *m.* spring 22

**pris** See *prendre*

*prison,* *f.* prison 28

**prisonnier, -ère,** *m. & f.* prisoner 28

**privé, -e** private

*privilège,* *m.* privilege 11

**privilégié, -e** privileged 21

**prix,** *m.* price 16d *à tout prix,* at any cost *à vil prix,* dirt cheap 19d

**probablement,** *adv.* probably 37

**problème,** *m.* problem 21

**procédé,** *m.* process, method 28

**procéder** *procéder à,* initiate

**procès,** *m.* trial 28, suit 40

*procession,* *f.* procession *faire une procession,* to organize a procession 27

**prochain, -e** next 7

**proclamer** to proclaim 31

**prodigieux, -se** prodigious 24

**productivité,** *f.* productivity

**produire** to produce 32 (il produisit 32)

*professeur,* *m.* professor 36

**profiter** to profit *profiter de,* to profit by, take advantage of

**profond, -e** profound, deep

**programme,** *m.* program, curriculum 36

**progrès,** *m.* progress 34

**projet,** *m.* project, plan 19 *projet de loi,* bill

**promenade,** *f.* walking, walk *faire une promenade,* to go for a walk *faire une promenade en voiture,* to go for a drive 9

**promener** (se) to go for a walk, drive (etc.) *se promener à pied,* to go for a walk 9

**promesse,** *f.* promise 32

**pronom,** *m.* pronoun

**prononcer** to pronounce, utter 29

**prophète,** *m.* prophet 32

**prophétie,** *f.* prophecy 26

**propos,** *m. à propos,* by the way

**proposer** to propose 15

**propre,** *adj.* clean, own 38

**proprement,** *adv.* properly *à proprement parler,* properly speaking 37

**propriétaire,** *m.* proprietor

**propriété,** *f.* property, estate 19

*prosaïque,* *adj.* prosaic 20

**proscrit, -e** proscribed, outlawed 26

**prospère,** *adj.* prosperous

*prospérer* to prosper 30

**protectorat,** *m.* protectorate

**protéger** to protect

*protestant, -e* Protestant 32

*protestantisme,* *m.* Protestantism

**prouver** to prove 26

**provenir** to come (from) 8 (ils proviennent 8d, il provenait 8)

*province,* *f.* province *en province,* in the provinces 16

*provision,* *f.* provision 9

**provisoire,** *adj.* temporary, provisional

*prudent, -e* prudent 35

**Prusse,** *f.* Prussia 32

**psychologique,** *adj.* [psikɔ-] psychological

**pu** See *pouvoir*

**public, publique** public 17    *public, m.* public, audience 31
*publicité, f.* publicity, advertising 12
**publier** to publish 32
**publiquement,** *adv.* publicly 28
**pucelle,** *f.* maiden 26
**puis,** *adv.* then 5
**puisque,** *conj.* since 4d
**puissance,** *f.* power
**puissant, -e** powerful 18
**punir** to punish 32
**punition,** *f.* punishment
**pur, -e** pure 6d, 24
*purger* to purge
Pyrénées, *f. pl.* Pyrenees 21

**quadrimoteur,** *m.* a four-engined plane 20
**quai,** *m.* platform 12, embankment
*qualité, f.* quality 16
**quand,** *conj.* when 2
**quant à,** *prep.,* as for 11
*quantité, f.* quantity
**quarante,** *adj. invar.* forty
**quart,** *m.* quarter 4
**quartier,** *m.* quarter, section 22
**quatorze,** *adj. invar.* fourteen
**quatre,** *adj. invar.* four    *quatre-vingts,* eighty
**que,** *pro.* that, whom, what 2
**que,** *conj.* that 2   *ne . . . que,* only
**quel, quelle, quels, quelles,** *adj.* what 7d
**quelconque,** *adj.* any (whatever), some sort of 40
**quelque,** *adj.* some, any, a few (*in pl.*) 14d, 16   *quelqu'un, -une, quelques-uns, -unes,* pro., someone, some 26
**querelle,** *f.* quarrel
**quereller** (se) to quarrel
*question, f.* question   *il est question,* the subject is 36, it has been suggested that, the question has been raised 19   *remettre en question,* to challenge (again)
**qui,** *pro. interrog.* who, whom 1   *qui,* *pro. rel.* who, which 2
**quincaillier,** *m.* ironmonger, hardware merchant 16
**quinze,** *adj. invar.* fifteen
**quitter** to leave, hang up 17d, 32
**quoi,** *pro. disj.* what 8   *de quoi,* wherewith 15d, 28   *sur quoi,* whereupon 30

**quoique,** *conj.* although
**quotidien, -ne** daily

**raccommodement,** *m.* reconciliation 32
*race, f.* race 37
**racheter** to redeem
**racine,** *f.* root 38
**raconter** to relate, tell 20d, 30
**radiateur,** *m.* radiator 9d
*radical, -e* radical 19d
**radicalement,** *adv.* radically
**radio,** *m.* radio operator 39
*radio-téléphonique,* *adj.* radio-telephonic 39
**raie,** *f.* stripe, part 15d
**raison,** *f.* reason 29   *avoir raison,* to be right
**raisonnement,** *m.* reasoning
**ramener** to bring back, take back 28
**rang,** *m.* rank, row 7d, 34
**rapide,** *adj.* rapid   *rapide, m.,* express 18
**rapidement,** *adv.* rapidly 4
*rapidité, f.* rapidity 15
**rappeler** to recall, call back 17d, remind one of 21   *se rappeler,* to remember 24
**rapport,** *m.* relationship   *par rapport à,* in relation to 21   *entrer (se mettre) en rapport avec,* to get in touch with 39
**rapporter** to report   *se rapporter,* to refer 22
**rapprocher** to bring near   *se rapprocher de* to approach
*rare, adj.* rare 19
**rassemblement,** *m.* assembly
*rationalisme, m.* rationalism
**rattacher** to fasten, tie up 38
**rattraper** to catch (again)
**raviser** (se) to change one's mind 32
**ravitailler** to supply 39
*réaction f.* reaction
**réagir** to react 39
**réaliser** to realize, fulfill 31
*réalisme, m.* realism 33
*réalité, f.* reality
**réarmement,** *m.* rearmament
*réarmer* to rearm
*récent, -e* recent
**récepteur,** *m.* receiver 17
*réception, f.* reception 11
**recevoir** to receive   *reçu, past part.* 8 (il reçut 31)

rechange, *m.* replacement *pneu de rechange,* spare tire 9d

recherche, *f.* research, investigation, search 34

récit, *m.* narrative *faire le récit de,* to narrate 39

réclamer to protest, demand 32

recommandation, *f.* recommendation 15

reconnaissance, *f.* recognition, gratitude, reconnaissance

reconnaître to recognize 24

reconstruire to reconstruct

recours, *m.* recourse *avoir recours à,* to resort to 17

recouvrer to recover

recruter to recruit

rectifier to correct 13d

reculer to move back *reculé,* distant 21

redevenir to become again 34

rédiger to draw up, write 38

redire to say again *trouver à redire,* to criticize 40

redoutable, *adj.* formidable

réduire to reduce *se réduire à,* to confine oneself 21

rééduquer to reëducate

réel, -le real 35

réellement, *adv.* really 27

réfléchir to reflect 11

refléter to reflect

réflexion, *f.* reflection 33

réforme, *f.* reform

refouler to push back 37

réfractaire, *adj.* refractory 40

réfugier (se) to take refuge 32

refus, *m.* refusal

*refuser* to refuse 15

regarder to look at, watch 10 *regarder par,* to look through 18

*régent, m.* regent 31

régie, *f.* administration

régime, *m.* regime, diet 13 *régime de communauté,* system of joint ownership 40 *régime dotal,* dotal system 40

*régiment, m.* regiment

*région, f.* region 9

*régional, -e* regional 17

*régionalisme, m.* regionalism 37

règle, *f.* rule, ruler *être en règle,* to follow the rules

régler to regulate, adjust 9d

règne, *m.* reign 30

regorger to overflow 22

*regret, m.* regret *à regret,* regretfully 40

regretter to regret, be sorry 5d, 29

regroupement, *m.* regrouping

*régularité, f.* regularity 22

*réhabilitation, f.* rehabilitation 32

reine, *f.* queen

rejeter to reject

rejoindre to rejoin, join *rejoindre son poste,* to go to one's post 39

relâchement, *m.* relaxing 31

relatif, -ve relative

*relation, f.* relation, connection 31

relativement, *adv.* relatively 34

relever to relieve, raise, put back on its feet *se relever,* to get up, rise again

religieux, -se religious 32

*religion, f.* religion 31

remarquer to notice 6

rembourser to reimburse *se faire rembourser,* to get one's money back 17

remède, *m.* remedy

remerciement, *m.* thanks 24

remercier to thank 40

remettre to put back 30, submit 36, postpone *se remettre,* to recover *remis, past part.,* recovered 30

remonter to go up again 23, to go back 34

rempart, *m.* rampart 18

remplacer to replace 9d, 29

remplir to fill 29

remporter *remporter une victoire,* to be victorious

*Renaissance, f.* Renaissance 11d, rebirth 34

rencontrer to meet 11

rendre to give back 5, to make (with adjective)

renfermer to shut up, enclose 33

renforcer to reenforce

renier to disown 28

renommé, -e renowned 14

renoncer to renounce, give up an idea 35

renouer to tie up again

renouveler to renew

renseignement, *m.* information, intelligence 39

renseigner to inform

rentrer to return, go home 4

renversement, *m.* overthrowing

renverser to overthrow

répandre to spread 26
réparation, f. repair 19
réparer to repair 9d, 19
reparler to speak again 23
repas, m. meal 4d, 6 *faire un repas,* to eat a meal 14
repérer to locate 39
répéter to repeat
répondre to answer 2
réponse, f. answer
reposer (se) to rest
repousser to repulse 27
reprendre to take again 6d, take back 38, take up again, resume 32 *reprendre de la viande,* to take some more meat 6d
représentant, m. representative 40
représentation, f. presentation 32
*représenter* to represent 24, present *se représenter,* to imagine 24
réprimer to repress
reprise, f. retaking, resumption *à plusieurs reprises,* on several occasions 27
reprocher to reproach *reprocher quelque chose à quelqu'un,* to reproach someone for something
reproduire to reproduce 34
républicain, -e republican
*république,* f. republic 22
*réputation,* f. reputation 31
réputé, -e well-known 38
réquisitionnement, m. requisitioning
réseau, m. network 39
*réserver* to reserve 13d, 33
*résidence,* f. residence 33
*résistance,* f. resistance
résistant, m. member of the Resistance
*résister* to resist *résister à,* to resist 38
résoudre to solve *résolu, past part.* 15 *se résoudre à,* to make up one's mind to 15
respect, m. respect *avoir le respect de,* to respect 19d
*respecter* to respect 29 *qui se respecte,* who is respectable 40
respiratoire, *adj.* respiratory 8d
*respirer* to breathe 8d
*responsabilité,* f. responsibility
responsable, *adj.* responsible 32
ressembler to resemble *ressembler à,* to resemble 15
ressentir to feel 20d
ressortir to come out again 17d, 23
ressusciter to resuscitate

*restaurant, m.* restaurant 14d, 35
restauration, f. restoration
restaurateur, m. restaurant keeper 14
restaurer to restore 19
reste, m. rest, remainder, remains 16d (in *pl.*) left-overs 16d
rester to remain 10d, 24 *en rester là,* to stop at that point 39
résultat, m. result
*résulter* to result
résumer to summarize 33
rétable, m. altarpiece
rétablir to reestablish
rétablissement, m. reestablishment
retard, m. delay *en retard,* late *être en retard sur,* to be behind 34
retarder to delay
retenir to retain *retenir des places,* to reserve seats 7
retirer to withdraw (*transitive*) *se retirer,* to withdraw (*intransitive*) 37
retomber to fall again, fall back
retour, m. return *au retour,* on returning 20
retourner to go back, return 4 *se retourner,* to turn around 30
*retracer* to retrace, trace 24
rétractation, f. retraction 28
retrouver to find again 22 *se retrouver,* to meet 14
réunion, f. meeting
réunir to bring together *se réunir,* to meet
réussir to succeed 37
rêve, m. dream
réveiller to waken 4 *se réveiller,* to wake up
révéler to reveal 21
revenir to come back *en revenant,* on the way home 15
rêver to dream
révolte, f. revolt
*révolution,* f. revolution 30
revue, f. review, magazine *passer en revue,* to check over 33
rez-de-chaussée, m. ground floor
Rhin, m. Rhine 21
riche, *adj.* rich 31
rideau, m. curtain
ridicule, *adj.* ridiculous *jeter le ridicule sur,* to make ridiculous 32
rien, *pro.* anything (in questions) *ne . . . rien,* nothing 14d *rien d'autre,* nothing else 14d
rire to laugh

risquer to risk 14d, run the risk 40
rive, *f.* bank 22
robe, *f.* dress 11
rocher, *m.* rock
rôder to prowl, drive about 39
roi, *m.* king 23
rôle, *m.* role, part 21
romain, -e Roman 23 *Romain, m.,* Roman 23
roman, -e Romanesque 24, Romance 38 *roman, m.,* novel 3d, romance 38
romanesque, *adj.* romantic 20
romantique, *adj.* romantic 34
rond, -e round 13
rose, *adj.* pink
rosier, *m.* rosebush 19
roue, *f.* wheel 18
rouennais, -e of Rouen 28
rouge, *adj.* red 12
route, *f.* route, road 9, highway 39 *en route,* on the way 9
*royal, -e* royal 25
*royaliste, m.* royalist
royaume, *m.* realm, kingdom 24
royauté, *f.* royalty
rue, *f.* street 1
ruine, *f.* ruin *tomber en ruine,* to fall in ruins 29
rythmé, -e rhythmic 38

sa See *son*
sac, *m.* sack, bag 20d
saccager to pillage 38
sacoche, *f.* saddlebag 9
sacre, *m.* coronation 27
sacré, -e sacred 29
sacrifier to sacrifice
saint, -e holy 8 *saint, -e, m. & f.,* saint
saisir to seize 28, grasp
saison, *f.* season *la belle saison,* the summer months 9
salade, *f.* salad 14d
salaire, *m.* salary
sale, *adj.* dirty
salle, *f.* hall *salle à manger,* dining room 2
salon, *m.* living room 2
salut, *m.* safety
samedi, *m.* Saturday
sanglant, -e bloody
sans, *prep.* without 8, but for 20d
satirique, *adj.* satirical 31
satisfait, -e satisfied 31

sauce, *f.* gravy 6d, sauce
saucisse, *f.* sausage 16
sauf, *prep.* save, except 6
sauter to jump 39, blow up (*intransitive*) *faire sauter,* to blow up (*transitive*) *sauter en parachute,* to parachute 39
sauvegarder to safeguard
sauver to save 26 *se sauver,* to escape, run away 39
savant, *m.* scholar
savoir to know 10 (tu sais 11d, il savait 10, il sut 26, je sache 24)
savon, *m.* soap 3
scandale, *m.* scandal, shock 28
scandinave, *adj.* Scandinavian 38
*scientifique, adj.* scientific 32
*sculpture, f.* sculpture 29
se, *pro. reflex.* himself, herself, itself, themselves, to himself, to herself, (to itself), to themselves 6
sec, sèche dry
sécheresse, *f.* dryness 21
*second, -e* second 18
secours, *m.* help, aid 26
*secret, secrète* secret 39
secrétaire, *m. & f.* secretary 8
secte, *f.* sect
section, *f.* zone 10
*sécurité, f.* security 25
seigneur, *m.* lord 28
seize, *adj. invar.* sixteen
séjour, *m.* stay, sojourn 19
sel, *m.* salt
selon, *prep.* according to 26
semaine, *f.* week 7
semblable, *adj.* similar
sembler to seem 3
semer to sow 26
semestre, *m.* semester 36
sénat, *m.* senate
sénateur, *m.* senator
sens, *m.* sense, meaning *à mon sens,* in my opinion 29
sensible, *adj.* sensitive
*sentiment, m.* sentiment, feeling
*sentimental, -e* sentimental 19
sentir to sense, feel, smell 19 *se sentir,* to feel (*intransitive*) (je sens 24)
*séparation, f.* separation 32
séparément, *adv.* separately 6
sept, *adj. invar.* seven
septembre, *m.* September
sergent, *m.* sergeant 39
série, *f.* series 40

sérieux, -se serious 36
sermon, m. sermon 28
serre, f. greenhouse 19
serrer to squeeze
service, m. service 14, organization 39
   au service de, in the service of
servir to serve, wait on 5 (il sert 6)
   servir de, to serve as 34
ses See son
seul, -e alone 14, only   être seul à, to
   be the only one to 38
seulement, adv. only 11
sévère, adj. severe
sexe, m. sex 11
shampooing, m. shampoo 15
si, conj. if 2 si, adv. so
si, interj. yes (contradicting negative
   statement) 4d
siècle, m. century 18
siège, m. seat 22, siege 27   mettre le
   siège devant, to lay siege to 27
   faire le siège de, to lay siege to
   28
siéger to sit 22
sien (le), la sienne, les siens, les
   siennes, pro. his, hers, (its)
signaler to point out
signer to sign 28
silencieux, -se silent
simple, adj. simple 11
simplement, adv. simply 1d, 31
simplicité, f. simplicity
sincèrement, adv. sincerely
situation, f. situation, location 21
situer to situate 8
six, adj. invar. six
social, -e social
socialiste, m. socialist
société, f. society 11d, company 30
sœur, f. sister 1
soi-disant, adj. invar. so-called 26
soie, f. silk 11
soif, f. thirst   avoir soif, to be thirsty
soigner to care for   soigné, past part.,
   careful 14
soigneusement, adv. carefully
soin, m. care
soir, m. evening 25
soirée, f. evening 40
soixante, adj. invar. sixty   soixante-
   dix, seventy
sol, m. soil
soldat, m. soldier 28
soleil, m. sun
solide, adj. solid, secure 32

solitaire, adj. solitary
somme, f. sum   en somme, in short 20
sommeil, m. sleep
sommer to call upon 28
son, sa, ses, adj. his, her, its 2
son, m. sound 4
sonner to ring 2
sonnerie, f. ringing 17d
sorcellerie, f. witchcraft 28
sorcier, sorcière, m. & f. sorcerer, witch
   27
sort, m. fate 21
sorte, f. sort   de sorte que, so that   en
   quelque sorte, as it were 38
sortie, f. sortie (milit.) 28, exit   à sa
   sortie de prison, on coming out of
   prison 31
sortir to go out, come out 27   sortir de
   table, to leave the table 31
souci, m. care, concern
soucier (se) to trouble oneself (de,
   with) 28
soudain, adv. suddenly
souffle, m. breath, inspiration 34
souffrir to suffer 8   souffrir de quelque
   chose, to have something wrong
   with one 8 (vous souffrez 8d, il souffrait 8)
souhaiter to hope (for), wish
soulèvement, m. uprising
soulever to raise 27
souligner to underline
soumettre to submit (transitive)   se
   soumettre, to submit (intransitive)
   28   soumis, past part., submissive,
   obedient 28
soupçon, m. suspicion
soupe, f. soup 14
sourd, -e deaf
sous, prep. under 13
sous-lieutenant, m. second lieutenant
   39
soutenir to uphold, support 28
souvenir (se)   se souvenir de, to remember 17
souvenir, m. memento 29
souvent, adv. often 7
souverain, m. sovereign 26
souveraineté, f. sovereignty 32
spécialisé, -e specialized 35
spécialité, f. specialty 14
spectacle, m. spectacle 25
spéculatif, -ve speculative
stabilité, f. stability
stagnant, -e stagnant 25

stalle, *f.* stall (seat in choir of church) 25

**station,** *f.* stop 12

statique, *adj.* static

statistique, *f.* statistics

stipuler to stipulate 40

*stratégie, f.* strategy

*style, m.* style 24

**stylo,** *m.* fountain pen 5

**subir** to undergo

subventionner to subsidize

**succéder** to follow after

**succès,** *m.* success

succomber to succumb

**sucre,** *m.* sugar 13

**sud,** *m.* south 22

Suède, *f.* Sweden 32

suédois, -e Swedish 20

**suffire** to suffice 15d (il suffit 15d)

suffisamment, *adv.* sufficiently 21

**suffisant, -e** sufficient

*suffrage, m.* suffrage

**Suisse,** *f.* Switzerland 21

**suite,** *f.* continuation 23 *tout de suite,* immediately 12 *et ainsi de suite,* and so forth 21 *par la suite,* later on, subsequently 39 *on sait la suite,* everyone knows what came next 27

suivant, *prep.* according to 12d, 14

**suivre** to follow 12d *suivant, pres. part.* 21 *suivant, m.,* the next one 10d *à suivre,* to be continued 26 *suivre un cours,* to take a course 35 (ils suivent 12d, vous suivez 13d, ils suivaient 13)

**sujet, -te** subject 8d *sujet, m.,* subject 36

superficiel, -le superficial 21

superstitieux, -se superstitious 28

*superstition, f.* superstition 28

**supporter** to bear, tolerate 32

**supprimer** to suppress, eliminate

*suprême, adj.* supreme

**sur,** *prep.* on 2

**sûr, -e** sure

surchauffer to overheat 36

**sûrement,** *adv.* surely 22

surgir to rise, come into view 22

**surtout,** *adv.* especially 12

surveillance, *f.* supervision 28

**surveiller** to supervise

survivre to survive *survécu, past part.* 24 *survivant, m.* survivor (il survécut 24)

survoler to fly over 20

*suspendre* to suspend

symbole, *m.* symbol

symboliser to symbolize

symétrie, *f.* symmetry 22

symétrique, *adj.* symmetrical 30

**sympathie,** *f.* fellowship *avoir de la sympathie pour,* to feel drawn toward

symphonie, *f.* symphony 25

*système, m.* system 24

**tabac,** *m.* tobacco 16

*table, f.* table *table de toilette,* wash stand 3–*table de travail,* work table 3

**tâcher** to try 22

taffetas, *m.* taffeta 11

**taille,** *f.* cut, waist *pierre de taille,* hewn stone

tailleur, *m.* tailor 39

tambour, *m.* drum 4

tamponner to stamp 10

**tandis que,** *conj.* whereas 21

**tant,** *adv.* so much, so many 16d, 27 *tant que,* as long as

**tante,** *f.* aunt 19

**tantôt,** *adv.* soon, presently *tantôt . . . tantôt,* sometimes . . . sometimes 9

tapisserie, *f.* tapestry

taquiner to tease 15

**tard,** *adv.* late 13

**tarder** *il me tarde de,* I am anxious to 25

tarif, *m.* fare 12d, rate 17

**tasse,** *f.* cup 13

tâter to touch, feel 8

technique, *adj.* technical *technique, f.,* technique 34

technologique, *adj.* technological

**tel, -le** such, like *un tel homme,* such a man 26

**télégramme,** *m.* telegram 17

**télégraphe,** *m.* telegraph

*téléphone, m.* telephone 17

*téléphoner* to telephone 17

téléphoniste, *f.* operator 17

**tellement,** *adv.* so much 15

témoin, *m.* witness 40

*temple, m.* temple 22

**temps,** *m.* time 4d, weather 9, tense *en même temps,* at the same time *de temps en temps,* from time to time 29 *entre temps,* meanwhile 32 tendance, *f.* tendency

tenir to hold 13, to keep  *tenant, pres. part.* 13  *tenir à,* to value, cherish 16, be due to  **Je n'y tiens plus:** I can't stand it any longer 28  *se tenir,* to remain, stand 13  *tiens!* well! 8d (je tiens 19d)

terminer to finish 27

*terminologie, f.* terminology

*terminus, m.* terminus, end of line 12

terrain, *m.* field, ground 39  *terrain de parachutage,* drop zone 39

terrasse, *f.* terrace, sidewalk (in front of café) 14

terre, *f.* earth, ground 20, land

*terrible, adj.* terrible 8d

territoire, *m.* territory 38

tête, *f.* head 27  *tenir tête à,* to stand up to 28

texte, *m.* text 36

thé, *m.* tea 11

théâtre, *m.* theatre 7

théoricien, *m.* theorist

*théorie, f.* theory

théorique, *adj.* theoretical

thermes, *m. pl.* thermae (public baths of Romans) 24

*ticket, m.* ticket 10

tiers, *m.* third

tirer to pull, draw  *tirer la langue,* to stick out one's tongue 8  *s'en tirer,* to come out of it all right 39

tiret, *m.* dash

titre, *m.* title 30

toi, *pro. disj.* thee 11

toilette, *f.* dress 40

toit, *m.* roof 19

*tolérance, f.* tolerance 32

tomate, *f.* tomato 14d

tombeau, *m.* tomb 29

tomber to fall 26

ton, ta, tes, *adj.* thy

tondeuse, *f.* clippers 15

tort, *m.* wrong  *avoir tort,* to be wrong

tôt, *adv.* soon

*toucher* to touch  *toucher à,* to touch, tamper with

toujours, *adv.* always 6d, 14, still 23

tour, *m.* turn 8, trick

tour, *f.* tower

*touriste, m.* tourist 18  *en touriste,* in tourist class 20d

*touristique, adj.* touristic 29

tourner to turn (*transitive*) 21  *se tourner* (*intransitive*), to turn 34

tousser to cough 8d

tout, -e, tous, toutes, *adj. & pro.* all 3, every  *le tout,* everything 5d  *tous les jours,* every day 9

tout, *adv.* very, altogether, completely 18  *tout à fait,* altogether 30  *pas du tout,* not at all 4d

*tracer* to trace, lay out 23

*tracteur, m.* tractor 19

*tradition, f.* tradition 13

traditionnel, -le traditional 14

traduire to translate

*tragédie, f.* tragedy 7

trahir to betray

*train, m.* train 9  *être en train de,* to be engaged in 6

traîner to drag (around) 31

traité, *m.* treaty 32

traiter to treat 31

traître, *m.* traitor

trajet, *m.* journey, crossing 20

tramway, *m.* street car

tranquille, *adj.* quiet 1

*transatlantique, adj.* Transatlantic  *transatlantique, m.* liner 20

*transformation, f.* transformation 33

*transformer* to transform 34

transmettre to transmit 39

travail, *m.* work 3, 19

travailler to work 19d, 34

travers, *m.* à *travers,* through 13, across 22

traversée, *f.* crossing 20d

traverser to cross 4

treize, *adj. invar.* thirteen

treizième, *adj.* thirteenth 18

trente, *adj. invar.* thirty

très, *adv.* very 2d

trésor, *m.* treasure 33

tribu, *f.* tribe 24

tribunat, *m.* tribunate

tricolore, *adj.* tricolored

triomphe, *m.* triumph

triompher (de) to triumph (over)

triste, *adj.* sad, sorry

trois, *adj. invar.* three

tromper to deceive  *se tromper,* to make a mistake 10  *se tromper de,* to mistake 39

trompeur, -euse deceptive

tronçon, *m.* piece, stub 23

trône, *m.* throne 38

trop, *adv.* too, too much 3d, 19

trottoir, *m.* sidewalk 39

*troubadour, m.* troubadour 38

trouer to make a hole in *troué, past part. des gants troués,* gloves with holes in them 11d *trouée, f.* breach

troupe, *f.* troop 27

trouver to find 5, to think 9 *se trouver,* to be located, to be 11

truite, *f.* trout 19

T. S. F., *f.* (télégraphie sans fil) wireless, radio 39

tuer to kill 39

Tunisie, *f.* Tunisia

tunisien, -ne Tunisian

*tunnel, m.* tunnel 12

tympan, *m.* tympanum (*arch.*) 33

un, -e a, an 1 *l'un et l'autre,* both 13

*uniforme, m.,* uniform 39

unique, *adj.* single 12d

uniquement, *adv.* exclusively 4d, 32

unir to unite 37

unité, *f.* unity 37, unit

universel, -le universal

universitaire, *adj.* university 35

*université, f.* university 23

urbanisme, *m.* city-planning 22, city-dwelling 38

usine, *f.* factory

utile, *adj.* useful 16d

*Utopie, f.* Utopia 32

vacance, f. vacancy *les vacances,* vacation 20

vache, *f.* cow 19

vague, *f.* wave

vaincre to vanquish

vaisseau, *m.* vessel

*valet, m.* valet *valet de chambre,* gentleman in waiting 30

valeur, *f.* value

valise, *f.* suitcase 39

vallée, *f.* valley

valoir to be worth, win (for someone) 31 *valu, past part.* 31

varier to vary 12d

*variété, f.* variety

*vassal, m.* vassal 37

*végétation, f.* vegetation 21

veille, *f.* eve

vendeuse, *f.* salesgirl 5

vendre to sell 5

vendredi, *m.* Friday

*vengeance, f.* vengeance, revenge 31

venir to come 2d *venu, past part.* 8

*faire venir,* to summon *Je vous vois venir:* I see what you are driving at 16d *Je viens d'acheter,* I have just bought 3d (il vient 5, ils viennent 20, vous viendrez 22)

ventre, *m.* belly 8

venu See *venir*

vérifier to verify, check 9

*véritable, adj.* veritable, true 25

vérité, *f.* truth

verre, *m.* glass 6

vers, *m.* line of poetry *les vers,* verse 31

vers, *prep.* towards 12

verser to pour 13

vert, -e green 12

vertigineux, -se giddy

*vestige, m.* vestige, trace 24

vêtement, *m.* article of clothing *les vêtements,* clothing 3

vêtir to dress 28

véto, *m.* veto

viande, *f.* meat 6

*vibration, f.* vibration 20

victime, *f.* victim 32

victoire, *f.* victory 24

vide, *adj.* empty *vide, m.,* emptiness, space 39

vie, *f.* life, living, 16d, 36 *à vie,* for life

vieillard, *m.* old man 32

vierge, *f.* virgin 24

vieux, vieil, vieille, vieux, vieilles, *adj.* old 3d, 15

vigoureusement, *adv.* vigorously

vigueur, *f.* vigor *entrer en vigueur,* to come into force 40

vil, -e vile, base 19d

*villa, f.* villa, suburban residence 19

*village, m.* village 26

ville, *f.* town, city 28

vin, *m.* wine 6d, 26

vingt, *adj. invar.* twenty

*violent, -e* violent

visage, *m.* face 37

visière, *f.* visor 39

*vision, f.* vision 26

*visite, f.* visit 11, inspection

*visiter* to visit 21

vite, *adv.* quickly 9d, fast 18

vitrail, *m.* stained-glass window 25

vitre, *f.* pane of glass 12

vivre to live *vécu, past part.* 14

voici here is (are) 5d

**voie,** *f.* way, track 18d, avenue 21 *voie ferrée,* railroad track
**voilà** there is (are) 5d
**voir** to see 6 *voyant, pres. part.* 13 *vu, past part.* (je vois 3d, nous voyons 8d, vous voyez 7d, il verra 19d, vous verrez 25)
**voisin, -e** neighboring 39 **voisin, -e,** *m. & f.* neighbor 26
**voiture,** *f.* carriage, car 9
**voix,** *f.* voice 17d, 28
**vol,** *m.* flight 23, theft
**volage,** *adj.* fickle
**voler** to steal 39, fly
**volontaire,** *m.* volunteer 39
**volonté,** *f.* will 21, will power 26 *à volonté,* at will
**volontiers,** *adv.* willingly, gladly 31
*volume, m.* volume 32
*vote, m.* vote *le vote des femmes,* women's suffrage
*voter* to vote, ratify
**votre, vos,** *adj.* your 3d
**vouloir** to wish 2d, to try 28 *voulant, pres. part.* 10 *voulu, past part.* 14, required *voulez-vous,* will you 2d *si vous voulez bien,* if you will be kind enough 15d *je veux bien,* I am willing 16d *vouloir dire,* to mean

4d, 5 *il n'en veut plus,* he no longer wants to have anything to do with it 19d *comme vous voudrez,* as you wish 6d *veuillez,* please 8d (je veux 12, il veut 4d, vous voulez 6d, ils voudront 19d, il voulait 12, je voudrais 7d)
**voûté, -e** vaulted 24
**voyage,** *m.* trip 12
**voyager** to travel 12
**voyageur, voyageuse,** *m. & f.* traveler, passenger 10
**vrai, -e** true 3d, 13 *à vrai dire,* to tell the truth 18
**vraiment,** *adv.* truly 33
**vu** See *voir*
**vue,** *f.* view, eyesight 8
*vulgarisation, f.* popularization 32

**wagon,** *m.* car (of train) 12
**Westphalie,** *f.* Westphalia 38

**y,** *adv. & pro.* there 4d
**yeux** See *œil*

*zéro, m.* zero

# Anglais-Français

ABBREVIATIONS: *a.*—adjective   *n.*—noun   *v.*—verb

**abandon,** *v.* abandonner
**abjure,** *v.* abjurer
**able,** *a. to be able,* pouvoir
**above,** *adv.* par-dessus
**abroad,** *adv.* à l'étranger
**absolute,** *a.* absolu, -e
**absolutely,** *adv.* absolument
**absorb,** *v.* absorber
**abstract,** *a.* abstrait, -e
**abstractly,** *adv.* d'une façon abstraite
**abusive,** *a.* abusif, -ve
**academician,** *n.* académicien, *m.*
**academy,** *n.* académie, *f.*
**accent,** *n.* accent, *m.*
**accept,** *v.* accepter
**acclaim,** *v.* acclamer
**acclimatize,** *v.* acclimater
**accompany,** *v.* accompagner *accompanied by,* en compagnie de
**accomplish,** *v.* accomplir
**according to,** *prep.* d'après; au dire de; selon; suivant
**account,** *n.* compte, *m. to turn to account,* tirer parti de
**accuse,** *v.* accuser
**accustom,** *v.* habituer
**acknowledge,** *v.* avouer
**acquaintance,** *n.* connaissance, *f.*
**acquaint,** *v. to be acquainted with,* connaître
**acquire,** *v.* acquérir
**across,** *prep.* à travers
**act,** *v.* agir   *to act a part,* jouer la comédie
**action,** *n.* action, *f.*
**activity,** *n.* activité, *f.*
**add,** *v.* ajouter   *to add up,* faire le compte
**addition,** *n.* addition, *f.*
**address,** *n.* adresse, *f.* ——, *v.* adresser
**adjust,** *v.* régler
**administer,** *v.* administrer
**administration,** *n.* administration, *f.*
**admire,** *v.* admirer
**admissible,** *a.* admissible
**admit,** *v.* avouer

**adopt,** *v.* adopter
**advance,** *n.* avance, *f.* ——, *v.* avancer
**advantage,** *n.* avantage, *m. to take advantage of,* profiter de   *there is an advantage to,* il y avantage à
**advantageous,** *a.* avantageux, -se
**adventure,** *n.* aventure, *f.*
**adversary,** *n.* adversaire, *m.*
**advertise,** *v.* faire une propagande
**advertising,** *n.* propagande, *f.;* publicité, *f.*
**advice,** *n.* conseil, *m.*
**advise,** *v.* conseiller   *to advise someone against,* déconseiller
**affair,** *n.* affaire, *f.*
**afford,** *v.* se payer quelque chose
**afraid,** *a. to be afraid,* avoir peur; craindre
**Africa,** *n.* Afrique, *f.*
**after,** *prep.* après
**afternoon,** *n.* après-midi, *m.*
**again,** *adv.* encore; encore une fois; de nouveau
**against,** *prep.* contre
**age,** *n.* âge, *m. Middle Ages,* moyen âge
**agency,** *n.* agence, *f.*
**agent,** *m.* agent, *m.*
**agree,** *v.* convenir; se mettre d'accord; tomber d'accord
**agreement,** *n.* accord, *m. in agreement,* d'accord
**ahead,** *adv. ahead of time,* d'avance
**aid,** *n.* aide, *f.;* secours, *m.*
**air,** *n.* air, *m. in the open air,* en plein air   *air-tight,* hermétique
**airplane,** *n.* avion, *m.*
**airport,** *n.* aérodrome, *m.*
**airsickness,** *n.* mal (*m.*) de l'air
**alas,** *interj.* hélas
**align,** *v.* aligner
**all,** *a.* tout, toutes, tous, toutes   *after all,* après tout; enfin
**alleged,** *a.* soi-disant, *invar.*
**allegiance,** *n. to acknowledge allegiance,* se reconnaître pour vassal

489

ailow, v. laisser; permettre
almost, adv. à peu près  almost to, manquer de
alone, a. seul, -e
along, adv. le long de
Alp, n. Alpe, f.
already, adv. déjà
Alsatian, a. alsacien, -ne
also, adv. aussi
altar, n. autel, m.
alternative, n. they had no alternative but to, force leur fut de
although, conj. bien que; quoique
altogether, adv. tout; tout à fait
always, adv. toujours
Amazon, n. amazone, f.
ambassador, n. ambassadeur, m.
ambush, n. embuscade, f.
America, n. Amérique, f.
American, a. américain, -e
amiable, a. aimable
among, prep. entre; parmi
amphitheatre, n. amphithéâtre, m.
ancestor, n. ancêtre, m.
ancient, a. ancien, -ne
and, conj. et
angel, m. ange, m.
anger, n. colère, f.
angle, n. angle, m.
angry, a. to get angry, se fâcher
animal, n. animal, m.; bête, f.
animate, v. animer
annex, v. annexer
announce, v. annoncer
annual, n. annuaire, m.
answer, n. réponse, f. ——, v. répondre
anticlerical, a. anticlérical, -e
antiquity, n. antiquité, f.
anxious, a. I am anxious to, il me tarde de
any, a. aucun, -e  not any, ne . . . aucun, -e
anything, pro. n'importe quoi; quelque chose; rien  more than anything else, plus que toute autre chose
apartment, n. appartement, m.
apologize, v. s'excuser
apparatus, n. appareil, m.
apparently, adv. apparemment
appear, v. apparaître; comparaître, paraître; se présenter; avoir l'air
appearance, n. aspect, m.
appendicitis, n. appendicite, f.
appetizer, n. apéritif, m.

apple, n. pomme, f.
appliance, n. appareil, m.
apply, v. appliquer
appoint, v. nommer
appreciate, v. apprécier
approach, v. aborder; se rapprocher de
approachable, a. abordable
approve, v. approuver
April, n. avril, m.
aquarium, n. aquarium, m.
arcade, n. arcade, f.
arch, n. arc, m. pointed arch, ogive, f. semicircular arch, arc en plein cintre
archeological, a. archéologique
architectural, a. architectural, -e
architecture, n. architecture, f.
arena, n. arène, f.
argue, v. se disputer
aristocratic, a. aristocratique
arm, n. arme, f.; bras, m. on one's arm, au bras ——, v. armer
armchair, n. fauteuil, m.
armor, n. armure, f.; harnais, m.
army, n. armée, f. army man, militaire, m.
around, adv. autour ——, prep. autour de
arrange, v. arranger
arrival, n. arrivée, f.
arrive, v. arriver; parvenir
arrow, n. flèche, f.
art, n. art, m.
article, n. article, m.  toilet article, article de toilette
artist, n. artiste, m.
artistic, a. artistique
as, conj. & prep. comme; à mesure que; tel que  as . . . as, aussi . . . que  as it were, en quelque sorte
ascertain, v. constater
aside, adv. à part  aside from, à part
ask, v. demander; prier  ask for, demander  ask a question, poser une question
assassinate, v. assassiner
assembly, n. assemblée, f.; rassemblement, m.
assimilate, v. assimiler
assistant, n. assistant, m.
association, n. association, f. association for the encouragement of touring, syndicat (m.) d'initiative
assure, v. assurer
astonish, v. étonner  to be astonished, s'étonner

astonishment, n. étonnement, m.

astronomical, a. astronomique

at, prep. à, chez

Atlantic, n. Atlantique, m.

atmosphere, n. atmosphère, f.

attach, v. attacher

attack, n. attaque, f.; crise, f. ——, v. attaquer

attain, v. atteindre

attempt, n. essai, m. ——, v. essayer

attend, v. assister à

attendance, n. présence, f.

attention, n. attention, f.

attorney, n. avoué, m.

attract, v. attirer

audacity, n. audace, f.

audience, n. public, m.

August, n. août, m.

aunt, n. tante, f.

Austria, n. Autriche, f.

authentic, a. authentique

author, n. auteur, m.

authority, n. autorité, f.

authorize, v. autoriser

auto, n. auto, f.

automatic, a. automatique

automatically, adv. automatiquement

avenue, n. avenue, f.; voie, f.

average, a. moyen, -ne

aviation, n. aviation, f.

avoid, v. éviter

await, v. attendre

azure, a. azur, -e

bachelor, n. vieux garçon, m.; bachelier, m. bachelor's examination, baccalauréat, bachot

back, n. dos, m.

background, n. fond, m. in the background, au fond

bad, a. méchant, -e; mauvais, -e; fort, -e

badly, adv. mal

bag, n. sac, m.

baker, n. boulanger, m. pastry baker, pâtissier, m.

balcony, n. balcon, m.

ball, n. bal, m.; balle, f.

balustrade, n. balustrade, f.

band, n. bande, f.

bank, n. banque, f.; rive, f.

banknote, n. billet, m.

baptize, v. baptiser

barbarian, n. barbare, m.

barber, n. coiffeur, m.

bargain, n. marché, m. into the bargain, par-dessus le marché

barn, n. grange, f.

baron, n. baron, m. oil baron, roi (m.) du pétrole

barrier, n. barrière, f.

base, a. vil, -e ——, n. base, f. ——, v. baser

basically, adv. au fond

basin, n. bassin, m. wash basin, cuvette, f.

basis, n. base, f.; fond, m.

basket, n. corbeille, f.; panier, m.

bastard, n. bâtard, m.

bath, n. bain, m. bath tub, baignoire, f.

bathe, v. baigner; se baigner

battle, n. bataille, f.

be, v. être How are you? Comment allez-vous?

beach, n. plage, f.

bean, n. haricot, m. string bean, haricot vert

bear, v. porter; supporter

beard, n. barbe, f.

beast, n. bête, f.

beat, v. battre

beautiful, a. beau, bel, belle, beaux, belles

beauty, n. beauté, f.

because, conj. parce que because of, à cause de

become, v. devenir What has become of him? Que devient-il?

bed, n. lit, m. flower bed, plate-bande, f. to put to bed, coucher in bed, couché, -e to go to bed, se coucher

bedroom, n. chambre, f.; chambre à coucher

before, adv. auparavant ——, prep. avant; devant ——, conj. avant que

beg, v. prier

begin, v. commencer, se mettre à beginning with, à commencer par

beginning, n. début, m.; commencement, m. in the beginning, à l'origine

behind, prep. & adv. derrière to be behind, être en retard sur

behold, v. contempler

being, n. être, m.

Belgium, n. Belgique, f.

believe, v. croire

belly, n. ventre, m.

**belong,** *v.* appartenir
**bench,** *n.* banc, *m.*
**berth,** *n.* couchette, *f.*
**beside,** *prep.* à côté de
**besides,** *adv.* d'ailleurs ——, *prep.* à part
**besieger,** *n.* assiégeant, *m.*
**best,** *a.* meilleur, -e ——, *adv.* le mieux
**betray,** *v.* trahir
**better,** *a.* meilleur, -e ——, *adv.* mieux **He asks nothing better:** Il ne demande pas mieux.
**between,** *prep.* entre
**bewilder,** *v.* ahurir
**beyond,** *adv.* au delà de, outre **beyond the Rhine,** outre-Rhin
**bibliography,** *n.* bibliographie, *f.*
**bicycle,** *n.* bicyclette, *f.* **on (a) bicycle(s),** à bicyclette
**big,** *a.* grand, -e; gros, -se
**bill,** *n.* addition, *f.;* billet, *m.*
**bind,** *v.* lier
**bird,** *n.* oiseau, *m.*
**birth,** *n.* naissance, *f.* **give birth to,** donner naissance à
**birthday,** *n.* fête, *f.;* anniversaire, *m.*
**bishop,** *n.* évêque, *m.*
**bitter,** *a.* amer, amère
**black,** *a.* noir, -e
**blindly,** *adv.* aveuglément
**bloody,** *a.* sanglant, -e
**blotter,** *n.* buvard, *m.*
**blow,** *n.* coup, *m.*
**blow,** *v.* souffler **blow up,** sauter; faire sauter
**blue,** *a.* azur, -e; bleu, -e
**board,** *n.* planche, *f.* **put on board,** embarquer **to go on board,** s'embarquer ——, *v.* nourrir
**boarder,** *n.* pensionnaire, *m.;* interne, *m.*
**boat,** *n.* bateau, *m.*
**body,** *n.* corps, *m.*
**boil,** *v.* bouillir
**bomber,** *n.* bombardier, *m.*
**bone,** *n.* os, *m.*
**boner,** *n.* gaffe, *f.*
**book,** *n.* livre, *m.* ——, *v.* **to book a seat,** louer une place
**bookcase,** *n.* bibliothèque, *f.*
**bookseller,** *n.* libraire, *m.*
**bookstore,** *n.* librairie, *f.*
**booth,** *n.* cabine, *f.*
**bore,** *v.* ennuyer **to become bored,** s'ennuyer

**born,** *a.* **to be born,** naître
**borrow,** *v.* emprunter
**botanical,** *a.* botanique **Botanical Garden,** Jardin des Plantes
**both,** *a.* & *pro.* les deux; tous les deux; tous deux; l'un (et) l'autre
**bottle,** *n.* bouteille, *f.*
**bottom,** *n.* fond, *m.* **the bottom one,** celui d'en bas
**boulevard,** *n.* boulevard, *m.*
**bound,** *v.* borner
**box,** *n.* boîte, *f.;* loge, *f.*
**boy,** *n.* garçon, *m.*
**braid,** *n.* galon, *m.*
**brass,** *n.* cuivre, *m.*
**bravery,** *n.* courage, *m.;* bravoure, *f.*
**bread,** *n.* pain, *m.*
**break,** *v.* briser, casser
**breakfast,** *n.* petit déjeuner, *m.*
**breath,** *n.* souffle, *m.*
**breathe,** *v.* respirer
**brick,** *n.* brique, *f.*
**bridge,** *n.* pont, *m.*
**brigand,** *n.* brigand, *m.*
**brilliant,** *a.* brillant, -e
**bring,** *v.* amener; apporter **bring back,** ramener **bring near,** rapprocher **bring together,** réunir
**Brittany,** *n.* Bretagne, *f.*
**broad,** *a.* large
**brother,** *n.* frère, *m.*
**brown,** *a.* brun, -e
**brush,** *n.* brosse, *f.*
**build,** *v.* bâtir; construire **built-up area,** agglomération, *f.*
**building,** *n.* bâtiment, *m.;* édifice, *m.;* immeuble, *m.* **historic building,** monument, *m.* **ramshackle building,** bâtisse, *f.*
**Burgundian,** *n.* Bourguignon, *m.*
**Burgundy,** *n.* Bourgogne, *f.*
**burn,** *v.* brûler; incendier
**burst,** *n.* éclat, *n.;* élan, *m.*
**burst,** *v.* éclater; crever
**bury,** *v.* enterrer
**bus,** *n.* autobus, *m.;* car, *m.*
**business,** *n.* commerce, *m.;* affaires, *f. pl.* **matter of business,** affaire, *f.* **to do business,** faire des affaires
**but,** *adv.* mais **but for,** sans
**butcher,** *n.* boucher, *m.*
**butler,** *n.* maître d'hôtel, *m.*
**butter,** *n.* beurre, *m.*
**button,** *n.* bouton, *m.*

buy, *v.* acheter *to buy a* (*theatre*) *ticket,* louer une place

cab, *n.* fiacre, *m.;* taxi, *m.*
cabin, *n.* cabine, *f.*
cabinet, *n.* cabinet, *m.*
café, *n.* café, *m.*
cake, *n.* gâteau, *m.* *fancy cakes,* petits fours
California, *n.* Californie, *f.*
call, *n.* communication, *f.* ——, *v.* appeler *be called,* s'appeler *call back,* rappeler *call upon,* sommer *so-called,* soi-disant, *invar.*
calory, *n.* calorie, *f.*
camp, *n.* camp, *m.*
campaign, *n.* campagne, *f.*
can, *n.* boîte, *f.* ——, *v. canned goods,* conserve, *f.*
candle, *m.* bougie, *f.*
cantankerous, *a.* acariâtre
cap, *n.* casquette, *f.* *garrison cap,* képi, *m.*
capable, *a.* capable
capital, *n.* capitale, *f.;* chapiteau, *m.*
captain, *n.* capitaine, *m.*
car, *n.* auto, *f.,* voiture, *f.;* wagon, *m.*
carburetor, *n.* carburateur, *m.*
card, *n.* carte, *f.* *filing card,* fiche, *f.* *calling card,* carte de visite
cardinal, *n.* cardinal, *m.*
care, *n.* soin, *m.;* souci, *m. to take care,* prendre garde ——, *v. care for,* soigner, s'occuper de
career, *n.* carrière, *f.*
careful, *a.* soigné, -e
carefully, *adv.* avec soin, soigneusement
caricature, *v.* caricaturer
Carolingian, *a.* carolingien, -ne
carriage, *n.* voiture, *f.*
carry, *v.* porter *carry away,* emporter *carry out,* mener à bien
carve, *v.* sculpter
case, *n.* cas, *m. in this case,* en ce cas *in any case,* en tout cas
castle, *n.* château, *m.*
cat, *n.* chat, *m.*
catalogue, *n.* catalogue, *m.*
catch, *v.* attraper *catch again,* rattraper *to let oneself be caught up,* se laisser gagner
cathedral, *n.* cathédrale, *f.*
Catholic, *a.* catholique

cause, *n.* cause, *f.* ——, *v.* causer
cease, *v.* cesser
ceiling, *n.* plafond, *m.*
Celtic, *a.* celtique
center, *n.* centre, *m.*
century, *n.* siècle, *m.*
ceremony, *n.* cérémonie, *f.*
certain, *a.* certain, -e
certainly, *adv.* certainement
certificate, *n.* certificat, *m.* *birth certificate,* acte de naissance *certificate publishing the bans,* acte de publication du mariage
chair, *n.* chaise, *f.*
challenge, *n.* défi, *m.* ——, *v.* remettre en question
chamberlain, *n.* chambellan, *m.*
chance, *n.* hasard, *m. by chance,* par hasard
change, *n.* changement, *m.;* monnaie, *f.* ——, *v.* changer
channel, *n.* *English Channel,* Manche, *f.*
chapel, *n.* chapelle, *f.*
chapter, *n.* chapitre, *m.*
character, *n.* caractère, *m.;* personnage, *m.*
characteristic, *a.* caractéristique
characterize, *v.* caractériser
charge, *v.* charger (*with,* de) *to take charge of,* se charger de; s'occuper de
charm, *n.* charme, *m.*
cheap, *a.* bon marché, *invar.* *dirt cheap,* à vil prix
check, *v.* contrôler; passer en revue; vérifier
checking, *n.* contrôle, *m.*
cheese, *n.* fromage, *m.*
chemistry, *n.* chimie, *f.*
cherish, *v.* tenir à
chestnut-brown, *a.* châtain, -e
chicken, *n.* poulet, *m. chicken house* (*yard*), poulailler, *m.*
chief, *n.* chef, *m.*
chieftain, *n.* chef, *m.*
child, *n.* enfant, *m. & f.*
choice, *n.* choix, *m.*
choose, *v.* choisir
Christendom, *n.* chrétienté, *f.*
Christian, *a.* chrétien, -ne
Christmas, *n.* Noël, *m.*
church, *n.* église, *f.*
circle, *n.* cercle, *m.*
circumstance, *n.* circonstance, *f.*

**city,** n. ville, f. (*fortified*) *city*, cité, f. *city-dwelling*, urbanisme, m. *city-planning*, urbanisme, m.
**civil,** a. civil.-e
**civilian,** n. civil, -e, m. & f.
**civilization,** n. civilisation, f.
**claim,** v. prétendre
**clandestine,** a. clandestin, -e
**clandestinely,** adv. clandestinement
**clarity,** n. clarté, f.
**class,** n. classe, f.; cours, m.
**classical,** a. classique
**classify,** v. classer
**clean,** a. net, -te; propre ——, v. nettoyer
**clear,** a. clair, -e; net, -te
**clearly,** adv. nettement
**climate,** n. climat, m.
**clippers,** n. tondeuse, f.
**close,** v. fermer
**closely,** adv. de près
**closing,** m. fermeture, f.
**clothespress,** n. armoire, f.
**clothing,** n. vêtements, m. pl. *article of clothing,* vêtement
**cloud,** n. nuage, m.
**club,** n. *night club,* boîte de nuit
**clump,** n. *clump of bushes,* massif, m.
**coal,** n. charbon, m.
**coast,** n. côte, f.
**coeducational,** a. mixte
**coffee,** n. café, m.
**cold,** a. froid, -e ——, n. froid, m.
**collaborator,** n. collaborateur, m.
**collapse,** v. s'effondrer
**colonel,** n. colonel, m.
**color,** n. couleur, f.
**comb,** n. peigne, m.
**combination,** n. combinaison, f.
**come,** v. venir *come back,* revenir *come from,* provenir *come out,* sortir *come out again,* ressortir *come out of it all right,* s'en tirer *come in view,* surgir *come to hand,* tomber sous la main *on coming out of prison,* à sa sortie de prison
**comedy,** n. comédie, f.
**comfort,** n. confort, m.
**comfortable,** a. confortable
**command,** v. commander
**comment,** v. *comment on,* commenter
**commerce,** n. commerce, m.
**commercial,** a. commercial, -e
**commission,** f. commission
**commissioner,** n. commissaire, m.

**committee,** n. comité, m.
**common,** a. commun, -e; courant, -e *in common,* en commun
**commoner,** n. bourgeois, -e, m. & f.
**communicate,** v. communiquer
**communication,** n. communication, f.
**company,** n. compagnie, f.; société, f.
**comparable,** a. comparable
**comparative,** a. comparatif, -ve
**compare,** v. comparer
**comparison,** n. comparaison, f. *in comparison with,* en comparaison de
**compartment,** n. compartiment, m.
**complain,** v. se plaindre
**complaint,** n. plainte, f. *to lodge a complaint,* porter plainte
**complete,** a. complet, complète
**completely,** adv. complètement, tout; tout à fait
**complicate,** v. compliquer
**compose,** v. composer
**comprise,** v. comprendre
**compulsory,** a. obligatoire
**comrade,** n. camarade, m.
**conceive,** v. concevoir
**concern,** n. souci, m.
**concert,** n. concert, m.
**conclude,** v. conclure *to conclude that there is,* conclure à
**condemn,** v. condamner
**condition,** n. condition, f.
**conduct,** n. conduite, f. ——, v. conduire
**conductor,** n. contrôleur, m.
**confine,** v. enfermer *confine oneself,* se réduire
**confirm,** v. confirmer
**conform,** v. se conformer
**confuse,** v. confondre
**connection,** n. rapport, m.; relation, f.
**conquer,** v. conquérir
**conquest,** n. conquête, f.
**consent,** v. consentir
**consequence,** n. conséquence, f.
**consequently,** adv. par conséquent
**consider,** v. considérer
**consolidate,** v. consolider
**constantly,** adv. à tout moment
**constitution,** n. constitution, f.
**construct,** v. construire
**consult,** v. consulter
**consultation,** n. consultation, f.
**contact,** n. contact, m. *to make contact,* prendre contact
**contain,** v. contenir

contemplate, v. contempler
contemporary, a. contemporain, -e
continent, n. continent, m.
continental, a. continental, -e
continuation, n. suite, f.
continue, v. continuer  to be continued, à suivre
continuity, n. continuité, f.
contract, n. contrat, m.
contradict, v. contredire
contrary, a. contraire ——, n. contraire, m. on the contrary, au contraire
contrast, n. contraste, m.
contribute, v. contribuer
convenient, a. commode
conventional, a. conventionnel, -le
conversation, n. conversation, f. to
start a conversation, lier conversation
conviction, n. conviction, f.
convince, v. convaincre
cook, v. cuire
cooking, n. cuisine, f.
copper, n. cuivre, m.
copy, n. copie, f.; numéro, m.
cordially, adv. cordialement
corner, n. coin, m.
coronation, n. sacre, m.
correct, v. corriger; rectifier
correspond, v. correspondre
correspondence, n. correspondance, f.
corridor, m. couloir, m.
cost, n. prix, m. at any cost, à tout prix
——, v. coûter
costly, a. coûteux, -se
cough, v. tousser
count, n. comte, m. ——, v. compter
countess, n. comtesse, f.
country, n. campagne, f.; pays, m. in
the country, à la campagne
couple, m. les deux époux
courage, n. courage, m.
courageously, adv. courageusement
course, n. cours, m.; plat, m.
court, n. cour, f. law courts, palais
(m.) de justice
courtier, n. courtisan, m.
courtyard, n. cour, f.
cover, v. couvrir
cow, n. vache, f.
cowardly, a. lâche  in a cowardly
manner, lâchement
cradle, n. berceau, m.
cramp, v. gêner

cream, n. crème, f.
create, v. créer
creation, n. création, f.
credulous, a. crédule
crenelated, a. crénelé, -e
crime, n. crime, m.
crisis, n. crise, f.
critical, a. critique
criticize, v. critiquer; trouver à redire
cross, n. croix, f. ——, v. traverser
cross over, franchir
crossing, n. trajet, m.; traversée, f.
crowd, n. foule, f. ——, v. to crowd in,
s'écraser
crown, n. couronne, f. ——, v. couronner
cruel, a. cruel, -le
crush, v. écraser
cudgel, v. bâtonner
cudgeling, n. bâtonnade, f.
cultivate, v. cultiver
cup, n. tasse, f.; coupe, f.
cure, v. guérir
curious, a. curieux, -se
current, a. courant, -e
curriculum, n. programme, m.
curse, v. maudire
curtain, n. rideau, m.
curve, n. courbe, f.
custom, n. coutume, f.
customary, a. habituel, -le; coutumier,
coutumière
customer, n. client, m.
cut, n. coupe, f.; taille, f. ——, v. couper; tailler
cutting, n. coupe, f.

daily, a. quotidien, -ne
dainty, a. mignon, -ne
damage, n. dommage, m. damages,
dommages-intérêts
dance, n. bal, m.; danse, f. ——, v.
danser
dancer, n. danseur, danseuse, m. & f.
danger, n. danger, m.
dangerous, a. dangereux, -se
dare, v. oser
dare-devil, n. casse-cou, m.
dash, n. course, f.; élan, m. ——, v. se
précipiter
date, n. date, f.
daughter, n. fille, f.
day, n. jour, m.; journée, f. every day,

tous les jours *the next day,* le lendemain

dazzle, *v.* éblouir

deaf, *a.* sourd, -e

deal, *v.* *deal with,* avoir affaire à

dear, *a.* cher, chère

death, *n.* mort, *f.*

debt, *n.* dette, *f.*

decadence, *n.* décadence, *f.*

deceive, *v.* tromper

December, *n.* décembre, *m.*

decentralization, *n.* décentralisation, *f.*

decide, *v.* décider *decide to,* décider de *to decide in favor of,* opter pour

decipher, *v.* déchiffrer

decision, *n.* décision, *f.* *to make a decision,* prendre une décision

decisive, *a.* décisif, -ve

declare, *v.* déclarer

decoration, *n.* décoration, *f.*

decorate, *v.* décorer, orner

dedicate, *v.* dédier

deep, *a.* profond, -e

deer, *n.* daim, *m.*

defeat, *n.* défaite, *f.*

defect, *n.* défaut, *m.*

defend, *v.* défendre

defiance, *n.* défi, *m.*

deformation, *n.* déformation, *f.*

degree, *n.* grade, *m.;* degré, *m.*

delay, *n.* retard, *m.* ——, *v.* retarder

delicious, *a.* délicieux, -se

delight, *v.* enchanter

delirious, *a.* en délire

delirium, *n.* délire, *m.*

deliver, *v.* délivrer; livrer

demand, *v.* exiger; réclamer

democracy, *n.* démocratie, *f.*

democratic, *a.* démocratique

demolish, *v.* démolir

demonstrate, *v.* démontrer

denounce, *v.* dénoncer

deny, *v.* nier

department, *n.* département, *m.* *government department,* ministère, *m.*

departure, *n.* départ, *m.*

depend, *v.* dépendre *depend on,* dépendre de; compter sur

dependency, *n.* *to be a dependency of,* dépendre de

deputy, *n.* député, *m.*

descend, *v.* descendre *descended,* issu, -e

descendant, *n.* descendant, *m.*

describe, *v.* décrire

description, *n.* description, *f.*

designate, *v.* désigner

desire, *n.* désir, *m.;* envie, *f.* ——, *v.* désirer

despair, *n.* désespoir, *m.*

desperation, *n.* *in desperation,* en désespoir de cause

despotic, *a.* despotique

dessert, *n.* dessert, *m.*

destination, *n.* destination, *f.*

destine, *v.* destiner; condamner

destiny, *n.* destinée, *f.*

detail, *n.* détail, *m.*

detour, *n.* détour, *m.*

develop, *v.* développer; se développer

development, *n.* développement, *m.*

devote, *v.* consacrer

diagram, *n.* plan, *m.*

dialect, *n.* dialecte, *m.*

dictate, *v.* dicter

dictatorial, *a.* autoritaire

die, *v.* mourir

diet, *n.* régime, *m.*

difference, *n.* différence, *f.*

different, *a.* différent, -e

differ, *v.* différer

difficult, *a.* difficile

difficulty, *n.* difficulté, *f.*

dig, *v.* creuser

dignified, *a.* digne

dignity, *n.* dignité, *f.* *with dignity,* dignement

dilapidate, *v.* délabrer

dimension, *n.* dimension, *f.*

dine, *v.* dîner

dint, *n.* *by dint of,* à force de

diplomatic, *a.* diplomatique

direct, *a.* direct, -e ——, *v.* diriger

direction, *n.* direction, *f.* *in the direction of,* du côté de

directory, *n.* annuaire, *m.*

dirty, *a.* sale, *m.*

disappear, *v.* disparaître

disappearance, *n.* disparition, *f.*

disappointment, *n.* déception, *f.*

discomfort, *n.* malaise, *m.*

discover, *v.* découvrir

discovery, *n.* découverte, *f.*

discuss, *v.* discuter

disguise, *v.* déguiser *to disguise as,* se déguiser en

disinherited, *a.* déshérité, -e

disorder, *n.* désordre, *m.*

disown, *v.* renier

disparage, *v.* décrier

**dispatch,** *v.* expédier
**display,** *v.* afficher
**disrepair,** *n.* délabrement, *m.*
**distance,** *n.* distance, *f.*
**distant,** *a.* lointain, -e; reculé, -e
**distemper,** *n.* détrempe, *f.*
**distinct,** *a.* distinct, -e
**distinctive,** *a.* distinctif, -ve
**distinguish,** *v.* distinguer
**disturb,** *v.* déranger
**ditch,** *n.* fossé, *m.*
**dive,** *v.* plonger
**diversity,** *n.* diversité, *f.*
**divert,** *v.* ***divert from,*** écarter
**divide,** *v.* diviser; partager
**divine,** *a.* divin, -e
**division,** *n.* division, *f.*
**do,** *v.* faire
**doctor,** *n.* docteur, *m.;* médecin, *m.*
**doctorate,** *n.* doctorat, *m.* ***university doctorate,*** doctorat d'université
**dog,** *n.* chien, *m.*
**doll,** *n.* poupée, *f.*
**domain,** *n.* domaine, *m.*
**dominate,** *v.* dominer
**door,** *n.* porte, *f.;* portière, *f.*
**double,** *a.* double
**doubt,** *n.* doute, *m.* ***no doubt,*** sans doute ***There is no doubt about that:*** Cela ne fait pas de doute. ——, *v.* douter; douter de ***he doubts it,*** il en doute
**doubtless,** *adv.* sans doute
**drag,** *v.* entraîner ***drag (around),*** traîner
**draw,** *v.* dessiner; entraîner; tirer ***draw up,*** rédiger
**dream,** *n.* rêve, *m.* ——, *v.* rêver
**dress,** *n.* robe, *f.;* toilette, *f.* ——, *v.* habiller; s'habiller; vêtir
**dressing gown,** *n.* peignoir, *m.*
**drink,** *v.* boire
**drive,** *n.* avenue, *f.* ***to go for a drive,*** faire une promenade en voiture; se promener (en voiture) ——, *v.* conduire ***drive about,*** rôder ***drive away,*** chasser ***take driving,*** conduire ***I see what you are driving at:*** Je vous vois venir.
**drown,** *v.* noyer
**drum,** *n.* tambour, *m.*
**dry,** *a.* sec, sèche ——, *v.* sécher
**dryness,** *n.* sécheresse, *f.*
**ducal,** *a.* ducal, -e
**duchy,** *n.* duché, *m.*

**due,** *a.* dû, due ***to be due to,*** tenir à
**duke,** *n.* duc, *m.*
**dumb,** *a.* muet, -te
**during,** *prep.* pendant
**dust,** *n.* poussière, *f.*
**dusty,** *a.* poussiéreux, -se
**duty,** *n.* devoir, *m.*
**dwelling,** *n.* habitation, *f.*
**each,** *a.* chaque ***each one,*** chacun, -e
**ear,** *n.* oreille, *f.*
**early,** *adv.* de bon matin ***as early as,*** dès
**earn,** *v.* gagner
**earth,** *n.* terre, *f.*
**ease,** *n.* aise, *f.*
**easily,** *adv.* aisément; facilement
**east,** *n.* est, *m.*
**easy,** *a.* facile
**eat,** *v.* manger
**ecclesiastical,** *a.* ecclésiastique
**economical,** *a.* économe
**economy,** *n.* économie, *f.*
**edge,** *n.* bord, *m.*
**edifice,** *n.* édifice, *m.*
**edifying,** *a.* édifiant, -e
**edition,** *n.* édition, *f.*
**educate,** *v.* instruire
**education,** *n.* éducation, *f.;* enseignement, *m.;* instruction, *f.*
**effect,** *n.* effet, *m.*
**efficient,** *a.* compétent, -e
**effort,** *n.* effort, *m.*
**egg,** *n.* œuf, *m.*
**Egypt,** *n.* Égypte, *f.*
**eight,** *a.* huit
**eighteen,** *a.* dix-huit
**eighty,** *a.* quatre-vingts
**either,** *adv.* non plus ***either . . . or,*** ou . . . ou
**elect,** *v.* élire
**electric,** *a.* électrique
**electrify,** *v.* électrifier
**elegant,** *a.* élégant, -e
**eleven,** *a.* onze
**eliminate,** *v.* supprimer
**else,** *a. & adv.* ***nothing else,*** rien d'autre ***or else,*** ou bien
**elsewhere,** *adv.* ailleurs
**embarrass,** *v.* gêner; embarrasser
**embarrassment,** *n.* embarras, *m.*
**embark,** *v.* embarquer; s'embarquer
**emperor,** *n.* empereur, *m.*
**emphasis,** *n.* accent, *m.*
**empire,** *n.* empire, *m.*
**employee,** *n.* employé, -e, *m. & f.*

**emptiness,** *n.* vide, *m.*

**empty,** *a.* vide ——, *v.* vider; se jeter

**enclose,** *v.* renfermer

**end,** *n.* bout, *m.;* fin, *f.;* fond, *m.* *end of line,* terminus, *m.* *There is never an end to:* Cela n'en finit pas. ——, *v.* finir; aboutir

**enemy,** *n.* ennemi, -e, *m. & f.*

**engage,** *v.* engager *to be engaged in,* être en train de

**engagement,** *n.* fiançailles, *f. pl.*

**engineer,** *n.* ingénieur, *m.*

**England,** *n.* Angleterre, *f.*

**English,** *a.* anglais, -e

**enjoy,** *v.* jouir de *to enjoy oneself,* se plaire

**enjoyment,** *n.* plaisir, *m.*

**enlarge,** *v.* agrandir

**enormous,** *a.* énorme

**enormously,** *adv.* énormément

**enough,** *a.* assez de ——, *adv.* assez

**enrol,** *v.* enrôler; s'inscrire à

**entail,** *v.* entraîner

**enter,** *v.* entrer

**enterprise,** *n.* entreprise, *f.*

**enthusiasm,** *n.* enthousiasme, *m.*

**enthusiastic,** *a.* *to become enthusiastic,* s'enthousiasmer

**entire,** *a.* entier, entière

**entirely,** *adv.* entièrement

**entourage,** *n.* entourage, *m.*

**entrance,** *n.* entrée, *f.*

**entrust,** *v.* confier

**enumerate,** *v.* énumérer

**enumeration,** *n.* énumération, *f.*

**envelope,** *n.* enveloppe, *f.*

**envisage,** *v.* envisager

**epistle,** *n.* épître, *f.*

**equal,** *a.* égal, -e *to be equal to something,* être à la hauteur ——, *v.* égaler

**equality,** *n.* égalité, *f.*

**equipment,** *n.* matériel, *m.*

**equivalent,** *a.* *to be equivalent to,* équivaloir à

**erase,** *v.* effacer

**eraser,** *n.* gomme, *f.*

**erect,** *v.* dresser

**errand,** *n.* commission, *f.;* course, *f.*

**error,** *n.* erreur, *f.*

**escape,** *v.* échapper; se sauver

**especially,** *adv.* surtout

**essay,** *n.* composition, *f.;* essai, *m.*

**essential,** *a.* essentiel, -le

**essentially,** *adv.* essentiellement

**establish,** *v.* établir

**estate,** *n.* domaine, *m.;* propriété, *f.*

**estimate,** *v.* estimer

**estrangement,** *n.* brouille, *f.*

**estuary,** *n.* estuaire, *m.*

**ethnological,** *a.* ethnologique

**Europe,** *n.* Europe, *f.*

**European,** *a.* européen, -ne

**eve,** *n.* veille, *f.*

**even,** *adv.* même *even more,* encore plus

**evening,** *n.* soir, *m.;* soirée, *f.* *good evening,* bonsoir

**event,** *n.* événement, *m.*

**ever,** *adv.* jamais

**every,** *a.* chaque; tout, -e *every day,* tous les jours

**everybody,** *pro.* tout le monde

**everything,** *n.* tout; le tout

**everywhere,** *adv.* partout

**evil,** *n.* mal, *m.*

**evoke,** *v.* évoquer

**evolution,** *n.* évolution, *f.*

**exactly,** *adv.* exactement; parfaitement

**examination,** *n.* examen, *m.*

**examine,** *v.* examiner; interroger *to examine by auscultation,* ausculter

**example,** *n.* exemple, *m.* *for example,* par exemple

**excellent,** *a.* excellent, -e

**except,** *prep.* excepté; sauf *except for that,* à part ça

**exception,** *n.* exception, *f.* *with the exception of,* à l'exception de

**exceptional,** *a.* exceptionnel, -le

**exchange,** *n.* échange, *m.* *in exchange for,* en échange de *Stock Exchange,* Bourse, *f.* ——, *v.* échanger

**exclusively,** *adv.* uniquement

**excursion,** *n.* excursion, *f.*

**excuse,** *n.* prétexte, *m.* ——, *v.* excuser

**executioner,** *n.* bourreau, *m.*

**exemplary,** *a.* exemplaire

**exercise,** *n.* exercice, *m.;* devoir, *m.* ——, *v.* exercer

**exhaust,** *v.* épuiser

**exhibition,** *n.* exposition, *f.*

**exile,** *v.* exiler

**exist,** *v.* exister

**existence,** *n.* existence, *f.*

**exit,** *n.* sortie, *f.*

**expect,** *v.* attendre; s'attendre à

**expedite,** *v.* expédier

**expense,** *n.* dépense, *f.;* prix, *m.* *expenses,* frais, *m. pl.*

**expensive,** *a.* cher, chère *to be expensive,* coûter cher
**experience,** *n.* expérience, *f.*
**experiment,** *n.* expérience, *f.*
**experimental,** *a.* expérimental, -e
**expert,** *n.* *to be an expert in,* s'y connaître
**explain,** *v.* expliquer
**explanation,** *n.* explication, *f.*
**explore,** *v.* explorer
**exposition,** *n.* exposition, *f.*
**express,** *n.* rapide, *m.* ——, *v.* exprimer
**expression,** *n.* expression, *f.*
**extend,** *v.* s'étendre
**extent,** *n.* étendue, *f.* *to what extent,* combien
**exterior,** *n.* extérieur, *m.*
**extinguish,** *v.* éteindre
**extract,** *n.* extrait, *m.*
**extraordinary,** *a.* extraordinaire
**extreme,** *a.* extrême
**extremely,** *adv.* extrêmement
**extremity,** *n.* extrémité, *f.*
**eye,** *n.* œil, *m.* (*pl.*: les yeux) *bull's eye,* œil-de-bœuf
**eyesight,** *n.* vue, *f.*

**face,** *n.* visage, *m.*
**fact,** *n.* fait, *m.* *as a matter of fact,* en effet
**factor,** *n.* facteur, *m.* *to become a factor,* entrer en jeu
**factory,** *n.* usine, *f.*
**faculty,** *n.* faculté, *f.;* les professeurs
**fail,** *v.* échouer; faillir *do not fail to,* ne manquez pas de
**failure,** *n.* échec, *m.*
**faint,** *v.* s'évanouir
**fair,** *a.* blond, -e
**fairy-like,** *a.* féerique
**faith,** *n.* foi, *f.*
**faithful,** *a.* fidèle
**fall,** *n.* chute, *f.* ——, *v.* tomber *fall again,* retomber *fall back,* retomber
**false,** *a.* faux, fausse
**family,** *n.* famille, *f.*
**famous,** *a.* célèbre
**fanaticism,** *n.* fanatisme, *m.*
**far,** *a. & adv.* loin *as far as,* jusqu'à *from far off,* de loin *it is a far cry from,* il y a loin de
**fare,** *n.* tarif, *m.*

**farm,** *n.* ferme, *f.*
**farmer,** *n.* cultivateur, *m.* *tillage farmer,* laboureur, *m.*
**fast,** *a.* rapide ——, *adv.* vite
**fasten,** *v.* rattacher, attacher
**fate,** *n.* sort, *m.*
**father,** *n.* père, *m.*
**fatigue,** *v.* fatiguer
**fault,** *n.* faute, *f.* *it is his fault,* c'est de sa faute
**favor,** *n.* *to return to favor,* rentrer en grâce
**favorable,** *a.* favorable
**fear,** *n.* peur, *f.* ——, *v.* craindre; avoir peur *for fear that,* de peur que
**feather,** *n.* plume, *f.*
**February,** *n.* février, *m.*
**federation,** *n.* confédération, *f.*
**feel,** *v.* éprouver; ressentir; sentir; tâter *to feel drawn toward,* avoir de la sympathie pour
**feeling,** *n.* sentiment, *m.*
**fencing,** *n.* escrime, *f.*
**festival,** *n.* fête, *f.*
**feudal,** *a.* féodal, -e
**few,** *a.* quelque
**field,** *n.* champ, *m.;* terrain, *m.* *dropping field,* terrain de parachutage
**fifteen,** *a.* quinze
**fifty,** *a.* cinquante
**fight,** *v.* se battre
**figure,** *n.* chiffre, *m.;* figure, *f.*
**fill,** *v.* remplir *to fill up,* faire le plein
**finally,** *adv.* enfin; finalement *to do something finally,* finir par
**find,** *v.* trouver *find again,* retrouver
**fine,** *a.* *The weather is fine:* Il fait beau. *to look fine,* faire très bien *that's fine,* c'est épatant
**finger,** *n.* doigt, *m.*
**finish,** *v.* finir; achever; terminer
**fire,** *n.* feu, *m.;* incendie, *m.* *set fire to,* incendier
**first,** *a.* premier, première ——, *adv.* d'abord
**fisherman,** *n.* pêcheur, *m.*
**fishing,** *n.* pêche, *f.*
**five,** *a.* cinq
**flag,** *n.* drapeau, *m.*
**flame,** *n.* flamme, *f.*
**Flanders,** *n.* Flandre, *f.*
**flee,** *v.* fuir
**Flemish,** *a.* flamand, -e
**flexibility,** *n.* souplesse, *f.*
**flight,** *n.* vol, *m.*

**floor,** *n.* plancher, *m.;* étage, *m.*
 *ground floor,* rez-de-chaussée, *m.*
 *on the second floor,* au premier
**flourishing,** *n.* floraison, *f.*
**flow,** *v.* couler
**flower,** *n.* fleur, *f.* *flower bed,* *n.* parterre, *m.;* plate-bande, *f.*
**fly,** *v.* voler *fly over,* survoler *flying buttress,* arc-boutant, *m.*
**fog,** *n.* brouillard, *m.*
**follow,** *v.* suivre *follow after,* succéder
**follower,** *n.* partisan, *m.* *followers,* entourage, *m.*
**food,** *n.* aliment, *m.;* nourriture, *f.*
**foot,** *n.* pied, *m.* *on foot,* à pied
**for,** *conj.* car ——, *prep.* pour; depuis *as for,* quant à *for a long time,* depuis longtemps
**forbid,** *v.* défendre, interdire
**force,** *n.* force, *f.* *the force of circumstances,* la force des choses *to come into force,* entrer en vigueur ——, *v.* forcer
**forcibly,** *adv.* de force
**foreground,** *n.* premier plan, *m.*
**forehead,** *n.* front, *m.*
**foreign,** *a.* étranger, étrangère
**foresee,** *v.* prévoir
**forest,** *n.* forêt, *f.*
**forget,** *v.* oublier
**fork,** *n.* fourchette, *f.*
**form,** *n.* forme, *f.* ——, *v.* former
**formation,** *n.* formation, *f.*
**former,** *a.* ancien, -ne ——, *pro.* celui-là
**formerly,** *adv.* autrefois
**formula,** *n.* formule, *f.*
**forth,** *adv.* *and so forth,* et ainsi de suite
**fortification,** *n.* fortification, *f.*
**fortify,** *v.* fortifier
**fortress,** *n.* forteresse, *f.*
**fortunate,** *a.* heureux, -se
**fortune,** *n.* fortune, *f.*
**forty,** *a.* quarante
**found,** *v.* fonder
**foundation,** *n.* fondement, *m.*
**fountain,** *n.* fontaine, *f.;* jet (*m.*) d'eau
**four,** *a.* quatre
**fragment,** *n.* fragment, *m.*
**frame,** *v.* encadrer
**franc,** *n.* franc, *m.*
**Franco-Swiss,** *a.* franco-suisse

**frank,** *a.* franc, franche
**Frank,** *n.* Franc, *m.*
**fraternity,** *n.* fraternité, *f.*
**free,** *a.* libre
**freely,** *adv.* librement
**freeze,** *v.* geler
**French,** *a.* français, -e
**frequent,** *a.* fréquent, -e ——, *v.* fréquenter
**fresco,** *n.* fresque, *f.*
**fresh,** *a.* frais, fraîche
**Friday,** *n.* vendredi, *m.*
**friend,** *n.* ami, -e, *m.* *& f.*
**friendly,** *a.* amical, -e
**frighten,** *v.* effrayer; effarer
**frightful,** *a.* affreux, -se
**fringe,** *n.* marge, *f.*
**front,** *n.* front, *m.* *front of building,* façade, *f.* *in front,* devant
**frontier,** *n.* frontière, *f.*
**fruit,** *n.* fruit, *m.;* fruits, *m. pl.*
**fruitless,** *a.* infructueux, -se
**fry,** *v.* frire *frying pan,* poêle, *f.*
**fugitive,** *a.* fugitif, -ve
**fulfill,** *v.* réaliser
**full,** *a.* plein, -e; complet, complète *full to overflowing,* comble
**fun,** *n.* *make fun of,* se moquer de
**function,** *n.* fonction, *f.*
**furious,** *a.* furieux, -se
**furnish,** *v.* fournir; meubler
**furniture,** *n.* meubles, *m. pl.* *piece of furniture,* meuble, *m.*
**future,** *a.* futur, -e ——, *n.* avenir, *m.*

**gain,** *v.* gagner
**gallantry,** *n.* bravoure, *f.*
**gallery,** *n.* galerie, *f.*
**Gallic,** *a.* gaulois, -e
**Gallo-Roman,** *a.* gallo-romain, -e
**game,** *n.* jeu, *m.;* match, *m.*
**garage,** *n.* garage, *m.* *garage man,* garagiste, *m.*
**garden,** *n.* jardin, *m.*
**garret,** *n.* grenier, *m.*
**gas,** *n.* gaz, *m.*
**gasoline,** *n.* essence, *f.*
**gate,** *n.* barrière, *f.;* porte, *f.* *iron gate,* grille, *f.* *carriage gate,* porte cochère *wicket gate,* portillon, *m.*
**Gaul,** *n.* Gaule, *f.;* Gaulois, -e, *m. & f.*
**general,** *n.* général, *m.*
**generalize,** *v.* généraliser

generally, *adv.* généralement

genius, *n.* génie, *m.* **to have a genius for,** avoir le génie de

gentle, *a.* doux, douce; gentil, -le (*archaic*)

gentleman, *n.* gentilhomme, *m.;* monsieur, *m.* **gentleman in waiting,** valet de chambre **gentlemen,** messieurs, *m. pl.*

geography, *n.* géographie, *f.*

geometrical, *a.* géométrique

German, *a.* allemand, -e

Germanic, *a.* germanique

Germany, *n.* Allemagne, *f.*

gesture, *n.* geste, *m.*

get, *v.* **get on,** monter; monter dans **get sick,** tomber malade **get up,** se lever; se relever **get an idea,** se faire une idée **get one's money back,** se faire rembourser

gift, *n.* cadeau, *m.;* don, *m.*

gild, *v.* dorer

girl, *n.* fille, *f.;* jeune fille, *f.*

give, *v.* donner **give back,** rendre **give in,** s'incliner **give up,** céder; renoncer

glad, *a.* content, -e

gladly, *adv.* volontiers

glass, *n.* verre, *m.* **beer glass,** bock, *m.*

glimpse, *n.* **to catch a glimpse of,** entrevoir

glorious, *a.* glorieux, -se

glove, *n.* gant, *m.*

go, *v.* aller **go around,** faire le tour de **go away,** s'en aller **go back,** remonter; retourner **go beyond,** dépasser **go down,** descendre **go up,** monter **go up again,** remonter **go off,** partir **go out,** sortir **go to,** passer à **go to one's post,** rejoindre son poste

god, *n.* dieu, *m.*

goddess, *n.* déesse, *f.*

gold, *n.* or *m.*

good, *a.* bon, bonne **Very good, sir:** Bien, Monsieur.

Gothic, *a.* gothique

govern, *n.* gouverner

government, *n.* gouvernement, *m.;* État, *m.*

governor, *n.* gouverneur, *m.*

graceful, *a.* gracieux, -se

grade, *n.* note, *f.*

grandeur, *n.* grandeur, *f.*

grandiose, *a.* grandiose

grandmother, *n.* grand'mère, *f.*

grandson, *m.* petit-fils, *m.*

grasp, *v.* saisir

grass, *n.* herbe, *f.*

gratitude, *n.* reconnaissance, *f.*

grave, *a.* grave

gravy, *n.* sauce, *f.*

great, *a.* grand, -e

greatness, *n.* grandeur, *f.*

Greco-Roman, *a.* gréco-romain, -e

Greece, *n.* Grèce, *f.*

Greek, *a.* grec, grecque

green, *a.* vert, -e

greenhouse, *n.* serre, *f.*

greet, *v.* accueillir

grey, *a.* gris, -e

grocer, *n.* épicier, *m.* **green grocer,** fruitier, *m.*

grotesque, *a.* grotesque

ground, *n.* terre, *f.;* sol, *m.*

group, *n.* groupe, *m.* ——, *v.* grouper

grow, *v.* pousser; croître

guest, *n.* invité, -e, *m. & f.*

guide, *v.* guider

guilty, *a.* coupable

habit, *n.* habitude, *f.* **to form the habit,** prendre l'habitude

habitation, *n.* habitation, *f.*

habitual, *a.* habituel, -le

hail, *v.* héler

hair, *n.* cheveu, *m.;* cheveux, *m. pl.*

hairbrush, *n.* brosse (*f.*) à cheveux

haircut, *n.* coupe (*f.*) de cheveux **to give a crew haircut,** couper les cheveux en brosse

hairdresser, *n.* coiffeur, *m.*

half, *a.* demi, -e ——, *adv.* à demi; à moitié ——, *n.* moitié, *f.*

hall, *n.* salle, *f.;* galerie, *f.* **city hall,** hôtel (*m.*) de ville **town hall,** mairie, *f.*

hand, *n.* main, *f.* **in his hand,** à la main **on one hand,** d'un côté **on the other hand,** par contre

handbook, *n.* livret, *m.*

handsome, *a.* beau

hang, *v.* pendre **hang up,** quitter

happen, *v.* arriver

happiness, *n.* bonheur, *m.*

happy, *adj.* content, -e; heureux, -se

hard, *a.* dur, -e ——, *adv.* fort

**hardly,** *adv.* ne . . . guère

**hardware,** *n.* *hardware merchant,* quincaillier, *m.*

**harmonious,** *a.* harmonieux, -se

**harmony,** *n.* concorde, *f.;* harmonie, *f.*

**harness,** *n.* harnais, *m.*

**hasten,** *v.* se hâter; se dépêcher

**hat,** *n.* chapeau, *m.*

**hate,** *n.* haine, *f.* ——, *v.* haïr

**haughty,** *a.* hautain, -e

**have,** *v.* avoir

**haze,** *n.* brouillard, *m.*

**he,** *pro.* il

**head,** *n.* tête, *f.* *to take it into one's head,* s'aviser

**headache,** *n.* migraine, *f.*

**hear,** *v.* entendre

**heart,** *n.* cœur, *m.*

**heaven,** *n.* ciel, *m.*

**heaviness,** *n.* lourdeur, *f.*

**heavy,** *a.* lourd, -e

**height,** *n.* hauteur, *f.*

**hello,** *adv.* allô; bonjour

**help,** *n.* aide, *f.;* secours, *m.*

**help,** *v.* aider *That didn't help much:* Cela ne l'avançait guère.

**hen,** *n.* poule, *f.*

**henceforth,** *adv.* désormais

**her,** *pro.* la *to her,* lui ——, *adj.* son, sa, ses ——, *poss. pro.* le sien, la sienne

**here,** *adv.* ici *here is* (*are*), voici

**hereditary,** *a.* héréditaire

**heretic,** *n.* hérétique, *m. & f.*

**herewith,** *adv.* ci-joint, -e

**hero,** *n.* héros, *m.*

**heroic,** *a.* héroïque

**hesitation,** *n.* hésitation, *f.*

**hesitate,** *v.* hésiter

**hide,** *v.* cacher; se cacher

**high,** *a.* haut, -e; élevé, -e *high class,* de luxe

**highly,** *adv.* hautement

**highway,** *n.* route, *f.*

**hill,** *n.* colline, *f.*

**him,** *pro.* le; lui *to him,* lui

**himself,** *pro.* se; lui-même *to himself,* se

**hinder,** *v.* gêner

**his,** *a.* son, sa, ses ——, *pro.,* le sien, la sienne

**historical,** *a.* historique

**historically,** *adv.* historiquement

**historiographer,** *n.* historiographe, *m.*

**history,** *n.* histoire, *f.*

**hold,** *v.* tenir *to be unable to hold out,* n'en pouvoir plus

**hole,** *n.* trou, *m.* *to make a hole in,* trouer

**holiday,** *n.* jour (*m.*) de fête; jour de congé

**holy,** *a.* saint, -e

**home,** *n.* maison, *f.* *at home,* à la maison *to go home,* rentrer

**homework,** *n.* devoirs, *m. pl.*

**honest,** *a.* honnête

**honor,** *n.* honneur, *m.* *in honor of,* en l'honneur de ——, *v.* honorer

**hope,** *n.* espoir, *m.* ——, *v.* espérer; souhaiter

**horizon,** *n.* horizon, *m.* *on the horizon,* à l'horizon

**horse,** *n.* cheval, *m.*

**horseman,** *n.* cavalier, *m.*

**hospital,** *n.* hôpital, *m.*

**hospitality,** *n.* hospitalité, *f.*

**hostile,** *a.* hostile

**hot,** *a.* chaud, -e

**hotel,** *n.* hôtel, *m.*

**hour,** *n.* heure, *f.* *office hour,* heure de consultation

**house,** *n.* maison, *f.* ——, *v.* loger

**how,** *adv.* comme, comment

**however,** *adv.* cependant; pourtant

**human,** *a.* humain, -e

**humming,** *n.* bourdonnement, *m.*

**hundred,** *a.* cent *about a hundred,* une centaine

**hunger,** *n.* faim, *f.*

**hurry,** *n.* *to be in a hurry,* être pressé ——, *v.* se dépêcher

**hurt,** *v.* avoir mal à

**husband,** *n.* époux, *m.;* mari, *m.*

**hygiene,** *n.* hygiène, *f.*


**ice,** *n.* glace, *f. electric ice box,* frigidaire, *m.*

**idea,** *n.* idée, *f.*

**ideal,** *a.* idéal, -e

**idealist,** *n.* idéaliste, *m. & f.*

**idealistic,** *a.* idéaliste

**identify,** *v.* identifier

**ideological,** *a.* idéologique

**idol,** *n.* idole, *f.*

**if,** *conj.* si

**ill,** *a.* malade

**illness,** *n.* maladie, *f.*

**illuminate,** *v.* éclairer; enluminer

**illumination,** *n.* enluminure, *f.*

imaginary, *a.* imaginaire

imagine, *v.* deviner; envisager; imaginer; se représenter *imagine that!* dire que! *you can well imagine,* vous pensez bien

imbued, *a.* pénétré, -e

imitate, *v.* imiter

imitation, *n. fraudulent imitation,* contrefaçon, *f.*

immediate, *a.* immédiat, -e

immediately, *adv.* immédiatement; tout de suite

immense, *a.* immense

immutable, *a.* immuable

impeccable, *a.* impeccable

impel, *v.* pousser

impertinence, *n.* impertinence, *f.*

impetus, *n.* élan, *m. with the same impetus,* d'un seul élan

impiety, *n.* impiété, *f.*

importance, *n.* importance, *f. to be of importance,* importer

important, *a.* important, -e *the important thing,* l'essentiel

impose, *v.* imposer *impose on,* imposer à

impregnable, *a.* imprenable

impression, *n.* impression, *f.*

impressionist, *n.* impressionniste, *m.*

impressionistic, *a.* impressionniste

impressive, *a.* impressionnant, -e

imprisonment, *n.* prison, *f. life imprisonment,* prison perpétuelle

impulse, *n.* élan, *m.*

in, *prep.* dans; en; chez

inaccessible, *a.* inaccessible

incident, *n.* incident, *m.*

include, *v.* comprendre

inconceivable, *a.* inconcevable

increase, *v.* accroître; croître; augmenter

independent, *a.* indépendant, -e

indicate, *v.* indiquer

indication, *n.* indication, *f.*

indigestion, *n.* indigestion, *f.*

indignity, *n.* indignité, *f.*

indiscreetly, *adv.* indiscrètement

indispensable, *a.* indispensable

individual, *a.* individuel, -le ——, *n.* individu, *m. private individual,* particulier, *m.*

individualism, *n.* individualisme, *m.*

individualist, *n.* individualiste, *m.*

individualistic, *a.* individualiste

Indo-China, *n.* Indo-Chine, *f.*

industrial, *a.* industriel, -le

industry, *n.* industrie, *f.*

inevitably, *adv.* inévitablement

infamous, *a.* infâme

inferior, *a.* inférieur, -e

infiltrate, *v.* s'infiltrer

inform, *v.* aviser, renseigner

information, *n.* renseignement, *m.*

ingratitude, *n.* ingratitude, *f.*

inhabit, *v.* habiter

inhabitant, *n.* habitant, *m. inhabitant of Champagne,* Champenois, *m. i. of Lille,* Lillois, *m. i. of Orléans,* Orléanais, *m.*

inherit, *v.* hériter

ink, *n.* encre, *f.*

innumerable, *a.* innombrable

inscribe, *v.* inscrire

inside, *adv.* à l'intérieur

insist, *v.* insister; exiger *insist on doing,* insister pour faire

inspect, *v.* contrôler

inspiration, *n.* inspiration, *f.;* souffle, *m.*

inspire, *v.* inspirer

install, *v.* installer

instant, *n.* instant, *m.*

instead of, *prep.* au lieu de

institute, *v.* instituer

instrument, *n.* appareil, *m.*

insult, *n.* injure, *f.* ——, *v.* insulter

intellectual, *a.* intellectuel, -le

intelligence, *n.* intelligence, *f.;* renseignement, *m.*

intelligent, *a.* intelligent, -e

intend, *v.* destiner

intention, *n.* intention, *f.*

intentionally, *adv.* exprès

interchange, *n.* correspondance, *f.*

interest, *n.* intérêt, *m.* ——, *v.* intéresser *to be interested in,* s'intéresser à

interesting, *a.* intéressant, -e

interior, *n.* intérieur, *m.*

intermediary, *a.* intermédiaire

interminable, *a.* interminable

intern, *n.* interne, *m.*

international, *a.* international, -e

interrupt, *v.* interrompre

intervene, *v.* intervenir

intervention, *n.* intervention, *f.*

intimate, *a.* intime

intimidate, *v.* intimider

into, *prep.* dans, en

introduce, *v.* présenter

**intruding,** *a.* intrus, -e
**invade,** *v.* envahir
**invalid,** *n.* invalide, *m. & f.*
**invasion,** *n.* invasion, *f.*
**invent,** *v.* inventer
**invention,** *n.* invention, *f.*
**invest,** *v.* placer
**investigation,** *n.* recherche, *f.*
**investment,** *n.* placement, *m.*
**invitation,** *n.* invitation, *f.*
**invite,** *v.* inviter
**inwardly,** *adv.* intérieurement
**Irishman,** *n.* Irlandais, *m.*
**iron,** *n.* fer, *m.*
**ironical,** *a.* ironique
**ironmonger,** *n.* quincaillier, *m.*
**irony,** *n.* ironie, *f.*
**irreligious,** *a.* irréligieux, -se
**island,** *n.* île, *f.*
**isolate,** *v.* isoler
**it,** *pro.* il, elle, ce
**Italian,** *a.* italien, -ne
**Italy,** *n.* Italie, *f.*

**janitor,** *n.* concierge, *m. & f.*
**January,** *n.* janvier, *m.*
**Jesuit,** *n.* Jésuite, *m.*
**job,** *n.* besogne, *f.*
**join,** *v.* joindre, rejoindre
**joiner,** *n.* menuisier, *m.*
**jointly,** *adv.* en commun
**joke,** *v.* plaisanter
**journey,** *n.* trajet, *m.*
**joy,** *n.* joie, *f.*
**judge,** *n.* juge, *m.*
**July,** *n.* juillet, *m.*
**jump,** *v.* sauter
**June,** *n.* juin, *m.*
**juridical,** *a.* juridique
**just,** *a.* juste ——, *adv.* donc **I have just bought,** je viens d'acheter
**justice,** *n.* justice, *f.*

**keep,** *n.* donjon, *m.* ——, *v.* garder; tenir **keep up,** entretenir
**khaki,** *a.* kaki, *invar.*
**kill,** *v.* tuer
**kind,** *a.* aimable **if you will be kind enough,** si vous voulez bien ——, *n.* espèce, *f.*; genre, *m.*
**kindness,** *n.* bonté, *f.*
**king,** *n.* roi, *m.*
**kiss,** *n.* baiser, *m.* ——, *v.* embrasser

**kitchen,** *n.* cuisine, *f.*
**knee,** *n.* genou, *m.*
**knife,** *n.* couteau, *m.*
**knight,** *n.* chevalier, *m.*
**knock,** *v.* frapper **knock senseless,** assommer
**know,** *v.* connaître; savoir **know all about,** s'y connaître **not to know,** ignorer
**knowledge,** *n.* connaissance, *f.* **without the knowledge of,** à l'insu de

**labor,** *n.* travail, *m.*
**lack,** *n.* défaut, *m.;* manque, *m.* **for lack of,** à défaut de ——, *v.* manquer de **to be lacking,** manquer **Somebody lacks something:** Quelque chose manque à quelqu'un.
**lacking,** *a.* à défaut de
**lady,** *n.* dame, *f.* **young lady,** demoiselle, *f.*
**land,** *n.* terre, *f.* **native land,** patrie, *f.* ——, *v.* débarquer
**landing,** *n.* atterrissage, *m.*
**landscape,** *n.* paysage, *m.* **landscape painter,** paysagiste, *m.*
**language,** *n.* langue, *f.*
**lapse,** *n.* laps, *m.*
**large,** *a.* grand, -e **to grow larger,** s'agrandir
**last,** *a.* dernier, dernière ——, *n.* **at last,** enfin ——, *v.* durer **to last forever,** s'éterniser
**late,** *a.* en retard; feu, -e ——, *adv.* tard **later on,** par la suite
**lately,** *adv.* nouvellement
**Latin,** *a.* latin, -e
**latter,** *pro.* celui-ci
**laugh,** *v.* rire ——, *n.* rire, *m.*
**launch,** *v.* lancer
**lavender,** *n.* lavande, *f.*
**law,** *n.* loi, *f.;* justice, *f.*
**lawn,** *n.* pelouse, *f.*
**lay,** *v.* coucher; mettre; placer; poser **lay out,** tracer
**lead,** *n.* plomb, *m.*
**lead,** *v.* amener; mener **lead (to something),** aboutir
**leaf,** *n.* feuille, *f.*
**lean,** *v.* s'incliner
**learn,** *v.* apprendre
**least,** *a.* moindre ——, *adv.* le moins **at least,** au moins
**leave,** *n.* permission, *f.* **leave (of ab-**

*sence*), congé, *m.* ——, *v.* laisser;
partir; quitter *to leave the table,*
sortir de table
**left,** *n.* gauche, *f.* *on the left,* à gauche
*left-overs,* restes, *m. pl.*
**leg,** *n.* jambe, *f.*
**legal,** *a.* légal, -e *to be legal,* avoir
force légale
**legality,** *n.* légalité, *f.*
**legend,** *n.* légende, *f.*
**legislative,** *a.* législatif, -ve
**legitimacy,** *n.* légitimité, *f.*
**legitimate,** *a.* légitime
**lend,** *v.* prêter
**less,** *adv.* moins
**lesson,** *n.* leçon, *f.*
**letter,** *n.* lettre, *f.* *express letter,* pneumatique, *m.*
**level,** *n.* niveau, *m.*
**liberate,** *v.* libérer
**liberation,** *n.* libération, *f.*
**libertine,** *a.* libertin, -e
**liberty,** *n.* liberté, *f.*
**library,** *n.* bibliothèque, *f.*
**lie,** *n.* mensonge, *m.* ——, *v.* mentir
**lieutenant,** *n.* *second lieutenant,* sous-
lieutenant, *m.*
**life,** *n.* vie, *f.* *for life,* à vie
**light,** *a.* léger, légère ——, *n.* lumière,
*f.* ——, *v.* éclairer
**like,** *a.* pareil, -le; tel, -le ——, *prep.*
comme; dans le genre de ——, *v.*
aimer
**likewise,** *adv.* également; de même
**limit,** *n.* limite, *f.*
**limit,** *v.* borner; limiter
**line,** *n.* ligne, *f.* *line of poetry,* vers, *m.*
*main line,* grande ligne, *f.*
**liner,** *n.* paquebot, *m.;* transatlantique,
*m.*
**linguistic,** *a.* linguistique
**link,** *n.* lieu, *m.;* liaison, *f.* ——, *v.* lier
**list,** *n.* liste, *f.* *wine list,* carte des vins
**listen,** *v.* écouter *listen to,* écouter
**literary,** *a.* littéraire
**literature,** *n.* littérature, *f.*
**litre,** *n.* litre, *m.*
**little,** *a.* petit, -e ——, *adv.* peu *a
little,* un peu *little by little,* peu à
peu
**live,** *v.* demeurer; habiter; vivre
**living,** *n.* vie, *f.*
**lobster,** *n.* homard, *m.* *spiny lobster,*
langouste, *f.*
**locate,** *v.* repérer

**location,** *n.* situation, *f.*
**lodge,** *v.* loger *lodge a complaint,*
porter plainte
**lodge-keeper,** *n.* concierge, *m. & f.*
**logic,** *n.* logique, *f.*
**logical,** *a.* logique
**London,** *n.* Londres, *m.*
**long,** *a.* long, longue *as long as,* tant
que ——, *adv.* longtemps *It has
been a long time since I saw you:* Il
y a longtemps que je ne vous ai vu.
**look,** *v.* regarder *look for,* chercher
*look at,* regarder *look through,* regarder par
**lord,** *n.* seigneur, *m.*
**lose,** *v.* perdre
**loss,** *n.* perte, *f.*
**loudly,** *adv.* hautement; haut
**love,** *n.* amour, *m.* ——, *v.* aimer
**low,** *a.* bas, -se
**lower,** *a.* *lower part,* le bas ——, *v.*
baisser
**luck,** *n.* chance, *f.* *it's hard luck,* ce
n'est pas de chance *as ill luck
would have it,* par malchance
**luckily,** *adv.* heureusement
**luggage,** *n.* bagages, *m. pl.* *luggage
compartment,* malle arrière, *f.*
**lunch,** *n.* déjeuner, *m.*
**luxury,** *n.* luxe, *m.*

**machine,** *n.* appareil, *m.;* machine, *f.*
**mad,** *a.* fou, fol, folle
**madame,** *n.* madame, *f.*
**magician,** *n.* magicien, -ne, *m. & f.*
**magnificent,** *a.* magnifique
**maid,** *n.* bonne, *f.*
**maiden,** *n.* pucelle, *f.*
**majority,** *n.* majorité, *f.*
**make,** *v.* faire; rendre
**man,** *n.* homme, *m.* *old man,* vieillard,
*m.* *young man,* garçon, *m.*
**manage,** *v.* gérer; se tirer d'affaire
**manifest,** *v.* manifester
**manor,** *n.* *lord of the manor,* châtelain, *m.*
**manner,** *n.* façon, *f.;* manière, *f.* *the
manner in which,* la façon dont
**mansion,** *n.* hôtel, *m.*
**manuscript,** *n.* manuscrit, *m.*
**many,** *a.* beaucoup (de) *so many,* tant
(de)
**map,** *n.* carte, *f.;* plan, *m.*
**march,** *n.* marche, *f.*

**March**, *n.* mars, *m.*

**mark**, *n.* marque, *f.*; note, *f.* ——, *v.* noter; marquer

**market**, *n.* marché, *m.*

**marriage**, *n.* mariage, *m.*

**marry**, *v.* épouser; marier

**marsh**, *n.* marais, *m.*

**marshal**, *n.* maréchal, *m.*

**martyr**, *n.* martyr, *m.*

**mass**, *n.* masse, *f.*

**massage**, *n.* *scalp massage*, friction, *f.*

**master**, *n.* maître, *m.* *master's degree*, licence, *f.*

**masterpiece**, *m.* chef-d'œuvre, *m.*

**match**, *n.* allumette, *f.*

**material**, *n.* matière, *f.*

**materialistic**, *a.* matérialiste

**matinee**, *n.* matinée, *f.*

**matter**, *n.* *What is the matter?* Qu'est-ce qu'il y a? *it is a matter of*, il s'agit de

**May**, *n.* mai, *m.*

**mayor**, *n.* maire, *m.*

**me**, *pro.* me; moi *to me*, me

**meadow**, *n.* pré, *m.*

**meal**, *n.* repas, *m.* *to eat a meal*, faire un repas

**mean**, *v.* vouloir dire

**meaning**, *n.* sens, *m.*

**means**, *n.* moyen, *m.*

**meanwhile**, *adv.* cependant; en attendant; entre temps

**meat**, *n.* viande, *f.*

**mechanical**, *a.* mécanique

**medieval**, *a.* médiéval, -e *medieval looking*, moyenâgeux, -se

**Mediterranean**, *n.* Méditerranée, *f.* ——, *a.* méditerranéen, -ne

**meet**, *v.* croiser; rencontrer; se retrouver; se réunir

**meeting**, *n.* réunion, *f.*

**melt**, *v.* fondre

**member**, *n.* membre, *m.*

**memento**, *n.* souvenir, *m.*

**memoir**, *n.* mémoire, *m.*

**memorable**, *a.* mémorable

**memory**, *n.* mémoire, *f.*

**menace**, *n.* menace, *f.*

**mentality**, *n.* mentalité, *f.*

**mention**, *v.* mentionner *without mentioning*, sans parler de

**menu**, *n.* menu, *m.*

**mercantilism**, *n.* mercantilisme

**merchandise**, *n.* marchandise, *f.*

**merchant**, *n.* marchand, *m.*

**Merovingian**, *a.* mérovingien, -ne

**merry-go-round**, *n.* carrousel, *m.*

**message**, *n.* message, *m.*

**method**, *n.* méthode, *f.*; procédé, *m.*

**metropolis**, *n.* métropole, *f.*

**middle**, *n.* milieu, *m.*

**middle-class**, *a.* bourgeois, -e

**midnight**, *n.* minuit, *m.*

**military**, *a.* militaire

**milk**, *n.* lait, *m.*

**milkman**, *n.* laitier, *m.*

**mind**, *n.* esprit, *m.* *to change one's mind*, se raviser; changer d'avis *to make up one's mind*, se décider à; se résoudre à

**mine**, *n.* mine, *f.* ——, *pro.* le mien

**minister**, *n.* ministre, *m.* *prime minister*, président du conseil

**ministry**, *n.* ministère, *m.*

**minute**, *n.* minute, *f.*

**miracle**, *n.* miracle, *m.*

**mirror**, *n.* glace, *f.*; miroir, *m.*

**mischief**, *n.* *mischief maker*, mauvaise langue, *f.*

**misdemeanor**, *n.* délit, *m.*

**mislead**, *v.* fourvoyer

**miss**, *n.* mademoiselle, *f.* ——, *v.* manquer

**mission**, *n.* mission, *f.*

**mist**, *n.* brouillard, *m.*

**mistake**, *n.* erreur, *f.*; faute, *f.* *to make a mistake*, se tromper ——, *v.* confondre; se tromper de

**mister**, *n.* monsieur, *m.*

**mistrust**, *n.* méfiance, *f.* ——, *v.* se méfier de

**mix**, *v.* mélanger; mêler *mixed*, mixte

**mixture**, *n.* mélange, *m.*

**moat**, *n.* fossé, *m.*

**model**, *n.* modèle, *m.*

**modern**, *a.* moderne

**modify**, *v.* modifier

**moment**, *m.* moment, *m.*; instant, *m.* *the moment that*, du moment que

**monarch**, *n.* monarque, *m.*

**Monday**, *n.* lundi, *m.*

**money**, *n.* argent, *m.*

**month**, *n.* mois, *m.*

**monument**, *n.* monument, *m.*

**moon**, *n.* lune, *f.*

**moonlight**, *n.* *by moonlight*, au clair de lune

**moral**, *a.* moral, -e

**morals**, *n.* mœurs, *f. pl.*

**morale**, *n.* moral, *m.*

**morally,** *adv.* moralement

**more,** *adv.* plus; davantage *no more,* ne . . . plus *more and more,* de plus en plus *all the more so because,* d'autant plus que

**moreover,** *adv.* d'ailleurs

**mores,** *n. pl.* mœurs, *f. pl.*

**morning,** *n.* matin, *m.;* matinée, *f.*

**most,** *a.* la plupart des ——, *adv.* le plus

**mother,** *n.* mère, *f.;* maman, *f.*

**motor,** *n.* moteur, *m.*

**motto,** *n.* devise, *f.*

**mount,** *n.* mont, *m.*

**mountain,** *n.* montagne, *f.*

**moustache,** *n.* moustache, *f.*

**mouth,** *n.* bouche, *f.*

**move,** *v.* déplacer; se déplacer *move back,* reculer *move forward,* avancer; s'avancer

**movement,** *n.* mouvement, *m.*

**movies,** *n.* cinéma, *m.*

**much,** *adv.* beaucoup *too much,* trop *very much,* beaucoup *as much,* autant *so much,* tant; tellement *how much,* combien

**municipality,** *n.* commune, *f.*

**mural,** *a.* mural, -e

**murder,** *v.* assassiner

**museum,** *n.* musée, *m.*

**music,** *n.* musique, *f.*

**mute,** *a.* muet, -te

**my,** *adj.* mon, ma, mes

**mysterious,** *a.* mystérieux, -se

**mystery,** *n.* mystère, *m.*

**mystic,** *n.* mystique, *m.*

**mystical,** *a.* mystique

**mysticism,** *n.* mysticisme, *m.*

**myth,** *n.* mythe, *m.*

**naive,** *a.* naïf, naïve

**naked,** *a.* nu, -e

**name,** *n.* nom, *m.* *first name,* prénom, *m.* *in the name of,* au nom de ——, *v.* appeler; nommer *to be named,* s'appeler

**nape,** *n.* *nape of the neck,* nuque, *f.*

**narcotic,** *n.* narcotique, *m.*

**narrate,** *v.* faire le récit de

**narrative,** *n.* récit, *m.*

**narrow,** *a.* étroit, -e

**nation,** *n.* nation, *f.*

**national,** *a.* national, -e

**nativity,** *n.* nativité, *f.*

**naturally,** *adv.* naturellement

**nature,** *n.* nature, *f.*

**nave,** *n.* nef, *f.*

**near,** *prep.* près de; auprès de *near by,* tout près

**nearly,** *adv.* à peu près *She nearly fell:* Elle a failli tomber.

**necessarily,** *adv.* nécessairement

**necessary,** *a.* nécessaire *to be necessary,* falloir

**necessity,** *n.* nécessité, *f.*

**neck,** *n.* cou, *m.*

**necktie,** *n.* cravate, *f.*

**need,** *n.* besoin, *m.* *if need be,* au besoin; s'il y a lieu ——, *v.* avoir besoin de *Butter is needed:* Il faut du beurre.

**neglect,** *v.* négliger

**negotiate,** *v.* faire marché

**neighbor,** *n.* voisin, -e, *m. & f.*

**neighboring,** *a.* voisin, -e

**neither,** *adv.* non plus ——, *conj.* ni *neither . . . nor,* ni . . . ni

**neo-classical,** *a.* néo-classique

**nerve,** *n.* *full of nerve,* gonflé, -e

**network,** *n.* réseau, *m.*

**never,** *adv.* ne . . . jamais

**nevertheless,** *adv.* néanmoins; pourtant

**new,** *a.* nouveau, nouvel, nouvelle, nouveaux, nouvelles; neuf, -ve

**newspaper,** *n.* journal, *m.*

**next,** *a.* prochain, -e *the next one,* le suivant *the next window,* le guichet d'à côté ——, *adv.* ensuite

**nice,** *a.* aimable; gentil, -le

**night,** *n.* nuit, *f.*

**nine,** *a.* neuf

**nineteen,** *a.* dix-neuf

**no,** *adv.* non ——, *adj.* aucun, -e

**nobility,** *n.* noblesse, *f.*

**noble,** *a.* noble

**noise,** *n.* bruit, *m.*

**noon,** *n.* midi, *m.*

**nor,** *conj.* ni

**Nordic,** *a.* nordique

**normally,** *adv.* normalement

**north,** *n.* nord, *m.*

**nose,** *n.* nez, *m.*

**not,** *adv.* non, ne . . . pas *not at all,* nullement, ne . . . point, pas du tout

**note,** *n.* note, *f.* ——, *v.* noter

**notebook,** *n.* cahier, *m.;* carnet, *m.*

**nothing,** *pro.* ne . . . rien

**notice,** *n.* avis, *m.* ———, *v.* constater; remarquer; s'apercevoir de
**notion,** *n.* notion, *f.*
**nourish,** *v.* nourrir
**novel,** *n.* roman, *m.*
**November,** *n.* novembre, *m.*
**now,** *adv.* maintenant *right now,* en ce moment *a few minutes from now,* d'ici quelques minutes ———, *conj.* or
**number,** *n.* numéro, *m.; nombre, *m.* ———, *v.* numéroter
**numerically,** *adv.* numériquement
**numerous,** *a.* nombreux, -se
**nurse,** *n.* infirmière, *f.*

**obedient,** *a.* obéissant, -e; soumis, -e
**obelisk,** *n.* obélisque, *m.*
**obey,** *v.* obéir; obéir à
**obligatory,** *a.* obligatoire
**oblige,** *v.* obliger
**object,** *n.* objet, *m.*
**oblige,** *v.* obliger *to be obliged to,* devoir
**obliging,** *a.* complaisant, -e
**observatory,** *n.* observatoire, *m.*
**observe,** *v.* observer
**obstacle,** *n.* obstacle, *m.*
**obtain,** *v.* obtenir
**obviously,** *adv.* évidemment
**occasion,** *n.* occasion, *f. on several occasions,* à plusieurs reprises
**occupation,** *n.* occupation, *f.*
**occupier,** *n.* occupant, *m.*
**occupy,** *v.* occuper
**o'clock,** *adv. one o'clock,* une heure *two o'clock,* deux heures
**October,** *n.* octobre, *m.*
**oculist,** *n.* oculiste, *m.*
**odd,** *a.* curieux, -se
**of,** *prep.* de
**off,** *adv. get off,* descendre
**offer,** *v.* offrir
**office,** *n.* bureau, *m.; cabinet, *m. box office,* bureau de location *post office,* bureau de poste
**official,** *a.* officiel, -le
**officer,** *n.* officier, *m.*
**often,** *adv.* souvent
**oil,** *n.* huile, *f.; pétrole, *m.*
**old,** *a.* ancien, -ne; vieux, vieil, vieille, vieux, vieilles
**on,** *prep.* sur
**once,** *adv.* une fois

**one,** *a.* un, -e ———, *pro.* on *no . . . one,* ne . . . personne
**onion,** *n.* oignon, *m.*
**only,** *adv.* seulement; ne . . . que *to be the only one to,* être seul à
**open,** *v.* ouvrir *open into,* donner sur
**opera,** *n.* opéra, *m.*
**operator,** *n.* téléphoniste, *f. radio operator,* radio, *m.*
**opinion,** *n.* avis, *m.; opinion, *f.; jugement, *m. in my opinion,* à mon avis; à mon sens *to be of the opinion that,* estimer
**opportunity,** *n.* occasion, *f.*
**oppose,** *v.* opposer; s'opposer à *to be opposed to,* s'opposer à
**opposite,** *a. & prep.* en face; en face de
**opposition,** *n.* opposition, *f.*
**or,** *conj.* ou
**orchestra,** *n.* orchestre, *m. orchestra seat,* fauteuil d'orchestre
**order,** *n.* ordre, *m. in order to,* afin de; pour ———, *v.* commander
**ordinary,** *a.* ordinaire
**organization,** *n.* organisation, *f.; service, *m.*
**organize,** *v.* organiser
**orient,** *v.* orienter
**origin,** *n.* origine, *f.*
**original,** *a.* original, -e
**originality,** *n.* originalité, *f.*
**other,** *a.* autre
**otherwise,** *adv.* autrement
**our,** *a.* notre, nos
**outlawed,** *a.* proscrit, -e
**outside,** *prep.* hors de; en dehors de ———, *adv.* dehors; en dehors *just outside,* en marge de
**oven,** *n.* four, *m.*
**over,** *adv.* par-dessus *over there,* là-bas
**overcoat,** *n.* pardessus, *m.*
**overflow,** *v.* déborder, regorger
**overheat,** *v.* surchauffer
**overthrow,** *v.* renverser
**own,** *a.* propre
**owner,** *n.* patron, *m.*
**ox,** *n.* bœuf, *m.*

**pace,** *n.* allure, *f.*
**package,** *n.* paquet, *m.*
**pagan,** *a.* païen, -ne
**page,** *n.* page, *f.*
**painfully,** *adv.* péniblement

paint, v. peindre
painter, n. peintre, m.
painting, n. peinture, f.
palace, n. palais, m.
pamphlet, n. brochure, f.
pane, n. *pane of glass,* vitre, f.
panel, n. panneau, m.
paper, n. papier, m.
parachute, v. parachuter; sauter en parachute
parade, v. défiler
paradox, n. paradoxe, m.
pardon, n. pardon, m. *I beg your pardon,* pardon
parent, n. parent, m.
parenthesis, n. parenthèse, f.
parenthetically, adv. entre parenthèses
parish, n. paroisse, f.
Parisian, a. parisien, -ne
parliamentary, a. parlementaire
parliament, n. parlement, m.
part, n. part, f.; partie, f.; raie, f.; rôle, m. *for my part,* de mon côté *to be part of,* faire partie de *to play a part,* jouer un rôle
participate, v. participer à
particular, a. particulier, particulière ——— n. *to ask for full particulars,* demander des précisions
partner, n. cavalier, m.
party, n. fête, f.; parti, m.
pass, v. passer *to pass the written,* être admissible *to pass the bread,* faire passer le pain
passage, n. passage, m.
passenger, n. voyageur, voyageuse, m. & f.
passing, n. & a. passage, m. *to be passing,* être de passage
passion, n. passion, f.
passively, adv. passivement
past, n. passé, m.
paste, n. pâte, f. *tooth paste,* pâte dentifrice
pastry-cook, n. pâtissier, m.
path, n. allée, f.; chemin, m.
patience, n. patience, f. *to lose patience,* s'impatienter
patient, a. patient, -e
patriot, n. patriote, m.
patriotic, a. patriote
pave, v. paver
pavilion, n. pavillon, m.
pay, v. payer
peace, n. paix, f.

peaceful, a. paisible
peasant, n. paysan, -ne, m. & f.
peer, n. pair, m.
pen, n. plume, f. *fountain pen,* stylo, m.
pencil, n. crayon, m.
penetrate, v. pénétrer
peninsula, n. presqu'île, f.
pension, n. pension, f.
people, n. pl. personnes, f. pl.; gens, m. pl.; peuple, m. *common people,* peuple, m. *young people,* jeunesse, f.
perceive, v. apercevoir
perfect, a. parfait, -e
perfect, v. perfectionner
perfection, n. perfection, f.
perfectly, adv. parfaitement
perform, v. faire *perform a play,* jouer la comédie
perhaps, adv. peut-être
period, n. époque, f.; période, f.
periphery, n. pourtour, m.
permanent, a. permanent, -e
permission, n. permission, f.
permit, v. permettre
perpetuate, v. perpétuer
person, n. personne, f.
personal, a. personnel, -le
personnel, n. personnel, m.
persuade, v. persuader *persuade someone to,* décider quelqu'un à
philosopher, n. philosophe, m.
philosophy, n. philosophie, f.
physical, a. physique
pick, v. cueillir
picker, n. cueilleur, cueilleuse, m. & f.
picnic, n. pique-nique, m. ———, v. faire un pique-nique
picture, n. image, f. *moving picture,* cinéma, m.
picturesque, a. pittoresque
picturesqueness, n. pittoresque, m.
piece, n. morceau, m.; tronçon, m. *piece of paper,* feuille (f.) de papier
piety, n. piété, f.
pillage, v. saccager
pink, a. rose
pipe, n. conduite, f.
pirate, n. pirate, m.
pitcher, n. pot à eau, m.
pity, n. pitié, f. *It is a pity:* C'est dommage. ———, v. plaindre
place, n. endroit, m.; lieu, m.; place, f. *fortified place,* place forte *to*

*change place,* se déplacer *to take place,* avoir lieu; se passer *to make one feel out of place,* dépayser *to feel out of place,* se sentir dépaysé
place, *v.* placer
plan, *n.* projet, *m.;* plan, *m.*
plane, *n.* avion, *m. four-engined plane,* quadrimoteur, *m.*
plant, *n.* plante, *f.*
plate, *n.* assiette, *f.;* plaque, *f.*
platform, *n.* quai, *m.*
play, *n.* pièce, *f.;* comédie, *f.* ——, *v.* jouer
playful, *a.* enjoué, -e
pleasant, *a.* agréable
please, *v.* plaire *please,* s'il vous plaît; veuillez *to please someone,* faire plaisir à quelqu'un
pleasure, *n.* plaisir, *m.*
plug, *n. spark plug,* bougie, *f.*
plunge, *v.* plonger
poet, *n.* poète, *m.*
poetic, *a.* poétique
poetry, *n.* poésie, *f.*
point, *n.* point, *m.;* pointe, *f. (of pin)* *to the point of,* jusqu'a
poison, *n.* poison, *m.* ——, *v.* empoisonner
polemist, *n.* polémiste, *m.*
police, *n.* police, *f.*
policeman, *n.* agent, *m.*
politeness, *n.* politesse, *f.*
political, *a.* politique
politics, *n.* politique, *f.*
pompous, *a.* pompeux, -se
pond, *n.* étang, *m.*
pool, *n. swimming pool,* piscine, *f.*
poor, *a.* pauvre
populace, *n.* populace, *f.*
popular, *a.* populaire
population, *n.* population, *f.*
pork-butcher, *n.* charcutier, *m.*
portrait, *n.* portrait, *m.*
position, *n.* poste, *m.*
positively, *adv.* décidément
possession, *n.* possession, *f. possessions,* bien, *m.*
possibility, *n.* possibilité, *f.*
possible, *a.* possible
post, *n.* poste, *m.;* poteau, *m. post office,* bureau (*m.*) de poste
poster, *n.* affiche, *f.*
postman, *n.* facteur, *m.*
postpone, *v.* remettre

postwar, *a. postwar period,* après-guerre, *m.*
pot, *n.* pot, *m.*
potato, *n.* pomme (*f.*) de terre *French fried potatoes,* frites, *f. pl.*
pound, *n.* livre, *f.*
pour, *v.* verser
power, *n.* pouvoir, *m.;* puissance, *f. in power,* au pouvoir
powerful, *a.* puissant, -e
practical, *a.* pratique
practice, *n.* pratique, *f.*
pray, *v.* prier
precede, *v.* précéder
preceding, *a.* précédent, -e
precisely, *adv.* précisément
precision, *n.* précision, *f.*
precursor, *n.* précurseur, *m.*
prefer, *v.* aimer mieux; préférer
preferably, *adv.* préférablement
preference, *n.* préférence, *f.*
prehistoric, *a.* préhistorique
prepare, *v.* préparer
prescribe, *v.* prescrire
presence, *n.* présence, *f.*
present, *a.* actuel, -le *present-day,* actuel, -le *to be present at,* assister à ——, *v.* présenter, représenter
presentation, *n.* présentation, *f.;* représentation, *f.*
presentiment, *n. to have a presentiment,* pressentir
presently, *adv.* tout à l'heure
preserve, *n.* conserve, *f.* ——, *v.* conserver; préserver
presidency, *n.* présidence, *f.*
press, *n.* presse, *f.* ——, *v.* presser
pretext, *n. on pretext of,* sous prétexte de
pretty, *a.* joli, -e
prevent, *v.* empêcher
previous, *a.* antérieur, -e
previously, *adv.* auparavant
prewar, *a.* d'avant-guerre *prewar period,* avant-guerre, *m.*
price, *n.* prix, *m.*
pride, *n.* orgueil, *m.*
priest, *n.* prêtre, *m. parish priest,* curé, *m.*
priggish, *a.* pincé, -e
primitive, *a.* primitif, -ve
prince, *n.* prince, *m. crown prince,* dauphin, *m.*
principle, *n.* principe, *m. in principle,* en principe

**print,** *v.* imprimer
**prison,** *n.* prison, *f.*
**prisoner,** *n.* prisonnier, prisonnière, *m. & f.*
**private,** *a.* particulier, particulière; privé, -e
**privilege,** *n.* privilège, *m.*
**privileged,** *a.* privilégié, -e
**probably,** *adv.* probablement
**problem,** *n.* problème, *m.*
**process,** *n.* procédé, *m.*
**procession,** *n.* procession, *f.* **to organize a procession,** faire une procession
**proclaim,** *v.* proclamer
**prodigious,** *a.* prodigieux, -se
**produce,** *v.* produire
**profession,** *n.* état, *m.*
**professor,** *n.* professeur, *m.*
**profit,** *n.* bénéfice, *m.*
**profit,** *v.* profiter **profit by,** profiter de
**profound,** *a.* profond, -e
**program,** *n.* programme, *m.*
**progress,** *n.* progrès, *m.*
**project,** *n.* projet, *m.*
**promise,** *n.* promesse, *f.*
**pronounce,** *v.* prononcer
**proof,** *n.* preuve, *f.*
**properly,** *adv.* proprement **properly speaking,** à proprement parler
**property,** *n.* propriété, *f.*
**prophecy,** *n.* prophétie, *f.*
**prophet,** *n.* prophète, *m.*
**proprietor,** *n.* propriétaire, *m.*
**prosaic,** *a.* prosaïque
**prosper,** *v.* prospérer
**protect,** *v.* protéger
**protection,** *n.* protection, *f.*
**protest,** *v.* protester; réclamer
**Protestant,** *a.* protestant, -e
**proud,** *a.* fier, fière
**prove,** *v.* prouver; établir
**provide,** *v.* pourvoir **provided that,** pourvu que
**province,** *n.* province, *f.* **in the provinces,** en province
**provision,** *n.* provision, *f.*
**prowl,** *v.* rôder
**prudent,** *a.* prudent, -e
**Prussia,** *n.* Prusse, *f.*
**public,** *a.* public, publique ——, *n.* public, *m.*
**publicity,** *n.* publicité, *f.*
**publicly,** *adv.* publiquement
**publish,** *v.* publier

**publisher,** *n.* éditeur, *m.*
**pull,** *v.* tirer
**punch,** *v.* poinçonner
**puncture,** *n.* crevaison, *f.*
**punish,** *v.* punir
**punishment,** *n.* punition, *f.*
**pupil,** *n.* élève, *m. & f.* **day pupil,** externe, *m.* **lycée pupil,** lycéen, -ne, *m. & f.*
**puppet,** *n.* homme (*m.*) de paille
**purchase,** *n.* achat, *m.*
**pure,** *a.* pur, -e
**purpose,** *n.* but, *m.*
**purse,** *n.* bourse, *f.*
**push,** *v.* pousser **push back,** refouler
**put,** *v.* mettre; poser **put back,** remettre **put on,** mettre
**pyre,** *n.* **funeral pyre,** bûcher, *m.*
**Pyrenees,** *n.* Pyrénées, *f. pl.*

**qualified,** *a.* admissible
**quality,** *n.* qualité, *f.*
**quantity,** *n.* quantité, *f.*
**quarrel,** *n.* querelle, *f.*
**quarter,** *n.* quart, *m.;* quartier, *m.*
**queen,** *n.* reine, *f.*
**queer,** *a.* bizarre
**question,** *n.* question, *f.* **the question has been raised of,** il est question de ——, *v.* interroger
**quick,** *a.* rapide
**quickly,** *adv.* vite
**quiet,** *a.* tranquille

**rabbit,** *n.* lapin, *m.*
**race,** *n.* race, *f.;* course, *f.*
**radiator,** *n.* radiateur, *m.*
**radical,** *a.* radical, -e
**radio,** *n.* T. S. F., *f.* **radio set,** poste de T.S.F.
**radio-detector,** *a.* **radio-detector car,** voiture (*f.*) gonio
**railroad,** *n.* chemin de fer, *m.*
**rain,** *n.* pluie, *f.* ——, *v.* pleuvoir
**raise,** *v.* élever; lever; relever; soulever
**rampart,** *n.* rempart, *m.;* muraille, *f.*
**rank,** *n.* rang, *m.;* grade, *m.*
**rapid,** *a.* rapide
**rapidity,** *n.* rapidité, *f.*
**rapidly,** *adv.* rapidement
**rare,** *a.* rare
**rate,** *n.* tarif, *m.*
**rather,** *adv.* assez; plutôt

rave, v. *rave at,* maudire
reach, v. atteindre
react, v. réagir
read, v. lire
reading, n. lecture, f.
ready, a. prêt, -e
real, a. réel, -le
realism, n. réalisme, m.
reality, n. réalité, f.
realize, v. se rendre compte
really, adv. réellement; vraiment
realm, n. royaume, m.
rear, n. arrière, m.
reason, n. raison, f.
reasoning, n. raisonnement, m.
rebirth, n. renaissance, f.
recall, v. rappeler
recant, v. abjurer
recapture, v. recapturer, retrouver
receive, v. recevoir
receiver, n. récepteur, m.
recent, a. récent, -e
reception, n. réception, f.
recognition, n. reconnaissance, f.
recognize, v. reconnaître
recommendation, n. recommandation, f.
recourse, n. recours, m.
recover, v. se remettre
red, a. rouge
red-handed, a. en flagrant délit
reduce, v. réduire
reestablish, v. rétablir
refer, v. se rapporter
reflect, v. réfléchir; refléter
reflection, n. réflexion, f.
refuge, n. *take refuge,* se réfugier
refusal, n. refus, m.
refuse, v. refuser
regard, n. *as regards,* en fait de
regent, n. régent, m.
regime, n. régime, m.
region, n. région, f.
regional, a. régional, -e
regionalism, n. régionalisme, m.
regret, v. regretter
regretfully, adv. à regret
regularity, n. régularité, f.
regulate, v. régler
rehabilitation, n. réhabilitation, f.
reign, n. règne, m.
reimburse, v. rembourser
reject, v. rejeter
rejoin, v. rejoindre
relate, v. raconter

relation, n. relation, f. *in relation to,* par rapport à
relationship, n. rapport, m.
relative, a. relatif, -ve ——, n. parent, m.
relatively, adv. relativement
relaxing, n. relâchement, m.
relieve, v. relever
religion, n. religion, f.
religious, a. religieux, -se
relish, n. hors-d'œuvre, m.
reluctant, a. récalcitrant, -e
remain, v. rester; se tenir; demeurer
remainder, n. reste, m.
remains, n. pl. reste, m.
remedy, n. remède, m.
remember, v. se rappeler; se souvenir de
renounce, v. renoncer
renowned, a. renommé, -e
rent, v. louer
renting, n. location, f.
repair, n. réparation, f. ——, v. réparer; remettre en état
repeat, v. répéter
replace, v. remplacer
report, v. rapporter
represent, v. représenter
representative, n. représentant, m.
reproach, v. reprocher *reproach someone for something,* reprocher quelque chose à quelqu'un
reproduce, v. reproduire
republic, n. république, f.
repulse, v. repousser
reputation, n. réputation, f.
request, n. demande, f. ——, v. prier
require, v. exiger
research, n. recherche, f.
resemble, v. ressembler à
reserve, v. réserver *to reserve seats,* retenir des places
residence, n. demeure, f.; résidence, f.
resist, v. résister; résister à
resistance, n. résistance, f.
resort, v. *to resort to,* avoir recours à
respect, n. égard, m.; respect, n. *in that respect,* en cela ——, v. respecter; avoir le respect de
respectable, a. respectable; qui se respecte
respiratory, a. respiratoire
responsibility, n. responsabilité, f.
responsible, a. responsable

**rest,** *n.* repos, *m.;* reste, *m.* ——, *v.* se reposer

**restaurant,** *n.* restaurant, *m.* **restaurant keeper,** restaurateur, *m.*

**restore,** *v.* restaurer

**result,** *n.* résultat, *n.;* conséquence, *f.* ——, *v.* résulter

**resume,** *v.* reprendre

**resumption,** *n.* reprise, *f.*

**retain,** *v.* retenir

**retaking,** *n.* reprise, *f.*

**retrace,** *v.* retracer

**retraction,** *n.* rétractation, *f.*

**return,** *n.* retour, *m.* ——, *v.* rentrer; retourner **on returning,** au retour

**reveal,** *v.* révéler

**revenge,** *n.* vengeance, *f.*

**review,** *n.* revue, *f.*

**revolution,** *n.* révolution, *f.*

**Rhine,** *n.* Rhin, m.

**rhythmic,** *a.* rythmé, -e

**rich,** *a.* riche

**rid,** *v.* **to get rid of,** se débarrasser de

**ride,** *v.* **ride a horse,** monter à cheval **ride a bicycle,** se promener à bicyclette, *f.*

**ridiculous,** *a.* ridicule **to make ridiculous,** jeter le ridicule sur

**rifle,** *n.* fusil, *m.*

**right,** *a.* droit, -e **to be right,** avoir raison **Is that right?** C'est bien cela? ——, *n.* droit, *m.;* droite, *f.* **on (to) the right,** à droite

**ring,** *v.* sonner

**ringing,** *n.* sonnerie, *f.*

**rise,** *v.* se lever; surgir **rise again,** se relever **rise up,** se dresser ——, *n.* **to give rise to,** donner lieu à

**risk,** *v.* risquer **run the risk,** risquer

**river,** *n.* fleuve, *m.*

**Riviera,** *n.* **French Riviera,** Côte (*f.*) d'Azur

**road,** *n.* chemin, *m.;* route, *f.*

**robber,** *n.* brigand, *m.*

**rock,** *n.* rocher, *m.*

**role,** *n.* rôle, *m.*

**Roman,** *a.* romain, -e

**Romance,** *a.* roman, -e **romance,** *n.* roman, *m.*

**Romanesque,** *a.* roman, -e

**romantic,** *a.* romanesque; romantique

**roof,** *n.* toit, *m.*

**room,** *n.* chambre, *f.;* pièce, *f.* **dining room,** salle à manger, *f.* **drawing room,** salon, *m.* **living room,** salon, *m.*

**root,** *n.* racine, *f.*

**rose,** *n.* rose, *f.* **rosebush,** rosier, *m.*

**round,** *a.* rond, -e

**route,** *n.* route, *f.*

**row,** *n.* rang, *m.*

**royal,** *a.* royal, -e

**ruin,** *n.* ruine, *f.* **to fall in ruins,** tomber en ruines ——, *v.* perdre

**rule,** *n.* règle, *f.*

**run,** *v.* courir **run away,** se sauver **run into,** se heurter à **run over,** écraser

**running,** *a.* courant, -e ——, *n.* course, *f.;* marche, *f.*

**rush,** *n.* **rush hour,** heure d'affluence

**sack,** *n.* sac, *m.*

**sacrifice,** *v.* sacrifier

**sad,** *a.* triste

**saddlebag,** *n.* sacoche, *f.*

**safety,** *n.* salut, *m.*

**saint,** *n.* saint, -e, *m. & f.*

**salad,** *n.* salade, *f.*

**salesgirl,** *n.* vendeuse, *f.*

**salt,** *n.* sel, *m.*

**same,** *a.* même; pareil, -le

**Santa Claus,** *n.* le père Noël

**satirical,** *a.* satirique

**satisfied,** *a.* satisfait, -e

**satisfy,** *v.* contenter **to be satisfied with,** se contenter de

**Saturday,** *n.* samedi, *m.*

**sauerkraut,** *n.* choucroute, *f.* **sauerkraut with sausages,** choucroute garnie

**sausage,** *n.* saucisse, *f.*

**save,** *v.* sauver

**say,** *v.* dire **that is to say,** c'est-à-dire **say again,** redire

**scaffold,** *n.* échafaud, *m.*

**scandal,** *n.* scandale, *m.*

**scandalize,** *v.* scandaliser; choquer

**Scandinavian,** *a.* scandinave

**scarcely,** *adv.* à peine; ne . . . guère

**scare,** *v.* effarer

**scholar,** *n.* érudit, *m.;* savant, *m.*

**scholarship,** *n.* bourse, *f.* **scholarship holder,** boursier, boursière, *m. & f.*

**school,** *n.* école, *f.* **secondary school,** lycée, *m.;* collège, *m.* **to go to school,**

aller en classe *school boy* (*girl*),
écolier, écolière, *m. & f.*
science, *n.* science, *f.*
scientific, *a.* scientifique
Scotchman, *n.* Écossais, *m.*
sculpture, *n.* sculpture, *f.*
sea, *n.* mer, *f.*
search, *n.* recherche, *f.*
season, *n.* saison, *f.*
seat, *n.* place, *f.;* siège, *m. in the back
seat,* à l'arrière
second, *a.* deuxième; second, -e *to be
second to,* céder la place à
secret, *a.* secret, secrète
secretary, *n.* secrétaire, *m. & f.*
secretly, *adv.* secrètement
section, *n.* quartier, *m.*
secure, *a.* sûr, -e; solide
security, *n.* sécurité, *f.*
see, *v.* voir *to see about,* s'occuper de
seek, *v.* chercher *seek to,* chercher à
seem, *v.* sembler
seize, *v.* saisir; s'emparer de
sell, *v.* vendre
semester, *n.* semestre, *m.*
send, *v.* envoyer
sense, *n.* sens, *m.* ——, *v.* sentir
sensitive, *a.* sensible
sentence, *n.* phrase, *f.* ——, *v.* condamner
sentiment, *n.* sentiment, *m.*
sentimental, *a.* sentimental, -e
separate, *v.* séparer; écarter
separately, *adv.* séparément
separation, *n.* séparation, *f.*
September, *n.* septembre, *m.*
serenade, *n.* sérénade, *f.*
sergeant, *n.* sergent, *m. master sergeant,* adjudant, *m.*
serious, *a.* grave; sérieux, -se
seriously, *adv.* sérieusement; grième-
ment
sermon, *n.* sermon, *m.*
serve, *v.* servir *to serve the needs,*
répondre au besoin
service, *n.* service, *m. in the service of,*
au service de
set, *v.* mettre; poser *set up,* dresser
*set in order,* arranger *set out,* se
mettre en route
seven, *a.* sept
seventeen, *a.* dix-sept
seventy, *a.* soixante-dix
several, *a.* plusieurs, *invar.*
severe, *a.* sévère

sew, *v.* coudre
shade, *n.* ombre, *f.*
shading, *n.* nuance, *f.*
shame, *n.* honte, *f.*
shampoo, *n.* shampooing, *m.*
shape, *n.* conformation, *f.*
share, *n.* action, *f.;* part, *f.* ——, *v.*
partager; prendre sa part de
share-cropper, *n.* métayer, *m.*
she, *pro.* elle
shed, *n.* hangar, *m.*
shelter, *n.* abri, *m.* ——, *v.* abriter
*sheltered from,* à l'abri de
shepherd, shepherdess, *n.* berger, bergère, *m. & f.*
shirt, *n.* chemise, *f.*
shock, *n.* choc, *m.;* scandale, *m.* ——,
*v.* choquer
shoe, *n.* chaussure, *f.*
shoot, *v.* tirer *to shoot* (*someone*),
fusiller
shop, *n.* boutique, *f. tobacco shop,* bureau (*m.*) de tabac
short, *a.* court, -e *in short,* en somme
shoulder, *n.* épaule, *f.*
shout, *v.* crier
show, *v.* montrer
shrewdness, *n.* finesse, *f.*
shut, *v.* fermer; enfermer *shut up,*
renfermer
sick, *a.* malade
sickness, *n.* maladie, *f.*
side, *n.* côté, *m. on the other side,* de
l'autre côté
sideboard, *n.* buffet, *m.*
sidewalk, *n.* trottoir, *m.*
siege, *n.* siège, *m. to lay siege to,* mettre le siège devant; faire le siège de
sign, *n.* écriteau, *m. as the sign said,*
comme il était indiqué ——, *v.*
signer
silent, *a.* silencieux, -se
silk, *n.* soie, *f.*
silver, *n.* argent, *m.*
similar, *a.* semblable; pareil, -le
simple, *a.* simple
simplicity, *n.* simplicité, *f.*
simply, *adv.* simplement
since, *conj.* comme; depuis que; puisque ——, *prep.* depuis
sincerely, *adv.* sincèrement
sing, *v.* chanter
single, *a.* unique
sink, *v.* couler
sip, *v.* déguster

**sir,** *n.* monsieur, *m.*

**sister,** *n.* sœur, *f.*

**sit,** *v.* s'asseoir; siéger *sit down,* prendre place *sit down to table,* s'attabler; se mettre à table

**site,** *n.* emplacement, *m.*

**situate,** *v.* situer

**situation,** *n.* situation, *f.*

**six,** *a.* six

**sixteen,** *a.* seize

**sixty,** *a.* soixante

**sky,** *n.* ciel, *m.* ——, *v.* dormir *to go to sleep,* s'endormir

**sleep,** *n.* sommeil, *m.*

**sleeve,** *n.* manche, *f.*

**slide,** *v.* glisser

**slight,** *a.* léger, légère

**slip,** *n.* fiche, *f.*

**slow,** *a.* lent, -e

**slowness,** *n.* lenteur, *f.*

**smell,** *n.* odeur, *f.* ——, *v.* sentir

**smoke,** *v.* fumer

**snatch,** *v.* arracher

**snow,** *n.* neige, *f.*

**so,** *adv.* si; donc *so that,* de sorte que

**soap,** *n.* savon, *m.*

**social,** *a.* social, -e

**society,** *n.* société, *f.*

**soil,** *n.* sol, *m.*

**sojourn,** *n.* séjour, *m.*

**soldier,** *n.* soldat, *m.;* militaire, *m.*

**solid,** *a.* solide

**solve,** *v.* résoudre

**some,** *a.* quelque ——, *pro.* en; quelques-uns (-unes)

**someone,** *pro.* quelqu'un, -une

**sometimes,** *adv.* quelquefois; parfois *sometimes . . . sometimes,* tantôt . . . tantôt

**somewhere,** *adv.* quelque part

**son,** *n.* fils, *m.*

**soon,** *adv.* bientôt; tantôt; tôt *as soon as,* dès que *as soon as morning,* dès le matin

**sorcerer,** *n.* sorcier, sorcière, *m. & f.*

**sorry,** *a.* triste *to be sorry,* regretter

**sort,** *n.* sorte, *f.*

**soul,** *n.* âme, *f.*

**sound,** *n.* son, *m.*

**soup,** *n.* soupe, *f.;* potage, *m.*

**south,** *n.* sud, *m.;* Midi, *m.*

**southern,** *a.* méridional, -e

**sovereign,** *n.* souverain, *m.*

**sovereignty,** *n.* souveraineté, *f.*

**sow,** *v.* semer

**space,** *n.* espace, *m.;* place, *f.;* vide, *m.*

**Spain,** *n.* Espagne, *f.*

**Spanish,** *a.* espagnol, -e

**speak,** *v.* parler *so to speak,* pour ainsi dire *speak again,* reparler

**special,** *a.* particulier, particulière; spécial, -e

**specialty,** *n.* spécialité, *f.*

**species,** *n.* espèce, *f.*

**speech,** *n.* discours, *m.*

**speed,** *n.* vitesse, *f.;* allure, *f. at full speed,* à toutes jambes

**spend,** *v.* dépenser *to spend one's time,* passer son temps

**spirit,** *n.* esprit, *m.*

**spite,** *n. in spite of,* en dépit de; malgré

**spoil,** *v.* gâter

**spoon,** *n.* cuiller, *f.*

**sport,** *n.* sport, *m. sports,* la vie sportive

**spot,** *n.* coin, *m.*

**spread,** *v.* répandre; se répandre *spread out,* étaler

**spring,** *n.* printemps, *m.*

**square,** *a.* carré, -e

**squeeze,** *v.* serrer

**staff,** *n. general staff,* état-major, *m.*

**stagnant,** *a.* stagnant, -e

**staircase,** *n.* escalier, *m.*

**stake,** *n.* bûcher, *m.*

**stall,** *n.* stalle, *f.* ——, *v.* caler

**stamp,** *n.* timbre, *m.* ——, *v.* tamponner

**stand,** *n. wash stand,* table de toilette ——, *v.* se tenir (debout) *stand up again,* se remettre debout *stand up to,* tenir tête à *I can't stand it any longer:* Je n'y tiens plus. *standing,* debout

**star,** *n.* étoile, *f.*

**start,** *v.* commencer *to make a start,* débuter

**state,** *n.* état, *m.*

**station,** *n.* gare, *f. gasoline station,* poste (*m.*) d'essence

**stationery,** *n. stationery shop,* papeterie, *f.*

**statue,** *f.* statue

**stay,** *n.* séjour, *m.* ——, *v.* rester

**steal,** *v.* voler

**steamer,** *n.* paquebot, *m.*

**steel,** *n.* acier, *m. stainless steel,* acier inoxydable

**steeple,** *n.* clocher, *m.*

**step,** *n.* pas, *m.*

**steward,** *n.* garçon (*m.*) de cabine

**stick,** *v.* coller **stick up,** afficher **to stick one's nose,** se fourvoyer **to stick out one's tongue,** tirer la langue

**stifle,** *v.* étouffer

**still,** *adv.* encore; toujours

**stipulate,** *v.* stipuler

**stomach,** *n.* estomac, *m.*

**stone,** *n.* pierre, *f.* **hewn stone,** pierre de taille

**stop,** *n.* arrêt, *m.;* station, *f.* ——, *v.* arrêter; s'arrêter **to stop at that point,** en rester là **without stopping,** sans arrêt

**store,** *n.* boutique, *f.;* magasin, *m.*

**storm,** *n.* orage, *m.* **brain storm,** élucubration, *f.*

**story,** *n.* histoire, *f.;* conte, *m.;* étage, *m.*

**straight,** *a.* droit, -e

**straw,** *n.* paille, *f.*

**street,** *n.* rue, *f.*

**stretch,** *v.* étendre

**strike,** *v.* frapper

**striking,** *a.* frappant, -e

**stripe,** *n.* raie, *f.;* galon, *m.*

**strive,** *v.* s'efforcer

**strong,** *a.* fort, -e

**struggle,** *n.* lutte, *f.*

**stub,** *n.* tronçon, *m.*

**student,** *n.* étudiant, -e **fellow student,** camarade, *m.* ——, *a.* estudiantin, -e

**study,** *v.* étudier

**style,** *n.* style, *m.;* mode, *f.*

**subject,** *a.* sujet, -te ——, *n.* sujet, *m.;* matière, *f.* **the subject is,** il est question de

**submissive,** *a.* soumis, -e

**submit,** *v.* remettre; soumettre

**subsequently,** *adv.* par la suite

**subservient,** *a.* soumis, -e

**suburb,** *n.* faubourg, *m.* **suburbs,** banlieue, *f.*

**subway,** *n.* métro, *m.*

**succeed,** *v.* réussir; parvenir; arriver **succeed in,** réussir à

**success,** *n.* succès, *m.*

**succumb,** *v.* succomber

**such,** *a.* un tel, une telle; pareil, -le

**suddenly,** *adv.* soudain; tout d'un coup

**suede,** *n.* daim, *m.*

**suffer,** *v.* souffrir

**suffice,** *v.* suffire

**sufficient,** *a.* suffisant, -e

**sugar,** *n.* sucre, *m.*

**suit,** *n.* costume, *m.;* procès, *m.*

**suitcase,** *n.* valise, *f.*

**sum,** *n.* somme, *f.*

**summarize,** *v.* résumer

**summer,** *n.* été, *m.* **summer months,** la belle saison

**summon,** *v.* faire venir

**sun,** *n.* soleil, *m.*

**Sunday,** *n.* dimanche, *m.*

**superficial,** *a.* superficiel, -le

**superintendent,** *n.* commissaire, *m.*

**superstition,** *n.* superstition, *f.*

**superstitious,** *a.* superstitieux, -se

**supervise,** *v.* surveiller

**supervision,** *n.* surveillance, *f.*

**supply,** *v.* fournir; ravitailler **to supply someone with something,** fournir quelque chose à quelqu'un

**supplying,** *n.* approvisionnement, *m.*

**support,** *n.* appui, *m.* ——, *v.* soutenir; entretenir

**suppose,** *v.* supposer **to be supposed to,** devoir

**suppress,** *v.* supprimer

**supreme,** *a.* suprême

**sure,** *a.* sûr, -e; certain, -e **to make sure,** s'assurer **to be sure,** en effet; bien entendu

**surely,** *adv.* sûrement

**surpass,** *v.* dépasser

**surround,** *v.* entourer; cerner

**survive,** *v.* survivre

**suspect,** *v.* se douter de

**suspicious,** *a.* **to be suspicious of,** se méfier de

**swallow,** *v.* avaler

**swear,** *v.* jurer **swear at,** maudire

**Sweden,** *n.* Suède, *f.*

**Swedish,** *a.* suédois, -e

**sweet,** *a.* doux, douce

**swell,** *a.* épatant, -e ——, *v.* gonfler

**swim,** *v.* nager

**Switzerland,** *n.* Suisse, *f.*

**sword,** *n.* épée, *f.*

**symmetrical,** *a.* symétrique

**symmetry,** *n.* symétrie, *f.*

**symphony,** *n.* symphonie, *f.*

**system,** *n.* système, *m.* **educational system,** enseignement, *m.*

**table,** *n.* table, *f.* **work table,** table de travail **The table is set:** Le couvert est mis.

**tablet,** *n.* plaque, *f.*

**taffeta,** *n.* taffetas, *m.*

**tailor,** *n.* tailleur, *m.*

**take,** *v.* prendre; emmener; se présenter à *take again,* reprendre *take back,* ramener; reprendre *take a course,* suivre un cours *take an examination,* passer un examen *take off,* décoller; enlever *take too far,* entraîner trop loin *take upon oneself,* se permettre de

**take-off,** *n.* décollage, *m.*

**tale,** *n.* conte, *m.*

**tall,** *a.* grand, -e

**tamper,** *v.* *tamper with,* toucher à

**tank,** *n.* char, *m.*

**task,** *n.* besogne, *f.*

**taste,** *n.* goût, *m.* *develop a taste for,* prendre goût à

**tax,** *n.* impôt, *m.*

**taxi,** *n.* taxi, *m.*

**tea,** *n.* thé, *m.*

**teacher,** *n.* *school teacher,* instituteur, institutrice, *m. & f.*

**teaching,** *n.* enseignement, *m.*

**team,** *n.* équipe, *f.*

**tear,** *v.* arracher; déchirer

**tease,** *v.* taquiner

**technical,** *a.* technique

**technique,** *n.* technique, *f.*

**tedious,** *a.* fastidieux, -se

**telegram,** *n.* télégramme, *m.*

**telegraph,** *n.* télégraphe, *m.*

**telephone,** *n.* téléphone, *m.* *dial telephone,* téléphone automatique ——, *v.* téléphoner

**tell,** *v.* raconter

**temple,** *n.* temple, *m.*

**ten,** *a.* dix

**tendency,** *n.* tendance, *f.*

**tenth,** *a.* dixième

**term,** *n.* *on mutual terms,* au pair

**terminal,** *n.* *air terminal,* aérogare, *f.*

**terrace,** *n.* terrasse, *f.*

**terrible,** *a.* terrible

**territory,** *n.* territoire, *m.*

**text,** *n.* texte, *m.*

**thank,** *v.* remercier *thank you,* merci

**thanks,** *n. pl.* remerciement, *m.* *thanks to,* grâce à

**that,** *pro.* cela; ça; celui, celle, ceux, celles ——, *conj.* que

**the,** *a.* le, la, les

**theatre,** *n.* théâtre, *m.*

**theatrical,** *a.* théâtral, -e

**theft,** *n.* vol, *m.*

**their,** *a.* leur

**them,** *pro.* les; eux, elles *to them,* leur

**then,** *adv.* alors; ensuite; puis

**theoretical,** *a.* théorique

**theory,** *n.* théorie, *f.*

**there,** *adv.* là; y *there is (are),* il y a; voilà

**therefore,** *adv.* donc

**these** See *this*

**they,** *pro.* ils, elles; ce

**thick,** *a.* épais, -se

**thing,** *n.* chose, *f.* *a good thing,* un bien

**think,** *v.* penser; croire; trouver *think about,* penser à

**third,** *a.* troisième ——, *n.* tiers, *m.*

**thirst,** *n.* soif, *f.*

**thirteen,** *a.* treize

**thirty,** *a.* trente

**this,** *a.* ce, cet, cette, ces ——, *pro.* celui, celle, ceux, celles

**thorn,** *n.* épine, *f.*

**thought,** *n.* pensée, *f.*

**thousand,** *a.* mille *about a thousand,* millier, *m.*

**threat,** *n.* menace, *f.*

**threaten,** *v.* menacer

**three,** *a.* trois

**throat,** *n.* gorge, *f.* *to cut the throat of,* égorger

**throne,** *n.* trône, *m.*

**through,** *prep.* à travers; par l'intermédiaire de

**throw,** *v.* jeter; lancer

**Thursday,** *n.* jeudi, *m.*

**thus,** *adv.* ainsi

**thy,** *a.* ton, ta, tes

**ticket,** *n.* billet, *m.;* ticket, *m.* *book of tickets,* carnet, *m.* *ticket-collector,* contrôleur, *m.*

**tie,** *v.* lier *tie up,* rattacher

**time,** *n.* temps, *m.;* époque, *f.;* fois, *f.;* heure, *f.* *a long time,* longtemps *at the same time,* à la fois; en même temps *many a time,* bien des fois *from time to time,* de temps en temps *to have a good time,* s'amuser *to take a certain time to,* mettre un certain temps à

**tip,** *n.* pourboire, *m.*

**tire,** *n.* pneu, *m.* *flat tire,* pneu crevé *spare tire,* pneu de rechange ——, *v.* fatiguer

**title,** *n.* titre, *m.*

to, *prep.* à; chez
tobacco, *n.* tabac, *m.*
today, *adv.* aujourd'hui
together, *adv.* ensemble
token, *v.* jeton, *m.*
tolerate, *v.* supporter
tomato, *n.* tomate, *f.*
tomb, *n.* tombeau, *m.*
tomorrow, *adv.* demain
tongue, *n.* langue, *f.*
tonic, *n. hair tonic,* cosmétique, *m.*
too, *adv.* trop
tooth, *n.* dent, *f. tooth paste,* pâte (*f.*) dentifrice
toothbrush, *n.* brosse (*f.*) à dents
top, *n.* dessus, *m.*
touch, *v.* toucher (à); tâter *to get in touch with,* entrer (se mettre) en rapport avec
tourist, *n.* touriste, *m. in tourist class,* en touriste
touristic, *a.* touristique
towards, *prep.* vers; envers
tower, *n.* tour, *f.*
town, *n.* ville, *f.*
trace, *n.* vestige, *m.* ——, *v.* retracer; tracer
track, *n.* voie, *f. railroad track,* voie ferrée
tractor, *n.* tracteur, *m.*
trade, *n.* état, *m.;* métier, *m.*
tradition, *n.* tradition, *f.*
traditional, *a.* traditionnel, -le
tragedy, *n.* tragédie, *f.*
train, *n.* train, *m. local train,* train omnibus
train, *v.* entraîner
training, *n.* entraînement, *m.*
transform, *v.* transformer
transformation, *n.* transformation, *f.*
translation, *n.* traduction, *f.*
transmit, *v.* transmettre
travel, *v.* voyager
traveler, *n.* voyageur, voyageuse, *m. & f.*
treasure, *n.* trésor, *m.*
treat, *v.* traiter *to treat oneself to something,* se payer quelque chose
treaty, *n.* traité, *m.*
tree, *n.* arbre, *m.*
trial, *n.* procès, *m.*
tribe, *n.* tribu, *f.*
trick, *n.* tour, *m.*
trip, *n.* voyage, *m. round trip,* aller et retour

triumph, *n.* triomphe, *m.*
troop, *n.* troupe, *f.;* bande, *f.*
troubadour, *n.* troubadour, *m.*
trouble, *n.* peine, *f. engine trouble,* panne (*f.*) de moteur, ——, *v.* déranger *to trouble oneself with,* soucier de; s'occuper de
trout, *n.* truite, *f.*
truck, *n.* camion, *m.*
true, *a.* vrai, -e
truly, *adv.* vraiment
trunk, *n.* malle, *f.*
truth, *n.* vérité, *f. to tell the truth,* à vrai dire
try, *v.* essayer; tâcher
Tuesday, *n.* mardi, *m.*
tuition, *n. tuition fee,* droit (*m.*) de scolarité
tunnel, *n.* tunnel, *m.*
turn, *n.* tour, *m.* ——, *v.* tourner; se tourner *turn around,* se retourner
twelve, *a.* douze
twenty, *a.* vingt
two, *a.* deux *There are two of us:* Nous sommes deux.
tympanum, *n.* tympan, *m.*

ugly, *a.* laid, -e
unable, *a. to be unable,* ne pas pouvoir *unable to be present,* empêché, -e
unbelievable, *a.* incroyable
uncertainty, *n.* incertitude, *f.*
uncle, *n.* oncle, *m.*
under, *prep.* sous
undergo, *v.* subir
underground, *n.* maquis, *m. member of underground,* maquisard, *m.*
underline, *v.* souligner
underneath, *adv.* dessous; en dessous
understand, *v.* comprendre
undertake, *v.* entreprendre
undertone, *n. in an undertone,* à mi-voix
undo, *v.* défaire *to become undone,* se défaire
uneasiness, *n.* malaise, *m.*
unfortunate, *a.* malheureux, -se
unfortunately, *adv.* malheureusement
unhappy, *a.* malheureux, -se
unhook, *v.* décrocher
uniform, *a.* uniforme ——, *n.* uniforme, *m.*
unit, *n.* unité, *f.*

unite, v. unir  *United States*, États-Unis

unity, n. unité, f.

university, a. universitaire ——, n. université, f.

unknown, a. inconnu, -e

until, prep. jusqu'à  *until now*, jusqu'ici  *until then*, jusque-là

unpopulated, a. dépeuplé, -e

up, adv. *up to*, jusqu'à

uphold, v. soutenir

upkeep, n. entretien, m.

upset, v. bouleverser

urge, v. engager (à)

us, pro. nous  *to us*, nous

use, v. employer

useful, a. utile

useless, a. inutile

usher, n. ouvreuse, f.

usual, a. *as usual*, comme d'habitude

Utopia, n. Utopie, f.

utter, v. prononcer


vacation, n. vacances, f. pl.

vain, n. *to do something in vain*, avoir beau faire

valet, n. valet, m.

valley, n. vallée, f.

value, n. valeur, f. ——, v. tenir à

vanquish, v. vaincre

varied, a. divers, -e

variety, n. variété, f.

various, a. différent, -e

vary, v. varier

vassal, n. vassal, m.

vaulted, a. voûté, -e

vegetable, n. légume, m. *vegetable garden*, jardin potager, m.

vegetation, n. végétation, f.

verification, n. constatation, f.

verify, v. vérifier

veritable, a. véritable

verse, n. vers, m. pl.

very, adv. très; bien; fort; tout  *very much*, beaucoup; fort

vestige, n. vestige, m.

vibration, n. vibration, f.

victim, n. victime, f.

victorious, a. victorieux, -se

victory, n. victoire, f.

view, n. vue, f.; perspective, f.

vile, a. vil, -e

villa, n. villa, f.

village, n. village, m.

violent, a. violent, -e

virgin, n. vierge, f.

vision, n. vue, f.; vision, f.

visit, n. visite, f. ——, v. visiter

visor, n. visière, f.

voice, n. voix, f.

volume, n. volume, m.

volunteer, n. volontaire, m.

vote, v. voter

vulgarization, n. vulgarisation, f.


wainscoting, n. lambris, m.

wait, n. attente, f. ——, v. attendre  *wait for*, attendre  *wait on*, servir

waiter, n. garçon, m. *head waiter*, maître (m.) d'hôtel

waiting, n. attente, f. *waiting room*, salle d'attente

wake, v. réveiller  *wake up*, se réveiller

waken, v. réveiller

walk, n. promenade, f. *to go for a walk*, faire une promenade; se promener (à pied)

walking, n. promenade, f.

wall, n. mur, m.; muraille, f.; paroi, f.

war, n. guerre, f.

wardrobe, n. armoire, f.

warm, a. chaud, -e

warn, v. prévenir

warrior, n. guerrier, m.

wash, v. laver; se laver; blanchir

waste, v. gaspiller  *lay waste*, dévaster

watch, n. montre, f. ——, v. regarder  *to keep a close watch on*, garder à vue

water, n. eau, f.

wave, n. vague, f.; onde, f. *permanent wave*, indéfrisable, m.

wax, v. cirer

way, n. chemin, m.; voie, f.; façon, f. *by the way*, au fait; à propos  *in one way or another*, d'une façon ou d'une autre  *on the way*, en route; en cours de route  *on the way home*, en revenant

we, pro. nous

weak, a. faible

weakness, n. faiblesse, f.

weapon, n. arme, f.

wear, v. porter

weather, n. temps, m. *the weather is fine*, il fait beau

wed, v. épouser

**wedding,** *n.* mariage, *m.* *wedding feast,* repas (*m.*) de noces

**Wednesday,** *n.* mercredi, *m.*

**week,** *n.* semaine, *f.*

**welcome,** *n.* accueil, *m.* ——, *v.* accueillir

**well,** *adv.* bien *well!* tiens! *well-to-do,* fortuné, -e

**well-known,** *a.* réputé, -e

**Welshman,** *n.* Gallois, *m.*

**west,** *n.* ouest, *m.*

**Westphalia,** *n.* Westphalie, *f.*

**whatever,** *pro.* *any . . . whatever,* n'importe quel, -le

**wheel,** *n.* roue, *f.*

**when,** *conj.* quand; lorsque; alors que

**where,** *adv.* où

**whereas,** *conj.* alors que; tandis que

**whereupon,** *adv.* sur quoi

**wherewith,** *adv.* de quoi

**which,** *pro.* qui; que; lequel, laquelle, lesquels, lesquelles ——, *a.* quel, -le

**while,** *conj.* pendant que; tandis que

**white,** *a.* blanc, blanche

**whiten,** *v.* blanchir

**whole,** *n.* ensemble, *m.*

**why,** *adv.* pourquoi

**wicked,** *a.* méchant, -e

**wife,** *n.* épouse, *f.*; femme, *f.*

**will,** *n.* volonté, *f.* *will power,* volonté, *f.*

**willing,** *a.* *to be willing,* vouloir bien

**willingly,** *adv.* volontiers

**win,** *v.* gagner; valoir

**window,** *n.* fenêtre, *f.* *stained glass window,* vitrail, *m.* *ticket window,* guichet, *m.*

**wine,** *n.* vin, *m.*

**wing,** *n.* aile, *f.*

**winter,** *n.* hiver, *m.*

**wipe,** *v.* essuyer

**wish,** *v.* vouloir; désirer; souhaiter

**wit,** *n.* esprit, *m.;* bel esprit

**witch,** *n.* sorcier, sorcière, *m.* & *f.*

**witchcraft,** *n.* sorcellerie, *f.*

**with,** *prep.* avec; auprès de

**withdraw,** *v.* retirer; se retirer

**without,** *prep.* sans *to do without,* se passer de

**witness,** *n.* témoin, *m.*

**wolf,** *n.* loup, *m.*

**woman,** *n.* femme, *f.*

**wonder,** *v.* se demander

**wood,** *n.* bois, *m.*

**word,** *n.* mot, *m.;* parole, *f.* *in other words,* autrement dit *in a word,* enfin

**work,** *n.* œuvre, *f.;* travail, *m.* ——, *v.* travailler

**worker,** *n.* ouvrier, ouvrière, *m.* & *f.*

**working-class,** *a.* populaire

**world,** *n.* monde, *m.* *of the world,* mondial, -e *world war,* guerre (*f.*) mondiale

**world-wide,** *a.* mondial, -e

**worry,** *v.* s'inquiéter

**worse,** *a.* pire

**worth,** *a.* *to be worth,* valoir

**worthy,** *a.* digne

**wound,** *v.* blesser

**wrap,** *v.* *wrap up the package,* faire le paquet

**write,** *v.* écrire; inscrire; rédiger

**writer,** *n.* écrivain, *m.*

**wrong,** *a.* faux, fausse *to be wrong,* avoir tort *to have something wrong with oneself,* souffrir de quelque chose *a wrong number,* un faux numéro

**year,** *n.* an, *m.;* année, *f.*

**yellow,** *a.* jaune

**yes,** *adv.* oui; si (*contradicting a negative statement*)

**yesterday,** *adv.* hier

**yet,** *adv.* *not yet,* pas encore

**yield,** *v.* céder

**yoke,** *n.* joug, *m.*

**yonder,** *adv.* là-bas

**young,** *a.* jeune

**your,** *a.* votre, votre, vos

**youth,** *n.* jeunesse, *f.*

**zero,** *n.* zéro, *m.*

**zone,** *n.* zone, *f.;* section, *f.* *drop zone,* terrain (*m.*) de parachutage

# INDEX TO GRAMMAR

521